여러분이 **KB084108** 원하는
해커스공무원의 특별 혜택

FREE 공무원 세법 **특강**

해커스공무원(gosi.Hackers.com) 접속 후 로그인 ▶ 상단의 [무료강좌] 클릭 ▶ [교재 무료특강] 클릭하여 이용

해커스공무원 온라인 단과강의 **20% 할인쿠폰**

E2F6D3C8A6D8D338

해커스공무원(gosi.Hackers.com) 접속 후 로그인 ▶ 상단의 [나의 강의실] 클릭 ▶
좌측의 [쿠폰등록] 클릭 ▶ 위 쿠폰번호 입력 후 이용

* 등록 후 7일간 사용 가능(ID당 1회에 한해 등록 가능)

해커스 회독증강 콘텐츠 **5만원 할인쿠폰**

CD884A862837CDJE

해커스공무원(gosi.Hackers.com) 접속 후 로그인 ▶ 상단의 [나의 강의실] 클릭 ▶
좌측의 [쿠폰등록] 클릭 ▶ 위 쿠폰번호 입력 후 이용

* 등록 후 7일간 사용 가능(ID당 1회에 한해 등록 가능)
* 특별 할인상품 적용 불가
* 월간 학습지 회독증강 행정학/행정법총론 개별상품은 할인대상에서 제외

합격예측 **온라인 모의고사** 응시권 **+ 해설강의** 수강권

DDEA2C6BF887854X

해커스공무원(gosi.Hackers.com) 접속 후 로그인 ▶ 상단의 [나의 강의실] 클릭 ▶
좌측의 [쿠폰등록] 클릭 ▶ 위 쿠폰번호 입력 후 이용

* ID당 1회에 한해 등록 가능

쿠폰 이용 관련 문의 **1588-4055**

단기 합격을 위한
해커스 커리큘럼

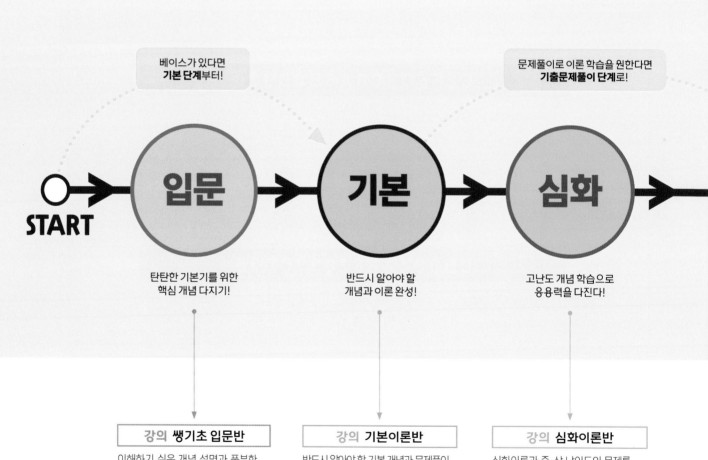

베이스가 있다면 **기본 단계부터!**

문제풀이로 이론 학습을 원한다면 **기출문제풀이 단계로!**

START

입문
탄탄한 기본기를 위한
핵심 개념 다지기!

기본
반드시 알아야 할
개념과 이론 완성!

심화
고난도 개념 학습으로
응용력을 다진다!

강의 쌩기초 입문반
이해하기 쉬운 개념 설명과 풍부한
연습문제 풀이로 부담 없이 기초를
다질 수 있는 강의

강의 기본이론반
반드시 알아야 할 기본 개념과 문제풀이
전략을 학습하여 핵심 개념 정리를
완성하는 강의

강의 심화이론반
심화이론과 중·상 난이도의 문제를
함께 학습하여 고득점을 위한 발판을
마련하는 강의

* 커리큘럼은 과목별·선생님별로 상이할 수 있으며, 자세한 내용은 해커스공무원 사이트에서 확인하세요.

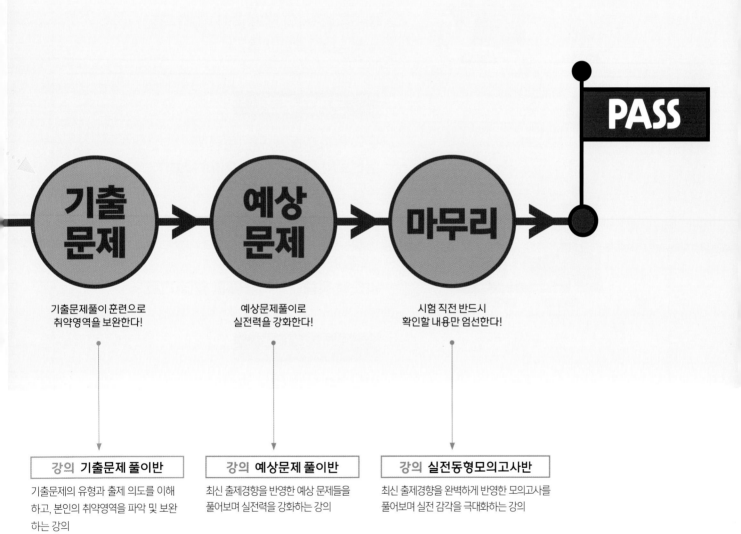

PASS

기출문제

기출문제풀이 훈련으로
취약영역을 보완한다!

예상문제

예상문제풀이로
실전력을 강화한다!

마무리

시험 직전 반드시
확인할 내용만 엄선한다!

강의 기출문제 풀이반

기출문제의 유형과 출제 의도를 이해
하고, 본인의 취약영역을 파악 및 보완
하는 강의

강의 예상문제 풀이반

최신 출제경향을 반영한 예상 문제들을
풀어보며 실전력을 강화하는 강의

강의 실전동형모의고사반

최신 출제경향을 완벽하게 반영한 모의고사를
풀어보며 실전 감각을 극대화하는 강의

강의 봉투모의고사반

시험 직전에 실제 시험과 동일한 형태의
모의고사를 풀어보며 실전력을 완성하는 강의

해커스공무원
이훈엽
세법

기본서 | 1권

해커스공무원

이훈엽

약력

고려대학교 경영학부 졸업
현 | 해커스공무원 세법 강의
현 | 해커스 경영아카데미 세무회계 강의
현 | 이촌세무회계 대표
전 | J&N 세무법인 근무

저서

해커스공무원 이훈엽 세법 기본서
해커스공무원 이훈엽 세법 단원별 기출문제집
해커스 세무회계연습 1·2
해커스 세무회계 기출문제집
객관식 세법 1·2, 나우퍼블리셔
세법엔딩 vol. 1·2·3, 나우퍼블리셔
세법플러스, 나우퍼블리셔

공무원 시험 합격을 위한 필수 기본서!

공무원 공부, 어떻게 시작해야 할까?

『해커스공무원 이훈엽 세법 기본서』는 수험생 여러분들의 소중한 하루하루가 낭비되지 않도록 올바른 수험생활의 길을 제시하고자 노력하였습니다.

이에 『해커스공무원 이훈엽 세법 기본서』는 다음과 같은 특징을 가지고 있습니다.

첫째, 세법의 핵심을 쉽고 정확하게 이해할 수 있도록 구성하였습니다.

기본서를 회독하는 과정에서 기본 개념부터 심화 이론까지 자연스럽게 이해할 수 있도록 세법의 핵심 내용만을 짜임새 있게 구성하였습니다. 이를 통해 단순히 기본서를 '이론 학습'의 목적으로만 학습하는 것이 아니라, 수험생활 전반에 걸쳐 본인의 학습 수준에 맞게 사용할 수 있습니다.

둘째, 최신 출제 경향과 개정 법령을 빠짐없이 반영하였습니다.

공무원 세법 기출문제를 철저히 분석하여 최신 출제 경향을 반영하였으며, 재출제 가능성이 높은 지문들을 선별하여 수록하였습니다. 또한 정확한 세법 내용을 학습할 수 있도록 이론 전반에 최신 개정 법령을 꼼꼼히 반영하였습니다.

셋째, 다양한 학습장치를 통해 수험생 여러분들의 입체적인 학습을 지원합니다.

커리큘럼과 학습 정도에 맞추어 세법 이론을 공부할 수 있도록 '핵심정리', 'Check', '참고', '기출 체크' 등의 다양한 학습장치를 교재 곳곳에 배치하였습니다.

더불어, 공무원 시험 전문 사이트 해커스공무원(gosi.Hackers.com)에서 학습 중 궁금한 점을 나누고 다양한 무료 학습 자료를 함께 이용하여 학습 효과를 극대화할 수 있습니다. 부디 『해커스공무원 이훈엽 세법 기본서』와 함께 공무원 세법 시험 고득점을 달성하고 합격을 향해 한걸음 더 나아가시기를 바랍니다.

『해커스공무원 이훈엽 세법 기본서』가 공무원 합격을 꿈꾸는 모든 수험생 여러분에게 훌륭한 길잡이가 되기를 바랍니다.

이훈엽

목차

2권

이 책의 구성

『해커스공무원 이훈엽 세법 기본서』는 수험생 여러분들이 세법 과목을 효율적으로 정확하게 학습할 수 있도록 상세한 내용과 다양한 학습장치를 수록·구성하였습니다. 아래 내용을 참고하여 본인의 학습 과정에 맞게 체계적으로 학습 전략을 세워 학습하기 바랍니다.

 이론의 세부적인 내용을 정확하게 이해하기

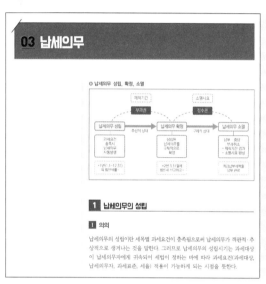

최신 기출 경향 및 개정 법령을 반영한 이론

1. 철저한 기출분석으로 도출한 최신 출제 경향을 바탕으로 출제가 예상되는 내용 등을 선별하여 이론에 반영·수록하였습니다. 이를 통해 방대한 세법의 범위 중 시험에 나오는 내용만을 효과적으로 학습할 수 있습니다.

2. 현재 시행 중인 내용뿐만 아니라 추후 시행될 내용까지의 최신 개정 법령을 이론, 문제 등 교재 전반에 꼼꼼히 반영하였습니다. 이를 통해 개정된 세법의 정확한 내용을 학습할 수 있습니다.

 다양한 학습장치를 활용하여 이론 다지기

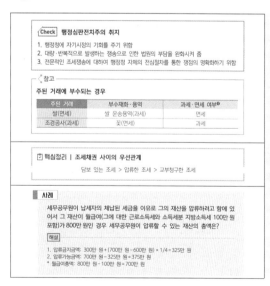

한 단계 실력 향상을 위한 다양한 학습장치

1. Check 및 참고
본문 내용 중 더 알아두면 좋은 내용을 'Check'에 이론에 대한 보충 설명을 '참고'에 수록하였습니다. 이를 통해 이해가 어려웠던 부분의 학습을 보충하고, 심화된 내용까지 학습할 수 있습니다.

2. 핵심정리
본문 내 세법의 주요 핵심 포인트를 정리하여 이론의 핵심 내용을 한눈에 파악하고, 출제 가능성이 있는 개념들을 다시 한 번 정리할 수 있습니다.

3. 사례
학습한 이론을 바로 적용할 수 있는 관련 기출문제를 수록하여 문제 응용력을 기를 수 있습니다.

3 기출 체크 문제를 통한 이론 점검하기

출제 경향과 약점을 파악할 수 있는 기출 체크

이론과 관련된 공무원 세법 기출 지문 중, 출제가능성이 높은 주요 포인트들의 지문을 선별하여 수록하였습니다. 이론 학습과 동시에, 이론의 내용이 실제 시험에서 어떻게 출제되는지 확인하면서 학습할 수 있습니다. 또한, 학습 후 바로 풀어볼 수 있도록 배치하여 헷갈리거나 잘못 이해한 개념을 다시 한 번 정리하고, 학습한 내용을 빠르게 복습할 수 있습니다.

4 기출문제를 통한 이론 완성하기

문제응용력 향상을 위한 기출문제

7·9급 국가직 공무원 세법의 주요 기출문제 중 재출제될 수 있는 우수한 퀄리티의 문제들을 선별하여 수록하였습니다. 이를 통해 학습한 내용을 정확하게 숙지하였는지 점검할 수 있으며, 어떤 내용이 문제로 출제되었는지 확인하여 응용력을 키울 수 있습니다.

PART 1

조세총론

PART 1 조세총론

1 조세의 개념과 분류

I 조세의 개념

조세란 국가 또는 지방자치단체가 그의 경비충당을 위한 재정수입을 조달할 목적으로 법률에 규정된 과세요건을 충족한 모든 자에게 직접적 반대급부 없이 부과하는 금전급부를 말한다.

과세주체	국가 또는 지방자치단체(공공단체가 부과하는 공과금은 조세 ×)
과세목적	국가 또는 지방자치단체의 경비충당을 위한 재정수입 조달
과세근거	법률에 규정된 과세요건을 충족한 모든 자에게 부과
무보상성	조세납부에 대한 개별적·직접적 보상이 따르지 않음
납부방법	금전납부(예외: 상속세의 물납)

II 조세의 분류

과세주체	국세	국가가 부과하는 조세
	지방세	지방자치단체가 부과하는 조세
세수의 용도	보통세	세수의 용도를 특정하지 않고 일반경비에 충당하는 조세
	목적세	세수의 용도를 특정하여 특정경비에만 충당되는 조세
전가예정여부	직접세	납세의무자와 담세자가 일치하는 조세
	간접세	납세의무자와 담세자가 일치하지 않는 조세
납세의무자의 인적사항 고려여부	인세	납세의무자의 인적사항을 고려하여 부과되는 조세
	물세	납세의무자의 인적사항을 고려하지 않고 과세물건에 대하여 부과되는 조세
과세대상 측정단위	종가세	과세표준을 금액으로 측정하는 조세
	종량세	과세표준을 수량으로 측정하는 조세

◑ 우리나라의 현행 조세체계

구분				세목(25개)	세법(14개)
국세 (14개)	내국세	보통세	직접세	법인세	법인세법
				소득세	소득세법
				상속세	상속세 및 증여세법
				증여세	
				종합부동산세	종합부동산세법
			간접세 (거래세)	부가가치세	부가가치세법
				개별소비세	개별소비세법
				주세	주세법
				증권거래세	증권거래세법
				인지세	인지세법
		목적세		교통·에너지· 환경세	교통·에너지· 환경세법
				교육세	교육세법
				농어촌특별세	농어촌특별세법
	관세			관세	관세법
지방세 (11개)	보통세			취득세	지방세법
				등록면허세	
				재산세	
				자동차세	
				주민세	
				지방소득세	
				지방소비세	
				담배소비세	
				레저세	
	목적세			지역자원시설세	
				지방교육세	

2 조세법의 기본원칙

I 조세법률주의

1. 관련법령

> 헌법 제38조 모든 국민은 법률이 정하는 바에 의하여 납세의 의무를 진다.
> 헌법 제57조 조세의 종목과 세율은 법률로 정한다.

2. 법령해설

조세법률주의란 법률의 근거 없이는 국가는 조세를 부과·징수할 수 없고, 모든 국민은 법률이 정하는 바에 의하여 납세의 의무를 진다는 것을 말한다. 조세법률주의의 이념은 과세요건을 법률로 규정하여 국민의 재산권을 보장하고 과세요건을 명확하게 규정하여 국민생활의 법적 안정성과 예측가능성을 보장하기 위한 것이며, 그 핵심적 내용은 과세요건법정주의와 과세요건명확주의이다.❶

❶ 위임입법의 문제

개별적·구체적 위임	유효
포괄위임	무효

과세요건 법정주의	납세의무를 성립시키는 납세의무자, 과세물건, 과세표준, 과세기간, 세율 등의 과세요건과 조세의 부과, 징수절차를 모두 국민의 대표기관인 국회가 제정한 법률로 규정하는 것
과세요건 명확주의	① 과세요건에 관한 법률규정의 내용이 지나치게 추상적이거나 불명확하면 이에 대한 과세관청의 자의적인 해석과 집행을 초래할 염려가 있으므로 그 규정내용이 명확하고 일의적이어야 함을 의미함 ② 과세요건을 정한 조세법률규정의 내용이 지나치게 추상적이고 불명확하여 과세관청의 자의적 해석이 가능하고 그 집행이 자유재량에 맡겨지도록 되어 있다면 그 규정은 과세요건명확주의에 어긋나는 것이어서 헌법상 조세법률주의 원칙에 위배됨 ③ 따라서 납세자에게 불리한 유추해석과 확장해석은 원칙적으로 허용되지 않고 법의 글귀 그대로 법대로 엄격하게 해석 적용하여야 함

🏛 기출 체크

엄격해석으로 세법상 의미를 확정할 수 없는 경우 세법규정의 유추적용이 허용된다. (×)   2019년 국가직 9급

Ⅱ 조세평등주의

1. 관련법령

> 헌법 제11조 모든 국민은 법 앞에 평등하다. 누구든지 성별·종교 또는 사회적 신분에 의하여 정치적·경제적·사회적·문화적 생활의 모든 영역에 있어서 차별을 받지 아니한다.
>
> 헌법 제119조 국가는 균형있는 국민경제의 성장 및 안정과 적정한 소득의 분배를 유지하고, 시장의 지배와 경제력의 남용을 방지하며, 경제주체간의 조화를 통한 경제의 민주화를 위하여 경제에 관한 규제와 조정을 할 수 있다.

2. 법령해설[1]

(1) 국가는 조세입법을 함에 있어 조세의 부담이 공평하게 국민들에게 배분되도록 법을 제정하여야 할 뿐 아니라, 조세법의 해석 적용에 있어서도 모든 국민을 평등하게 취급하여야 할 의무를 진다.

(2) 조세평등주의가 요구하는 담세능력에 따른 과세의 원칙은 한편으로 동일한 소득은 원칙적으로 동일하게 과세될 것(수평적 공평)을 요청하며 다른 한편으로 소득이 다른 사람들 간의 공평한 조세부담의 배분(수직적 공평)을 요청한다.

[1] 제도

구현제도	실질과세의 원칙, 부당행위계산의 부인 등
위배제도	비과세, 각종 감면제도, 간이과세

01 조세법률주의에 대한 설명으로 옳지 않은 것은? (단, 다툼이 있는 경우 판례에 의함) 2019년 국가직 9급

① 조세의 과세요건 및 부과·징수절차는 입법부가 제정하는 법률로 정해져야 한다.

② 1세대 1주택에 대한 양도소득세 비과세요건(거주요건)을 추가하여 납세자가 양도소득세 비과세를 받기 어렵게 규정을 개정하였지만 경과규정을 두어 법령시행 후 1년간 주택을 양도한 경우에는 구법을 적용하도록 하였다면 이러한 법개정은 소급과세금지에 반하지 않는다.

③ 엄격해석으로 세법상 의미를 확정할 수 없는 경우 세법규정의 유추적용이 허용된다.

④ 조세법률주의는 과세권의 자의적 발동으로부터 납세자를 보호하기 위한 대원칙으로 헌법에 그 근거를 두고 있다.

정답 및 해설

조세법률주의원칙은 과세요건 등 국민의 납세의무에 관한 사항을 국민의 대표기관인 국회가 제정한 법률로써 규정하여야 하고, 법률을 집행하는 경우에도 이를 엄격하게 해석·적용하여야 하며, 행정편의적인 확장해석이나 유추적용을 허용하지 아니함을 뜻한다.

답 ③

MEMO

PART 2

국세기본법

1 국세기본법 총칙

I 국세기본법의 목적

국세기본법은 국세에 관한 기본적이고 공통적인 사항과 납세자의 권리·의무 및 권리구제에 관한 사항을 규정함으로써 국세에 관한 법률관계를 명확하게 하고, 과세를 공정하게 하며, 국민의 납세의무의 원활한 이행에 이바지함을 목적으로 한다.

II 용어의 정의

국세기본법에서 사용하는 용어의 뜻은 다음과 같다.

국세	국가가 부과하는 조세 중 관세를 포함하지 않는 내국세
	국세 ○ 소득세, 법인세, 상속세·증여세, 부가가치세, 종합부동산세, 개별소비세, 교통·에너지·환경세, 주세, 인지세, 증권거래세, 교육세 및 농어촌특별세
	국세 × 지방세(취득세, 등록면허세, 재산세 등), 관세, 임시수입부가세
세법	국세의 종목과 세율을 정하고 있는 법률과 국세징수법, 조세특례제한법, 국제조세조정에 관한 법률, 조세범 처벌법 및 조세범 처벌절차법 등
	비교 세법에 포함하지 않는 것: 국세기본법, 지방세법(지방세기본법, 지방세징수법, 지방세특례제한법), 관세법
원천징수	세법에 따라 원천징수의무자가 국세(이에 관계되는 가산세는 제외)를 징수하는 것
가산세	① 세법에서 규정하는 의무의 성실한 이행을 확보하기 위하여 세법에 따라 산출한 세액에 가산하여 징수하는 금액 ② 각종 의무불이행에 가해지는 행정벌적 성격을 가짐 ③ 해당 세법이 정하는 국세의 세목에 속함 **예** 법인세에 관한 가산세는 법인세 등
강제징수비	국세징수법 중 강제징수에 관한 규정에 따른 재산의 압류, 보관, 운반과 매각에 든 비용(매각을 대행시키는 경우 그 수수료를 포함)
공과금	국세징수법에서 규정하는 강제징수의 예에 따라 징수할 수 있는 채권 중 국세, 관세, 임시수입부가세, 지방세와 이에 관계되는 강제징수비를 제외한 것

🏛 기출 체크

01 국세기본법 제1조(목적)은 국세의 징수에 관하여 필요한 사항을 규정하여 국세수입을 확보하고자 한다. (×)
2012년 국가직 9급

02 국세기본법 제1조(목적)은 납세자의 부담능력 등에 따라 적정하게 과세함으로써 조세부담의 형평을 도모한다. (×)
2012년 국가직 9급

03 국세란 국가가 부과하는 조세로서 소득세, 법인세, 부가가치세, 관세, 주세, 증권거래세 등을 말한다. (×)
2012년 국가직 7급

지방세	지방세기본법에서 규정하는 세목
납세의무자	① 세법에 따라 국세를 납부할 의무(국세를 징수하여 납부할 의무는 제외)가 있는 자 ② 연대납세의무자, 제2차 납세의무자 및 보증인 포함
납세자	납세의무자(연대납세의무자와 납세자를 갈음하여 납부할 의무가 생긴 경우의 제2차 납세의무자 및 보증인 포함)와 세법에 따라 국세를 징수하여 납부할 의무를 지는 자
제2차 납세의무자	납세자가 납세의무를 이행할 수 없는 경우에 납세자를 갈음하여 납세의무를 지는 자
보증인	납세자의 국세·가산금 또는 강제징수비의 납부를 보증한 자
과세기간	세법에 따라 국세의 과세표준 계산의 기초가 되는 기간
과세표준	세법에 따라 직접적으로 세액산출의 기초가 되는 과세대상의 수량 또는 가액
과세표준 신고서	국세의 과세표준과 국세의 납부 또는 환급에 필요한 사항을 적은 신고서
과세표준 수정신고서	당초에 제출한 과세표준신고서의 기재사항을 수정하는 신고서
법정신고기한	세법에 따라 과세표준신고서를 제출할 기한
세무공무원	① 국세청장, 지방국세청장, 세무서장 또는 그 소속 공무원 ② 세법에 따라 국세에 관한 사무를 세관장이 관장하는 경우의 그 세관장 또는 그 소속 공무원
정보통신망	전기통신기본법에 따른 전기통신설비를 활용하거나 전기통신설비와 컴퓨터 및 컴퓨터의 이용기술을 활용하여 정보를 수집, 가공, 저장, 검색, 송신 또는 수신하는 정보통신체계
전자신고	과세표준신고서 등 국세기본법 또는 세법에 따른 신고 관련 서류를 국세정보통신망을 이용하여 신고하는 것
특수관계인	본인과 다음 중 어느 하나에 해당하는 관계에 있는 자. 이 경우 국세기본법 및 세법을 적용할 때 본인도 그 특수관계인의 특수관계인으로 봄(쌍방관계) ① 혈족·인척 등 대통령령으로 정하는 친족관계 ② 임원·사용인 등 대통령령으로 정하는 경제적 연관관계 ③ 주주·출자자 등 대통령령으로 정하는 경영지배관계
세무조사	국세의 과세표준과 세액을 결정 또는 경정하기 위하여 질문을 하거나 해당 장부·서류 또는 그 밖의 물건을 검사·조사하거나 그 제출을 명하는 활동

🏛 **기출 체크**

'납세의무자'라 함은 세법에 의하여 국세를 납부할 의무(국세를 징수하여 납부할 의무를 포함)가 있는 자를 말한다. (×)

2008년 국가직 9급

☑ 핵심정리 | 가산세

성격	세법상 의무불이행에 대한 행정벌적 성격
징수방법	해당 국세의 세목
불복대상	독립된 불복대상이 됨
손금여부	손금불산입(기타사외유출)
필요경비여부	필요경비 불산입

Check **특수관계인**

1. 특수관계인의 범위

혈족·인척 등 친족관계		① 4촌 이내의 혈족 ② 3촌 이내의 인척 ③ 배우자(사실상의 혼인관계에 있는 자를 포함) ④ 친생자로서 다른 사람에게 친양자 입양된 자 및 그 배우자·직계비속 ⑤ 본인이 민법에 따라 인지한 혼인 외 출생자의 생부나 생모(본인의 금전이나 그 밖의 재산으로 생계를 유지하는 사람 또는 생계를 함께하는 사람으로 한정함)
임원·사용인 등 경제적 연관관계		① 임원과 그 밖의 사용인 ② 본인의 금전이나 그 밖의 재산으로 생계를 유지하는 자 ③ ① 및 ②의 자와 생계를 함께 하는 친족
주주·출자자 등 경영지배관계	개인	① 본인이 직접 또는 그와 친족관계 또는 경제적 연관관계에 있는 자를 통하여 법인의 경영에 대하여 지배적인 영향력을 행사하고 있는 경우 그 법인 ② 본인이 직접 또는 그와 친족관계, 경제적 연관관계 또는 ①의 관계에 있는 자를 통하여 법인의 경영에 대하여 지배적인 영향력을 행사하고 있는 경우 그 법인
	법인	① 개인 또는 법인이 직접 또는 그와 친족관계 또는 경제적 연관관계에 있는 자를 통하여 본인인 법인의 경영에 대하여 지배적인 영향력을 행사하고 있는 경우 그 개인 또는 법인 ② 본인이 직접 또는 그와 경제적 연관관계 또는 ①의 관계에 있는 자를 통하여 어느 법인의 경영에 대하여 지배적인 영향력을 행사하고 있는 경우 그 법인 ③ 본인이 직접 또는 그와 경제적 연관관계, ① 또는 ②의 관계에 있는 자를 통하여 어느 법인의 경영에 대하여 지배적인 영향력을 행사하고 있는 그 법인 ④ 본인이 독점규제 및 공정거래에 관한 법률에 따른 기업집단에 속하는 경우 그 기업집단에 속하는 다른 계열회사 및 그 임원

2. 법인의 경영에 대한 지배적인 영향력 여부 판단
다음에 따른 요건에 해당하는 경우 해당 법인의 경영에 대하여 지배적인 영향력을 행사하고 있는 것으로 봄

영리법인인 경우	① 법인의 발행주식총수 또는 출자총액 30% 이상을 출자한 경우 ② 임원의 임면권의 행사, 사업방침의 결정 등 법인의 경영에 대하여 사실상 영향력을 행사하고 있다고 인정되는 경우
비영리법인인 경우	① 법인의 이사의 과반수를 차지하는 경우 ② 법인의 출연재산(설립을 위한 출연재산만 해당)의 30% 이상을 출연하고 그 중 1인이 설립자인 경우

3. 국세기본법에서 정의하는 특수관계인이 적용되는 규정

국세기본법	과점주주 판단 규정, 통정허위의 담보권 설정계약 추정
개별세법	법인세·소득세·부가가치세법 부당행위계산부인 규정
상속세 및 증여세법	변칙적 거래에 따른 이익의 증여 규정 등

Ⅲ 국세기본법과 세법 등과의 관계

1. 국세에 관하여 세법에 별도의 규정이 있는 경우를 제외하고는 국세기본법에서 정하는 바에 따른다.

2. 관세법과 수출용 원재료에 대한 관세 등 환급에 관한 특례법에서 세관장이 부과·징수하는 국세에 관하여 국세기본법에 대한 특례규정을 두고 있는 경우에는 관세법과 수출용 원재료에 대한 관세 등 환급에 관한 특례법에서 정하는 바에 따른다.

2 기간과 기한

Ⅰ 기간의 계산

국세기본법 또는 세법에서 규정하는 기간의 계산은 국세기본법 또는 그 세법에 특별한 규정이 있는 것을 제외하고는 민법에 따른다.

기간의 기산일	① 초일불산입 원칙: 기간을 일, 주, 월, 연으로 정한 때에는 기간의 초일은 산입하지 않음 ② 예외: 그 기간이 오전 0시부터 시작하는 때에는 초일을 산입하며, 연령계산에는 출생일을 산입함
기간의 만료일	① 기간을 일, 주, 월, 연으로 정한 때에는 기간말일의 종료로 기간이 만료함 ② 기간을 처음부터 주·월 또는 연으로 정한 때에는 역에 의하여 계산하며, 월의 대소, 연의 평윤에 관계없이 달력에 의하여 계산함

🏛 기출 체크

기간의 계산에 대한 국세기본법 또는 세법의 규정이 민법의 규정과 상충되면 민법의 규정에 따른다. (×)

2011년 국가직 9급

③ 주·월 또는 연의 처음으로부터 기간을 기산하지 아니하는 때에는 최후의 주·월 또는 연에서 그 기산일에 해당한 날의 전일로 기간이 만료함

참고

1. 공시송달의 서류의 공고일시가 2021년 4월 1일 오전 9시인 경우 서류송달의 효력발생시기는? 2013년 국가직 7급

기산일	송달의 효력발생시기	효력발생시기
2021년 4월 2일	공고한 날부터 14일이 지난 때	2021년 4월 16일

2. 법정신고기한이 2021년 8월 25일인 경우 경정청구기한은? 2013년 국가직 7급

기산일	청구기간	경정청구기한
2021년 8월 26일	법정신고기한이 지난 후 5년 이내	2026년 8월 25일

3. 세무조사 결과통지를 받은 날이 2021년 5월 21일인 경우 과세전적부심사 청구기한은? 2013년 국가직 7급

기산일	청구기간	청구기한
2021년 5월 22일	통지받은 날부터 30일 이내	2021년 6월 20일

Ⅱ 기한의 특례

일정한 일시에 도달하게 되면 법률행위의 발생·소멸 또는 채무를 이행하여야 한다. 이 경우 그 도래되는 일정한 일시를 기한이라고 하며, 원칙적으로 기한은 세법에서 정하고 있는 확정기일이다. 다만, 다음과 같은 기한의 특례 규정이 있다.

1. 신고 등의 기한이 공휴일·토요일·근로자의 날인 경우

국세기본법 또는 세법에서 규정하는 신고, 신청, 청구, 그 밖에 서류의 제출, 통지, 납부 또는 징수에 관한 기한이 다음 중 어느 하나에 해당하는 경우에는 그 다음날을 기한으로 한다.
(1) 토요일 및 일요일
(2) 공휴일에 관한 법률에 따른 공휴일 및 대체공휴일
(3) 근로자의 날 제정에 관한 법률에 따른 근로자의 날

2. 국세정보통신망이 장애로 가동이 정지된 경우

국세기본법 또는 세법에서 규정하는 신고기한 만료일 또는 납부기한 만료일에 국세정보통신망이 정전, 통신상의 장애로 가동이 정지되어 전자신고나 전자납부(납부할 국세를 정보통신망을 이용하여 납부하는 것을 말함)를 할 수 없는 경우에는 그 장애가 복구되어 신고 또는 납부할 수 있게 된 날의 다음 날(장애가 복구된 날 ×)을 기한으로 한다.

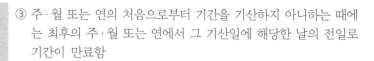

기출 체크
01 증여세 신고기한이 4월 1일(금요일)이고 공휴일인 경우 4월 3일까지 신고하여야 한다. (×) 2011년 국가직 9급
02 신고기한일이나 납부기한일에 프로그램의 오류로 국세정보통신망의 가동이 정지되어 전자신고 또는 전자납부를 할 수 없게 되는 경우에는 그 장애가 복구되어 신고 또는 납부할 수 있게 된 날을 기한으로 한다. (×)
2012년 국가직 7급

☑ 핵심정리 | 기한의 특례

신고 등의 기한이 공휴일, 토요일이거나 근로자의 날 제정에 관한 법률에 따른 근로자의 날일 때	공휴일, 토요일 또는 근로자의 날 의 다음 날을 기한
신고기한일 등에 국세정보통신망이 장애로 가동이 정지되어 전자신고나 전자납부를 할 수 없는 경우	그 장애가 복구되어 신고 또는 납부할 수 있게 된 날의 다음 날

Ⅲ 우편신고 및 전자신고 시 서류제출기한 특례

우편신고	① 우편으로 신고서 등 제출: 우편으로 과세표준신고서, 과세표준수정 신고서, 경정청구서 또는 과세표준신고·과세표준수정신고·경 정청구와 관련된 서류를 제출한 경우 우편법에 따른 우편날짜도 장이 찍힌 날(우편날짜도장이 찍히지 아니하였거나 분명하지 아 니한 경우에는 통상 걸리는 배송일수를 기준으로 발송한 날로 인정되는 날)에 신고되거나 청구된 것으로 봄(발신주의) ② 우편으로 불복청구: 국세기본법에 따른 이의신청·심사청구 또는 심판청구를 할 때 불복청구기한까지 우편으로 제출한 불복청구 서가 불복청구기간을 지나서 도달한 경우에는 그 기간의 만료일 에 적법한 청구를 한 것으로 봄
전자신고	① 신고서 등을 국세정보통신망을 이용하여 제출하는 경우: 해당 신고서 등이 국세청장에게 전송된 때에 신고되거나 청구된 것으로 봄 ② 연장: 전자신고 또는 전자청구된 경우 과세표준신고 또는 과세표 준수정신고와 관련된 서류 중 수출대금입금증명서 등에 대해서 는 10일의 범위에서 제출기한을 연장할 수 있음

☑ 핵심정리 | 신고와 신고 및 결정 시 관할 관청

1. 우편신고와 전자신고

우편신고	① 원칙: 통신날짜도장이 찍힌 날 ② 통신날짜도장이 불분명 시: 통상 걸리는 우송일수를 기준으로 발송한 날로 인정되는 날
전자신고	국세청장에게 전송된 때

2. 신고 및 결정 시 관할 관청

과세표준신고	① 과세표준신고서는 신고 당시 해당 국세의 납세지를 관할하는 세무서장에게 제출하여야 함. 다만, 전자신고를 하는 경우에는 지방국세청장이나 국세청장에게 제출할 수 있음 ② 과세표준신고서가 관할 세무서장 외의 세무서장에게 제출된 경우에도 그 신고의 효력에는 영향이 없음
결정·경정결정	① 국세의 과세표준과 세액의 결정 또는 경정결정은 그 처분 당 시 그 국세의 납세지를 관할하는 세무서장이 함 ② 국세의 과세표준과 세액의 결정 또는 경정결정하는 때에 그 국세의 납세지를 관할하는 세무서장 이외의 세무서장이 행한 결정 또는 경정결정처분은 그 효력이 없음

🏛 기출 체크

01 우편으로 과세표준신고서를 제출한 경우로서 우편날짜도장이 찍히지 아니 하였거나 분명하지 아니한 경우에는 신 고서가 도달한 날에 신고된 것으로 본다.
(×)　　2012년 국가직 7급

02 전자신고를 하는 경우 동 전자신고 를 할 때 제출하여야 할 관련서류는 15일 범위에서 제출기한을 연장할 수 있다.
(×)　　2010년 국가직 7급

Ⅳ 기한의 연장

1. 천재지변 등으로 인한 기한의 연장

관할 세무서장은 천재지변이나 그 밖에 일정한 사유로 국세기본법 또는 세법에서 규정하는 신고, 신청, 청구, 그 밖에 서류의 제출, 통지를 정해진 기한까지 할 수 없다고 인정하는 경우나 납세자가 기한 연장을 **신청**한 경우에는 그 기한을 연장할 수 있다.

(1) **연장사유❶**

① 납세자가 화재, 전화, 그 밖의 재해를 입거나 도난을 당한 경우

② 납세자 또는 그 동거가족이 질병이나 중상해로 6개월 이상의 치료가 필요하거나 사망하여 상중인 경우

③ 정전, 프로그램의 오류나 그 밖의 부득이한 사유로 한국은행(그 대리점을 포함) 및 체신관서의 정보통신망의 정상적인 가동이 불가능한 경우

④ 금융회사 등(한국은행 국고대리점 및 국고수납대리점인 금융회사 등만 해당) 또는 체신관서의 휴무나 그 밖의 부득이한 사유로 정상적인 세금납부가 곤란하다고 국세청장이 인정하는 경우

⑤ 권한 있는 기관에 장부나 서류가 압수 또는 영치된 경우

⑥ 세무사법에 따라 납세자의 장부 작성을 대행하는 세무사(세무법인 포함) 또는 공인회계사(공인회계사법에 따라 등록한 회계법인 포함)가 화재, 전화, 그 밖의 재해를 입거나 도난을 당한 경우

⑦ 위 ①, ②, ⑤에 준하는 사유가 있는 경우

(2) **신청 및 승인**

① 기한연장 신청

㉠ 기한의 연장을 받으려는 자는 기한 만료일 3일 전까지 문서로 해당 행정기관의 장에게 신청하여야 한다.

㉡ 해당 행정기관의 장은 기한연장을 신청하는 자가 기한 만료일 3일 전까지 신청할 수 없다고 인정하는 경우에는 기한 만료일까지 신청하게 할 수 있다.

② 기한연장 승인

㉠ 행정기관의 장은 기한을 연장하였을 때에 문서로 지체 없이 관계인에게 통지하여야 하며, 신청에 대해서는 기한 만료일 전에 그 승인 여부를 통지하여야 한다.

㉡ 행정기관의 장은 다음의 어느 하나에 해당하는 경우에는 관보 또는 일간신문에 공고하는 방법으로 통지를 갈음할 수 있다.

ⓐ 천재지변 등의 사유가 전국적으로 일시에 발생하는 경우

ⓑ 기한연장의 통지대상자가 불특정 다수인 경우

❶
납부기한 연장과 징수유예는 제도의 목적, 요건, 절차 및 효과가 거의 동일하나 국세기본법과 국세징수법에 규정이 분산되어 있어 납세자가 쉽게 이해하기 어려우므로, 납부기한 연장 관련 규정은 국세징수법으로 이관된다.

ⓒ 기한연장의 사실을 그 대상자에게 개별적으로 통지할 시간적 여유가 없는 경우

(3) 기한연장의 기간

① 기한연장은 3개월 이내로 하되, 해당 기한연장의 사유가 소멸되지 않는 경우 관할 세무서장은 1개월의 범위에서 그 기한을 다시 연장할 수 있다.

② ①에도 불구하고 신고와 관련된 기한연장은 9개월을 넘지 않는 범위에서 관할 세무서장이 할 수 있다.

3 서류의 송달①

①
국세에 관한 행정처분의 내용 등을 당사자 또는 이해관계인에게 문서로써 알리는 절차를 말한다.

I 개요

1. 의의

국세기본법 또는 세법에서 규정하는 서류는 그 명의인(그 서류에 수신인으로 지정되어 있는 자)의 주소, 거소, 영업소 또는 사무소(전자송달인 경우 명의인의 전자우편주소)에 송달한다. 단, 송달받아야 할 사람이 교정시설 또는 국가경찰관서의 유치장에 체포·구속 또는 유치된 사실이 확인된 경우에는 해당 교정시설의 장 또는 국가경찰관서의 장에게 송달한다.

> 송달의 효력발생 요건 = 송달받을 자 + 송달장소

2. 송달받을 자

원칙		명의인(그 서류에 수신인으로 지정되어 있는 자)
특례	연대납세 의무	① 연대납세의무자에게 서류를 송달할 때에는 그 대표자를 명의인으로 하며, 대표자가 없을 때에는 연대납세의무자 중 국세를 징수하기에 유리한 자를 명의인으로 함 ② 납부의 고지와 독촉에 관한 서류는 연대납세의무자 모두에게 각각 송달하여야 함
	기타	① 상속이 개시된 경우 상속재산관리인이 있을 때에는 그 상속재산관리인의 주소 또는 영업소에 송달함 ② 납세관리인이 있을 때에는 납부의 고지와 독촉에 관한 서류는 그 납세관리인의 주소 또는 영업소에 송달함

3. 송달받을 장소의 신고

서류의 송달을 받을 자가 주소 또는 영업소 중에서 송달받을 장소를 정부에 신고한 경우에는 그 신고된 장소에 송달하여야 한다. 이를 변경한 경우에도 또한 같다.

📖 기출 체크

01 납부의 고지와 독촉에 관한 서류는 연대납세의무자 중 국세징수상 유리한 자에게만 송달하면 된다. (×)
2009년 국가직 7급

02 연대납세의 고지와 독촉에 관한 서류는 그 대표자를 명의인으로 하여 송달하여야 한다. (×) 2011년 국가직 9급

03 연대납세의무자에게 강제징수에 관한 서류를 송달할 때에는 연대납세의무자 모두에게 각각 송달하여야 한다. (×)
2014년 국가직 7급

Ⅱ 서류 송달의 방법❶

서류 송달은 교부, 우편 또는 전자송달의 방법으로 한다. 다만, 일정한 사유에 해당하는 경우 공시송달의 방법에 의한다.

1. 교부·우편·전자송달

(1) 교부송달

① 개념: 교부에 의한 서류 송달은 해당 행정기관의 소속 공무원이 서류를 송달할 장소에서 송달받아야 할 자에게 서류를 교부하는 방법으로 한다. 다만, 송달을 받아야 할 자가 송달받기를 거부하지 아니하면 다른 장소에서 교부할 수 있다.

② 방법: 서류를 교부하였을 때에는 송달서에 수령인이 서명 또는 날인하게 하여야 한다. 이 경우 수령인이 서명 또는 날인을 거부하면 그 사실을 송달서에 적어야 한다.

(2) 우편송달

원칙	일반우편에 의한 송달
예외	① 납부의 고지·독촉·강제징수 또는 세법에 따른 정부의 명령과 관계되는 서류의 송달을 우편으로 할 때에는 등기우편으로 하여야 함 ② 단, 소득세법에 따른 중간예납세액의 납부고지서, 부가가치세법에 따라 징수하기 위한 납부고지서 및 국세에 대한 과세표준신고서를 법정신고기한까지 제출하였으나 과세표준신고액에 상당하는 세액의 전부 또는 일부를 납부하지 아니하여 발급하는 납부고지서로서 50만 원 미만에 해당하는 납부고지서는 일반우편으로 송달할 수 있음

(3) 특례규정

보충송달	교부송달과 우편송달에 경우 송달할 장소에서 서류를 송달받아야 할 자를 만나지 못하였을 때에는 그 사용인이나 그 밖의 종업원 또는 동거인으로서 사리를 판별할 수 있는 사람에게 서류를 송달할 수 있음
유치송달	서류를 송달받아야 할 자 또는 그 사용인이나 그 밖의 종업원 또는 동거인으로서 사리를 판별할 수 있는 사람이 정당한 사유 없이 서류 수령을 거부할 때❷에는 송달할 장소에 서류를 둘 수 있음

(4) 전자송달

① 전자송달은 서류를 송달받아야 할 자가 신청한 경우에만 한다.

② 자동신청: 납부고지서가 송달되기 전에 납세자가 국세정보통신망을 통해 소득세 중간예납세액, 부가가치세 예정고지·부과세액을 계좌이체의 방법으로 국세를 전액 자진납부한 경우 납부한 세액에 대해서는 자진납부한 시점에 전자송달을 신청한 것으로 본다.

❷
적법한 방법으로 서류를 송달하고자 하였으나 고의로 그 수령을 거부한 때를 의미한다.

📖 **기출 체크**

소득세 중간예납세액이 100만 원인 납부고지서의 송달을 우편으로 할 때는 일반우편으로 하여야 한다. (×)

2014년 국가직 7급

③ 국세정보통신망의 장애로 전자송달을 할 수 없는 경우나 그 밖에 일정한 사유가 있는 경우에는 교부 또는 우편의 방법으로 송달할 수 있다.

④ 전자송달서류의 범위 및 송달방법

납부고지서, 독촉장 및 국세환급금통지서	해당 납세자로 하여금 국세정보통신망에 접속하여 해당 서류를 열람할 수 있게 해야 함
신고안내문, 그 밖에 국세청장이 정하는 서류	해당 납세자가 지정한 전자우편주소로 송달하여야 함

⑤ 전자송달의 철회 신청❶: 전자송달의 신청을 철회하려는 자는 전자송달 철회신청서를 세무서장에게 제출하여야 하며, 전자송달의 신청을 철회한 자가 전자송달을 재신청하는 경우에는 철회 신청일부터 30일이 지난 날 이후에 신청할 수 있다.

⑥ 전자송달의 자동철회: 국세정보통신망에 접속하여 서류를 열람할 수 있게 하였음에도 불구하고 해당 납세자가 2회 연속하여 전자송달된 서류를 다음의 기한까지 열람하지 아니한 경우에는 두 번째로 열람하지 아니한 서류에 대한 다음의 구분에 따른 날의 다음 날에 전자송달 신청을 철회한 것으로 본다. 다만, 납세자가 전자송달된 납부고지서에 의한 세액을 그 납부기한까지 전액 납부한 경우에는 그러하지 아니하다.
ㄱ 서류에 납부기한 등 기한이 정해진 경우: 정해진 해당 기한
ㄴ 위 ㄱ 외의 경우: 국세정보통신망에 서류가 저장된 때부터 1개월이 되는 날

2. 공시송달

(1) 개념

교부·우편·전자송달이 불가능한 경우에 서류의 주요 내용을 공고함으로써 송달의 효과를 발생시키는 방법

(2) 사유❷

서류를 송달받아야 할 자가 다음 중 어느 하나에 해당하는 경우에는 서류의 주요 내용을 공고한 날부터 14일이 지나면 서류 송달이 된 것으로 봄
① 주소 또는 영업소가 국외에 있고 송달하기 곤란한 경우
② 주소 또는 영업소가 분명하지 않은 경우
③ 서류를 등기우편으로 송달하였으나 수취인이 부재중인 것으로 확인되어 반송됨으로써 납부기한 내에 송달이 곤란하다고 인정되는 경우
④ 세무공무원이 2회 이상 납세자를 방문(처음 방문한 날과 마지막 방문한 날 사이의 기간이 3일 이상이어야 함)하여 서류를 교부하려고 하였으나 수취인이 부재중인 것으로 확인되어 납부기한까지 송달이 곤란하다고 인정되는 경우

❶
전자송달의 개시 및 철회: 신청 및 철회 신청서를 접수한 날의 다음 날부터 적용한다.

❷
기간을 계산할 때 공휴일, 대체공휴일, 토요일 및 일요일은 산입하지 않는다.

🏛 기출 체크
정보통신망의 장애로 납세고지서의 전자송달이 불가능한 경우에는 교부에 의해서만 송달을 할 수 있다. (×)
2014년 국가직 7급

(3) 송달방법

공고는 다음의 어느 하나에 게시하거나 게재하여야 함. 이 경우 국세정보통신망을 이용하여 공시송달을 할 때에는 다른 공시송달 방법과 함께 하여야 함

① 국세정보통신망
② 세무서의 게시판이나 그 밖의 적절한 장소
③ 해당 서류의 송달 장소를 관할하는 특별자치시 · 특별자치도 · 시 · 군 · 구의 홈페이지, 게시판이나 그 밖의 적절한 장소
④ 관보 또는 일간신문

3. 송달의 효력 발생

송달하는 서류는 송달받아야 할 자에게 도달한 때부터 효력이 발생한다. 다만, 전자송달의 경우에는 송달받을 자가 지정한 전자우편주소에 입력된 때(국세정보통신망에 저장하는 경우에는 저장된 때)에 그 송달을 받아야 할 자에게 도달한 것으로 본다.

> **✓ 핵심정리 | 송달의 효력발생시기**
>
> | 교부송달 · 우편송달 | 송달받아야 할 자에게 도달한 때 |
> | --- | --- |
> | 전자송달 | ① 신고안내문, 그 밖에 국세청장이 정하는 서류: 전자우편주소에 입력된 때
② 국세환급금통지서, 납세고지서: 국세정보통신망에 저장된 때 |
> | 공시송달 | 서류의 주요 내용을 공고한 날부터 14일이 지난 때 |

> **Check 송달의 예외 사항**
>
> 1. 과세관청이 납세고지서를 송달할 수 있는 사유로서 국세기본법에서 정한 '송달할 장소'란 과세관청이 선량한 관리자의 주의를 다하여 조사함으로써 알 수 있는 납세자의 주소, 거소, 영업소 또는 사무소를 말하고, 납세자의 송달할 장소가 여러 곳이어서 각각의 장소에 송달을 시도할 수 있었는데도 세무공무원이 그 중 일부 장소에만 방문하여 수취인이 부재 중인 것으로 확인된 경우에는 납세고지서를 공시송달할 수 있는 경우에 해당하지 않음(대판 2015.10.29, 2015두43599)
> 2. 법인 대표자(청산 중인 경우는 청산인)의 주소지를 확인하여 서류를 송달하고, 대표자의 주소지도 불명하여 송달이 불가능한 때에는 공시송달함

4 인격

I 의의

인격이란 권리·의무의 주체가 될 수 있는 자격을 말한다. 세법상 납세의무자도 법률상의 납세의무의 주체이므로 당연히 인격이 있는 존재에 국한된다. 민법상 법인에 대하여 법인격을 인정하고 있고, 법인을 설립하기 위해서는 설립등기를 하여야 한다. 다만, 설립등기를 하지 않아 법인격이 존재하지 않는 법인 아닌 단체를 세법상 어떻게 처리해야 하는지가 문제된다.

II 법인으로 보는 단체

다음에 해당하는 법인 아닌 단체는 법인으로 의제한다.

당연의제법인	법인세법에 따른 내국법인·외국법인이 아닌 사단, 재단, 그 밖의 단체 중 다음 중 어느 하나에 해당하는 것으로서 수익을 구성원에게 분배하지 아니하는 것은 법인으로 보아 국세기본법과 세법을 적용함 ① 주무관청의 허가·인가를 받아 설립되거나 법령에 따라 주무관청에 등록한 사단, 재단, 그 밖의 단체로서 등기되지 아니한 것 ② 공익을 목적으로 출연된 기본재산이 있는 재단으로서 등기되지 아니한 것
승인의제법인	① 당연의제법인 외의 법인 아닌 단체 중 다음의 요건을 모두 갖춘 것으로서 대표자나 관리인이 관할 세무서장에게 신청하여 승인을 받은 것도 법인으로 보아 국세기본법과 세법을 적용함. 이 경우 해당 사단, 재단, 그 밖의 단체의 계속성과 동질성이 유지되는 것으로 봄 　㉠ 사단, 재단, 그 밖의 단체의 조직과 운영에 관한 규정을 가지고 대표자나 관리인을 선임하고 있을 것 　㉡ 사단, 재단, 그 밖의 단체 자신의 계산과 명의로 수익과 재산을 독립적으로 소유·관리할 것 　㉢ 사단, 재단, 그 밖의 단체의 수익을 구성원에게 분배하지 아니할 것 ② 거주자 또는 비거주자로의 변경 제한: 승인의제법인은 그 신청에 대하여 관할 세무서장의 승인을 받은 날이 속하는 과세기간과 그 과세기간이 끝난 날부터 3년이 되는 날이 속하는 과세기간까지는 소득세법에 따른 거주자 또는 비거주자로 변경할 수 없음(단, 승인요건을 갖추지 못하게 되어 승인취소를 받는 경우는 제외함)

🏛 **기출 체크**

주무관청의 허가 또는 인가를 받아 설립된 단체로서 수익을 구성원에게 분배하지 않는 경우에는 대표자나 관리인이 관할 세무서장에게 신청하여 승인을 받아야 법인으로 본다. (×)

2015년 국가직 9급

Ⅲ 법인으로 보는 단체의 의무 이행

1. 법인으로 보는 단체의 국세에 관한 의무는 그 대표자나 관리인이 이행하여야 한다.

2. 해당 단체는 국세에 관한 의무 이행을 위하여 대표자나 관리인을 선임하거나 변경한 경우에는 관할 세무서장에게 신고하여야 한다.

3. 법인으로 보는 단체가 대표자 신고를 하지 않은 경우에는 관할 세무서장은 그 단체의 구성원 또는 관계인 중 1명을 국세에 관한 의무를 이행하는 사람으로 지정할 수 있다.

Ⅳ 개별세법상 법인 아닌 단체의 법률관계

법인세법, 상속세 및 증여세법	법인으로 보는 단체	비영리법인으로 보아 법인세법, 상속세 및 증여세법을 적용함 ① 법인세법: 비영리법인은 일정한 수익사업 및 토지 등 양도소득에 대하여 납세의무가 있음 ② 상속세 및 증여세법: 비영리법인이 받는 상속·증여 재산에 대해서는 납세의무가 있음
소득세법	1거주자로 보는 단체	① 구성원 간 이익의 분배방법이나 분배비율이 정하여져 있지 아니하거나 확인되지 아니하는 경우 해당 단체를 1거주자 또는 1비거주자로 보아 소득세법을 적용함 ② 1거주자로 보는 단체의 소득은 대표자 또는 관리인의 다른 소득과 합산하여 과세하지 않음
	공동사업으로 보는 단체	① 구성원 간 이익의 분배방법이나 분배비율이 정하여져 있거나 사실상 이익이 분배되는 경우 해당 구성원이 공동으로 사업을 영위하는 것으로 보아 구성원 각각 납세의무를 부담함 ② 각 구성원의 공동사업에서 발생한 소득금액에 대한 납세의무에 대하여 연대납세의무가 없음
부가가치세법		사업자❶에 해당하는 경우 부가가치세 납세의무가 있음

❶
사업자란 영리목적 유무에 관계없이 사업상 독립적으로 재화·용역을 공급하는 자를 의미한다.

| Check | 승인의제법인의 신청·승인절차 |

1. 법인으로 승인을 받으려는 법인 아닌 단체의 대표자 또는 관리인은 단체의 명칭, 주사무소의 소재지, 대표자 또는 관리인의 성명과 주소 또는 거소, 고유사업, 재산상황, 정관 또는 조직과 운영에 관한 규정, 그 밖에 필요한 사항을 적은 문서를 관할 세무서장에게 제출하여야 함
2. 관할 세무서장은 법인 아닌 단체의 대표자 또는 관리인이 제출한 문서에 대하여 그 승인 여부를 신청일부터 10일 이내에 신청인에게 통지하여야 함
3. 승인을 받은 법인 아닌 단체에 대해서는 승인과 동시에 부가가치세법 시행령에 따른 고유번호를 부여하여야 함. 다만, 해당 단체가 수익사업을 하려는 경우로서 법인세법에 따라 사업자등록을 하여야 하는 경우에는 그러하지 아니함
4. 승인을 받은 법인 아닌 단체가 승인요건을 갖추지 못하게 되었을 때에는 관할 세무서장은 지체 없이 그 승인을 취소하여야 함

| Check | 국립대학법인에 대한 납세의무 특례 |

1. 세법에서 규정하는 납세의무에도 불구하고 전환 국립대학 법인(고등교육법 제3조에 따른 국립대학 법인 중 국립학교 또는 공립학교로 운영되다가 법인별 설립근거가 되는 법률에 따라 국립대학 법인으로 전환된 법인)에 대한 국세의 납세의무(국세를 징수하여 납부할 의무는 제외)를 적용할 때에는 전환 국립대학 법인을 별도의 법인으로 보지 아니하고 국립대학 법인으로 전환되기 전의 국립학교 또는 공립학교로 봄
2. 다만, 전환 국립대학 법인이 해당 법인의 설립근거가 되는 법률에 따른 교육·연구 활동에 지장이 없는 범위 외의 수익사업을 하는 경우의 납세의무에 대해서는 그러하지 아니함

국세기본법 해커스공무원 이훈엽 세법 기본서

❶
국세의 부과란 성립한 납세의무를 확정하는 것이다. 따라서 국세부과의 원칙은 납세의무 확정과정에서 지켜야 할 원칙을 말한다.

1 국세부과의 원칙❶

I 실질과세의 원칙

1. 개념
조세부담의 공평이 이루어지도록 경제적 의의 또는 실질을 기준으로 하여 세법을 해석하고 과세요건사실을 인정하여야 한다는 원칙을 말한다.

2. 유형

(1) **귀속에 관한 실질과세의 원칙**
과세의 대상이 되는 소득, 수익, 재산, 행위 또는 거래의 귀속이 명의일 뿐이고 사실상 귀속되는 자가 따로 있을 때에는 사실상 귀속되는 자를 납세의무자로 하여 세법을 적용한다.

(2) **거래 내용에 관한 실질과세의 원칙**
세법 중 과세표준의 계산에 관한 규정은 소득, 수익, 재산, 행위 또는 거래의 명칭이나 형식과 관계없이 그 실질 내용에 따라 적용한다.

(3) **조세회피 방지를 위한 실질과세의 원칙**
제3자를 통한 간접적인 방법이나 둘 이상의 행위 또는 거래를 거치는 방법으로 국세기본법 또는 세법의 혜택을 부당하게 받기 위한 것으로 인정되는 경우에는 그 경제적 실질 내용에 따라 당사자가 직접 거래를 한 것으로 보거나 연속된 하나의 행위 또는 거래를 한 것으로 보아 국세기본법 또는 세법을 적용한다.

3. 사례

(1) **사업자등록 명의자와는 별도로 사실상의 사업자가 있는 경우**
사실상의 사업자를 납세의무자로 본다.

(2) **공부상 등기·등록 등이 타인의 명의로 되어 있더라도 사실상 해당 사업자가 취득하여 사업에 공하였음이 확인되는 경우**
이를 그 사실상 사업자의 사업용 자산으로 본다.

📖 기출 체크
01 과세의 대상이 되는 소득, 수익, 재산, 행위 또는 거래의 귀속이 명의일 뿐이고 사실상 귀속되는 자가 따로 있을 때에는 명의자를 납세의무자로 하여 세법을 적용한다. (✕) 2016년 국가직 9급
02 제3자를 통한 간접적인 방법으로 거래한 경우 국세기본법 또는 세법의 혜택을 부당하게 받기 위한 것인지 여부와 관계없이 그 경제적 실질 내용에 따라 당사자가 직접 거래를 한 것으로 본다. (✕) 2013년 국가직 9급

(3) 회사의 주주로 명부상 등재되어 있더라도 회사의 대표자가 임의로 등재한 것일 뿐, 회사의 주주로서 권리행사를 한 사실이 없는 경우

그 명의자인 주주를 세법상 주주로 보지 않는다.

(4) 명의신탁부동산을 매각처분한 경우

양도의 주체 및 납세의무자는 명의수탁자가 아니고 명의신탁자이다.

(5) 거래의 실질내용

형식상의 기록내용이나 거래명의에 불구하고 상거래관계, 구체적인 증빙, 거래 당시의 정황 및 사회통념 등을 고려하여 판단한다.

(6) 1인 명의로 사업자등록을 하고 2인 이상이 동업하여 그 수익을 분배하는 경우

외관상의 사업명의인이 누구이냐에 불구하고 실질과세의 원칙에 따라 국세를 부과한다.

4. 실질과세원칙에 대한 개별세법 특례❶

상속세 및 증여세법에 따른 권리의 이전이나 그 행사에 등기 등을 필요로 하는 재산(토지와 건물은 제외)에 있어서 실질소유자와 명의자가 다른 경우에는 실질과세원칙에 불구하고 그 명의자가 실제소유자로부터 증여받은 것으로 본다.

Ⅱ 신의성실의 원칙

1. 의미

납세자가 그 의무를 이행할 때에는 신의에 따라 성실하게 하여야 한다. 세무공무원이 직무를 수행할 때에도 같으며, 과세관청과 납세자 모두에게 적용되는 원칙이다.

2. 과세관청 행위에 대한 신의성실의 원칙

적용요건	① 과세관청이 납세자에게 신뢰의 대상이 되는 공적인 견해표명을 하여야 함 ② 과세관청의 견해표명이 정당하다고 신뢰한 데에 대하여 납세자에게 귀책사유가 없어야 함 ③ 납세자가 그 견해표명을 신뢰하고 이에 따라 세무처리 등의 행위를 하여야 함 ④ 과세관청이 위 견해표명에 반하는 처분을 함으로써 납세자가 불이익을 받아야 함
효과	과세관청의 처분은 적법한 처분❷임에도 불구하고 취소사유가 됨

❶
실질과세의 원칙에 우선하는 개별세법 특례규정으로 상속세 및 증여세법상 명의신탁재산의 증여의제규정이 있다.

❷
위법한 처분인 경우, 무효이거나 취소되기 때문에 처분은 반드시 적법한 처분이어야 한다.

🏛 **기출 체크**

01 상속세 및 증여세법상 명의신탁재산의 증여의제규정은 국세기본법상 실질과세의 원칙에 대한 세법상의 특례규정에 해당된다고 볼 수 없다. (×)
2009년 국가직 9급(추가)

02 과세관청에게 신의성실의 원칙을 적용하기 위해서는 객관적으로 모순되는 행태가 존재하고, 그 행태가 납세의무자의 심한 배신행위에 기인하였으며, 그에 기하여 야기된 과세관청의 신뢰가 보호받을 가치가 있는 것이어야 한다. (×)
2009년 국가직 7급

3. 납세자 행위에 대한 신의성실의 원칙

적용요건	① 납세자에게 객관적으로 모순되는 형태가 존재하여야 함 ② 그 행태가 납세자의 심한 배신행위에 기인하였어야 함 ③ 위 행위로 야기된 과세관청의 신뢰가 보호받을 가치가 있는 것이어야 함
효과	납세자의 주장이나 행위는 인정될 수 없음

4. 한계

신의성실의 원칙은 합법성을 희생하더라도 상실되는 법익보다 신뢰이익의 보호가치가 더 크다고 인정되는 경우에 한하여 적용되는 것이다. 즉, 합법성을 훼손하지 않는 범위에서만 제한적으로 적용된다.

Ⅲ 근거과세의 원칙

납세의무자가 세법에 따라 장부를 갖추어 기록하고 있는 경우에는 해당 국세 과세표준의 조사와 결정은 그 장부와 이와 관계되는 증거자료에 의하여야 한다.

1. 결정근거의 부기

(1) 국세를 조사·결정할 때 장부의 기록 내용이 사실과 다르거나 장부의 기록에 누락된 것이 있을 때에는 그 부분에 대해서만 정부가 조사한 사실에 따라 결정할 수 있다.

(2) 정부는 장부의 기록 내용과 다른 사실 또는 장부 기록에 누락된 것을 조사하여 결정하였을 때에는 정부가 조사한 사실과 결정의 근거를 결정서에 적어야 한다.

2. 결정서의 열람·복사

(1) 행정기관의 장은 해당 납세의무자 또는 그 대리인이 요구하면 결정서를 열람 또는 복사하게 하거나 그 등본 또는 초본이 원본과 일치함을 확인하여야 한다.

(2) 결정서의 요구는 구술로 한다. 다만, 해당 행정기관의 장이 필요하다고 인정할 때에는 열람하거나 복사한 사람의 서명을 요구할 수 있다.

Ⅳ 조세감면의 사후관리

정부는 국세를 감면한 경우에 그 감면의 취지를 성취하거나 국가정책을 수행하기 위하여 필요하다고 인정하면 세법에서 정하는 바에 따라 감면한 세액에 상당하는 자금 또는 자산의 운용 범위를 정할 수 있다. 운용 범위를 벗어난 자금 또는 자산에 상당하는 감면세액은 세법에서 정하는 바에 따라 감면을 취소하고 징수할 수 있다.

예 **상속세 및 증여세법**: 공익법인에 출연한 재산에 대한 사후관리

2 세법적용의 원칙❶

세법의 해석과 적용을 할 때 따라야 할 기본적 지침을 말하며, 과세관청에게만 적용한다.

Ⅰ 재산권 부당침해금지의 원칙(세법해석의 기준)

세법을 해석·적용할 때에는 과세의 형평과 해당 조항의 합목적성에 비추어 납세자의 재산권이 부당하게 침해되지 아니하도록 하여야 한다.

Ⅱ 소급과세금지의 원칙

1. 유형

(1) 입법상 소급과세금지

국세를 납부할 의무(세법에 징수의무자가 따로 규정되어 있는 국세의 경우에는 이를 징수하여 납부할 의무)가 성립한 소득, 수익, 재산, 행위 또는 거래에 대해서는 그 성립 후의 새로운 세법에 따라 소급하여 과세하지 않는다.

❶
세법 외의 법률 중 국세의 부과·징수·감면 또는 그 절차에 관하여 규정하고 있는 조항은 세법해석의 기준, 소급과세금지, 비과세 관행 존중의 원칙에 관한 국세기본법 규정을 적용할 때에는 세법으로 본다.

🏛 **기출 체크**

01 세법 이외의 법률 중 국세의 부과·징수·감면 또는 그 절차에 관하여 규정하고 있는 조항에 대해서는 세법해석의 기준에 대한 국세기본법 규정이 적용되지 아니한다. (×) 2011년 국가직 9급
02 과세기간 진행 중 법률의 개정이나 해석의 변경이 있는 경우 이미 진행한 과세기간 분에 대하여 소급과세하는 것은 원칙적으로 허용되지 아니한다. (×) 2016년 국가직 7급
03 정부는 국세를 감면한 경우에 국가정책을 수행하기 위하여 필요하더라도 감면한 세액에 상당하는 자금 또는 자산의 운용 범위를 정할 수 없다. (×) 2023년 국가직 9급

(2) 해석 · 관행상 소급과세금지

세법의 해석이나 국세행정의 관행이 일반적으로 납세자에게 받아들여진 후에는 그 해석이나 관행에 의한 행위 또는 계산은 정당한 것으로 보며, 새로운 해석이나 관행에 의하여 소급하여 과세되지 않는다.

2. 진정소급, 부진정소급 및 유리한 소급효

구분	내용	허용 여부
진정소급	이미 성립한 납세의무에 대해 소급과세하는 것	금지
부진정소급	과세기간 중에 법률의 개정이나 해석의 변경이 있는 경우 사업연도 개시일부터 소급하여 적용하는 것	허용❶
유리한 소급효	납세자에게 오히려 유리한 소급과세	허용

❶
부진정소급도 납세자 신뢰보호의 필요성과 공익을 비교하여 신뢰의 보호가치가 있다고 할 특단의 사정이 있는 경우에는 허용될 수 없다.

Ⅲ 세무공무원의 재량의 한계

세무공무원이 재량으로 직무를 수행할 때에는 과세의 형평과 해당 세법의 목적에 비추어 일반적으로 적당하다고 인정되는 한계를 엄수하여야 한다.

Ⅳ 기업회계의 존중

세무공무원이 국세의 과세표준을 조사 · 결정할 때에는 해당 납세의무자가 계속하여 적용하고 있는 기업회계의 기준 또는 관행으로서 일반적으로 공정 · 타당하다고 인정되는 것은 존중하여야 한다. 다만, 세법에 특별한 규정이 있는 것은 그렇지 않다.

핵심정리 | 국세부과의 원칙과 세법적용의 원칙 비교

구분	국세부과의 원칙	세법적용의 원칙
내용	① 실질과세의 원칙 ② 신의성실의 원칙 ③ 근거과세의 원칙 ④ 조세감면의 사후관리	① 세법해석의 기준 ② 소급과세의 금지 ③ 세무공무원의 재량의 한계 ④ 기업회계기준의 존중
적용 당사자	과세관청 및 납세자	과세관청
개별세법과의 관계	개별세법 > 국세부과의 원칙	개별세법 < 세법적용의 원칙

Check 국세예규심사위원회

1. 다음의 사항을 심의하기 위하여 기획재정부에 국세예규심사위원회를 둠
   ① 세법의 해석 및 이와 관련되는 국세기본법의 해석에 관한 사항
   ② 관세법의 해석 및 이와 관련되는 자유무역협정의 이행을 위한 관세법의 특례에 관한 법률 및 수출용 원재료에 대한 관세 등 환급에 관한 특례법의 해석에 관한 사항
2. 국세예규심사위원회의 위원은 공정한 심의를 기대하기 어려운 사정이 있다고 인정될 때에는 위원회 회의에서 제척되거나 회피하여야 함

1. 기획재정부장관 및 국세청장은 세법의 해석과 관련된 질의에 대하여 세법해석의 기준에 따라 해석하여 회신하여야 함
2. 국세청장은 1.에 따라 회신한 문서의 사본을 해당 문서의 시행일이 속하는 달의 다음 달 말일까지 기획재정부장관에게 송부하여야 함
3. 국세청장은 1.의 질의가 국세예규심사위원회 심의사항에 해당하는 경우에는 기획재정부장관에게 의견을 첨부하여 해석을 요청하여야 함
4. 국세청장은 3.에 따른 기획재정부장관의 해석에 이견이 있는 경우에는 그 이유를 붙여 재해석을 요청할 수 있음
5. 기획재정부장관에게 제출된 세법 해석과 관련된 질의는 국세청장에게 이송하고 그 사실을 민원인에게 통지하여야 함. 다만, 다음 중 어느 하나에 해당하는 경우에는 기획재정부장관이 직접 회신할 수 있으며, 이 경우 회신한 문서의 사본을 국세청장에게 송부하여야 함
   ① 국세예규심사위원회의 심의를 거쳐야 하는 질의
   ② 국세청장의 세법 해석에 대하여 다시 질의한 사항으로서 국세청장의 회신문이 첨부된 경우의 질의(사실판단과 관련된 사항은 제외)
   ③ 세법이 새로 제정되거나 개정되어 이에 대한 기획재정부장관의 해석이 필요한 경우
   ④ 그 밖에 세법의 입법 취지에 따른 해석이 필요한 경우로서 납세자의 권리보호를 위하여 필요하다고 기획재정부장관이 인정하는 경우

3 중장기 조세정책운용 계획

기획재정부장관은 효율적인 조세정책의 수립과 조세부담의 형평성 제고를 위하여 매년 해당 연도부터 5개 연도 이상의 기간에 대한 중장기 조세정책 운용계획을 수립하여야 한다. 이 경우 중장기 조세정책운용계획은 국가재정법에 따른 국가재정운용계획과 연계되어야 한다.

계획 내용	① 조세정책의 기본방향과 목표 ② 주요 세목별 조세정책 방향 ③ 비과세·감면 제도 운용 방향 ④ 조세부담 수준
기타 규정	① 기획재정부장관은 중장기 조세정책운용계획을 수립할 때에는 관계 중앙관서의 장과 협의하여야 함 ② 기획재정부장관은 수립한 중장기 조세정책운용계획을 국회 소관 상임위원회에 보고하여야 함

03 납세의무

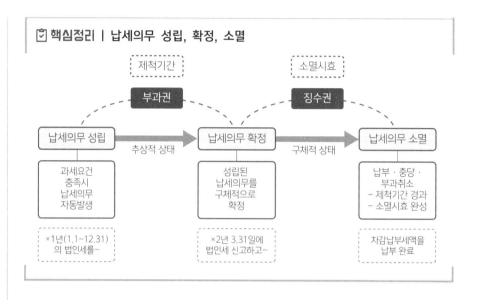
1 납세의무의 성립

I 의의

납세의무의 성립이란 세목별 과세요건이 충족됨으로써 납세의무가 객관적·추상적으로 생겨나는 것을 말한다. 그러므로 납세의무의 성립시기는 과세대상이 납세의무자에게 귀속되어 세법이 정하는 바에 따라 과세요건(과세대상, 납세의무자, 과세표준, 세율) 적용이 가능하게 되는 시점을 뜻한다.

II 납세의무 성립시기[1]

1. 원칙

국세를 납부할 의무는 국세기본법 및 세법에서 정하는 과세요건이 충족되면 성립한다.

부가가치세, 소득세, 법인세	① 원칙: 과세기간이 끝나는 때 ② 수입재화 부가가치세: 세관장에게 수입신고를 하는 때 ③ 청산소득 법인세: 그 법인이 해산을 하는 때

❶
납세의무의 성립시점을 기준으로 판단하는 규정
1. 입법상 소급과세 금지 판단시점
2. 국세부과권 행사시점
3. 납세의무의 승계 대상 국세: 성립 이후 국세
4. 출자자 등의 제2차 납세의무 판단시점

상속세	상속이 개시되는 때(상속세 신고일 ✕)
증여세	증여에 의하여 재산을 취득하는 때(증여계약일 ✕)
종합부동산세	과세기준일(매년 6월 1일)
개별소비세, 주세, 교통·에너지·환경세	① 과세물품: 제조장으로부터 반출하거나 판매장에서 판매하는 때. 단, 수입물품의 경우에는 세관장에게 수입신고를 하는 때 ② 과세장소: 입장할 때 ③ 과세유흥장소: 과세유흥음식행위를 한 때 ④ 과세영업장소: 영업행위를 한 때
인지세	과세문서를 작성한 때(인지를 첨부할 때✕)
증권거래세	해당 매매거래가 확정되는 때
교육세	① 국세에 부과되는 교육세: 해당 국세의 납세의무가 성립하는 때 ② 금융·보험업자의 수익금액에 부과되는 교육세: 과세기간이 끝나는 때
농어촌특별세	본세의 납세의무가 성립하는 때
가산세	① 무신고가산세 및 과소신고·초과환급신고가산세: 법정신고기한이 경과하는 때 ② 납부지연가산세 및 원천징수 등 납부지연가산세: 법정납부기한 경과 후 1일마다 그 날이 경과하는 때 ③ 납부고지서에 따른 납부기한까지 납부하지 아니한 납부지연가산세: 납부고지서에 따른 납부기한이 경과하는 때 ④ 원천징수 등 납부지연가산세(3%): 법정납부기한이 경과하는 때 ⑤ 그 밖의 가산세: 가산할 국세의 납세의무가 성립하는 때. 다만, ②, ③의 경우 출자자의 제2차 납세의무를 적용할 때에는 법정납부기한이 경과하는 때로 함

2. 예외

다음의 국세를 납부할 의무의 성립시기는 원칙적인 성립시기에도 불구하고 각 구분에 따른다.

원천징수하는 소득세·법인세	소득금액 또는 수입금액을 지급하는 때
납세조합이 징수하는 소득세 또는 예정신고납부하는 소득세	과세표준이 되는 금액이 발생한 달의 말일
중간예납하는 소득세·법인세, 예정신고기간·예정부과기간에 대한 부가가치세	중간예납기간 또는 예정신고기간·예정부과기간이 끝나는 때
수시부과하여 징수하는 국세	수시부과할 사유가 발생한 때(수시부과할 때 ✕)

🏛 **기출 체크**

01 각 사업연도 소득에 대한 법인세는 과세표준과 세액을 정부에 신고하는 때 납세의무가 성립한다. (✕)
2010년 국가직 7급

02 금융업자의 수익금액에 부과되는 교육세는 해당 금융업자의 법인세 납세의무가 확정하는 때에 성립한다. (✕)
2012년 국가직 9급

03 상속세는 상속신고를 완료하는 때가 된다. (✕) 2013년 국가직 9급

04 수입재화의 경우 부가가치세를 납부할 의무는 과세기간이 끝나는 때에 성립한다. (✕) 2015년 국가직 7급

I 의의

납세의무의 확정이란 조세의 납부 또는 징수를 위하여 세법이 정하는 바에 따라 납부할 세액을 납세의무자 또는 과세관청의 일정한 행위나 절차를 거쳐서 현실적인 금액으로 구체화하는 절차를 말한다.

II 확정의 유형❶

국세는 국세기본법 및 세법에서 정하는 절차에 따라 그 세액이 확정된다. 납세의무를 확정하는 방식으로는 납세자의 신고에 의하여 확정되는 경우와 정부의 부과에 의하여 확정되는 경우가 있으며, 별도의 확정절차를 필요로 하지 아니하고 자동적으로 확정되는 경우도 있다.

1. 신고납세방식과 정부부과방식

구분	신고납세방식	정부부과방식
내용	① 납세의무자가 과세표준과 세액을 정부에 신고했을 때에 확정됨 ② 납세의무자가 과세표준과 세액의 신고를 하지 아니하거나 신고한 과세표준과 세액이 세법에서 정하는 바와 맞지 아니한 경우에는 정부가 과세표준과 세액을 결정하거나 경정하는 때에 그 결정 또는 경정에 따라 확정됨	납세의무자에게 신고의무를 두고 있더라도 신고에 의하여 확정되는 것이 아니라, 해당 국세의 과세표준과 세액을 정부가 결정하는 때에 확정됨
세목	부가가치세, 소득세, 법인세, 개별소비세, 주세, 증권거래세, 교육세 또는 교통·에너지·환경세, 신고납부방식의 종합부동산세	상속세, 증여세, 신고납부방식이 아닌 종합부동산세❷
국세우선권 법정기일	그 신고일	그 납부고지서 발송일

❶

납세의무 확정시점으로 판단하는 규정

1. 국세우선권의 법정기일
2. 사업양수인의 제2차 납세의무: 양도일 이전에 양도인의 납세의무가 확정된 국세 등

❷

종합부동산세의 경우 정부부과제도와 신고납세제도 중 납세자가 확정방법을 선택할 수 있다.

🏛️ 기출 체크

상속세의 경우 납세의무자의 신고는 세액을 확정시키는 효력이 있다. (×)

2014년 국가직 7급

2. 자동확정국세

다음의 국세는 납세의무가 성립하는 때에 특별한 절차 없이 그 세액이 확정된다.[1]

인지세	과세문서를 작성한 때
원천징수하는 소득세 또는 법인세	소득금액 또는 수입금액을 지급하는 때
납세조합이 징수하는 소득세	과세표준이 되는 금액이 발생한 달의 말일
중간예납하는 법인세(세법에 따라 정부가 조사·결정하는 경우는 제외)	중간예납기간이 끝나는 때
납부지연가산세 및 원천징수 등 납부지연가산세(납부고지서에 따른 납부기한 후의 가산세로 한정)	법정납부기한 경과 후 1일마다 그 날이 경과하는 때 등

> ☑ **핵심정리 | 납세의무 확정시점을 기준으로 판단하는 규정**
>
> 1. 국세우선권의 법정기일
> 2. 사업양수인의 제2차 납세의무
>   양도일 이전에 양도인의 납세의무가 확정된 국세 등

Ⅲ 수정신고의 효력

1. 신고납부국세의 수정신고(과세표준신고서를 법정신고기한까지 제출한 자의 수정신고)는 당초의 신고에 따라 확정된 과세표준과 세액을 증액하여 확정하는 효력을 가진다.

2. 국세의 수정신고는 당초 신고에 따라 확정된 세액에 관한 국세기본법 또는 세법에서 규정하는 권리·의무관계에 영향을 미치지 아니한다.

Ⅳ 경정 등의 효력

1. 세법에 따라 당초 확정된 세액을 증가시키는 경정은 당초 확정된 세액에 관한 국세기본법 또는 세법에서 규정하는 권리·의무관계에 영향을 미치지 아니한다.

2. 세법에 따라 당초 확정된 세액을 감소시키는 경정은 그 경정으로 감소되는 세액 외의 세액에 관한 국세기본법 또는 세법에서 규정하는 권리·의무관계에 영향을 미치지 아니한다.

[1] 성립시기와 확정시기는 같다.

🏛 **기출 체크**

세법의 규정에 의해 당초 확정된 세액을 증가시키는 경정은 당초 확정된 세액에 관한 권리·의무 관계를 소멸시킨다. (×)

2014년 국가직 7급

당초처분과 경정처분의 관계

당초 세법에 따라 확정된 세액을 증감시키는 경정처분이 있는 경우 경정처분이 확정된 납세의무의 효력에 어떠한 영향을 미치는지에 대한 문제가 제기됨

1. 학설의 견해

흡수설	당초처분은 경정처분에 흡수되어 소멸하고 경정처분의 효력은 처음부터 다시 조사 결정한 과세표준 및 세액의 전체에 미친다고 보는 견해
병존설	당초처분과 경정처분은 서로 독립하여 별개로 존재하고 경정처분의 효력은 그 처분에 따라 당초 과세표준 및 세액을 증감시키는 부분에만 미친다고 보는 견해
역흡수설	경정처분은 당초처분에 흡수·소멸되나 당초처분에 따라 확정된 과세표준과 세액을 그 경정된 내용에 따라 증감시키는 효력이 발생한다는 견해

2. 증액경정처분

세법에 따라 당초 확정된 세액을 증가시키는 경정은 당초 확정된 세액에 관한 국세기본법 또는 세법에서 규정하는 권리·의무관계에 영향을 미치지 아니함

① 일반적인 권리의무 - 병존설
  ㉠ 당초처분에 따라 확정된 세액에 행해진 납세고지, 독촉, 가산금, 압류 등의 체납처분절차는 경정처분에 영향을 받지 않고 별도의 효력을 유지함
  ㉡ 불복청구기한도 당초처분과 경정처분별로 각각 판단함
  ㉢ 국세징수권 소멸시효도 당초처분과 경정처분별로 확정된 세액에 대해 각각 별도로 진행함

② 불복대상 - 제한된 흡수설: 당초 신고나 결정에 대한 불복과 관계없이 증액경정처분만이 불복대상(항고소송)의 대상이 되고 납세의무자는 그 불복청구에서 당초 신고나 결정에 대한 위법사유도 함께 주장할 수 있으나, 불복기간이나 경정청구기간의 도과로 더 이상 다툴 수 없게 된 세액에 관하여는 그 취소를 구할 수 없고 증액경정처분에 의하여 증액된 세액의 범위 내에서만 취소를 구할 수 있음(대판 2009.5.14, 2006두17390)

③ 행정심판전치주의 적용 - 흡수설: 과세처분의 불복절차 진행 중에 과세관청이 그 대상인 처분을 변경하였는데 그 위법사유가 공통되는 경우 선행처분에 대하여 적법한 전심절차를 거친 때 등과 같이 국세청장 및 국세심판소로 하여금 기본적 사실관계와 법률문제에 대하여 다시 판단할 수 있는 기회가 부여되었을 뿐더러 납세의무자로 하여금 굳이 또 전심절차를 거치게 하는 것이 가혹하다고 보이는 등의 사유가 있는 때에는 납세의무자는 전심절차를 거치지 아니하고도 과세처분의 취소를 구하는 행정소송을 제기할 수 있음(대판 1997.4.8, 96누2200)

3. 감액경정처분 - 역흡수설

세법에 따라 당초 확정된 세액을 감소시키는 경정은 그 경정으로 감소되는 세액 외의 세액에 관한 이 법 또는 세법에서 규정하는 권리·의무관계에 영향을 미치지 아니함. 즉, 감액경정처분은 당초 확정된 세액을 감소시키는 효력을 발생시킬 뿐, 감액경정 후 잔존세액에 관한 권리·의무관계에는 아무런 영향을 미치지 아니함

🏛 **기출 체크**

당초처분에 대해 전치절차를 거친 경우라 하더라도 경정처분은 형식적으로 별개의 행위이므로 전치절차를 생략할 수 없다. (×)　　2012년 국가직 7급

3 납세의무의 소멸

Ⅰ 납세의무의 소멸사유

국세 및 강제징수비를 납부할 의무는 다음 중 어느 하나에 해당하는 때에 소멸한다.

1. 조세채권의 실현 후 소멸
(1) 납부
(2) 충당

2. 조세채권의 미실현상태로 소멸
(1) 부과 취소된 때(부과철회 및 결손처분 ×)
(2) 국세를 부과할 수 있는 기간에 국세가 부과되지 아니하고 그 기간이 끝난 때
(3) 국세징수권의 소멸시효가 완성된 때

Ⅱ 국세의 부과제척기간

1. 의의

국세의 부과제척기간(부과권에 대해 법이 정하는 존속기간)은 권리관계를 조속히 확정시키기 위한 것이므로 국세징수권 소멸시효와는 달리 진행기간의 중단이나 정지가 없다. 따라서 제척기간이 경과하면 과세관청의 국세 부과권은 소멸하며 제척기간 경과 후에 이루어진 과세처분은 당연무효이다.

2. 제척기간
(1) 상속세·증여세 이외의 국세

국세를 부과할 수 있는 기간은 국세를 부과할 수 있는 날부터 원칙적으로 5년(역외거래❶의 경우 7년)으로 한다. 단, 다음 중 어느 하나에 해당하는 경우에는 각 구분에 따른 기간을 부과제척기간으로 한다.

① 납세자가 법정신고기한까지 과세표준신고서를 제출하지 아니한 경우	7년 (역외거래 10년)
② 납세자가 사기나 그 밖의 부정한 행위로 국세를 포탈하거나 환급·공제받은 경우 ③ 납세자가 부정행위로 소득세법, 법인세법, 부가가치세법에 따른 가산세 부과대상이 되는 경우 ④ 부정행위로 포탈하거나 환급·공제받은 국세가 법인세이고 이와 관련하여 법인세법 제67조에 따라 처분된 금액에 대한 소득세 또는 법인세	10년

❶
역외거래란 국제거래 및 거래 당사자 양쪽이 거주자(내국법인과 외국법인의 국내사업장을 포함)인 거래로서 국외에 있는 자산의 매매·임대차, 국외에서 제공하는 용역과 관련된 거래를 말한다.

기출 체크

01 납세고지서 등을 송달할 수 없어 부과결정을 철회하는 경우 납세의무는 소멸된다. (×)
　　2007년 국가직 9급, 2017년 국가직 7급
02 사기나 그 밖의 부정행위로 법인세를 포탈한 경우 법인세법 제67조에 따라 처분된 금액에 대한 소득세에 대해서도 그 소득세를 부과할 수 있는 날부터 10년간을 부과의 제척기간으로 한다. (○)　　　　2015년 국가직 9급

⑤ 역외거래에서 발생한 부정행위로 국세를 포탈하거나 환급·공제받은 경우	
⑥ 역외거래에서 발생한 부정행위로 법인세를 포탈하거나 환급·공제받아 법인세법에 따라 처분된 금액에 대한 소득세 또는 법인세	15년
⑦ 부담부증여에 따라 증여세와 함께 소득세법에 따른 양도소득세가 과세되는 경우	증여세에 대하여 정한 기간
⑧ 일반적인 제척기간의 종료일이 속하는 과세기간 이후의 과세기간에 소득세법 및 법인세법에 따라 이월결손금을 공제하는 경우 그 결손금이 발생한 과세기간의 소득세 또는 법인세	이월결손금을 공제한 과세기간의 법정신고기한으로부터 1년간

(2) 상속세·증여세

① 원칙적인 제척기간

㉠ 일반적인 경우	10년
㉡ 납세자가 부정행위로 상속세·증여세를 포탈하거나 환급·공제받은 경우	
㉢ 상속세 및 증여세법에 따른 신고서를 제출하지 아니한 경우	
㉣ 상속세 및 증여세법에 따라 신고서를 제출한 자가 거짓신고 또는 누락신고를 한 경우(그 거짓신고 또는 누락신고를 한 부분만 해당함)	15년

📋 **핵심정리 | 제척기간의 비교**

내용	상속세·증여세 외 국세	상속세·증여세
일반적인 경우	5년	10년
무신고의 경우	7년	15년
납세자가 부정행위로 포탈하거나 환급·공제받은 경우	10년 (역외거래 15년)	15년
상속세·증여세의 특례제척기간	–	안 날로부터 1년

② 상속세·증여세의 특례제척기간: 납세자가 부정행위로 상속세·증여세(Ⓐ의 경우에는 해당 명의신탁과 관련한 국세를 포함)를 포탈하는 경우로서 다음 중 어느 하나에 해당하는 경우 과세관청은 해당 재산의 상속 또는 증여가 있음을 안 날부터 1년 이내에 상속세 및 증여세를 부과할 수 있다. 다만, 상속인이나 증여자 및 수증자가 사망한 경우와 포탈세액 산출의 기준이 되는 재산가액(다음 ㉠ ~ ⓜ에 해당하는 재산가액을 합친 것)이 50억 원 이하인 경우에는 그렇지 않다.

㉠ 제3자의 명의로 되어 있는 피상속인 또는 증여자의 재산을 상속인이나 수증자가 취득한 경우

ⓛ 계약에 따라 피상속인이 취득할 재산이 계약이행기간에 상속이 개시됨으로써 등기·등록 또는 명의개서가 이루어지지 아니하고 상속인이 취득한 경우

ⓒ 국외에 있는 상속재산·증여재산을 상속인이·수증자가 취득한 경우

ⓔ 등기·등록 또는 명의개서가 필요하지 아니한 유가증권, 서화, 골동품 등 상속재산 또는 증여재산을 상속인이나 수증자가 취득한 경우

ⓜ 수증자의 명의로 되어 있는 증여자의 금융자산을 수증자가 보유하고 있거나 사용·수익한 경우

ⓗ 비거주자인 피상속인의 국내재산을 상속인이 취득한 경우

ⓢ 명의신탁재산의 증여의제에 해당하는 경우

ⓞ 상속재산 또는 증여재산인 특정 금융거래정보의 보고 및 이용 등에 관한 법률에 따른 가상자산을 같은 법에 따른 가상자산사업자(같은 법 제7조에 따라 신고가 수리된 자로 한정함)를 통하지 아니하고 상속인이나 수증자가 취득한 경우

(3) 조세쟁송 등으로 인한 특례제척기간❶

원칙적인 제척기간에도 불구하고 지방국세청장 또는 세무서장은 다음의 구분에 따른 기간이 지나기 전까지 경정이나 그 밖에 필요한 처분을 할 수 있다.

① 이의신청, 심사청구, 심판청구, 감사원법에 따른 심사청구 또는 행정소송법에 따른 소송에 대한 결정이나 판결이 확정된 경우 ② 위의 결정이나 판결이 확정됨에 따라 그 결정 또는 판결의 대상이 된 과세표준 또는 세액과 연동된 다른 세목(같은 과세기간으로 한정함)이나 연동된 다른 과세기간(같은 세목으로 한정함)의 과세표준 또는 세액의 조정이 필요한 경우	결정 또는 판결이 확정된 날부터 1년
③ 형사소송법에 따른 소송에 대한 판결이 확정되어 뇌물, 알선수재 및 배임수재에 의하여 받는 금품(소득세법 기타소득)이 발생한 것으로 확인된 경우	판결이 확정된 날부터 1년
④ 조세조약에 부합하지 아니하는 과세의 원인이 되는 조치가 있는 경우 그 조치가 있음을 안 날부터 3년 이내(조세조약에서 따로 규정하는 경우에는 그에 따름)에 그 조세조약의 규정에 따른 상호합의가 신청된 것으로서 그에 대하여 상호합의가 이루어진 경우	상호합의 절차의 종료일부터 1년
⑤ 조세쟁송의 결정 또는 판결에서 명의대여 사실이 확인된 경우로서 특례제척기간 이내에 명의대여자에 대한 부과처분을 취소하고 실제로 사업을 경영한 자 또는 국내원천소득의 실질귀속자에게 경정결정이나 그 밖에 처분이 필요한 경우	결정 또는 판결이 확정된 날부터 1년

❶
조세조약에 따라 상호합의 절차가 진행 중인 경우에는 국제조세조정에 관한 법률에서 정하는 바에 따른다.

📖 취지
제척기간이 만료되면 과세권자는 증액경정결정은 물론 감액경정결정 등 어떠한 처분도 할 수 없다. 만일 과세처분에 대한 행정심판청구 또는 행정소송 등의 쟁송이 장기간 지연되어 그 결정 또는 판결이 제척기간이 지난 후에 행하여지는 경우 과세권자는 그 결정이나 판결에 따른 처분도 할 수 없게 되는 불합리한 사례를 방지하기 위해 특례제척기간이 마련된 것이다.

⑥ 경정청구 또는 조정권고가 있는 경우 ⑦ 위 경정청구 또는 조정권고가 있는 경우 그 경정청구 또는 조정권고의 대상이 된 과세표준 또는 세액과 연동된 다른 과세기간의 과세표준 또는 세액의 조정이 필요한 경우		경정청구일 또는 조정권고일부터 2개월
⑧ 역외거래와 관련하여 부과제척기간이 지나기 전에 국제조세조정에 관한 법률에 따라 조세의 부과와 징수에 필요한 조세정보를 외국의 권한 있는 당국에 요청하여 조세정보를 요청한 날부터 2년이 지나기 전까지 조세정보를 받은 경우		조세정보를 받은 날부터 1년
⑨ 「국제조세조정에 관한 법률」 제69조 제2항에 따른 국가별 실효세율이 변경된 경우		국가별 실효세율의 변경이 있음을 안 날부터 1년

3. 국세부과 제척기간의 기산일

국세부과권의 제척기간은 국세를 부과할 수 있는 날부터 기산되며, 그 날에 관하여는 다음과 같이 규정하고 있다.

원칙	과세표준과 세액을 신고하는 국세 (신고하는 종합부동산세는 제외)	과세표준신고기한의 다음 날❶
	종합부동산세 및 인지세	해당 국세의 납세의무가 성립한 날
특례	원천징수의무자 또는 납세조합에 대하여 부과하는 국세	해당 원천징수세액 또는 납세조합징수세액의 법정 납부기한의 다음 날
	과세표준신고기한 또는 법정 납부기한이 연장되는 경우	그 연장된 기한의 다음 날
	공제, 면제, 비과세 또는 낮은 세율의 적용 등에 따른 세액을 의무불이행 등의 사유로 징수하는 경우	해당 공제세액 등을 징수할 수 있는 사유가 발생한 날

4. 제척기간 만료의 효과

(1) 국세의 부과권이 장래를 향하여 소멸하므로 제척기간 이후 더 이상 과세관청의 결정·경정·부과취소 등의 부과처분은 할 수 없다.

(2) 제척기간이 만료되면 그 후속절차인 징수권이 발생할 여지가 없으므로 소급효 없이 장래를 향해 소멸한다.

Ⅲ 국세징수권의 소멸시효

1. 의의

(1) 소멸시효는 권리를 행사하지 않은 상태가 일정한 기간 동안 지속된 경우에 권리를 소멸시키는 제도를 말한다. 국세징수권의 소멸시효는 징수권을 행사하지 않은 상태가 지속된 경우 국세징수권을 소멸시키는 제도이다.

(2) 소멸시효에 관하여는 국세기본법 또는 세법에 특별한 규정이 있는 경우를 제외하고는 민법에 따른다.

2. 소멸시효기간

국세징수권은 이를 행사할 수 있는 때부터 다음의 구분에 따른 기간 동안 행사하지 아니하면 소멸시효가 완성된다. 이 경우 국세의 금액은 가산세를 제외한 금액으로 한다.

5억 원 미만의 국세	5년
5억 원 이상의 국세	10년

3. 소멸시효의 기산일

국세징수권의 소멸시효는 국세의 징수권을 행사할 수 있는 때부터 진행한다. 이는 납세의무 확정시기에 따라 달라진다.

원칙	과세표준과 세액의 신고에 의하여 납세의무가 확정되는 국세의 경우 신고한 세액	그 법정 신고납부기한의 다음 날
	과세표준과 세액을 정부가 결정, 경정 또는 수시부과결정하는 경우 납부고지한 세액	그 고지에 따른 납부기한의 다음 날
예외	① 원천징수의무자 또는 납세조합으로부터 징수하는 국세의 경우 납부고지한 원천징수세액 또는 납세조합징수세액 ② 인지세의 경우 납부고지한 인지세액	그 고지에 따른 납부기한의 다음 날
	법정신고납부기한이 연장되는 경우	그 연장된 기한의 다음 날

4. 소멸시효의 정지와 중단

(1) 정지

① 개념: 소멸시효 진행 중에 권리행사하는 것이 불가능하거나 어려운 사정이 발생한 경우 그 사정이 존속하는 동안 진행을 일시적으로 멈추고 그 사정이 없어졌을 때 다시 나머지 기간을 진행시키는 것을 말한다.

② 사유

㉠ 세법에 따른 분납기간

㉡ 세법에 따른 납부고지의 유예, 지정납부기한·독촉장에서 정하는 기한의 연장, 징수 유예기간

㉢ 세법에 따른 압류·매각의 유예기간

㉣ 세법에 따른 연부연납기간

㉤ 세무공무원이 사해행위 취소소송이나 채권자대위 소송을 제기하여 그 소송이 진행 중인 기간❶

㉥ 체납자가 국외에 6개월 이상 계속 체류하는 경우 해당 국외 체류 기간

❶
사해행위 취소소송 또는 채권자대위 소송의 제기로 인한 시효정지의 효력은 소송이 각하·기각 또는 취하된 경우에는 효력이 없다.

③ 효과: 이미 진행한 소멸시효는 효력이 유지되고, 잔여기간만 경과하면 시효가 완성된다.

(2) 중단

① 개념: 소멸시효 진행 중에 징수권 행사로 볼만한 사정이 있으면 그 때까지 진행된 소멸시효기간의 효력을 잃는 것을 말한다.

② 사유: 납부고지, 독촉, 교부청구, 압류(국세징수법 제57조 중 압류금지 재산을 압류한 경우 및 제3자의 재산을 압류한 경우로서 압류를 즉시 해제하는 경우는 제외)

③ 효과: 중단된 소멸시효는 다음의 기간이 지난 때부터 새로 진행한다.

납부고지	고지한 납부기한
독촉	독촉에 의한 납부기간
교부청구	교부청구 중의 기간
압류	압류해제까지의 기간

5. 소멸시효의 효과

(1) 국세징수권의 소멸시효가 완성되면 그 징수권은 기산일에 소급하여 소멸한다.

(2) 국세의 소멸시효가 완성한 때에는 그 국세의 가산금, 강제징수비 및 이자상당세액에도 그 효력이 미친다.

(3) 주된 납세자의 국세가 소멸시효의 완성에 의하여 소멸한 때에는 제2차 납세의무자, 납세보증인과 물적납세의무자에도 그 효력이 미친다.

☑ 핵심정리 | 국세부과권의 제척기간과 국세징수권 소멸시효

구분	국세부과권 제척기간	국세징수권 소멸시효
의의	국세부과권의 법정 존속기간	국세징수권의 불행사기간
성격	형성권의 일종	청구권의 일종
기간	① 일반적 국세: 5년, 7년, 10년, 15년 ② 상속세 및 증여세: 10년, 15년, 특례제척기간(기타 특례제척기간 有)	① 5억 원 미만: 5년 ② 5억 원 이상: 10년 (세목과 관계없음)
기산일 (원칙)	① 신고의무 有: 신고기한의 다음 날 ② 신고의무 無: 납세의무 성립일	① 신고에 의해 확정 O: 법정신고 납부기한의 다음 날 ② 정부결정에 의해 확정 O: 고지에 따른 납부기한의 다음 날
중단정지	없음	있음
만료효과	장래를 향하여 소멸	기산일에 소급하여 소멸

04 국세와 일반채권의 관계

1 국세우선권①

Ⅰ 개념

국세 및 강제징수비는 다른 공과금이나 그 밖의 채권에 우선하여 징수한다.

Ⅱ 조세채권 사이의 우선순위

조세채권 상호 간에는 원칙적으로 평등하게 징수권을 가진다. 다만, 다음에 해당하는 경우에는 예외적으로 조세채권 상호 간의 우선권을 인정하고 있다.

1. 압류에 의한 우선

(1) 국세 강제징수에 따라 납세자의 재산을 압류한 경우에 다른 국세 및 강제징수비 또는 지방세의 교부청구(참가압류를 한 경우를 포함)가 있으면 압류와 관계되는 국세 및 강제징수비는 교부청구된 다른 국세 및 강제징수비 또는 지방세보다 우선하여 징수한다.

(2) 지방세 체납처분에 의하여 납세자의 재산을 압류한 경우에 국세 및 강제징수비의 교부청구가 있으면 교부청구된 국세 및 강제징수비는 압류에 관계되는 지방세의 다음 순위로 징수한다.

2. 담보 있는 국세의 우선

납세담보물을 매각하였을 때에는 압류에 의한 우선원칙에도 불구하고 그 국세 및 강제징수비는 매각대금 중에서 다른 국세 및 강제징수비와 지방세에 우선하여 징수한다.

> ☑ **핵심정리 | 조세채권 사이의 우선관계**
>
> 담보 있는 조세 > 압류한 조세 > 교부청구한 조세

① 조세는 국가나 지방자치단체의 활동을 위한 재정수입의 주된 원천으로서 고도의 공공성·공익성을 가지며, 법률에 정해진 과세요건을 충족하면 조세채권이 필연적으로 성립하나 구체적인 대가없이 이를 징수하는 것으로, 그 징수의 확보를 보장할 필요가 있어 채권평등원칙에 대한 예외로서 국세우선권을 규정하고 있다.

취지
국세우선권을 예외 없이 인정할 경우 담보권자의 예측가능성을 해하여 담보권자의 재산권 등을 침해하고, 사법상 거래의 안전이 저해되어 경제적 취약자에게 위협이 될 수 있음을 방지하기 위함이다.

2 국세우선권의 제한

I 국세우선 징수에 대한 예외

다음 중 어느 하나에 해당하는 공과금이나 그 밖의 채권에 대해서는 국세우선원칙이 적용되지 않는다.

1. 지방세나 공과금의 체납처분 또는 강제징수를 할 때 그 체납처분 또는 강제징수금액 중에서 국세 및 강제징수비를 징수하는 경우의 그 지방세나 공과금의 체납처분비 또는 강제징수비

2. 강제집행·경매 또는 파산 절차에 따라 재산을 매각할 때 그 매각금액 중에서 국세 및 강제징수비를 징수하는 경우의 그 강제집행, 경매 또는 파산 절차에 든 비용

3. 법정기일 전에 다음 중 어느 하나에 해당하는 권리가 설정된 재산이 국세의 강제징수 또는 경매 절차 등을 통하여 매각(**3의2.**에 해당하는 재산의 매각은 제외)되어 그 매각금액에서 국세를 징수하는 경우 그 권리에 의하여 담보된 채권 또는 임대차보증금반환채권. 이 경우 다음에 해당하는 권리가 설정된 사실은 대통령령으로 정하는 방법으로 증명한다.

   ① 전세권, 질권 또는 저당권
   ② 주택임대차보호법 또는 상가건물 임대차보호법에 따라 대항요건과 확정일자를 갖춘 임차권
   ③ 납세의무자를 등기의무자로 하고 채무불이행을 정지조건으로 하는 대물변제의 예약에 따라 채권 담보의 목적으로 가등기(가등록을 포함)를 마친 가등기 담보권

3의2. 제3호의 전세권 등이 설정된 재산이 양도, 상속 또는 증여된 후 해당 재산이 국세의 강제징수 또는 경매 절차 등을 통하여 매각되어 그 매각금액에서 국세를 징수하는 경우 해당 재산에 설정된 전세권 등에 의하여 담보된 채권 또는 임대차보증금반환채권. 다만, 해당 재산의 직전 보유자가 전세권 등의 설정 당시 체납하고 있었던 국세 등을 고려하여 다음의 구분에 따라 계산한 금액의 범위에서는 국세를 우선하여 징수한다.

   ① 직전 보유자가 해당 재산을 보유하기 전에 해당 재산에 설정된 전세권 등이 없는 경우: 직전 보유자 보유기간 중의 전세권 등 설정일 중 가장 빠른 날보다 특례기일이 빠른 직전 보유자의 국세 체납액을 모두 더한 금액
   ② 직전 보유자가 해당 재산을 보유하기 전에 해당 재산에 설정된 전세권 등이 있는 경우: 0원

4. 주택임대차보호법 제8조 또는 상가건물 임대차보호법 제14조가 적용되는 임대차관계에 있는 주택 또는 건물을 매각할 때 그 매각금액 중에서 국세를 징수하는 경우 임대차에 관한 보증금 중 일정 금액으로서 주택임대차보호법 제8조 또는 상가건물 임대차보호법 제14조에 따라 임차인이 우선하여 변제받을 수 있는 금액에 관한 채권

5. 사용자의 재산을 매각하거나 추심할 때 그 매각금액 또는 추심금액 중에서 국세를 징수하는 경우에 근로기준법 제38조 또는 근로자퇴직급여 보장법 제12조에 따라 국세에 우선하여 변제되는 임금, 퇴직금, 재해보상금, 그 밖에 근로관계로 인한 채권

Check | **가등기에 의하여 담보된 채권**

1. 특례기일 이후에 가등기담보권을 설정하기 위한 담보가등기를 마친 사실이 증명되는 재산을 매각하여 그 매각대금에서 국세를 징수하는 경우 그 재산을 압류한 날 이후에 그 가등기에 따른 본등기가 이루어지더라도 그 국세는 그 가등기에 의해 담보된 채권보다 우선함
2. 세무서장은 가등기가 설정된 재산을 압류하거나 공매할 때에는 그 사실을 가등기권리자에게 지체 없이 통지하여야 함

Ⅱ 법정기일

법정기일이란 국세 등과 피담보채권의 우열을 가리기 위한 기준일로서 다음 중 어느 하나에 해당하는 기일을 말한다.

과세표준과 세액의 신고에 따라 납세의무가 확정되는 국세(중간예납하는 법인세와 예정신고납부하는 부가가치세 및 소득세를 포함)의 경우 신고한 해당 세액	그 신고일
① 과세표준과 세액을 정부가 결정·경정 또는 수시부과 결정을 하는 경우 고지한 해당 세액(납부지연가산세 중 납부고지서에 따른 납부기한 후의 납부지연가산세와 원천징수 등 납부지연가산세 중 납부고지서에 따른 납부기한 후의 원천징수 등 납부지연가산세를 포함) ② 제2차 납세의무자(보증인 포함)의 재산에서 징수하는 국세 ③ 양도담보재산에서 징수하는 국세 ④ 부가가치세법에 따라 신탁재산에서 징수하는 부가가치세 등 및 종합부동산세법에 따라 신탁재산에서 징수하는 종합부동산세 등	납부고지서의 발송일❶
인지세와 원천징수의무자나 납세조합으로부터 징수하는 소득세·법인세 및 농어촌특별세	그 납세의무의 확정일
확정 전 보전압류한 경우에 그 압류와 관련하여 확정된 국세	압류등기일 또는 등록일

❶
신고납세방식에 따르는 국세를 기한후 신고 하여 과세관청이 과세표준과 세액을 결정할 경우 법정기일은 그 납부고지서의 발송일이다.

기출 체크

양도담보재산에서 국세를 징수하는 경우의 특례기일은 그 납세의무의 확정일이다. (×) 2016년 국가직 7급

Ⅲ 당해세의 예외

1. 해당 재산에 대하여 부과된 상속세, 증여세 및 종합부동산세는 피담보채권 또는 임대차보증금반환채권보다 우선하며, 제3호의2에도 불구하고 해당 재산에 대하여 부과된 종합부동산세는 제3호의2에 따른 채권 또는 임대차보증금반환채권보다 우선한다.

2. 다만, 주택임대차보호법에 따라 대항요건과 확정일자를 갖춘 임차권에 의하여 담보된 임대차보증금반환채권 또는 주거용 건물에 설정된 전세권에 의하여 담보된 채권은 해당 임차권 또는 전세권이 설정된 재산이 국세의 강제징수 또는 경매 절차 등을 통하여 매각되어 그 매각금액에서 국세를 징수하는 경우 그 확정일자 또는 설정일보다 특례기일이 늦은 해당 재산에 대하여 부과된 상속세, 증여세 및 종합부동산세의 우선 징수 순서에 대신하여 변제될 수 있다. 이 경우 대신 변제되는 금액은 우선 징수할 수 있었던 해당 재산에 대하여 부과된 상속세, 증여세 및 종합부동산세의 징수액에 한정하며, 임대차보증금반환채권 등보다 우선 변제되는 저당권 등의 변제액과 해당 재산에 대하여 부과된 상속세, 증여세 및 종합부동산세를 우선 징수하는 경우에 배분받을 수 있었던 임대차보증금반환채권 등의 변제액에는 영향을 미치지 아니한다.

∵ 확정일자보다 법정기일이 늦은 당해세 배분예정액에 한하여 임대차보증금반환채권 등에 먼저 배분하는 당해세 우선 징수의 예외규정을 신설함

예 경락대금 중 배분하는 금액이 총 1억 5천만 원인 경우 확정일자보다 늦게 발생한 당해세가 3천만 원, 전세보증금보다 선순위인 저당권부 피담보채권이 1억 원, 전세보증금이 5천만 원이다. 종전규정에 따르면 당해세 3천만 원, 피담보채권 1억 원, 전세보증금 2천만 원의 순위로 배분이 되지만 신설규정에 따르면 전세보증금 3천만 원(당해세 배분예정액), 피담보채권 1억 원, 전세보증금 2천만 원의 순서로 배분된다.

구분	배분액	당해세 3천만 원	피담보채권 1억 원	전세보증금 5천만 원
종전 규정	1억 5천만 원	3천만 원	1억 원	2천만 원
현행 규정	1억 5천만 원	전세보증금 3천만 원 (당해세 배분 예정액)	1억 원	2천만 원

📋 핵심정리 | 국세우선순위 정리

국세 또는 강제징수비와 임차인의 보증금 중 일정액, 임금채권 등 그 밖의 다른 채권과의 우선순위에 관하여는 국세기본법, 주택임대차 보호법 제8조, 근로기준법 제38조 및 근로자퇴직급여 보장법 제12조의 규정을 종합하여 판단하여야 하는바, 그 우선순위는 다음과 같다.

구분	법정기일 > 설정기일	법정기일 < 설정기일
1순위	강제징수비, 강제집행·경매비용, 파산절차 비용	
2순위	법정 소액임차보증금, 최종 3월분 임금채권·최종 3년간 퇴직급여·재해보상금	
3순위	재산에 대하여 부과된 조세(당해세): 상속세, 증여세, 종합부동산세	
4순위	국세채권	피담보채권 또는 임대차보증금반환채권
5순위	피담보채권 또는 임대차보증금반환채권	그 밖의 임금채권
6순위	그 밖의 임금채권	국세채권
7순위	일반채권 및 공과금	일반채권 및 공과금

📑 사례

관할 세무서장은 개인사업자인 甲에 대한 세무조사 결과 종합소득세를 9,000만 원으로 경정하고 납부고지서를 2022년 5월 30일에 발송하여 2022년 6월 4일에 송달되었다. 그러나 甲이 종합소득세를 기한 내에 납부하지 않아 관할 세무서장은 甲 소유의 주택을 압류하여 공매하였으며, 매수인은 공매대금 1억 원을 전액 납부하였다. 공매과정에서 배당을 신청한 채권자 및 채권액이 다음과 같을 때, 관할 세무서장이 배당받을 수 있는 금액은?   2012년 국가직 7급

- 주택임대차보호법에 따라 우선 변제받는 임차인의 임차보증금 중 일정액: 1,000만 원
- 종업원 乙에 대한 임금채권: 2,400만 원(월 200만 원 × 12개월, 퇴직금과 재해보상금은 없는 것으로 가정한다)
- 압류된 주택에 대한 A은행의 채권: 4,000만 원(채권최고액 5,000만 원, 근저당권 설정등기일: 2022년 6월 2일)

① 44,000,000원
② 66,000,000원
③ 84,000,000원
④ 90,000,000원

해설

구분	법정기일(2022.5.30.) > 설정기일(2022.6.2.)	
1순위	–	
2순위	법정 소액임차보증금 1,000만 원 + 최종 3월분 임금채권 200만 원 × 3월 = 1,600만 원	
3순위	–	
4순위	국세채권	8,400만 원

답 ③

1. 세무서장은 납세자가 제3자와 짜고 거짓으로 재산에 전세권·질권 또는 저당권의 설정계약·임대차 계약·가등기 설정계약·양도담보 설정계약에 해당하는 계약을 하고 그 등기 또는 등록을 하거나 주택임대차보호법 또는 상가건물 임대차보호법에 따른 대항요건과 확정일자를 갖춘 임대차 계약을 체결함으로써 그 재산의 매각금액으로 국세를 징수하기가 곤란하다고 인정할 때에는 그 행위의 취소를 법원에 청구할 수 있음
2. 이 경우 납세자가 국세의 법정기일 전 1년 내에 특수관계인 중 대통령령으로 정하는 자와 전세권·질권 또는 저당권 설정계약, 임대차 계약, 가등기 설정계약 또는 양도담보 설정계약을 한 경우에는 짜고 한 거짓 계약으로 추정함
3. 적용요건 및 취지

적용요건	① 납세자가 제3자와 짜고 거짓으로 전세권 등의 담보설정계약을 하고 등기·등록을 하여야 함 ② 그 재산의 매각금액으로 국세를 징수하기 곤란하다고 인정되어야 함 ③ 담보권이 해당 국세의 법정기일 전에 설정되어야 함
취지	법정기일 전 담보물권을 설정하면 국세에 우선할 수 있는 점을 납세자가 악용할 수 있음

사례

한국세무서는 거주자 甲의 2018년도 귀속분 소득세 100,000,000원이 체납되어 거주자 甲 소유의 주택D를 2022.6.1.에 압류하여 2022.7.20.에 매각하였다. 다음 자료에 따라 주택D의 매각대금 100,000,000원 중 거주자 甲이 체납한 소득세로 징수될 수 있는 금액은?   2017년 국가직 9급

- 거주자 甲의 소득세 신고일: 2019년 5월 30일
- 강제징수비: 3,000,000원
- 주택D에 설정된 저당권에 따른 피담보채권(저당권 설정일: 2019년 3월 28일): 50,000,000원
- 주택D에 대한 임차보증금: 25,000,000원(이 중 주택임대차보호법에 따른 우선변제금액은 12,000,000원)
- 거주자 甲이 운영하는 기업체 종업원의 임금채권: 30,000,000원(이 중 근로기준법에 따른 우선변제금액은 15,000,000원)
- 주택D에 부과된 국세는 없음

① 5,000,000원   ② 17,000,000원
③ 20,000,000원   ④ 70,000,000원

구분	법정기일(2019.5.30.) < 설정기일(2019.3.28.)	
1순위	강제징수비	300만 원
2순위	법정 소액임차보증금 + 우선변제임금채권	2,700만 원
3순위	피담보채권	5,000만 원
4순위	그 밖의 임금채권	1,500만 원
5순위	소득세	500만 원

답 ①

3 양도담보권자의 물적납세의무

I 의의

1. 납세자가 국세 및 강제징수비를 체납한 경우에 그 납세자에게 양도담보 재산❶이 있을 때에는 그 납세자의 다른 재산에 대하여 강제징수를 하여 도 징수할 금액에 미치지 못하는 경우에만 그 양도담보재산으로써 납세 자의 국세 및 강제징수비를 징수할 수 있다. 다만, 그 국세의 법정기일 전에 담보의 목적이 된 양도담보재산에 대해서는 그렇지 않다.

2. 국세징수법에 따라 양도담보권자에게 납부고지가 있은 후 납세자가 양도 에 의하여 실질적으로 담보된 채무를 불이행하여 해당 재산이 양도담보 권자에게 확정적으로 귀속되고 양도담보권이 소멸하는 경우에는 납부고 지 당시의 양도담보재산이 계속하여 양도담보재산으로서 존속하는 것으 로 본다.

II 요건

1. 납세자인 양도담보설정자가 국세 등을 체납하고 있어야 한다. 한편, 제2차 납세의무자도 납세자에 해당하므로 그 소유재산에 대한 양도담보권자는 물적납세의무를 진다.

2. 양도담보설정자의 다른 재산에 대하여 강제징수를 집행하여도 징수할 금 액에 부족한 경우이어야 한다.❷

3. 양도담보가 설정된 시기가 체납된 국세의 법정기일 이후이이야 한다.

4. 양도담보권자는 양도담보재산으로써 물적납세의무를 부담하므로 그 책 임은 양도담보재산의 가액을 한도로 한다.

📖 취지

양도담보재산의 대외적 소유권은 양도 담보권자에게 귀속하므로 양도담보설정 자가 국세를 체납한 경우 과세관청은 양 도담보권자의 재산인 양도담보재산에 대하여 강제징수를 할 수 없다. 따라서 양도담보의 피담보채권은 국세보다 무 조건 우선변제받는 결과가 되어 일반적 인 담보권자와 과세형평이 맞지 않으므 로 양도담보권자에게 보충적 납세의무 를 부담시키고 있다.

❶

당사자 간의 계약에 의하여 납세자가 그 재산을 양도하였을 때에 실질적으로 양 도인에 대한 채권담보의 목적이 된 재산 을 의미한다.

❷
보충적 납세의무이다.

Ⅲ 양도담보에 대한 개별세법 규정

1. 부가가치세

(1) 질권·저당권 또는 양도담보의 목적으로 동산·부동산 및 부동산상의 권리를 제공하는 것은 재화의 공급으로 보지 않음
(2) 단, 채무불이행 등으로 담보권이 실행되어 담보물이 담보권자 등에게 인도 또는 양도된 때에는 재화의 공급으로 과세됨

2. 소득세법

(1) 채무자가 채무의 변제를 담보하기 위하여 자산을 양도하는 계약을 체결한 경우에 양도담보계약서의 사본을 과세표준확정신고서에 첨부하여 신고하는 때에는 이를 양도로 보지 않음
(2) 양도담보계약을 체결한 후 그 요건에 위배하거나 채무불이행으로 인하여 당해 자산을 변제에 충당한 때에는 그 때에 이를 양도한 것으로 봄

3. 법인세법

양도담보설정자인 사업자가 양도담보로 제공한 자산을 사업에 직접 사용하고 있는 경우에는 양도담보설정자가 그 자산에 대한 감가상각비를 손금에 산입할 수 있음

🏛 기출 체크
01 제2차 납세의무자의 소유재산에 대한 양도담보권자는 물적납세의무를 지지 아니한다. (✕) 2008년 국가직 7급
02 양도담보설정자인 사업자가 양도담보로 제공한 자산을 사업에 직접 사용하고 있는 경우에는 양도담보권자가 그 자산에 대한 감가상각비를 손금에 산입할 수 있다. (✕) 2012년 국가직 7급

05 납세의무의 확장

1 납세의무의 승계

Ⅰ 의의

1. 법인이 합병하거나 상속이 개시되면 합병법인 또는 상속인 등은 피합병법인 또는 피상속인의 모든 권리의무를 포괄적으로 승계한다.
2. 납세의무의 승계는 당사자의 의사에 관계없이 법정 요건이 충족되면 어떠한 별도의 처분이나 행위도 필요없이 납세의무가 승계된다.

Ⅱ 승계의 유형

1. 법인의 합병으로 인한 납세의무의 승계

법인이 합병한 경우 합병 후 존속하는 법인 또는 합병으로 설립된 법인은 합병으로 소멸된 법인에 부과되거나 그 법인이 납부할 국세 및 강제징수비를 납부할 의무를 진다.

2. 상속으로 인한 납세의무의 승계

(1) 의의

상속이 개시된 때에 그 상속인(수유자 포함) 또는 상속재산관리인은 피상속인에게 부과되거나 그 피상속인이 납부할 국세 및 강제징수비를 상속으로 받은 재산의 한도에서 납부할 의무를 진다.

(2) 상속으로 받은 재산

> 상속받은 자산총액 - (상속받은 부채총액 + 상속으로 인하여 부과·납부할 상속세)

(3) 승계되는 국세의 범위

납세의무가 확정된 국세뿐만 아니라 성립한 국세도 포함한다.

취지

피상속인 또는 피합병법인의 납세의무를 상속인 또는 합병법인에게 확장시킴으로서 조세채권을 보전하려는 데 그 취지가 있다.

PART 2

국세기본법 해커스공무원 이훈엽 세법 기본서

상속인이 2명 이상인 경우 (공동상속)	① 각 상속인은 피상속인에게 부과되거나 그 피상속인이 납부할 국세 및 강제징수비를 민법에 따른 상속분(상속인 중에 수유자 또는 상속을 표기한 사람이 있거나 유류분을 받은 사람이 있는 경우, 또는 상속으로 받은 재산에 보험금이 포함되어 있는 경우에는 대통령령으로 정하는 비율로 함)에 따라 나누어 계산한 국세 및 강제징수비를 상속으로 받은 재산의 한도에서 **연대하여 납부할 의무를 짐** ② 이 경우 각 상속인은 그들 중에서 피상속인의 국세 및 강제징수비를 납부할 대표자를 정하여 관할 세무서장에게 신고하여야 함
상속인이 불분명한 경우	① 상속인에게 하여야 할 납부의 고지·독촉이나 그 밖에 필요한 사항은 상속재산관리인에게 하여야 함 ② 상속인이 있는지 분명하지 아니하고 상속재산관리인도 없을 때에는 세무서장은 상속개시지를 관할하는 법원에 상속재산관리인의 선임을 청구할 수 있음
피상속인에게 행한 처분의 효력	피상속인에게 한 처분 또는 절차는 상속으로 인한 납세의무를 승계하는 상속인이나 상속재산관리인에 대해서도 효력이 있음
기타 규정	① 상속으로 인한 납세의무 승계: 피상속인이 부담할 제2차 납세의무도 포함하며, 이러한 제2차 납세의무의 승계에는 반드시 피상속인의 생전에 납부고지가 있어야 하는 것은 아님 ② 태아에게 상속이 된 경우: 그 태아가 출생한 때에 상속으로 인한 납세의무가 승계됨

Check 상속포기자가 상속재산 중 보험금을 수령한 경우 납세의무의 승계문제

납세의무 승계를 피하면서 재산을 상속받기 위하여 피상속인이 상속인을 수익자로 하는 보험계약을 체결하고 상속인은 민법에 따라 상속을 포기한 것으로 인정되는 경우로서 상속포기자가 피상속인의 사망으로 인하여 보험금을 받는 때에는 상속포기자를 상속인으로 보고, 보험금을 상속받은 재산으로 보아 납세의무 승계 규정을 적용함

🏛 **기출 체크**

상속으로 납세의무를 승계함에 있어서 상속인이 2명 이상일 때에는 각 상속인은 피상속인이 납부할 국세 및 강제징수비를 상속분에 따라 나누어 계산하여 상속으로 받은 재산의 한도에서 분할하여 납부할 의무를 진다. (×)

2016년 국가직 7급

2 연대납세의무

Ⅰ 의의

1. 하나의 납세의무에 대하여 2인 이상의 납세의무자가 연대하여 납부의무를 지는 경우에 연대납세의무라 하고, 연대하여 납부할 의무를 지는 2인 이상의 납세의무자를 연대납세의무자라고 부른다.

2. 동일한 납세의무에 관하여 2명 이상의 납세의무자가 각각 독립하여 전액의 납세의무를 부담하고, 그 중 1명이 전액을 납부하면 다른 연대납세의무자의 납세의무도 소멸한다.

Ⅱ 국세기본법의 규정

1. 공유물·공동사업 등의 연대납세의무

공유물, 공동사업 또는 그 공동사업에 속하는 재산과 관계되는 국세 및 강제징수비는 공유자 또는 공동사업자가 연대하여 납부할 의무를 진다.

2. 법인의 분할로 인한 연대납세의무

존속분할의 경우	소멸분할의 경우
법인이 분할되거나 분할합병된 후 분할되는 법인이 존속하는 경우 다음의 법인은 분할등기일 이전에 분할법인에 부과되거나 납세의무가 성립한 국세 및 강제징수비에 대하여 분할로 승계된 재산가액을 한도로 연대하여 납부할 의무가 있음 ① 분할법인 ② 분할신설법인 ③ 분할합병의 상대방 법인	법인이 분할 또는 분할합병한 후 소멸하는 경우 다음의 법인은 분할법인에 부과되거나 분할법인이 납부하여야 할 국세 및 강제징수비에 대하여 분할로 승계된 재산가액을 한도로 연대하여 납부할 의무가 있음 ① 분할신설법인 ② 분할합병의 상대방 법인

3. 신회사를 설립하는 경우의 연대납세의무

법인이 채무자 회생 및 파산에 관한 법률 제215조에 따라 신회사를 설립하는 경우 기존의 법인에 부과되거나 납세의무가 성립한 국세 및 강제징수비는 신회사가 연대하여 납부할 의무를 진다.

🏛 **기출 체크**

분할법인이 납부해야 할 분할일 이전에 부과된 국세에 대하여 분할로 신설된 법인은 제2차 납세의무를 질 수 있다. (×)

2013년 국가직 9급

Ⅲ 연대납세의무에 관한 민법의 준용

1. 연대납세의무자는 세법에 특별한 규정이 없는 한 원칙적으로 고유의 납세의무부분이 없이 조세의 전부에 대하여 전원이 연대하여 납부의무를 부담한다. 단, 연대납세의무자 1인에 대하여 과세처분 및 징수처분의 무효·취소 원인이 존재하더라도 다른 연대납세의무자가 부담하는 국세의 납부의무 효력에는 영향을 미치지 않는다.

2. 연대납세의무자의 1인에 대한 납부의 고지 및 독촉은 그 이행의 청구로서 전원에 대하여 그 효력이 미친다. 따라서 연대납세의무자 1인에 대한 납세의 고지 또는 독촉은 연대납세의무자 전원에 대하여 시효중단의 효력이 발생한다.

3. 과세관청이 과세표준과 세액의 결정 또는 경정에 따른 납부고지, 즉 부과처분의 납부의 고지를 연대납세의무자 중 1인에게만 하였다면 그 나머지 연대납세의무자에게는 과세처분 자체가 존재하지 않는다.

4. 연대납세의무자 1인에 대한 조세징수권의 소멸시효가 완성된 때에는 그 자의 부담부분에 관하여 다른 연대납세의무자도 그 연대납세의무가 소멸된다.

Ⅳ 개별세법의 규정

1. 소득세법

공동사업에 관한 규정	① 연대납세의무: 공동사업에 관한 소득금액을 계산하는 경우에는 해당 공동사업자별로 납세의무를 짐. 다만, 주된 공동사업자에게 합산과세되는 경우 그 합산과세되는 소득금액에 대해서는 주된 공동사업자의 특수관계인은 손익분배비율에 해당하는 그의 소득금액을 한도로 주된 공동사업자와 연대하여 납세의무를 짐 ② 연대납세의무의 예외: 소득세법에 따른 공동사업에서 발생하는 소득금액은 공동사업자 간 손익분배율에 의하여 분배되었거나 분배될 소득금액에 따라 공동사업자별로 소득세 납세의무를 짐
증여 후 양도행위 부인	증여 후 양도행위의 부인규정에 따라 증여자가 자산을 직접 양도한 것으로 보는 경우 그 양도소득에 대해서는 증여자와 증여받은 자가 연대하여 납세의무를 짐
법인이 해산한 경우	원천징수를 하여야 할 소득세를 징수하지 아니하였거나 징수한 소득세를 납부하지 아니하고 잔여재산을 분배하였을 때에는 청산인은 그 분배액을 한도로 하여 분배를 받은 자와 연대하여 납세의무를 짐

2. 법인세법

(1) 연결법인은 각 연결사업연도의 소득에 대한 법인세(토지 등 양도소득 법인세 및 투자·상생협력 촉진을 위한 과세특례를 적용하여 계산한 법인세 포함)를 연대하여 납부할 의무가 있다.

(2) 법인이 해산한 경우에 원천징수하여야 할 법인세를 징수하지 않았거나 징수한 법인세를 납부하지 않고 잔여재산을 분배한 때에는 그 법인세에 대하여 청산인은 잔여재산의 분배를 받은 자와 연대하여 납부할 책임을 진다.

3. 상속세 및 증여세법

(1) 상속인 또는 수유자(사인증여를 받은 자 포함)에 대하여 연대납세의무를 진다.

(2) 일정한 경우 증여자는 수증자가 납부할 증여세에 대하여 연대납세의무를 진다.

4. 인지세법

2인 이상이 공동으로 과세문서를 작성한 경우 작성자 전원이 인지세에 대하여 연대납세의무를 진다.

3 제2차 납세의무❶

I 의의 및 법적 성격

1. 의의

제2차 납세의무란 주된 납세자의 재산에 대해 강제징수를 하여도 그가 납부하여야 할 국세에 충당하기에 부족한 경우에 주된 납세자와 일정한 관계에 있는 자가 그 부족액에 대해 보충적으로 부담하는 납세의무이다.

2. 법적 성격

(1) 부종성

제2차 납세의무는 주된 납세의무의 존재를 전제로 하여 성립하고 주된 납세의무에 관하여 생긴 사유는 제2차 납세의무에도 효력이 있으므로, 주된 납세의무가 소멸하면 제2차 납세의무도 소멸한다.

❶
제2차 납세의무 유형
1. 청산인 등의 제2차 납세의무
2. 출자자의 제2차 납세의무
3. 법인의 제2차 납세의무
4. 사업양수인의 제2차 납세의무

❶
제2차 납세의무가 성립하기 위한 요건 중 그 징수부족액의 발생은 반드시 주된 납세의무자에 대하여 현실로 체납처분을 집행하여 부족액이 구체적으로 생기는 것을 요하지 않고 다만, 강제징수를 하면 객관적으로 징수부족액이 생길 것으로 인정되면 족하다(대판 95누14576).

(2) 보충성**❶**

제2차 납세의무자는 주된 납세자의 재산에 체납처분을 집행하여도 징수할 금액에 부족한 경우에 그 부족액에 대해 납부책임을 지는 성질이다.

Ⅱ 청산인 등의 제2차 납세의무

1. 의의

법인이 해산하여 청산하는 경우에 그 법인에 부과되거나 그 법인이 납부할 국세 및 강제징수비를 납부하지 아니하고 해산에 의한 잔여재산을 분배하거나 인도하였을 때에 그 법인에 대하여 강제징수를 하여도 징수할 금액에 미치지 못하는 경우에는 청산인 또는 잔여재산을 분배받거나 인도받은 자는 그 부족한 금액에 대하여 제2차 납세의무를 진다.

2. 주된 납세의무자

해산법인

3. 제2차 납세의무자

청산인 또는 잔여재산을 분배받거나 인도받은 자

4. 한도

(1) 청산인

분배하거나 인도한 재산의 가액

(2) 잔여재산을 분배받거나 인도받은 자

각자가 받은 재산의 가액**❷**

❷
청산 후 남은 재산을 분배하거나 인도한 날 현재의 시가이다.

Ⅲ 출자자의 제2차 납세의무

1. 의의

법인의 재산으로 그 법인에 부과되거나 그 법인이 납부할 국세 및 강제징수비에 충당하여도 부족한 경우에는 그 국세의 납세의무 성립일 현재 무한책임사원 또는 과점주주는 그 부족한 금액에 대하여 제2차 납세의무를 진다.

2. 주된 납세의무자

법인(유가증권시장 및 코스닥시장에 주권이 상장된 법인은 제외)

3. 제2차 납세의무자

(1) 무한책임사원으로서 합명회사의 사원 또는 합자회사의 무한책임사원

(2) 과점주주

주주 또는 다음 중 어느 하나에 해당하는 사원 1명과 그의 특수관계인 중 대통령령으로 정하는 자로서 그들의 소유주식 합계 또는 출자액 합계가 해당 법인의 발행 주식 총수 또는 출자총액의 100분의 50(50%)을 초과하면서 그 법인의 경영에 대하여 지배적인 영향력을 행사하는 자들

① 합자회사의 유한책임사원

② 유한책임회사의 사원

③ 유한회사의 사원

4. 한도

(1) 무한책임사원

없다.

(2) 과점주주

부족한 금액을 법인의 발행주식 총수(의결권이 없는 주식은 제외) 또는 출자총액으로 나눈 금액에 해당 과점주주가 실질적으로 권리를 행사하는 주식 수(의결권이 없는 주식은 제외) 또는 출자액을 곱하여 산출한 금액을 한도로 한다.

Ⅳ 법인의 제2차 납세의무

1. 의의

국세(둘 이상의 국세의 경우에는 납부기한이 뒤에 오는 국세)의 납부기간 만료일 현재 법인의 무한책임사원 또는 과점주주의 재산(그 법인의 발행주식 또는 출자지분은 제외)으로 그 출자자가 납부할 국세 및 강제징수비에 충당하여도 부족한 경우에는 그 법인은 다음 중 어느 하나에 해당하는 경우에만 그 부족한 금액에 대하여 제2차 납세의무를 진다.

(1) 정부가 출자자의 소유주식 또는 출자지분을 재공매하거나 수의계약으로 매각하려 하여도 매수희망자가 없는 경우

(2) 외국 법인인 경우로서 출자자의 소유주식 또는 출자지분이 외국에 있는 재산에 해당하며 압류 등 강제징수가 제한되는 경우

(3) 법률 또는 그 법인의 정관에 의하여 출자자의 소유주식 또는 출자지분의 양도가 제한된 경우(심판청구 등에 대한 결정이나 소에 대한 판결이 확정되기 전에 공매할 수 없는 경우는 제외)

2. 주된 납세의무자

납부기간 만료일 현재 법인의 무한책임사원 또는 과점주주

3. 제2차 납세의무자

법인(상장·비상장 불문)

4. 한도❶

(법인의 자산총액 – 법인의 부채총액) × 출자자의 소유주식 금액 또는 출자액/발행주식 총액 또는 출자총액

Ⅴ 사업양수인의 제2차 납세의무

1. 의의

(1) 사업이 양도·양수된 경우

양도일 이전에 양도인의 납세의무가 확정된 그 사업에 관한 국세 및 강제징수비를 양도인의 재산으로 충당하여도 부족할 때에는 사업의 양수인은 그 부족한 금액에 대하여 양수한 재산의 가액을 한도로 제2차 납세의무를 진다.

(2) 사업의 양수인

사업장별로 그 사업에 관한 모든 권리(미수금에 관한 것은 제외)와 모든 의무(미지급금에 관한 것은 제외)를 포괄적으로 승계한 자로서 다음 중 어느 하나에 해당하는 자
① 양도인과 특수관계인인 자
② 양도인의 조세회피를 목적으로 사업을 양수한 자

2. 주된 납세자

사업양도인

3. 제2차 납세의무자

양도인과 특수관계인인 사업의 양수인 또는 양도인의 조세회피를 목적으로 사업을 양수한 자

4. 제2차 납세의무 대상국세

(1) 사업양도일 이전에 양도인의 납세의무가 확정된 국세로서 그 사업에 관한 국세 및 강제징수비
→ 사업의 포괄양도 시 해당 사업용 부동산을 양도함으로 인하여 발생한 양도소득세는 해당 사업에 관한 국세가 아님

(2) 사업의 양도인에게 둘 이상의 사업장이 있는 경우에 하나의 사업장을 양수한 자의 제2차 납세의무는 양수한 사업장과 관계되는 국세 및 강제징수비(둘 이상의 사업장에 공통되는 국세 및 강제징수비가 있는 경우에는 양수한 사업장에 배분되는 금액 포함)

5. 한도

양수인은 양수한 재산가액을 한도로 제2차 납세의무를 진다. 양수한 재산가액이란 다음의 가액을 말한다.

(1) 사업의 양수인이 양도인에게 지급하였거나 지급하여야 할 금액이 있는 경우에는 그 금액

(2) 위 금액이 없거나 불분명한 경우에는 양수한 자산 및 부채를 상속세 및 증여세법의 규정을 준용하여 평가한 후 그 자산총액에서 부채총액을 뺀 가액

(3) 다만, (1)에 따른 금액과 시가의 차액이 3억 원 이상이거나 시가의 30%에 상당하는 금액 이상인 경우에는 위 (1)의 금액과 (2)의 금액 중 큰 금액으로 한다.

☑ 핵심정리 | 제2차 납세의무

구분	청산인 등	출자자	법인	사업양수인
주된 납세의무자	법인	법인(증권시장 주권상장 법인 제외)	무한책임사원 및 과점주주	사업양도인
제2차 납세의무자	① 청산인 ② 잔여재산을 분배받은 자	납세의무 성립일 ① 무한책임사원 ② 과점주주	법인	① 양도인과 특수관계인인 사업양수인 ② 양도인의 조세회피 목적으로 사업을 양수한 자
한도	① 청산인: 분배·인도한 가액 ② 잔여재산을 분배받은 자: 분배·인도받은 가액	① 무한책임사원: 전액 ② 과점주주: 징수부족액 × 지분율(의결권 없는 주식 제외)	(자산 − 부채) × 지분율(납부기간 종료일 현재시가로 평가)	양수한 재산가액 (시가 차액에 따른 제재 有)

🏛 기출 체크
사업의 양도인에게 둘 이상의 사업장이 있는 경우에 하나의 사업장을 양수한 자는 양수한 사업상 외의 다른 사업장과 관계되는 국세 및 강제징수비에 대해서도 제2차 납세의무를 진다. (×)
2017년 국가직 9급

06 과세와 환급

1 관할관청

I 과세표준신고의 관할

1. 과세표준신고서는 신고 당시 해당 국세의 납세지를 관할하는 세무서장에게 제출하여야 한다. 다만, 전자신고를 하는 경우에는 지방국세청장이나 국세청장에게 제출할 수 있다.

2. 과세표준신고서가 관할 세무서장 외의 세무서장에게 제출된 경우에도 그 신고의 효력에는 영향이 없다.

II 결정 또는 경정결정의 관할

1. 국세의 과세표준과 세액의 결정 또는 경정결정은 그 처분 당시 그 국세의 납세지를 관할하는 세무서장이 한다.

2. 국세의 과세표준과 세액의 결정 또는 경정결정하는 때에 그 국세의 납세지를 관할하는 세무서장 이외의 세무서장이 행한 결정 또는 경정결정처분은 그 효력이 없다. 다만, 세법 또는 다른 법령 등에 의하여 권한있는 세무서장이 결정 또는 경정결정하는 경우에는 그러하지 아니하다.

2 수정신고·경정 등의 청구·기한 후 신고

I 수정신고

과세표준신고서를 법정신고기한까지 제출한 자(소득세법상 연말정산을 하여 확정신고를 하지 않는 자를 포함) 및 기한 후 과세표준신고서를 제출한 납세의무자가 착오나 누락 등으로 신고한 세액을 스스로 고쳐 증액하여 신고하는 제도를 말한다. 수정신고제도는 납세의무자가 자발적으로 시정할 수 있는 기회를 부여하여 가산세 감면 등 혜택이 있다.

🏛 기출 체크

납세자가 과세표준신고서를 그 신고 당시 해당 국세의 납세지를 관할하는 세무서장이 아닌 다른 세무서장에게 제출한 경우에도 그 신고의 효력에는 영향이 없다. (O)　　　2010년 국가직 7급

대상자	① 과세표준신고서를 법정신고기한까지 제출한 자(소득세법에 따라 연말정산하여 확정신고를 하지 않는 자를 포함) ② 기한 후 과세표준신고서를 제출한 자
수정신고 사유	① 과세표준신고서 또는 기한 후 과세표준신고서에 기재된 과세표준 및 세액이 세법에 따라 신고하여야 할 과세표준 및 세액에 미치지 못할 때 ② 과세표준신고서 또는 기한 후 과세표준신고서에 기재된 결손금액 또는 환급세액이 세법에 따라 신고하여야 할 결손금액이나 환급세액을 초과할 때 ③ 불완전한 신고를 하였을 때(경정 등의 청구를 할 수 있는 경우는 제외함) ㉠ 원천징수의무자가 연말정산 과정에서 근로소득 등만 있는 자의 소득을 누락한 것 ㉡ 세무조정 과정에서 법인세법에 따른 국고보조금과 공사부담금에 상당하는 금액을 익금과 손금에 동시에 산입하지 않은 것
수정신고 기한	관할 세무서장이 각 세법에 따라 해당 국세의 과세표준과 세액을 결정 또는 경정하여 통지하기 전으로서 국세부과제척기간이 끝나기 전까지 과세표준수정신고를 제출할 수 있음
추가자진 납부	세법에 따라 과세표준신고액에 상당하는 세액을 자진납부하는 국세에 관하여 과세표준수정신고서를 제출하는 납세자는 이미 납부한 세액이 과세표준수정신고액에 상당하는 세액에 미치지 못할 때에는 그 부족한 금액과 이 법 또는 세법에서 정하는 가산세를 추가하여 납부하여야 함
확정력	① 신고납세세목: 있음 ② 정부부과세목: 없음
가산세 감면	① 감면 사유: 법정신고기한이 지난 후 2년 이내에 수정신고한 경우 ② 감면대상: 과소신고 · 초과환급신고가산세 ③ 감면배제: 경정할 것을 미리 알고 과세표준신고서를 제출한 경우 ④ 감면율 <table><tr><td>1개월 이내에 수정신고한 경우</td><td>90%</td></tr><tr><td>1개월 초과 3개월 이내에 수정신고한 경우</td><td>75%</td></tr><tr><td>3개월 초과 6개월 이내에 수정신고한 경우</td><td>50%</td></tr><tr><td>6개월 초과 1년 이내에 수정신고한 경우</td><td>30%</td></tr><tr><td>1년 초과 1년 6개월 이내에 수정신고한 경우</td><td>20%</td></tr><tr><td>1년 6개월 초과 2년 이내에 수정신고한 경우</td><td>10%</td></tr></table>

🏛 **기출 체크**

01 납부세액의 감액수정신고는 물론 증액수정신고도 허용된다. (×)
2009년 국가직 9급

02 당초 법정신고기한 내에 과세표준신고를 하지 않은 경우에도 수정신고를 할 수 있다. (○) 2009년 국가직 9급

03 과세표준신고서를 법정신고기한까지 세술한 자는 과세표준신고서에 기재된 과세표준 및 세액이 세법에 따라 신고하여야 할 과세표준 및 세액보다 큰 경우 과세표준수정신고서를 제출할 수 있다. (×) 2014년 국가직 9급

Ⅱ 경정 등의 청구

경정청구**❶**란 이미 신고(기한 후 신고 포함)·결정 또는 경정결정된 과세표준과 세액이 세법에 의하여 신고하여야 할 과세표준과 세액을 초과하는 경우에 납세의무자가 과세관청에 이를 바로 잡아 결정 또는 경정하여 줄 것을 청구하는 제도이다.

1. 통상적 사유에 의한 경정청구

과세표준신고서를 법정신고기한까지 제출한 자 및 기한 후 과세표준신고서를 제출한 자는 경정 등의 청구 사유에 해당할 때에 최초신고 및 수정신고한 국세의 과세표준 및 세액의 결정 또는 경정을 법정신고기한이 지난 후 5년 이내에 관할 세무서장에게 청구할 수 있다. 다만, 결정 또는 경정으로 인하여 증가된 과세표준 및 세액에 대하여는 해당 처분이 있음을 안 날(처분의 통지를 받은 때에는 그 받은 날)부터 90일 이내(법정신고기한이 지난 후 5년 이내로 한정)에 경정을 청구할 수 있다.

대상자	과세표준신고서를 법정신고기한까지 제출한 자 및 기한 후 과세표준신고서를 제출한 자
청구사유	① 과세표준신고서 또는 기한 후 과세표준신고서에 기재된 과세표준 및 세액(각 세법에 따라 결정 또는 경정이 있는 경우에는 해당 결정 또는 경정 후의 과세표준 및 세액)이 세법에 따라 신고하여야 할 과세표준 및 세액을 초과할 때 ② 과세표준신고서 또는 기한 후 과세표준신고서에 기재된 결손금액 또는 환급세액(각 세법에 따라 결정 또는 경정이 있는 경우에는 해당 결정 또는 경정 후의 결손금액 또는 환급세액)이 세법에 따라 신고하여야 할 결손금액 또는 환급세액에 미치지 못할 때
청구기간	① 일반적인 경우: 법정신고기한이 지난 후 5년 이내 ② 결정 또는 경정으로 인하여 증가된 과세표준 및 세액: 해당 처분이 있음을 안 날(처분의 통지를 받은 때에는 그 받은 날)부터 90일 이내(법정신고기한이 지난 후 5년 이내로 한정)
확정력	청구에 불과한 경정청구는 납세의무를 감액시키는 확정력이 없음

2. 후발적 사유에 의한 경정청구

과세표준신고서를 법정신고기한까지 제출한 자 또는 국세의 과세표준 및 세액의 결정을 받은 자는 후발적 사유가 발생하였을 때에는 그 사유가 발생한 것을 안 날부터 3개월 이내에 결정 또는 경정을 청구할 수 있다.

대상자	과세표준신고서를 법정신고기한까지 제출한 자 또는 국세의 과세표준 및 세액의 결정을 받은 자(무신고자도 가능)

후발적 사유	① 최초의 신고·결정 또는 경정에서 과세표준 및 세액의 계산 근거가 된 거래 또는 행위 등이 그에 관한 소송에 대한 판결(판결과 같은 효력을 가지는 화해나 그 밖의 행위를 포함)에 의하여 다른 것으로 확정되었을 때
	 ② 소득이나 그 밖의 과세물건의 귀속을 제3자에게로 변경시키는 결정 또는 경정이 있을 때
	 ③ 조세조약에 따른 상호합의가 최초의 신고·결정 또는 경정의 내용과 다르게 이루어졌을 때
	 ④ 결정 또는 경정으로 인하여 그 결정 또는 경정의 대상이 된 과세표준 및 세액과 연동된 다른 세목(같은 과세기간으로 한정함)이나 연동된 다른 과세기간(같은 세목으로 한정함)의 과세표준 또는 세액이 세법에 따라 신고하여야 할 과세표준 또는 세액을 초과할 때
	 ⑤ 위 ① ~ ④와 유사한 사유로서 다음의 해당하는 사유가 해당 국세의 법정신고기한이 지난 후에 발생하였을 때
	  ⊙ 최초의 신고·결정 또는 경정을 할 때 과세표준 및 세액의 계산 근거가 된 거래 또는 행위 등의 효력과 관계되는 관청의 허가나 그 밖의 처분이 취소된 경우
	  ⓛ 최초의 신고·결정 또는 경정을 할 때 과세표준 및 세액의 계산 근거가 된 거래 또는 행위 등의 효력과 관계되는 계약이 해제권의 행사에 의하여 해제되거나 해당 계약의 성립 후 발생한 부득이한 사유로 해제되거나 취소된 경우
	  ⓒ 최초의 신고·결정 또는 경정을 할 때 장부 및 증거서류의 압수, 그 밖의 부득이한 사유로 과세표준 및 세액을 계산할 수 없었으나 그 후 해당 사유가 소멸한 경우
	  ⓔ 위 ⊙ ~ ⓒ의 규정과 유사한 사유에 해당하는 경우

청구기간	후발적 사유가 발생한 것을 안 날부터 3개월 이내

3. 경정신청에 따른 행정절차

(1) 결정 또는 경정의 청구를 받은 세무서장은 그 청구를 받은 날부터 2개월 이내에 과세표준 및 세액을 결정 또는 경정하거나 결정 또는 경정하여야 할 이유가 없다는 뜻을 그 청구를 한 자에게 통지하여야 한다.

(2) 다만, 청구를 한 자가 2개월 이내에 아무런 통지(불복을 할 수 있다는 통지는 제외)를 받지 못한 경우에는 통지를 받기 전이라도 그 2개월이 되는 날의 다음 날부터 이의신청, 심사청구, 심판청구 또는 감사원법에 따른 심사청구를 할 수 있다.

(3) 청구를 받은 세무서장은 결정기간 내에 과세표준 및 세액의 결정 또는 경정이 곤란한 경우에는 청구를 한 자에게 관련 진행상황 및 이의신청, 심사청구, 심판청구 또는 감사원법에 따른 심사청구를 할 수 있다는 사실을 통지하여야 한다.

> **☑ 핵심정리 | 국세부과 제척기간 지난 후 후발적 사유에 따른 경정청구 가능 여부**
>
> 경정청구를 과세제척기간 내로 제한한다는 명문의 규정이 없으며, 납세의무자를 보호하기 위하여 둔 위에서 본 과세제척기간의 예외규정의 취지 등에 비추어 보면, 후발적 사유가 있는 경우 납세의무자는 과세제척기간의 제한을 받지 아니하고 과세제척기간 이후에도 경정신청을 할 수 있고 과세관청은 그 감액경정청구에 따른 적정성 여부를 판단하여 감액경정을 할 것인지 여부를 결정하여야 할 것임(대판 2005.6.2, 2004누9472)

4. 원천징수의무자와 원천징수대상자의 경정청구

원천징수의무자와 원천징수대상자에 대해서는 통상적 경정청구와 후발적 경정청구에 관한 규정을 준용한다.

(1) **통상적 경정청구의 경우**
    소득세법 및 법인세법에 따라 연말정산 또는 원천징수하여 소득세 또는 법인세를 법정기한까지 납부하고 지급명세서를 제출기한까지 제출한 원천징수의무자 또는 원천징수대상자가 경정청구권자가 된다.

(2) **후발적 경정청구의 경우**
    소득세법 및 법인세법에 따라 연말정산 또는 원천징수하여 소득세 또는 법인세를 법정기한까지 납부하고 지급명세서를 제출기한까지 제출한 원천징수의무자 또는 원천징수대상자 그리고 원천징수와 관련하여 소득세 또는 법인세의 과세표준 및 세액의 결정을 받은 자가 경정청구권자가 된다.

(3) **원천징수대상자가 소득세법상 비거주자 또는 법인세법상 외국법인인 경우**
    원천징수의무자가 경정을 청구하기 어려운 경우로서 다음의 경우에 한하여 경정청구권이 인정된다.
    ① 원천징수의무자의 부도·폐업 또는 그 밖에 이에 준하는 경우
    ② 원천징수대상자가 정당한 사유로 원천징수의무자에게 경정을 청구하도록 요구하였으나 원천징수의무자가 이에 응하지 아니한 경우

5. 종합부동산세 납세의무자의 경정청구

종합부동산세법에 따른 납세의무자로서 종합부동산세를 부과·고지받은 자의 경우에는 경정청구 규정을 준용한다.

Ⅲ 기한 후 신고

법정신고기한까지 과세표준신고서를 제출하지 아니한 자는 관할 세무서장이 세법에 따라 해당 국세의 과세표준과 세액(국세기본법 및 세법에 따른 가산세 포함)을 결정하여 통지하기 전까지 기한 후 과세표준신고서를 제출할 수 있다.

대상자	법정신고기한까지 과세표준신고서를 제출하지 아니한 자(환급받을 세액이 있는 자도 포함)
신고기한	관할 세무서장이 세법에 따라 해당 국세의 과세표준과 세액(국세기본법·세법에 따른 가산세 포함)을 결정하여 통지하기 전까지
자진납부	기한 후 과세표준신고서를 제출한 자로서 세법에 따라 납부하여야 할 세액이 있는 자는 그 세액을 납부하여야 함
결정통지	① 기한 후 과세표준신고서를 제출하거나 수정신고에 따라 기한 후 과세표준신고서를 제출한 자가 과세표준수정신고서를 제출한 경우 관할 세무서장은 세법에 따라 신고일부터 3개월 이내에 해당 국세의 과세표준과 세액을 결정 또는 경정하여 신고인에게 통지하여야 함 ② 다만, 그 과세표준과 세액을 조사할 때 조사 등에 장기간이 걸리는 등 부득이한 사유로 신고일부터 3개월 이내에 결정 또는 경정할 수 없는 경우에는 그 사유를 신고인에게 통지하여야 함
확정력	해당 국세의 납세의무를 확정하는 효력은 없음
가산세 감면	① 감면사유: 법정신고기한이 지난 후 6개월 이내에 기한 후 신고를 한 경우 ② 감면대상: 무신고가산세 ③ 감면배제: 결정할 것을 미리 알고 기한 후 과세표준신고서를 제출한 경우 ④ 감면율 {표} 1개월 이내에 기한 후 신고를 한 경우 — 50% 1개월 초과 3개월 이내에 기한 후 신고를 한 경우 — 30% 3개월 초과 6개월 이내에 기한 후 신고를 한 경우 — 20%

④ 감면율 표:

1개월 이내에 기한 후 신고를 한 경우	50%
1개월 초과 3개월 이내에 기한 후 신고를 한 경우	30%
3개월 초과 6개월 이내에 기한 후 신고를 한 경우	20%

Ⅳ 기한 후 납부

과세표준신고서를 법정신고기한까지 제출하였으나 과세표준신고액에 상당하는 세액의 전부 또는 일부를 납부하지 않은 자는 그 세액과 국세기본법 또는 세법에서 정하는 가산세를 세무서장이 고지하기 전에 납부할 수 있다.

🏛 **기출 체크**

납세자가 적법하게 기한 후 과세표준신고서를 제출한 경우 관할 세무서장은 세법에 따라 신고일부터 30일 이내에 해당 국세의 과세표준과 세액을 결정하여야 한다. (×)   2018년 국가직 9급

구분	수정신고	경정청구		기한 후 신고
		통상적	후발적	
사유	① 과소신고 ② 초과환급신고	① 과대신고 ② 과소환급신고	5가지	법정신고기한 내에 과세표준신고서를 제출하지 않은 자
신고 또는 청구자	① 법정신고기한 내에 과세표준신고서를 제출한 자 ② 기한 후 과세표준신고서를 제출한 자	무신고자 가능		법정신고기한 내에 과세표준신고서를 제출하지 않은 자
기한	결정·통지 전 (제척기간 종료 전)	5년 (증액경정 90일)	안 날부터 3월	결정·통지 전
확정력	① 신고납세세목: 확정력 ○ ② 정부부과세목: 확정력 ×	확정력 ×	확정력 ×	확정력 ×
결정통지	−	2개월 이내 통지		3개월 이내 통지

3 가산세

I 의의

1. 개념

세법에서 규정하는 의무의 성실한 이행을 확보하기 위하여 세법에 따라 산출한 세액에 가산하여 징수하는 금액이다.

2. 부과사유

정부는 세법에서 규정한 의무를 위반한 자에게 국세기본법 또는 세법에서 정하는 바에 따라 가산세를 부과할 수 있다.

3. 법적성격

(1) 세법상의 각종 협력의무의 위반에 대해 가해지는 행정벌적 성격
(2) 가산세는 해당 의무가 규정된 세법의 해당 국세의 세목으로 한다. 다만, 해당 국세를 감면하는 경우에는 가산세는 그 감면대상에 포함시키지 아니하는 것으로 한다.
(3) 가산세는 납부할 세액에 가산하거나 환급받을 세액에서 공제한다.
(4) 가산세는 본세와 별도의 부과처분이 있는 것이므로 납세의무자는 본세와 독립하여 가산세만의 위법 여부를 조세불복이나 항고소송으로 다툴 수 있다.

기출 체크

가산세는 해당 의무가 규정된 세법의 해당 국세의 세목으로 하며, 해당 국세를 감면하는 경우에는 가산세도 그 감면대상에 포함한 것으로 한다. (×)

2015년 국가직 7급

Ⅱ 가산세의 종류

1. 무신고 가산세

(1) 국세기본법

납세의무자가 법정신고기한까지 세법에 따른 국세의 과세표준신고(예정신고 및 중간신고 포함, 교육세법에 따른 신고 중 금융·보험업자가 아닌 자의 신고와 농어촌특별세법 및 종합부동산세법에 따른 신고는 제외)를 하지 아니한 경우에는 무신고납부세액에 다음의 구분에 따른 비율을 곱한 금액을 가산세로 한다.

무신고 납부세액	① 그 신고로 납부하여야 할 세액 ② 단, 가산세와 세법에 따라 가산하여 납부하여야 할 이자 상당 가산액이 있는 경우 그 금액은 제외
가산세율	① 원칙: 20% ② 부정행위로 법정신고기한까지 세법에 따른 국세의 과세표준 신고를 하지 않은 경우 ㉠ 원칙: 40% ㉡ 역외거래에서 발생한 부정행위인 경우: 60%

(2) 개별세법별 무신고 가산세

① 부가가치세

일반적인 경우	가산세액 = ㉠ + ㉡ ㉠ 무신고납부세액 × 20% ㉡ 부가가치세법에 따른 신고를 하지 아니한 경우로서 영세율과세표준이 있는 경우: 영세율과세표준 × 0.5%
부정행위	가산세액 = ㉠ + ㉡ ㉠ 무신고납부세액 × 40%(역외거래 부정행위는 60%) ㉡ 부가가치세법에 따른 신고를 하지 아니한 경우로서 영세율과세표준이 있는 경우: 영세율과세표준 × 0.5%
가산세 적용배제	㉠ 간이과세자에 대해 납부의무가 면제되는 경우 ㉡ 부가가치세법에 따라 대손 관련 매입세액을 공제받은 자가 대손세액 상당액을 대손이 확정된 날이 속하는 과세기간의 매입세액에서 차감하여 신고하지 아니함에 따라 관할 세무서장이 경정하는 경우
가산세 중복배제	예정신고 및 중간신고와 관련하여 무신고가산세 또는 과소신고·초과환급신고가산세가 부과되는 부분에 대해서는 확정신고와 관련하여 무신고가산세 또는 과소신고·초과환급신고가산세를 적용하지 아니함

② 법인세 및 복식부기의무자에 대한 소득세

일반적인 경우	가산세액 = Max (㉠, ㉡) ㉠ 무신고납부세액 × 20% ㉡ 수입금액 × 7/10,000
부정행위	가산세액 = Max (㉠, ㉡) ㉠ 무신고납부세액 × 40%(역외거래 부정행위는 60%) ㉡ 수입금액 × 14 / 10,000
중복적용 배제	소득세법 또는 법인세법이 동시에 적용되는 경우에는 그 중 가산세액이 큰 가산세만 적용하고, 가산세액이 같은 경우에는 무신고가산세 또는 과소신고·초과환급신고가산세만 적용함

2. 과소신고·초과환급신고가산세

납세의무자가 법정신고기한까지 세법에 따른 국세의 과세표준신고(예정신고 및 중간신고를 포함, 교육세법에 따른 신고 중 금융·보험업자가 아닌 자의 신고와 농어촌특별세법에 따른 신고는 제외)를 한 경우로서 납부할 세액을 신고하여야 할 세액보다 적게 신고(과소신고)하거나 환급받을 세액을 신고하여야 할 금액보다 많이 신고(초과신고)한 경우에는 과소신고한 납부세액과 초과신고한 환급세액을 합한 금액(국세기본법 및 세법에 따른 가산세와 세법에 따라 가산하여 납부하여야 할 이자 상당 가산액이 있는 경우 그 금액은 제외, 과소신고납부세액 등)에 다음의 구분에 따른 산출방법을 적용한 금액을 가산세로 한다. 부가가치세법에 따른 사업자가 아닌 자가 환급세액을 신고한 경우에도 적용한다.

(1) 국세기본법

원칙	과소신고납부세액 등 × 10%
부정행위	가산세액 = ① + ② ① 부정행위로 인한 과소신고납부세액 등 40%(역외거래 부정행위 60%)에 상당하는 금액 ② (과소신고납부세액 등 – 부정행위로 인한 과소신고납부세액 등을 뺀 금액) × 10%

(2) 개별세법

부가 가치세	원칙	가산세액 = ① + ② ① 과소신고납부세액 등 × 10% ② 부가가치세법에 따른 사업자가 예정·확정신고를 한 경우로서 영세율과세표준을 과소신고하거나 신고하지 아니한 경우: 과소신고되거나 무신고된 영세율과세표준 × 0.5%

부정행위	가산세액 = ① + ② + ③ ① 부정행위로 인한 과소신고납부세액 등 40%(역외거래 60%)에 상당하는 금액 ② (과소신고납부세액 등 – 부정행위로 인한 과소신고납부세액 등을 뺀 금액) × 10% ③ 부가가치세법에 따른 사업자가 예정·확정신고를 한 경우로서 영세율과세표준을 과소신고하거나 신고하지 아니한 경우: 과소신고되거나 무신고된 영세율과세표준 × 0.5%
법인세 복식부기 의무자의 소득세	가산세액 = ① + ② ① Max (㉠, ㉡) 　㉠ 부정행위로 인한 과소신고납부세액 등 40%(역외거래 60%)에 상당하는 금액 　㉡ 부정행위로 과소신고된 과세표준관련 수입금액 × 14/10,000 ② (과소신고납부세액 등 – 부정행위로 인한 과소신고납부세액 등을 뺀 금액) × 10%

(3) 적용배제

다음 중 어느 하나에 해당하는 경우에는 이와 관련하여 과소신고하거나 초과신고한 부분에 대해서는 과소신고·초과환급가산세를 적용하지 아니한다.

① 다음의 어느 하나에 해당하는 사유로 상속세·증여세 과세표준을 과소신고한 경우

　㉠ 신고 당시 소유권에 대한 소송 등의 사유로 상속재산 또는 증여재산으로 확정되지 아니하였던 경우

　㉡ 상속세 및 증여세법에 따라 인적공제와 물적공제, 상속공제 적용의 한도, 증여세 증여재산공제 및 준용규정에 따른 공제의 적용에 착오가 있었던 경우

　㉢ 상속세 및 증여세법에 따라 시가·보충적 평가 방법 및 저당권 등이 설정된 재산 평가의 특례에 따라 평가한 가액으로 과세표준을 결정한 경우(부정행위로 상속세 및 증여세의 과세표준을 과소신고한 경우는 제외)

　㉣ 법인세법에 따라 법인세 과세표준 및 세액의 결정·경정으로 상속세 및 증여세법의 규정에 따른 증여의제이익이 변경되는 경우(부정행위로 인하여 법인세의 과세표준 및 세액을 결정·경정하는 경우는 제외)

② 상속세 및 증여세법 제60조 제2항·제3항 및 제66조에 따라 평가한 가액으로 소득세법에 따른 부담부증여 시 양도로 보는 부분에 대한 양도소득세 과세표준을 결정·경정한 경우(부정행위로 양도소득세의 과세표준을 과소신고한 경우는 제외)

③ 부가가치세법에 따라 대손 관련 매입세액을 공제받은 자가 대손세액 상당액을 대손이 확정된 날이 속하는 과세기간의 매입세액에서 차감하여 신고하지 아니함에 따라 관할 세무서장이 경정하는 경우

④ 위 ㉣에 해당하는 사유로 소득세법에 따른 주식 등의 취득가액이 감소된 경우

⑤ 조세특례제한법 제24조에 따라 신성장사업화시설 또는 국가전략기술사업화시설의 인정을 받을 것을 조건으로 그 인정을 받기 전에 세액공제를 신청하여 세액공제를 받았으나, 그 이후 인정 대상 시설의 일부 또는 전부에 대해 그 인정을 받지 못한 경우로 해당 세액공제 요건을 충족하지 못하게 된 경우

(4) 중복적용배제

① 예정신고 및 중간신고와 관련하여 무신고가산세 또는 과소신고·초과환급신고가산세가 부과되는 부분에 대해서는 확정신고와 관련하여 무신고가산세 또는 과소신고·초과환급신고가산세를 적용하지 아니한다.

② 무신고가산세 또는 과소신고·초과환급신고가산세를 적용할 때 무기장 가산세, 기장불성실가산세가 동시에 적용되는 경우에는 그 중 가산세액이 큰 가산세만 적용하고, 가산세액이 같은 경우에는 무신고가산세 또는 과소신고·초과환급신고가산세만 적용한다.

3. 납부지연가산세

납세의무자(연대납세의무자, 납세자를 갈음하여 납부할 의무가 생긴 제2차 납세의무자 및 보증인을 포함)가 법정납부기한까지 국세(인지세법에 따른 인지세는 제외)의 납부(중간예납·예정신고납부·중간신고납부를 포함)를 하지 않거나 과소납부하거나 초과환급받은 경우에는 다음의 금액을 합한 금액을 가산세로 한다. 한편 납부지연가산세는 부가가치세법에 따른 사업자가 아닌 자가 부가가치세액을 환급받은 경우에도 적용한다.

(1) 납부하지 아니한 세액 또는 과소납부분 세액(세법에 따라 가산하여 납부하여야 할 이자 상당 가산액이 있는 경우에는 그 금액을 더함) × 법정납부기한의 다음 날부터 납부일까지의 기간) × 22/100,000**❶**

(2) 초과환급받은 세액(세법에 따라 가산하여 납부하여야 할 이자상당가산액이 있는 경우에는 그 금액을 더함) × 환급받은 날의 다음 날부터 납부일까지의 기간 × 22/100,000**❶**

(3) 법정납부기한까지 납부하여야 할 세액(세법에 따라 가산하여 납부하여야 할 이자 상당 가산액이 있는 경우에는 그 금액을 더함) 중 납부고지서에 따른 납부기한까지 납부하지 아니한 세액 또는 과소납부분 세액 × 3%(국세를 납부고지서에 따른 납부기한까지 완납하지 아니한 경우에 한정)

❶
1. 납부고지서에 따른 납부기한의 다음 날부터 납부일까지의 기간(지정납부기한과 독촉장에서 정하는 기한을 연장한 경우에는 그 연장기간은 제외)이 5년을 초과하는 경우에는 그 기간은 5년으로 한다.
2. 체납된 국세의 납부고지서별·세목별 세액이 150만 원 미만인 경우에는 3.의 (1) 및 (2)의 가산세를 적용하지 아니한다.

☑ 핵심정리 | 납부지연가산세 적용배제

1. 다음 중 어느 하나에 해당하는 경우에는 납부지연가산세를 적용하지 않음
   ① 부가가치세법에 따른 사업자가 납부기한까지 어느 사업장에 대한 부가가치세를 다른 사업장에 대한 부가가치세에 더하여 신고납부한 경우
   ② 부가가치세법에 따라 대손 관련 매입세액을 공제받은 자가 대손세액 상당액을 대손이 확정된 날이 속하는 과세기간의 매입세액에서 차감하여 신고하지 아니함에 따라 관할 세무서장이 경정하는 경우
   ③ 법인세법에 따라 법인세 과세표준 및 세액의 결정·경정으로 상속세 및 증여세법에 따른 증여의제이익이 변경되는 경우(부정행위로 인하여 법인세의 과세표준 및 세액을 결정·경정하는 경우는 제외)
   ④ 위 ③에 해당하는 사유로 소득세법에 따른 주식 등의 취득가액이 감소된 경우
   ⑤ 상속세 또는 증여세를 신고한 자가 법정신고기한까지 상속세 또는 증여세를 납부한 경우로서 법정신고기한 이후 평가심의위원회를 통해 평가한 가액으로 상속재산 또는 증여재산을 평가하여 과세표준과 세액을 결정·경정한 경우
   ⑥ 부담부증여 시 양도로 보는 부분에 대하여 양도소득세 과세표준을 신고한 자가 법정신고기한까지 양도소득세를 납부한 경우로서 법정신고기한 이후 상속세 및 증여세법 시행령 제49조 제1항 각 호 외의 부분 단서에 따라 평가심의위원회를 거치는 방법에 따라 부담부증여 재산을 평가하여 양도소득세의 과세표준과 세액을 결정·경정한 경우

2. 중복적용배제
   ① 원천징수 등 납부지연가산세가 부과되는 부분에 대해서는 국세의 납부와 관련하여 납부지연가산세를 부과하지 아니함
   ② 중간예납, 예정신고납부 및 중간신고납부와 관련하여 가산세가 부과되는 부분에 대해서는 확정신고납부와 관련하여 가산세를 부과하지 아니함

3. 손익귀속시기 위반 시 납부지연가산세 완화
   국세(소득세, 법인세 및 부가가치세만 해당)를 과세기간을 잘못 적용하여 신고납부한 경우에는 실제 신고납부한 날에 실제 신고납부한 금액의 범위에서 당초 신고납부하였어야 할 과세기간에 대한 국세를 자진납부한 것으로 봄. 다만, 해당 국세의 신고가 신고 중 부정행위로 무신고한 경우 또는 신고 중 부정행위로 과소신고·초과신고 한 경우에는 그렇지 않음

4. 원천징수 등 납부지연가산세

국세를 징수하여 납부할 의무❶를 지는 자가 징수하여야 할 세액을 세법에 따른 납부기한까지 납부하지 아니하거나 과소납부한 경우에는 다음의 금액을 가산세로 한다.

가산세	가산세액 = Min(①, ②)
	① (미납부·과소납부분 세액 × 3%) + 미납부·과소납부분 세액 × 일수 × 22/100,000)
	② 한도
	  ㉠ 미납부·과소납부분 세액 × 50%
	  ㉡ 단, 법정납부기한의 다음 날부터 납부고지일까지의 기간분은 10%

❶ 국세를 징수하여 납부할 의무
1. 소득세법 또는 법인세법에 따라 소득세 또는 법인세를 원천징수하여 납부할 의무
2. 소득세법에 따른 납세조합이 소득세를 징수하여 납부할 의무
3. 부가가치세법의 대리납부에 따라 용역 등을 공급받는 자가 부가가치세를 징수하여 납부할 의무

🏛 **기출 체크**

소득세법에 따라 소득세를 원천징수하여 납부할 의무를 지는 자에게 원천징수 등 납부지연가산세를 부과하는 경우에는 납부하지 아니한 세액의 100분의 20에 상당하는 금액을 가산세로 한다.
(×)   2018년 국가직 9급

가산세 배제	다음 중 어느 하나에 해당하는 경우에는 적용하지 않음 ① 소득세법에 따라 소득세를 원천징수하여야 할 자가 우리나라에 주둔하는 미군인 경우 ② 소득세법에 따라 소득세를 원천징수하여야 할 자가 공적연금소득 또는 공적연금 관련법에 따라 받는 일시금을 지급하는 경우 ③ 소득세법 또는 법인세법에 따라 소득세 또는 법인세를 원천징수하여야 할 자가 국가, 지방자치단체 또는 지방자치단체조합인 경우 (소득세법 원천징수납부지연가산세 특례에 해당하는 경우는 제외)

Ⅲ 가산세 감면 등

1. 가산세의 면제

정부는 국세기본법 또는 세법에 따라 가산세를 부과하는 경우 다음의 사유에 해당하는 경우에는 가산세를 부과하지 아니한다.

(1) 납세자가 의무를 이행하지 아니한 데에 대한 정당한 사유가 있는 때

(2) 천재지변 등으로 인한 기한연장 사유에 해당하는 경우

(3) 세법해석에 관한 질의·회신 등에 따라 신고·납부하였으나 이후 다른 과세처분을 하는 경우

(4) 공익사업을 위한 토지 등의 취득 및 보상에 관한 법률에 따른 토지 등의 수용 또는 사용, 국토의 계획 및 이용에 관한 법률에 따른 도시·군계획 또는 그 밖의 법령 등으로 인해 세법상 의무를 이행할 수 없게 된 경우

(5) 의료비 지출 연도와 실손의료보험금 수령 연도가 달라 보험금 수령 후 종전 의료비 세액공제를 수정신고하는 경우

☑ **핵심정리 | 의무불이행에 정당한 사유**

1. **의미**
   납세자에게 의무이행을 기대하는 것이 무리라고 할 만한 사정이 있는 때 등 그 의무불이행을 탓할 수 없는 경우를 말함

2. **정당한 사유에 해당하지 않는 사유**
   ① 법령의 부지 또는 착오
   ② 인터넷 국세종합상담센터의 답변에 따라 세액을 과소신고·납부한 경우, 그 답변은 과세관청의 공식적인 견해표명이 아니라 상담직원의 단순한 상담에 불과하므로, 납세의무자에게 신고·납세의무의 위반을 탓할 수 없는 정당한 사유가 있다고 보기 어려움
   ③ 세무공무원의 잘못된 설명을 믿고 그 신고·납부의무를 이행하지 않았더라도 그 신고·납부의무를 해태한 것이 관계법령에 어긋난 것임이 명백한 경우

---

2. 기타 가산세 감면

과세전적부심사 결정·통지기간에 그 결과를 통지하지 아니한 경우	결정·통지가 지연됨으로써 해당 기간에 부과되는 납부지연가산세 × 50%
세법에 따른 제출 등의 기한이 지난 후 1개월 이내에 해당 세법에 따른 제출 등의 의무를 이행하는 경우	제출 등의 의무위반에 대하여 세법에 따라 부과되는 가산세 × 50%
세법에 따른 예정신고기한 및 중간신고기한까지 예정신고 및 중간신고를 하였으나 과소신고하거나 초과신고한 경우로서 확정신고기한까지 과세표준을 수정하여 신고한 경우 (과세표준과 세액을 경정할 것을 미리 알고 과세표준신고를 하는 경우는 제외)	과소신고·초과환급 신고가산세 × 50%
세법에 따른 예정신고기한 및 중간신고기한까지 예정신고 및 중간신고를 하지 아니하였으나 확정신고기한까지 과세표준신고를 한 경우 (과세표준과 세액을 경정할 것을 미리 알고 과세표준신고를 하는 경우는 제외)	무신고가산세 × 50%

Ⅳ 가산세 한도

1. 가산세는 그 의무위반의 종류별로 각각 5천만 원(중소기업기본법에 따른 중소기업이 아닌 기업은 1억 원)을 한도로 한다. 다만, 해당 의무를 고의적으로 위반한 경우에는 그렇지 않다.

2. 법인세·소득세·부가가치세는 과세기간 단위로, 상속세·증여세는 상속을 개시하거나 증여에 의하여 재산을 취득하는 단위로 구분하여 가산세 한도규정을 적용한다.

4 국세환급금과 국세환급가산금

Ⅰ 국세환급금

1. 의의

세무서장은 납세의무자가 국세 및 강제징수비로서 납부한 금액 중 잘못 납부하거나 초과하여 납부한 금액이 있거나 세법에 따라 환급하여야 할 환급세액(세법에 따라 환급세액에서 공제하여야 할 세액이 있을 때에는 공제한 후에 남은 금액)이 있을 때에는 즉시 그 잘못 납부한 금액, 초과하여 납부한 금액 또는 환급세액을 국세환급금으로 결정하여야 한다.

2. 충당

(1) 직권

세무서장은 국세환급금으로 결정한 금액을 다음의 국세 및 강제징수비에 충당하여야 한다.

① 국세징수법에 따른 납부기한 전 징수 사유로 납부고지에 의하여 납부하는 국세

② 체납된 국세 및 강제징수비(다른 세무서에 체납된 국세 및 강제징수비를 포함)

(2) 동의

① 다음의 국세에의 충당은 납세자가 그 충당에 동의하는 경우에만 한다.
ㄱ 납부고지에 의하여 납부하는 국세
ㄴ 세법에 따라 자진납부하는 국세

② 한편, 납세자가 세법에 따라 환급받을 환급세액이 있는 경우에는 그 환급세액을 위 국세에 충당할 것을 청구할 수 있다. 이 경우 충당된 세액의 충당청구를 한 날에 해당 국세를 납부한 것으로 본다.

3. 소액 국세환급금 충당

국세환급금 중 충당한 후 남은 금액이 10만 원 이하이고, 지급결정을 한 날부터 1년 이내에 환급이 이루어지지 아니하는 경우에는 납부고지에 의하여 납부하는 국세에 충당할 수 있다. 이 경우 납세자가 충당에 동의가 있는 것으로 본다. 또한 이에 따른 국세환급금은 국세환급금이 발생한 세목과 같은 세목이 있는 경우 같은 세목에 우선 충당한다.

4. 충당의 순위

(1) 국세환급금을 충당할 경우에는 체납된 국세 및 강제징수비에 우선 충당해야 한다. 다만, 납세자가 납부고지에 따라 납부하는 국세에 충당하는 것을 동의하거나 신청한 경우에는 납부고지에 따라 납부하는 국세에 우선 충당해야 한다.

(2) 충당할 국세환급금이 2건 이상인 경우에는 소멸시효가 먼저 도래하는 것부터 충당하여야 한다.

5. 지급

국세환급금 중 충당한 후 남은 금액은 국세환급금의 결정을 한 날부터 30일 내에 납세자에게 지급하여야 한다.

6. 충당의 효력

과세관청이 체납된 국세 등으로 직권충당이 있는 경우 체납된 국세 및 강제징수비와 국세환급금은 체납된 국세의 법정납부기한과 국세환급금 발생일 중 늦은 때로 소급하여 대등액에 관하여 소멸한 것으로 본다.

7. 국세환급금 권리의 양도와 충당

(1) 납세자는 국세환급금에 관한 권리를 타인에게 양도할 수 있다. 국세환급금에 관한 권리를 타인에게 양도하려는 납세자는 세무서장이 국세환급금통지서를 발급하기 전에 문서로 관할 세무서장에게 양도를 요구하여야 한다.

(2) 세무서장은 국세환급금에 관한 권리의 양도 요구가 있는 경우에 양도인 또는 양수인이 납부할 국세 및 강제징수비가 있으면 그 국세 및 강제징수비에 충당하고, 남은 금액에 대해서는 양도의 요구에 지체 없이 따라야 한다.

8. 원천징수세액의 충당과 환급

(1) 원천징수의무자가 원천징수하여 납부한 세액에서 환급받을 환급세액이 있는 경우 그 환급액은 그 원천징수의무자가 원천징수하여 납부하여야 할 세액에 충당(다른 세목의 원천징수세액에의 충당은 소득세법에 따른 원천징수이행상황신고서에 그 충당·조정명세를 적어 신고한 경우에만 가능)하고 남은 금액을 환급한다.

(2) 그 원천징수의무자가 그 환급액을 즉시 환급해 줄 것을 요구하는 경우나 원천징수하여 납부하여야 할 세액이 없는 경우에는 즉시 환급한다.

9. 기타 규정

(1) 세무서장이 국세환급금의 결정이 취소됨에 따라 이미 충당되거나 지급된 금액의 반환을 청구하는 경우에는 국세징수법의 고지·독촉 및 강제징수의 규정을 준용한다.

(2) 과세의 대상이 되는 소득, 수익, 재산, 행위 또는 거래의 귀속이 명의일 뿐이고 사실상 귀속되는 자(실질귀속자)가 따로 있어 명의대여자에 대한 과세를 취소하고 실질귀속자를 납세의무자로 하여 과세하는 경우 명의대여자 대신 실질귀속자가 납부한 것으로 확인된 금액은 실질귀속자의 기납부세액으로 먼저 공제하고 남은 금액이 있는 경우에는 실질귀속자에게 환급한다.

기출 체크

01 납세자의 국세환급금에 관한 권리는 행사할 수 있는 때부터 5년간 행사하지 아니하면 소멸시효가 완성되며 타인에게 양도할 수 없다. (×) 2016년 국가직 7급

02 국세환급금에는 제척기간과 소멸시효가 적용되지 않는다. (×)
2008년 국가직 9급

03 원천징수의무자가 원천징수하여 납부한 세액에서 환급받을 환급세액이 있는 경우 원천징수의무자가 그 환급액을 즉시 환급해 줄 것을 요구하는 때에는 그 원천징수의무자가 원천징수하여 납부하여야 할 세액에 충당하고 남은 금액을 즉시 환급한다. (×)
2015년 국가직 7급

04 세무서장이 국세환급금의 결정이 취소됨에 따라 이미 충당되거나 지급된 금액의 반환을 청구하는 경우에는 고지와 독촉의 절차 없이 당해 납세자의 재산에 대하여 압류를 행한다. (×)
2016년 국가직 7급

국세환급금 발생일

1. **착오납부, 이중납부 또는 납부의 기초가 된 신고 또는 부과의 취소·경정에 따라 환급하는 경우**
   그 국세 납부일(세법에 따른 중간예납액 또는 원천징수에 따른 납부액인 경우에는 그 세목의 법정신고기한의 만료일). 다만, 그 국세가 2회 이상 분할납부된 것인 경우에는 그 마지막 납부일로 하되, 국세환급금이 마지막에 납부된 금액을 초과하는 경우에는 그 금액이 될 때까지 납부일의 순서로 소급하여 계산한 국세의 각 납부일로 함

2. **적법하게 납부된 국세의 감면으로 환급하는 경우**
   그 감면 결정일

3. **적법하게 납부된 후 법률이 개정되어 환급하는 경우**
   그 개정된 법률의 시행일

4. **법에 따른 환급세액의 신고, 환급신청 또는 신고한 환급세액의 경정으로 인하여 환급하는 경우**
   그 신고·신청일. 다만, 환급세액을 신고하지 않은 경우(법정신고기한이 지난 후 기한 후 신고를 한 경우를 포함)로서 결정에 의하여 환급세액을 환급하는 경우에는 해당 결정일로 함

5. **원천징수의무자가 연말정산 또는 원천징수하여 납부한 세액을 경정청구에 따라 환급하는 경우**
   연말정산세액 또는 원천징수세액 납부기한의 만료일

6. **조세특례제한법에 따라 근로장려금을 환급하는 경우**
   근로장려금의 결정일

Ⅱ 국세환급가산금

1. 의의

세무서장은 국세환급금을 충당하거나 지급할 때에는 다음에 따라 계산한 국세환급가산금을 국세환급금에 가산하여야 한다.

$$\text{국세환급가산금} = \text{국세환급금} \times \text{이자율} \times \text{이자계산기간}$$

(1) 이자율
 ① 기본이자율: 1,000분의 12(1.2%)
 ② 납세자가 이의신청, 심사청구, 심판청구 등에 따른 소송을 제기하여 그 결정 또는 판결에 따라 세무서장이 국세환급금을 지급하는 경우로서 그 결정 또는 판결이 확정된 날부터 40일 이후에 납세자에게 국세환급금을 지급하는 경우: 기본이자율의 1.5

(2) 이자계산기간
 국세환급가산금 기산일부터 충당하는 날 또는 지급결정을 하는 날까지의 기간이다.

2. 국세환급가산금 기산일

국세환급가산금 기산일이란 다음의 구분에 따른 날의 다음 날로 한다.

(1) 착오납부, 이중납부 또는 납부 후 그 납부의 기초가 된 신고 또는 부과를 경정하거나 취소함에 따라 발생한 국세환급금

  ① 국세 납부일

  ② 그 국세가 2회 이상 분할납부된 것인 경우 그 마지막 납부일로 하되, 국세환급금이 마지막에 납부된 금액을 초과하는 경우에는 그 금액이 될 때까지 납부일의 순서로 소급하여 계산한 국세의 각 납부일로 하며, 세법에 따른 중간예납액 또는 원천징수에 의한 납부액은 해당 세목의 법정신고기한 만료일에 납부된 것으로 봄

(2) 적법하게 납부된 국세의 감면으로 발생한 국세환급금

  감면 결정일

(3) 적법하게 납부된 후 법률이 개정되어 발생한 국세환급금

  개정된 법률의 시행일

(4) 각 세법에 따른 환급세액의 신고, 환급신청, 경정 또는 결정으로 인하여 환급하는 경우

  ① 신고를 한 날(신고한 날이 법정신고기일 전인 경우에는 해당 법정신고기일) 또는 신청을 한 날부터 30일이 지난 날(세법에서 환급기한을 정하고 있는 경우에는 그 환급기한의 다음 날)

  ② 환급세액을 법정신고기한까지 신고하지 않음에 따른 결정으로 인하여 발생한 환급세액을 환급할 때에는 해당 결정일부터 30일이 지난 날

3. 고충민원에 따른 환급 시 국세환급가산금 미지급

경정 등의 청구, 이의신청, 심사청구, 심판청구, 감사원법에 따른 심사청구 또는 행정소송법에 따른 소송에 대한 결정이나 판결 없이 고충민원의 처리에 따라 국세환급금을 충당하거나 지급하는 경우에는 국세환급가산금을 가산하지 아니한다.❶

Ⅲ 물납재산의 환급

1. 물납재산의 환급

납세자가 상속세법에 따라 상속세를 물납한 후 그 부과의 전부 또는 일부를 취소하거나 감액하는 경정 결정에 따라 환급하는 경우에는 해당 물납재산으로 환급하여야 한다. 이 경우 국세환급가산금은 지급하지 아니한다.

❶ 정상적인 구제수단이 아닌 민원해결 차원에서 환급하는 것이므로 국세환급가산금을 지급할 필요는 없다.

🏛️ **기출 체크**

법인세법, 소득세법, 부가가치세법, 개별소비세법, 주세법 또는 교통·에너지·환경세법에 따른 환급세액을 신고 또는 잘못 신고함에 따른 경정으로 인하여 환급하는 경우에 국세환급가산금의 기산일은 경정결정일이다. (×)

2012년 국가직 7급

2. 물납 후 금전환급

다음 중 어느 하나에 해당하는 경우에는 금전으로 환급하여야 함

(1) 해당 물납재산의 성질상 분할하여 환급하는 것이 곤란한 경우

(2) 해당 물납재산이 임대 중이거나 다른 행정용도로 사용되고 있는 경우

(3) 사용계획이 수립되어 해당 물납재산으로 환급하는 것이 곤란하다고 인정되는 경우 등 국세청장이 정하는 경우

3. 물납재산 환급순서

(1) 납세자의 신청이 있는 경우

물납재산을 환급하는 경우 환급의 순서에 관하여 그 신청에 따라 관할 세무서장이 환급

(2) 납세자의 신청이 없는 경우

상속세 및 증여세법 시행령에 따른 물납에 충당하는 재산에 대한 허가순서의 역순으로 환급

4. 물납재산의 유지·관리비용

(1) 국가가 물납재산을 유지 또는 관리하기 위하여 지출한 비용

국가의 부담

(2) 국가가 물납재산에 대하여 자본적 지출을 한 경우

납세자의 부담

5. 과실 귀속여부

물납재산이 수납된 이후 발생한 법정과실 및 천연과실은 납세자에게 환급하지 아니하고 국가에 귀속됨

Ⅳ 국세환급금의 소멸시효

1. 납세자의 국세환급금과 국세환급가산금에 관한 권리는 행사할 수 있는 때부터 5년간 행사하지 아니하면 소멸시효가 완성된다.

2. 국세환급금의 소멸시효에 관하여는 국세기본법 또는 세법에 특별한 규정이 있는 것을 제외하고는 민법에 따른다. 이 경우 국세환급금과 국세환급가산금을 과세처분의 취소 또는 무효확인청구의 소 등 행정소송으로 청구한 경우 시효의 중단에 관하여 민법에 따른 청구를 한 것으로 본다.

3. 국세환급금의 소멸시효는 세무서장이 납세자의 환급청구를 촉구하기 위하여 납세자에게 하는 환급청구의 안내·통지 등으로 인하여 중단되지 않는다.

07 국세불복제도

1 국세불복제도의 의의

☑ **핵심정리 Ι 불복제도 개요**

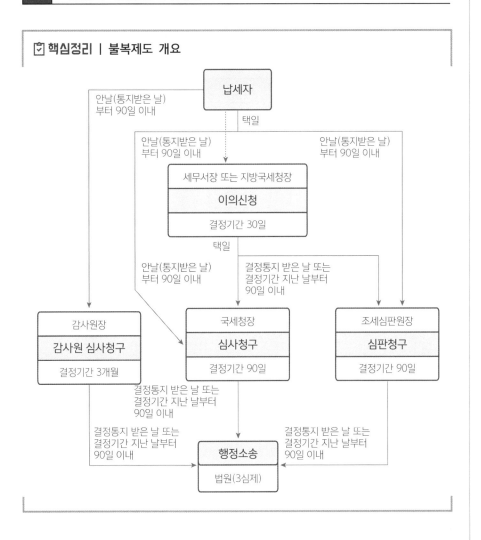

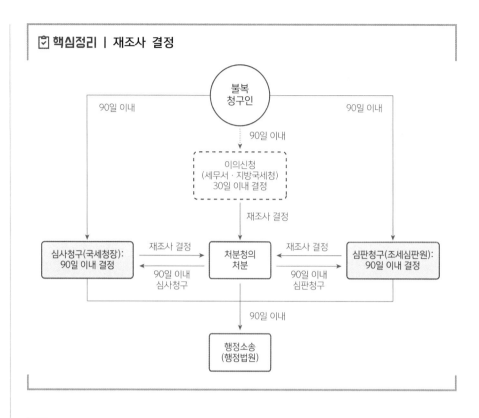

I 의의

국세기본법 또는 세법에 따른 처분으로서 위법 또는 부당한 처분을 받거나 필요한 처분을 받지 못함으로 인하여 권리나 이익을 침해당한 자는 그 처분의 취소 또는 변경을 청구하거나 필요한 처분을 청구할 수 있다.

불복대상	① 국세기본법 또는 세법에 따른 처분으로서 위법 또는 부당한 처분 ② 필요한 처분을 받지 못함으로 인하여 권리나 이익을 침해당한 경우 (개괄주의)
불복대상 제외 처분	① 조세범 처벌절차법에 따른 통고처분 ② 감사원법에 따라 심사청구를 한 처분이나 그 심사청구에 대한 처분 ③ 국세기본법 및 세법에 따른 과태료 부과처분 ④ 심사청구 또는 심판청구에 대한 처분에 대해서는 이의신청, 심사청구 또는 심판청구를 제기할 수 없음. 다만, 재조사 결정에 따른 처분청의 처분에 대해서는 해당 재조사 결정을 한 재결청에 대하여 심사청구 또는 심판청구를 제기할 수 있음 ⑤ 이의신청에 대한 처분과 재조사 결정에 따른 처분청의 처분에 대해서는 이의신청을 할 수 없음 ⑥ 동일한 처분에는 심사청구와 심판청구를 중복하여 제기할 수 없음
국세에 관한 불복	① 1심제: 심사청구 또는 심판청구(감사원법에 따른 심사청구 포함) ② 2심제: 이의신청 후 심사청구 또는 심판청구(감사원법에 따른 심사청구 포함)

| Check | 처분 |

1. **의미**

    행정청의 공권력 행사로서 구체적 사실에 대해 국민에게 권리를 설정하거나 의무를 명하는 행위 및 그 밖의 법적 효과를 발생하게 하는 행위

2. **거부처분**

    신청내용의 부적합 또는 신청의 하자를 이유로 신청을 거부하는 행위

3. **처분의 사례**

    ① 세무조사 사전통지: 세무조사결정은 납세자의 권리·의무에 직접 영향을 미치는 공권력의 행사에 따른 행정작용으로써 항고소송의 대상이 됨

    ② 소득금액변동통지: 소득금액변동통지는 원천징수의무자인 법인의 납세의무에 직접 영향을 미치는 과세관청의 행위로써, 항고소송의 대상이 되는 조세행정처분이라고 봄이 상당함(대판 2006.4.20, 2002두1878)

| Check | 이의신청이 배제되는 처분 |

처분이 국세청장이 조사·결정 또는 처리하였거나 하였어야 할 것인 경우에는 이의신청이 배제됨

1. 국세청의 감사결과로서의 시정지시에 따른 처분
2. 세법에 따라 국세청장이 하여야 할 처분

Ⅱ 행정심판 및 행정소송과의 관계

1. 행정심판전치주의

(1) 원칙적으로 법률에 관한 분쟁은 행정소송에 의하여 법적 심판을 받아야 한다. 그러나 국세에 관한 불복에 있어서는 행정소송법에도 불구하고 국세기본법에 따른 불복절차를 거쳐야 한다.

(2) 따라서 위법한 처분에 대한 행정소송은 행정소송법에도 불구하고 국세기본법에 따른 심사청구 또는 심판청구와 그에 대한 결정을 거치지 아니하면 제기할 수 없다. 다만, 심사청구 또는 심판청구에 대한 재조사 결정에 따른 처분청의 처분에 대한 행정소송은 그러하지 아니하다.

2. 행정소송의 제소기간

국세기본법에 따른 심사청구 또는 심판청구를 거친 처분에 대한 행정소송은 행정소송법에도 불구하고 심사청구 또는 심판청구에 대한 결정의 통지를 받은 날부터 90일 이내에 제기하여야 한다. 다만, 결정기간에 결정의 통지를 받지 못한 경우에는 결정의 통지를 받기 전이라도 그 결정기간이 지난 날부터 행정소송을 제기할 수 있다.

📑 **취지**

1. 행정청에 자기시정의 기회를 주기 위함이다.
2. 대량·반복적으로 발생하는 쟁송으로 인한 법원의 부담을 완화시켜 준다.
3. 전문적인 조세쟁송에 대하여 행정청 자체의 전심절차를 통한 쟁점의 명확화하기 위함이다.

🏛 **기출 체크**

01 국세기본법상 불복청구의 대상인 '이 법 또는 세법에 따른 처분'에는 소득금액변동통지는 포함되나 세무조사결정은 포함되지 않는다. (×)2013년 국가직 7급

02 국세청장의 과세표준 조사·결정에 따른 처분에 대하여 불복하려는 자는 이의신청을 거친 후에 또는 이의신청을 거치지 아니하고 심사청구 또는 심판청구를 제기할 수 있다. (×)
2013년 국가직 9급

03 국세처분에 관한 행정소송은 행정소송법의 규정에 불구하고 심사청구 또는 심판청구에 대한 결정의 통지를 받은 날로부터 90일 이내에 제기하여야 한다. 결정기간 내에 결정의 통지를 받지 못한 경우에는 행정소송을 제기할 수 없다. (×)   2007년 국가직 9급

04 심사청구를 거치지 아니하고는 심판청구를 할 수 없다. (×)
2007년 국가직 7급

3. 재조사결정에 따른 후속처분에 대한 행정소송의 제소기간

(1) 심사청구 또는 심판청구를 거치지 않고 제기하는 경우

재조사 후 행한 처분청의 처분의 결과 통지를 받은 날부터 90일 이내 제기하여야 한다. 다만, 재조사 결정에 따른 처분기간(조사를 연기하거나 조사기간을 연장하거나 조사를 중지한 경우에 해당 기간을 포함)에 처분청의 처분 결과 통지를 받지 못하는 경우에는 그 처분기간이 지난 날부터 행정소송을 제기할 수 있다.

(2) 심사청구 또는 심판청구를 거쳐 제기하는 경우

재조사 후 행한 처분청의 처분에 대하여 제기한 심사청구 또는 심판청구에 대한 결정의 통지를 받은 날부터 90일 이내 제기하여야 한다. 다만, 결정기간에 결정의 통지를 받지 못하는 경우에는 그 결정기간이 지난 날부터 행정소송을 제기할 수 있다.

2 불복청구인과 대리인

I 불복청구인

1. 국세기본법 또는 세법에 따른 위법 또는 부당한 처분을 받거나 필요한 처분을 받지 못함으로 인하여 권리나 이익을 침해당한 자

2. 이해관계인

(1) 제2차 납세의무자로서 납부고지서를 받은 자
(2) 양도담보권 물적납세의무자로서 납부고지서를 받은 자
(3) 부가가치세법 및 종합부동산세법에 따른 물적납세의무자로서 납부고지서를 받은 자
(4) 보증인

II 대리인

1. 이의신청인, 심사청구인 또는 심판청구인과 처분청은 변호사, 세무사 또는 세무사법에 따라 등록한 공인회계사를 대리인으로 선임할 수 있다. 또한, 신청 또는 청구의 대상이 5천만 원(지방세는 2천만 원) 미만의 소액인 경우에는 그 배우자, 4촌 이내의 혈족 또는 그 배우자의 4촌 이내의 혈족을 대리인으로 선임할 수 있다.

🏛 **기출 체크**
불복청구인의 대리인은 본인의 특별한 위임 없이도 불복의 신청 또는 청구의 취하를 할 수 있다. (×)
2008년, 2016년 국가직 7급

2. 대리인은 본인을 위하여 그 신청 또는 청구에 관한 모든 행위를 할 수 있다. 다만, 그 신청 또는 청구의 취하는 특별한 위임을 받은 경우에만 할 수 있다.

3. 대리인의 권한은 서면으로 증명하여야 하며, 대리인을 해임하였을 때에는 그 사실을 서면으로 해당 재결청에 신고하여야 한다.

Ⅲ 국선대리인

1. 신청요건

이의신청인, 심사청구인 또는 심판청구인 및 과세전적부심사 청구인은 재결청에 다음의 요건을 모두 갖추어 변호사, 세무사 또는 세무사법에 따라 등록한 공인회계사를 국선대리인으로 선정하여 줄 것을 신청할 수 있다.

(1) 이의신청인 등이 다음 중 어느 하나에 해당할 것
　　① 개인인 경우: 소득세법에 따른 종합소득금액이 5천만 원(이 경우 소득세법 제70조에 따른 신고기한 이전에 국선대리인의 선정을 신청하는 경우 그 신청일이 속하는 과세기간의 전전 과세기간의 종합소득금액을 대상으로 하고, 그 신고기한 이후에 신청하는 경우 그 신청일이 속하는 과세기간의 직전 과세기간의 종합소득금액)이하이고 소유 재산의 가액이 5억 원 이하일 것
　　② 법인인 경우: 수입금액이 3억 원 이하이고 자산가액(기업회계기준에 따라 계산한 매출액과 자산)이 5억 원 이하일 것
(2) 5천만 원 이하인 신청 또는 청구일 것
(3) 상속세, 증여세 및 종합부동산세가 아닌 세목에 대한 신청 또는 청구일 것

2. 기타 규정

(1) 재결청은 요건을 모두 충족한 신청이 있는 경우 지체 없이 국선대리인을 선정하고, 신청을 받은 날부터 5일 이내에 그 결과를 이의신청인 등과 국선대리인에게 각각 통지하여야 한다.
(2) 국선대리인의 권한에 관하여는 대리인에 관한 규정을 준용한다.

3 불복청구의 절차

I 불복청구기한

❶
처분의 통지를 받은 때에는 그 받은 날부터이다.

원칙	① 이의신청은 해당 처분이 있음을 안 날❶부터 90일 이내에 제기하여야 함 ② 심사청구 또는 심판청구는 해당 처분이 있음을 안 날❶부터 90일 이내에 제기하여야 함 ③ 이의신청을 거친 후 심사청구를 하려면 이의신청에 대한 결정의 통지를 받은 날부터 90일 이내에 제기하여야 함. 다만, 다음 중 어느 하나에 해당하는 경우에는 해당 규정에서 정하는 날부터 90일 이내에 심사청구를 할 수 있음 ㉠ 결정기간 내에 결정의 통지를 받지 못한 경우: 그 결정기간이 지난 날 ㉡ 이의신청에 대한 재조사 결정이 있은 후 처분기간 내에 처분 결과의 통지를 받지 못한 경우: 그 처분기간이 지난 날
특례	① 불복청구기한까지 우편으로 제출한 심사청구서가 청구기간을 지나서 도달한 경우에는 그 기간의 만료일에 적법한 청구를 한 것으로 봄 ② 심사청구인이 천재 등으로 인한 기한연장사유로 불복청구기간에 심사청구를 할 수 없을 때에는 그 사유가 소멸한 날부터 14일 이내에 심사청구를 할 수 있음. 이 경우 심사청구인은 그 기간에 심사청구를 할 수 없었던 사유, 그 사유가 발생한 날과 소멸한 날, 그 밖에 필요한 사항을 기재한 문서를 함께 제출하여야 함

> **Check** 정보통신망을 이용한 불복청구
>
> 1. 이의신청인, 심사청구인 또는 심판청구인은 국세청장 또는 조세심판원장이 운영하는 정보통신망을 이용하여 이의신청서, 심사청구서 또는 심판청구서를 제출할 수 있음
> 2. 정보통신망을 이용하여 이의신청서, 심사청구서 또는 심판청구서를 제출하는 경우에는 국세청장 또는 조세심판원장에게 전송된 때에 제출된 것으로 봄

II 불복청구가 집행에 미치는 효력

원칙 (집행부정지)	이의신청, 심사청구 또는 심판청구는 세법에 특별한 규정이 있는 것을 제외하고는 해당 처분의 집행에 효력을 미치지 아니함
예외 (집행정지)	① 해당 재결청이 처분의 집행 또는 절차의 속행 때문에 이의신청인, 심사청구인 또는 심판청구인에게 중대한 손해가 생기는 것을 예방할 필요성이 긴급하다고 인정할 때에는 처분의 집행정지를 결정할 수 있음 ② 재결청은 집행정지 또는 집행정지의 취소에 관하여 심리·결정하면 지체 없이 당사자에게 통지하여야 함

🏛️ 기출 체크
심판청구는 세법에 특별한 규정이 있는 것을 제외하고는 그 결정이 있기 전까지 당해 과세처분의 집행을 중지시킨다. (✕)
2010년 국가직 9급

③ 국세기본법에 따른 불복청구 절차가 진행 중이거나 행정소송이 계속 중인 국세의 체납으로 압류한 재산은 그 불복청구에 대한 결정이나 판결이 확정되기 전에는 공매할 수 없음. 다만, 그 재산이 부패·변질 또는 감량되기 쉬운 재산으로서 속히 매각하지 아니하면 그 재산가액이 줄어들 우려가 있는 경우에는 공매할 수 있음

Ⅲ 불복청구에 대한 결정

1. 결정의 종류

각하	심사청구가 다음의 어느 하나에 해당하는 경우에는 그 청구를 각하하는 결정을 함 ① 심판청구를 제기한 후 심사청구를 제기(같은 날 제기한 경우도 포함)한 경우 ② 청구기간이 지난 후에 청구된 경우 ③ 심사청구 후 보정기간에 필요한 보정을 하지 아니한 경우 ④ 심사청구가 적법하지 아니한 경우 ⑤ 심사청구의 대상이 되는 처분이 존재하지 않는 경우 ⑥ 심사청구의 대상이 되는 처분으로 권리나 이익을 침해당하지 않는 경우 ⑦ 대리인이 아닌 자가 대리인으로서 불복을 청구하는 경우
기각	심사청구가 이유 없다고 인정될 때에는 그 청구를 기각하는 결정을 함
인용	심사청구가 이유 있다고 인정될 때에는 그 청구의 대상이 된 처분의 취소·경정 결정을 하거나 필요한 처분의 결정을 함. 다만, 취소·경정 또는 필요한 처분을 하기 위하여 사실관계 확인 등 추가적으로 조사가 필요한 경우에는 처분청으로 하여금 이를 재조사하여 그 결과에 따라 취소·경정하거나 필요한 처분을 하도록 하는 재조사 결정을 할 수 있음
원처분 유지	처분청은 재조사 결과 다음 중 어느 하나에 해당하는 경우 해당 심사청구의 대상이 된 당초의 처분을 취소·경정하지 아니할 수 있음 ① 심사청구인의 주장과 재조사 과정에서 확인한 사실관계가 달라 당초의 처분을 유지할 필요가 있는 경우 ② 심사청구인의 주장에 대한 사실관계를 확인할 수 없는 경우

2. 결정기간

재조사 결정이 있는 경우 처분청은 재조사 결정일로부터 60일 이내에 결정서 주문에 기재된 범위에 한정하여 조사하고, 그 결과에 따라 취소·경정하거나 필요한 처분을 하여야 한다. 이 경우 처분청은 조사를 연기하거나 조사기간을 연장하거나 조사를 중지할 수 있다.

이의신청	신청을 받은 날로부터 30일 이내에 결정(송부받은 의견서에 대하여 결정기간 내에 항변하는 경우에는 이의신청을 받은 날부터 60일 이내에 결정)
심사·심판청구	청구를 받은 날로부터 90일 이내에 결정
감사원심사청구	청구를 받은 날로부터 90일 이내에 결정

3. 결정의 효력

불가쟁력	① 당사자가 청구기간 내에 다음 심급에 불복청구를 하지 않거나 일정한 제소기간 내에 행정소송을 제기하지 않는 경우 그 결정은 형식적으로 확정됨 ② 따라서 그 결정의 내용을 쟁송에 따라 더 이상 다툴 수 없게 되는 효력
불가변력	해당 재결청 스스로 결정을 철회하거나 변경하는 것이 허용되지 않음
기속력	인용결정이 당사자와 관계행정청에 대하여 그 결정의 취지에 따르도록 구속하는 효력

4. 결정의 통지

(1) 이의신청, 심사청구 또는 심판청구의 재결청은 결정서에 그 결정서를 받은 날부터 90일 이내에 이의신청인은 심사청구 또는 심판청구를, 심사청구인 또는 심판청구인은 행정소송을 제기할 수 있다는 내용을 적어야 한다.

(2) 이의신청, 심사청구 또는 심판청구의 재결청은 그 신청 또는 청구에 대한 결정기간이 지나도 결정을 하지 못하였을 때에는 이의신청인은 심사청구 또는 심판청구를, 심사청구인 또는 심판청구인은 행정소송 제기를 결정의 통지를 받기 전이라도 그 결정기간이 지난 날부터 할 수 있다는 내용을 서면으로 지체 없이 그 신청인 또는 청구인에게 통지하여야 한다.

5. 결정의 경정

심사청구에 대한 결정에 잘못된 기재, 계산착오, 그 밖에 이와 비슷한 잘못이 있는 것이 명백할 때에는 국세청장은 직권으로 또는 심사청구인의 신청에 의하여 경정할 수 있다.

6. 결정서의 송달

(1) 특별송달

심판청구인에 대한 심판결정서의 송달은 심판청구인 또는 그 대리인이 조세심판원에서 심판결정서를 직접 수령하는 경우를 제외하고는 특별송달방법으로 하여야 한다.

(2) 공시송달

사유	심판결정서를 송달받아야 할 심판청구인 또는 그 대리인이 다음 중 어느 하나에 해당하는 경우에는 공시송달의 방법으로 할 수 있음 ① 주소 또는 영업소가 국외에 있어 송달하기 곤란한 경우 ② 주소 또는 영업소가 분명하지 않은 경우
방법	공시송달은 주심조세심판관이 송달할 심판결정서를 보관하고, 그 사유를 다음 중 어느 하나에 해당하는 방법으로 게시 또는 게재함 ① 조세심판원의 게시판 또는 인터넷 홈페이지에 게시 ② 관보 또는 일간신문에 게재
효력발생	공시송달은 공시송달방법에 따라 공시한 날부터 14일이 지나면 효력이 발생함

PART 2 국세기본법 해커스공무원 이훈엽 세법 기본서

4 불복청구의 기타규정

Ⅰ 관계 서류의 열람 및 의견진술권

이의신청인, 심사청구인, 심판청구인 또는 처분청(처분청의 경우 심판청구에 한정)은 그 신청 또는 청구에 관계되는 서류를 열람할 수 있으며 해당 재결청에 의견을 진술할 수 있다.

Ⅱ 증거서류 또는 증거물

1. 심사청구인은 송부받은 의견서에 대하여 항변하기 위하여 국세청장에게 증거서류나 증거물을 제출할 수 있다.
2. 심사청구인은 국세청장이 증거서류나 증거물에 대하여 기한을 정하여 제출할 것을 요구하는 경우 그 기한까지 해당 증거서류 또는 증거물을 제출하여야 한다.
3. 국세청장은 증거서류가 제출되면 증거서류의 부본을 지체 없이 해당 세무서장 및 지방국세청장에게 송부하여야 한다.

Ⅲ 청구서의 보정

1. 국세청장은 심사청구의 내용이나 절차가 국세기본법 또는 세법에 적합하지 아니하나 보정할 수 있다고 인정되면 20일 이내의 기간[심판청구는 상당한 기간]을 정하여 보정할 것을 요구할 수 있다. 다만, 보정할 사항이 경미한 경우에는 직권으로 보정할 수 있다.
2. 보정요구를 받은 심사청구인은 보정할 사항을 서면으로 작성하여 국세청장에게 제출하거나, 국세청에 출석하여 보정할 사항을 말하고 그 말한 내용을 국세청 소속 공무원이 기록한 서면에 서명 또는 날인함으로써 보정할 수 있다.
3. 보정기간은 심사청구기간에 산입하지 아니한다.

Ⅳ 불복청구서 제출처

1. 이의신청은 해당 처분을 하였거나 하였어야 할 세무서장에게 하거나 세무서장을 거쳐 관할 지방국세청장에게 하여야 한다. 다만, 다음의 경우에는 관할 지방국세청장((2)의 경우 과세처분한 세무서장의 관할 지방국세청장)에게 하여야 한다.

(1) 지방국세청장의 조사에 따라 과세처분을 한 경우
(2) 조사한 세무서장과 과세처분한 세무서장이 서로 다른 경우
(3) 세무서장에게 과세전적부심사를 청구한 경우

2. 심사청구는 불복의 사유를 갖추어 해당 처분을 하였거나 하였어야 할 세무서장을 거쳐 국세청장에게 하여야 한다.

> **Check** | **국세심사위원회**
>
> 1. 심사청구, 이의신청 및 과세전적부심사 청구사항을 심의 및 의결(국세기본법 제64조에 따른 심사청구에 한정)하기 위하여 세무서, 지방국세청 및 국세청에 각각 국세심사위원회를 둠
> 2. 국세심사위원회의 위원 중 공무원이 아닌 위원은 법률 또는 회계에 관한 학식과 경험이 풍부한 사람 중에서 다음의 구분에 따른 사람이 됨
>   ① 세무서에 두는 국세심사위원회: 지방국세청장이 위촉하는 사람
>   ② 지방국세청 및 국세청에 두는 국세심사위원회: 국세청장이 위촉하는 사람
> 3. 국세심사위원회의 위원 중 공무원이 아닌 위원은 형법규정을 적용할 때에는 공무원으로 봄
> 4. 국세심사위원회의 위원은 공정한 심의를 기대하기 어려운 사정이 있다고 인정될 때에는 대통령령으로 정하는 바에 따라 위원회 회의에서 제척되거나 회피하여야 함

> **Check** | **항고소송 제기사건의 통지**
>
> 국세청장, 지방국세청장, 세무서장은 심판청구를 거쳐 행정소송법에 따른 항고소송이 제기된 사건에 대하여 그 내용이나 결과 등 대통령령으로 정하는 사항을 반기마다 그 다음 달 15일까지 조세심판원장에게 알려야 함

I 조세심판원

❶
1. 상임조세심판관: 임기 3년, 한 차례 중임 ○
2. 비상임조세심판관: 임기 3년, 한 차례 연임 ○

구성	① 심판청구에 대한 결정을 하기 위하여 국무총리 소속으로 조세심판원을 둠❶ ② 조세심판원은 그 권한에 속하는 사무를 독립적으로 수행함 ③ 조세심판원에 원장과 조세심판관을 두되, 원장과 원장이 아닌 상임조세심판관은 고위공무원단에 속하는 일반직공무원 중에서 국무총리의 제청으로 대통령이 임명하고, 비상임조세심판관은 위촉함. 이 경우 원장이 아닌 상임조세심판관(경력직공무원으로서 전보 또는 승진의 방법으로 임용되는 상임조세심판관은 제외)은 임기제공무원으로 임용함
임기와 신분보장	① 조세심판관은 조세·법률·회계분야에 관한 전문지식과 경험을 갖춘 사람으로서 대통령령으로 정하는 자격을 가진 사람이어야 함 ② 상임조세심판관의 임기는 3년으로 하며, 한 차례만 중임할 수 있음 ③ 비상임조세심판관의 임기는 3년으로 하며, 한 차례만 연임할 수 있음 ④ 조세심판관이 다음 중 어느 하나에 해당하는 경우를 제외하고는 그 의사에 반하여 임명을 철회하거나 해촉할 수 없음 ㄱ 심신쇠약 등으로 장기간 직무를 수행할 수 없게 된 경우 ㄴ 직무와 관련된 비위사실이 있는 경우 ㄷ 직무태만, 품위손상이나 그 밖의 사유로 조세심판관으로서 적합하지 아니하다고 인정되는 경우 ㄹ 조세심판관 제척사유에 해당하는데도 불구하고 회피하지 아니한 경우 원장인 조세심판관에 대해서는 ② 및 ④ 규정을 적용하지 않음

Ⅱ 결정절차

조세심판관 회의	① 조세심판원장이 심판청구를 받았을 때에는 조세심판관회의가 심리를 거쳐 결정함 ② 조세심판원장은 심판청구를 받으면 이에 관한 조사와 심리를 담당할 주심조세심판관 1명과 배석조세심판관 2명 이상을 지정하여 조세심판관회의를 구성하게 함 ③ 조세심판관회의는 주심조세심판관이 그 의장이 되며, 의장은 그 심판사건에 관한 사무를 총괄함. 다만, 주심조세심판관이 부득이한 사유로 직무를 수행할 수 없을 때에는 조세심판원장이 배석조세심판관 중에서 그 직무를 대행할 사람을 지정함 ④ 조세심판관회의는 담당 조세심판관 3분의 2 이상의 출석으로 개의하고, 출석조세심판관 과반수의 찬성으로 의결함 ⑤ 조세심판관회의는 공개하지 아니함. 다만, 조세심판관회의 의장이 필요하다고 인정할 때에는 공개할 수 있음
주심 조세심판관	심판청구의 대상이 5천만 원(지방세는 2천만 원) 미만인 경우나 청구기간이 지난 후에 심판청구를 받은 경우에는 조세심판관회의의 심리를 거치지 아니하고 주심조세심판관이 심리하여 결정할 수 있음
조세심판관 합동회의	① 조세심판관회의의 의결이 다음 중 어느 하나에 해당하여 조세심판원장이 필요하다고 인정하는 경우에는 조세심판관합동회의가 심리를 거쳐 결정함 　㉠ 해당 심판청구사건에 관하여 세법의 해석이 쟁점이 되는 경우로서 이에 관하여 종전의 조세심판원 결정이 없는 경우 　㉡ 종전에 조세심판원에서 한 세법의 해석·적용을 변경하는 경우 　㉢ 조세심판관회의 간에 결정의 일관성을 유지하기 위한 경우 　㉣ 다수의 납세자에게 동일하게 적용되는 등 국세행정에 중대한 영향을 미칠 것으로 예상되어 국세청장이 조세심판원장에게 조세심판관합동회의에서 심리할 것을 요청하는 경우 　㉤ 그 밖에 국세행정이나 납세자의 권리·의무에 중대한 영향을 미칠 것으로 예상되는 등 대통령령으로 정하는 경우 ② 조세심판관합동회의는 조세심판원장과 조세심판원장이 회의마다 지정하는 12명 이상 20명 이내의 상임조세심판관 및 비상임조세심판관으로 구성하되, 상임조세심판관과 같은 수 이상의 비상임조세심판관이 포함되어야 함

국세기본법 해커스공무원 이훈엽의 세법 기본서

Ⅲ 제척과 회피 및 기피

제척	조세심판관은 다음의 어느 하나에 해당하는 경우에는 심판관여로 부터 제척됨 ① 심판청구인 또는 대리인인 경우(대리인이었던 경우 포함) ② ①의 사람의 친족이거나 친족이었던 경우 ③ ①에 규정된 사람의 사용인이거나 사용인이었던 경우(심판청구일을 기준으로 최근 5년 이내에 사용인이었던 경우로 한정함) ④ 불복의 대상이 되는 처분이나 처분에 대한 이의신청에 관하여 증언 또는 감정을 한 경우 ⑤ 심판청구일 전 최근 5년 이내에 불복의 대상이 되는 처분, 처분에 대한 이의신청 또는 그 기초가 되는 세무조사에 관여하였던 경우 ⑥ 위 ④, ⑤에 해당하는 법인 또는 단체에 속하거나 심판청구일 전 최근 5년 이내에 속하였던 경우 ⑦ 그 밖에 심판청구인 또는 그 대리인의 업무에 관여하거나 관여하였던 경우
회피	조세심판관은 제척사유에 해당하는 경우에는 주심조세심판관 또는 배석조세심판관의 지정에서 회피하여야 함
기피	담당 조세심판관에게 공정한 심판을 기대하기 어려운 사정이 있다고 인정될 때에는 심판청구인은 그 조세심판관의 기피를 신청할 수 있음

Ⅳ 사건의 병합과 분리

담당 조세심판관은 필요하다고 인정하면 여러 개의 심판사항을 병합하거나 병합된 심판사항을 여러 개의 심판사항으로 분리할 수 있다.

Ⅴ 내용심리상의 원칙

1. 불고불리의 원칙
국세청장(조세심판관회의 또는 조세심판관합동회의)은 결정을 할 때 심사청구(심판청구)를 한 처분 외의 처분에 대해서는 그 처분의 전부 또는 일부를 취소 또는 변경하거나 새로운 처분의 결정을 하지 못한다.

2. 불이익변경금지
국세청장(조세심판관회의 또는 조세심판관합동회의)은 결정을 할 때 심사청구(심판청구)를 한 처분보다 청구인에게 불리한 결정을 하지 못한다.

3. 자유심증주의
조세심판관은 심판청구에 관한 조사 및 심리의 결과와 과세의 형평을 고려하여 자유심증으로 사실을 판단한다.

08 납세자의 권리 및 보칙

1 과세전적부심사

I 과세예고통지

세무서장 또는 지방국세청장은 다음 중 어느 하나에 해당하는 경우에는 미리 납세자에게 그 내용을 서면으로 통지(과세예고통지)하여야 한다.

1. 세무서 또는 지방국세청에 대한 지방국세청장 또는 국세청장의 업무감사 결과(현지에서 시정조치하는 경우를 포함)에 따라 세무서장 또는 지방국세청장이 과세하는 경우

2. 세무조사에서 확인된 것으로 조사대상자 외의 자에 대한 과세자료 및 현지 확인조사에 따라 세무서장 또는 지방국세청장이 과세하는 경우

3. 납부고지하려는 세액이 100만 원 이상인 경우(다만, 감사원법에 따른 시정요구에 따라 세무서장 또는 지방국세청장이 과세처분하는 경우로서 시정요구 전에 과세처분 대상자가 감사원의 지적사항에 대한 소명안내를 받은 경우는 제외)

II 과세전적부심사

세무조사 결과에 대한 서면통지, 과세예고통지를 받은 자는 통지를 받은 날부터 30일 이내에 통지를 한 세무서장이나 지방국세청장에게 통지 내용의 적법성에 관한 심사를 청구할 수 있다. 다만, 법령과 관련하여 국세청장의 유권해석을 변경하여야 하거나 새로운 해석이 필요한 경우 등 사항에 대해서는 국세청장에게 청구할 수 있다.

성격	국세처분을 받기 전에 납세자의 청구에 의해 그 국세처분의 타당성을 미리 심사하는 제도로서 사전적 권리구제제도에 해당함
청구인	세무조사 결과에 대한 서면통지, 과세예고통지를 받은 자
청구기간	통지를 받은 날부터 30일 이내
청구대상	① 세무조사결과에 대한 서면통지 ② 과세예고통지

국세청장에 대한 청구사항	① 법령과 관련하여 국세청장의 유권해석을 변경하여야 하거나 새로운 해석이 필요한 것 ② 국세청장의 훈령·예규·고시 등과 관련하여 새로운 해석이 필요한 것 ③ 세무서 또는 지방국세청에 대한 국세청장의 업무감사 결과(현지에서 시정조치하는 경우를 포함)에 따라 세무서장 또는 지방국세청장이 하는 과세예고 통지에 관한 것 ④ 위 ① ~ ③에 해당하지 아니하는 사항 중 과세전적부심사 청구금액이 5억 원 이상인 것 ⑤ 감사원법에 따른 시정요구에 따라 세무서장 또는 지방국세청장이 과세처분하는 경우로서 시정 요구 전에 과세처분 대상자가 감사원의 지적사항에 대한 소명안내를 받지 못한 것
제외대상	① 납부기한 전 징수의 사유가 있거나 세법에서 규정하는 수시부과의 사유가 있는 경우 ② 조세범 처벌법 위반으로 고발 또는 통고처분하는 경우. 다만, 고발 또는 통고처분과 관련 없는 세목 또는 세액에 대해서는 그러하지 아니함 ③ 세무조사 결과 통지 및 과세예고통지를 하는 날부터 국세부과 제척기간의 만료일까지의 기간이 3개월 이하인 경우 ④ 국제조세조정에 관한 법률에 따라 조세조약을 체결한 상대국이 상호합의 절차의 개시를 요청한 경우 ⑤ 불복청구 및 과세전적부심사청구에 따른 재조사 결정에 따라 조사를 하는 경우

Ⅲ 과세전적부심사에 대한 결정

1. 결정기간

과세전적부심사 청구를 받은 세무서장, 지방국세청장 또는 국세청장은 각각 국세심사위원회의 심사를 거쳐 결정을 하고 그 결과를 청구를 받은 날부터 30일 이내에 청구인에게 통지하여야 한다.

2. 결정유형

과세전적부심사 청구에 대한 결정은 다음의 구분에 따른다.

(1) 청구가 이유 없다고 인정되는 경우

청구가 이유 없다고 인정되는 경우

채택하지 아니한다는 결정

(2) 청구가 이유 있다고 인정되는 경우

채택하거나 일부 채택하는 결정. 다만, 구체적인 채택의 범위를 정하기 위하여 사실관계 확인 등 추가적으로 조사가 필요한 경우에는 통지를 한 세무서장이나 지방국세청장으로 하여금 이를 재조사하여 그 결과에 따라 당초 통지 내용을 수정하여 통지하도록 하는 재조사 결정을 할 수 있다.

(3) 청구가 다음 중 어느 하나에 해당하는 경우

심사하지 아니한다는 결정

① 청구기간이 지난 후에 청구된 경우

② 과세전적부심사 청구 후 보정기간에 필요한 보정을 하지 아니한 경우

③ 그 밖에 청구가 적법하지 아니한 경우

3. 조기 경정신청

세무조사 결과 통지, 과세예고통지를 받은 자는 과세전적부심사를 청구하지 아니하고 통지를 한 세무서장이나 지방국세청장에게 통지받은 내용의 전부 또는 일부에 대하여 과세표준 및 세액을 조기에 결정하거나 경정결정해 줄 것을 신청할 수 있다. 이 경우 해당 세무서장이나 지방국세청장은 신청받은 내용대로 즉시 결정이나 경정결정을 하여야 한다.

4. 결정·경정의 유보

과세전적부심사청구서를 제출받은 세무서장·지방국세청장 또는 국세청장은 그 청구부분에 대하여 과세전적부심사에 대한 결정이 있을 때까지 과세표준 및 세액의 결정이나 경정결정을 유보하여야 한다. 다만, 과세전적부심사의 제외대상인 경우 및 조기결정신청이 있는 경우에는 그렇지 않다.

5. 가산세감면

과세전적부심사 결정·통지기간 내에 그 결과를 통지하지 아니한 경우에는 결정·통지가 지연됨으로써 해당 기간에 부과되는 납부지연가산세의 50%를 감면한다.

2 납세자의 권리

I 납세자권리헌장의 제정 및 교부

1. 제정

국세청장은 납세자의 권리보호에 관한 사항을 포함하는 납세자권리헌장을 제정하여 고시하여야 한다.

2. 교부

세무공무원은 다음 중 어느 하나에 해당하는 경우에는 납세자권리헌장의 내용이 수록된 문서를 납세자에게 내주어야 한다.

🏛 기출 체크

01 과세전적부심사청구서를 제출 받은 과세관청은 그 청구부분에 대한 결정이 있을 때까지 과표준 및 세액의 결정이나 경정결정을 유보하여야 한다. 그러나 세무조사결과통지 및 과세예고통지를 하는 날부터 국세부과제척기간의 만료일까지의 기간이 3월 이하인 경우는 예외로 한다. (○) 2007년 국가직 7급

02 세무조사결과통지 및 과세예고통지를 하는 날부터 국세부과제척기간의 만료일까지의 기간이 4월인 경우에는 과세전적부심사를 청구할 수 없다. (×) 2008년 국가직 9급

03 세무서장으로부터 세무조사 결과에 대한 서면통지를 받은 자는 과세전적부심사를 청구하지 아니한 채, 통지를 한 세무서장에게 통지받은 내용의 전부 또는 일부에 대하여 과세표준 및 세액을 조기에 결정하거나 경정결정해 줄 것을 신청할 수 없다. (×) 2017년 국가직 7급

(1) 세무조사(조세범 처벌절차법에 따른 조세범칙조사를 포함)를 하는 경우
(2) 사업자등록증을 발급하는 경우

3. 요지낭독 및 설명

(1) **요지낭독**

세무공무원은 세무조사를 시작할 때 조사원증을 납세자 또는 관련인에게 제시한 후 납세자권리헌장을 교부하고 그 요지를 직접 낭독해 주어야 한다.

(2) **설명**

조사사유, 조사기간, 납세자보호위원회에 대한 심의 요청사항·절차 및 권리구제 절차 등을 설명하여야 한다.

Ⅱ 납세자의 성실성 추정

1. 세무공무원은 납세자가 수시선정 세무조사 사유에 해당하는 경우를 제외하고는 납세자가 성실하며 납세자가 제출한 신고서 등이 진실한 것으로 추정하여야 한다.

2. 수시선정 세무조사 사유

(1) 납세자가 세법에서 정하는 신고, 성실신고확인서의 제출, 세금계산서 또는 계산서의 작성·교부·제출, 지급명세서의 작성·제출 등의 납세협력의무를 이행하지 아니한 경우
(2) 무자료거래, 위장·가공거래 등 거래 내용이 사실과 다른 혐의가 있는 경우
(3) 납세자에 대한 구체적인 탈세 제보가 있는 경우
(4) 신고 내용에 탈루나 오류의 혐의를 인정할 만한 명백한 자료가 있는 경우
(5) 납세자가 세무공무원에게 직무와 관련하여 금품을 제공하거나 금품제공을 알선한 경우

1. 세무조사권 남용 금지

세무조사권 남용 금지	① 세무공무원은 적정하고 공평한 과세를 실현하기 위하여 필요한 최소한의 범위에서 세무조사(조세범 처벌절차법에 따른 조세범칙조사를 포함)를 하여야 하며, 다른 목적 등을 위하여 조사권을 남용해서는 아니 됨 ② 세무공무원은 세무조사를 하기 위하여 필요한 최소한의 범위에서 장부 등의 제출을 요구하여야 하며, 조사대상 세목 및 과세기간의 과세표준과 세액의 계산과 관련없는 장부 등의 제출을 요구해서는 아니 됨 ③ 누구든지 세무공무원으로 하여금 법령을 위반하게 하거나 지위 또는 권한을 남용하게 하는 등 공정한 세무조사를 저해하는 행위를 하여서는 아니 됨
재조사 사유	세무공무원은 다음 중 어느 하나에 해당하는 경우가 아니면 같은 세목 및 같은 과세기간에 대하여 재조사를 할 수 없음 ① 조세탈루의 혐의를 인정할 만한 명백한 자료가 있는 경우 ② 거래상대방에 대한 조사가 필요한 경우 ③ 2개 이상의 과세기간과 관련하여 잘못이 있는 경우 ④ 불복청구 또는 과세전적부심사청구에 따른 재조사 결정에 따라 조사를 하는 경우(결정서 주문에 기재된 범위의 조사에 한정) ⑤ 납세자가 세무공무원에게 직무와 관련하여 금품을 제공하거나 금품제공을 알선한 경우 ⑥ 부분조사를 실시한 후 해당 조사에 포함되지 아니한 부분에 대하여 조사하는 경우 ⑦ 부동산투기, 매점매석, 무자료거래 등 경제질서 교란 등을 통한 세금탈루 혐의가 있는 자에 대하여 일제조사를 하는 경우 ⑧ 과세관청 외의 기관이 직무상 목적을 위해 작성하거나 취득해 과세관청에 제공한 자료의 처리를 위해 조사하는 경우 ⑨ 국세환급금의 결정을 위한 확인조사를 하는 경우 ⑩ 조세범칙행위의 혐의를 인정할 만한 명백한 자료가 있는 경우. 다만, 해당 자료에 대하여 조세범칙조사심의위원회가 조세범칙조사의 실시에 관한 심의를 한 결과 조세범칙행위의 혐의가 없다고 의결한 경우에는 조세범칙행위의 혐의를 인정할 만한 명백한 자료로 인정하지 아니함

PART 2

국세기본법 해커스공무원 이훈엽의 세법 기본서

🏛 **기출 체크**

01 세무공무원은 납세자 乙의 거래상대방에 대한 조사가 필요한 경우에도 乙의 같은 세목과 같은 과세기간에 대하여 재조사를 할 수 없다. (×)
2012년, 2014년 국가직 9급,
2014년 국가직 7급

02 조세탈루가 의심되는 경우에는 같은 세목과 같은 과세기간에 대하여 재조사를 할 수 있다. (×) 2011년 국가직 7급

2. 세무조사 관할, 대상자 선정 및 면제

세무조사 관할	① 세무조사는 납세지 관할 세무서장 또는 지방국세청장이 수행함 ② 다음의 경우에는 국세청장(같은 지방국세청 소관 세무서 관할 조정의 경우 지방국세청장)이 그 관할을 조정할 수 있음 　㉠ 납세자가 사업을 실질적으로 관리하는 장소의 소재지와 납세지가 관할을 달리하는 경우 　㉡ 일정한 지역에서 주로 사업을 하는 납세자에 대하여 공정한 세무조사를 실시할 필요가 있는 경우 등 납세지 관할 세무서장 또는 지방국세청장이 세무조사를 수행하는 것이 부적절하다고 판단되는 경우 　㉢ 세무조사 대상 납세자와 출자관계에 있는 자, 거래가 있는 자 또는 특수관계인에 해당하는 자 등에 대한 세무조사가 필요한 경우 　㉣ 세무관서별 업무량과 세무조사 인력 등을 고려하여 관할을 조정할 필요가 있다고 판단되는 경우
대상자 선정	① 정기선정: 세무공무원은 다음 중 어느 하나에 해당하는 경우에 정기적으로 신고의 적정성을 검증하기 위하여 대상을 선정하여 세무조사를 할 수 있음. 이 경우 세무공무원은 객관적 기준에 따라 공정하게 그 대상을 선정하여야 함 　㉠ 국세청장이 납세자의 신고 내용에 대하여 과세자료, 세무정보 및 주식회사의 외부감사에 관한 법률에 따른 감사의견, 회계성실도 자료 등을 고려하여 정기적으로 성실도를 분석한 결과 불성실 혐의가 있다고 인정하는 경우 　㉡ 최근 4과세기간 이상 같은 세목의 세무조사를 받지 아니한 납세자에 대하여 업종, 규모, 경제력 집중 등을 고려하여 신고 내용이 적정한지를 검증할 필요가 있는 경우 　㉢ 무작위추출방식으로 표본조사를 하려는 경우 ② 수시선정: 세무공무원은 정기선정에 의한 조사 외에 다음 중 어느 하나에 해당하는 경우에는 세무조사를 할 수 있음 　㉠ 납세자가 세법에서 정하는 신고, 성실신고확인서의 제출, 세금계산서 또는 계산서의 작성·교부·제출, 지급명세서의 작성·제출 등의 납세협력의무를 이행하지 아니한 경우 　㉡ 무자료거래, 위장·가공거래 등 거래 내용이 사실과 다른 혐의가 있는 경우 　㉢ 납세자에 대한 구체적인 탈세 제보가 있는 경우 　㉣ 신고 내용에 탈루나 오류의 혐의를 인정할 만한 명백한 자료가 있는 경우 　㉤ 납세자가 세무공무원에게 직무와 관련하여 금품을 제공하거나 금품제공을 알선한 경우 ③ 결정에 의해 확정되는 세목의 조사: 세무공무원은 과세관청의 조사 결정에 의하여 과세표준과 세액이 확정되는 세목의 경우 과세표준과 세액을 결정하기 위하여 세무조사를 할 수 있음

성실납세자 세무조사 면제	세무공무원은 다음의 요건을 모두 충족하는 자에 대해서는 세무조사를 하지 아니할 수 있음. 다만, 객관적인 증거자료에 의하여 과소신고한 것이 명백한 경우에는 그렇지 않음 ① 업종별 수입금액이 다음의 금액 이하인 사업자 　㉠ 개인: 소득세법에 따른 간편장부대상자 　㉡ 법인: 법인세 과세표준 신고서에 적어야 할 해당 법인의 수입금액이 3억 원 이하인 자 ② 장부 기록 등의 요건을 충족하는 사업자

3. 세무조사의 사전통지와 연기신청

사전통지	세무공무원은 세무조사를 하는 경우에는 조사를 받을 납세자(납세자가 납세관리인을 정하여 관할 세무서장에게 신고한 경우에는 납세관리인)에게 조사를 시작하기 15일 전에 조사대상 세목, 조사기간 및 조사 사유 등을 통지하여야 함. 다만, 사전통지를 하면 증거인멸 등으로 조사 목적을 달성할 수 없다고 인정되는 경우에는 그러하지 아니함
연기신청	① 사전통지를 받은 납세자가 다음 중 어느 하나에 해당하는 사유로 조사를 받기 곤란한 경우에는 관할 세무관서의 장에게 조사를 연기해 줄 것을 신청할 수 있음 　㉠ 화재, 그 밖의 재해로 사업상 심각한 어려움이 있을 때 　㉡ 납세자 또는 납세관리인의 질병, 장기출장 등으로 세무조사가 곤란하다고 판단될 때 　㉢ 권한 있는 기관에 장부, 증거서류가 압수되거나 영치되었을 때 　㉣ 위 ㉠ ~ ㉢에 준하는 사유가 있을 때 ② 이러한 연기신청을 받은 관할 세무관서의 장은 연기신청 승인 여부를 결정하고 그 결과(연기 결정 시 연기한 기간을 포함)를 조사 개시 전까지 통지하여야 함 ③ 관할 세무관서의 장은 다음 중 어느 하나에 해당하는 사유가 있는 경우에는 연기한 기간이 만료되기 전에 조사를 개시할 수 있음 　㉠ 연기 사유가 소멸한 경우❶ 　㉡ 조세채권을 확보하기 위하여 조사를 긴급히 개시할 필요가 있다고 인정되는 경우
세무조사 통지서	세무공무원은 사전통지를 하지 아니하고 세무조사를 하는 경우 세무조사를 개시할 때 사전통지 사항, 사전통지를 하지 아니한 사유 등이 포함된 세무조사통지서를 세무조사를 받을 납세자에게 교부하여야 함. 다만, 다음의 사유에 해당하는 경우에는 그렇지 않음 ① 납세자가 세무조사 대상이 된 사업을 폐업한 경우 ② 납세자가 납세관리인을 정하지 아니하고 국내에 주소 또는 거소를 두지 아니한 경우 ③ 납세자 또는 납세관리인이 세무조사통지서의 수령을 거부하거나 회피하는 경우

❶ 관할 세무관서의 장은 동 사유로 조사를 개시하려는 경우에는 조사를 개시하기 5일 전까지 조사를 받을 납세자에게 연기 사유가 소멸한 사실과 조사기간을 통지하여야 한다.

🏛 **기출 체크**

01 세무공무원이 조세범 처벌절차법에 따른 조세범칙조사를 함에 있어서는 조사를 시작하기 10일 전에 조사대상 세목 등을 사전통지하여야 한다. (×)
2018년 국가직 9급

02 세무공무원은 국세에 관한 조사를 위하여 당해 장부·서류 기타 물건을 조사하는 경우에는 조사를 받을 납세자에게 조사개시 7일 전에 조사대상 세목, 조사기간, 조사사유 및 기타 사항을 통지하여야 한다. (×) 2009년 국가직 9급

4. 세무조사 기간

개요	세무공무원은 조사대상 세목·업종·규모, 조사 난이도 등을 고려하여 세무조사 기간이 **최소한**이 되도록 하여야 함. 다만, 다음 중 어느 하나에 해당하는 경우에는 세무조사 기간을 연장할 수 있음 ① 납세자가 장부·서류 등을 은닉하거나 제출을 지연하거나 거부하는 등 조사를 기피하는 행위가 명백한 경우 ② 거래처 조사, 거래처 현지확인 또는 금융거래 현지확인이 필요한 경우 ③ 세금탈루 혐의가 포착되거나 조사 과정에서 조세범 처벌절차법에 따른 조세범칙조사를 개시하는 경우 ④ 천재지변이나 노동쟁의로 조사가 중단되는 경우 ⑤ 납세자보호관 또는 담당관이 세금탈루혐의와 관련하여 추가적인 사실 확인이 필요하다고 인정하는 경우 ⑥ 세무조사 대상자가 세금탈루혐의에 대한 해명 등을 위하여 세무조사 기간의 연장을 신청한 경우로서 납세자보호관 등이 이를 인정하는 경우
기간제한	세무공무원은 세무조사 기간을 정할 경우 조사대상 과세기간 중 연간 수입금액 또는 양도가액이 가장 큰 과세기간의 연간 수입금액 또는 양도가액이 100억 원 미만인 납세자에 대한 세무조사 기간은 20일 이내로 함
연장 사유	① 기간을 정한 세무조사를 연장하는 경우로서 최초로 연장하는 경우에는 관할 세무관서의 장의 승인을 받아야 하고, 2회 이후 연장의 경우에는 관할 상급 세무관서의 장의 승인을 받아 각각 20일 이내에서 연장할 수 있음. 다만, 다음에 해당하는 경우에는 세무조사 기간의 제한 및 세무조사 연장기간의 제한을 받지 아니함 ㉠ 무자료거래, 위장·가공거래 등 거래 내용이 사실과 다른 혐의가 있어 실제 거래 내용에 대한 조사가 필요한 경우 ㉡ 역외거래를 이용하여 세금을 탈루하거나 국내 탈루소득을 해외로 변칙유출한 혐의로 조사하는 경우 ㉢ 명의위장, 이중장부의 작성, 차명계좌의 이용, 현금거래의 누락 등의 방법을 통하여 세금을 탈루한 혐의로 조사하는 경우 ㉣ 거짓계약서 작성, 미등기양도 등을 이용한 부동산 투기 등을 통하여 세금을 탈루한 혐의로 조사하는 경우 ㉤ 상속세·증여세 조사, 주식변동 조사, 범칙사건 조사 및 출자·거래관계에 있는 관련자에 대하여 동시조사를 하는 경우 ② 세무공무원은 세무조사 기간을 연장하는 경우에는 그 사유와 기간을 납세자에게 문서로 통지하여야 함

🏛 **기출 체크**

세무공무원은 무자료거래 등 거래 내용이 사실과 다른 혐의가 있어 실제 거래 내용에 대한 조사가 필요한 경우 관할 세무관서의 장의 승인을 받아 세무조사 기간을 연장할 수 있으나, 그 기한은 20일 이내여야 한다. (✕) 2015년 국가직 7급

중지 사유	① 세무공무원은 다음에 해당하는 사유로 세무조사를 진행하기 어려운 경우에는 세무조사를 중지할 수 있음. 이 경우 그 중지기간은 세무조사 기간 및 세무조사 연장기간에 산입하지 아니함 　㉠ 세무조사 연기신청 사유에 해당하는 사유가 있어 납세자가 조사중지를 신청한 경우 　㉡ 국외자료의 수집·제출 또는 상호합의절차 개시에 따라 외국 과세기관과의 협의가 필요한 경우 　㉢ 납세자의 소재가 불명한 경우, 납세자가 해외로 출국한 경우, 납세자가 장부·서류 등을 은닉하거나 그 제출을 지연 또는 거부한 경우, 노동쟁의가 발생한 경우에 해당하여 세무조사를 정상적으로 진행하기 어려운 경우 　㉣ 납세자보호관 또는 담당관이 세무조사의 일시중지를 요청하는 경우 ② 세무공무원은 세무조사의 중지기간 중에는 납세자에 대하여 국세의 과세표준과 세액을 결정 또는 경정하기 위한 질문을 하거나 장부 등의 검사·조사 또는 그 제출을 요구할 수 없음
재개 사유	세무공무원은 세무조사를 중지한 경우에는 그 중지사유가 소멸하게 되면 즉시 조사를 재개하여야 함. 다만, 조세채권의 확보 등 긴급히 조사를 재개하여야 할 필요가 있는 경우에는 세무조사를 재개할 수 있음. 세무조사를 중지 또는 재개하는 경우에는 그 사유를 문서로 통지하여야 함
조기종결 사유	세무공무원은 세무조사 기간을 단축하기 위하여 노력하여야 하며, 장부기록 및 회계처리의 투명성 등 납세성실도를 검토하여 더 이상 조사할 사항이 없다고 판단될 때에는 조사기간 종료 전이라도 조사를 조기에 종결할 수 있음

5. 세무조사 범위 확대의 제한

세무공무원은 구체적인 세금탈루 혐의가 여러 과세기간 또는 다른 세목까지 관련되는 것으로 확인되는 경우 등 다음에 해당하는 경우를 제외하고는 조사진행 중 세무조사의 범위를 확대할 수 없다. 이처럼 세무공무원은 세무조사의 범위를 확대하는 경우에는 그 사유와 범위를 납세자에게 문서로 통지하여야 한다.

(1) 다른 과세기간·세목 또는 항목에 대한 구체적인 세금탈루 증거자료가 확인되어 다른 과세기간·세목 또는 항목에 대한 조사가 필요한 경우

(2) 명백한 세금탈루 혐의 또는 세법 적용의 착오 등이 있는 조사대상 과세기간의 특정 항목이 다른 과세기간에도 있어 동일하거나 유사한 세금탈루 혐의 또는 세법 적용 착오 등이 있을 것으로 의심되어 다른 과세기간의 그 항목에 대한 조사가 필요한 경우

6. 장부 등의 보관 금지

원칙	세무공무원은 세무조사(조세범 처벌절차법에 따른 조세범칙조사를 포함)의 목적으로 납세자의 장부 등을 세무관서에 임의로 보관할 수 없음
일시 보관	① 세무공무원은 수시선정세무조사 사유에 해당하는 경우에는 조사 목적에 필요한 최소한의 범위에서 납세자, 소지자 또는 보관자 등 정당한 권한이 있는 자가 임의로 제출한 장부 등을 납세자의 동의를 받아 세무관서에 일시 보관할 수 있음 ② 세무공무원은 납세자의 장부 등을 세무관서에 일시 보관하려는 경우 납세자로부터 일시 보관 동의서를 받아야 하며, 일시 보관증을 교부하여야 함
반환요청	① 세무공무원은 일시 보관하고 있는 장부 등에 대하여 납세자가 반환을 요청한 경우에는 그 반환을 요청한 날부터 14일 이내에 장부 등을 반환하여야 함. 다만, 조사 목적을 달성하기 위하여 필요한 경우에는 납세자보호위원회의 심의를 거쳐 한 차례만 14일 이내의 범위에서 보관 기간을 연장할 수 있음 ② 세무공무원은 납세자가 일시 보관하고 있는 장부 등의 반환을 요청한 경우로서 세무조사에 지장이 없다고 판단될 때에는 요청한 장부 등을 즉시 반환하여야 함 ③ 위 ① 및 ②에 따라 장부 등을 반환한 경우를 제외하고 세무공무원은 해당 세무조사를 종결할 때까지 일시보관한 장부 등을 모두 반환하여야 함 ④ 납세자에게 장부 등을 반환하는 경우 세무공무원은 장부 등의 사본을 보관할 수 있고, 그 사본이 원본과 다름없다는 사실을 확인하는 납세자의 서명 또는 날인을 요구할 수 있음

7. 통합조사

원칙	세무조사는 납세자의 사업과 관련하여 세법에 따라 신고·납부의무가 있는 세목을 통합하여 실시하는 것을 원칙으로 함
특정 세목의 세무조사	다음 중 어느 하나에 해당하는 경우에는 특정한 세목만을 조사할 수 있음 ① 세목의 특성, 납세자의 신고유형, 사업규모 또는 세금탈루 혐의 등을 고려하여 특정 세목만을 조사할 필요가 있는 경우 ② 조세채권의 확보 등을 위하여 특정 세목만을 긴급히 조사할 필요가 있는 경우 ③ 그 밖에 세무조사의 효율성 및 납세자의 편의 등을 고려하여 특정 세목만을 조사할 필요가 있는 경우로서 대통령령으로 정하는 경우

🏛 기출 체크

납세자의 사업과 관련된 세목이 여러 가지인 경우 이를 통합하지 않고 특정한 세목만을 조사하는 것을 원칙으로 한다.
(×)

| 부분조사[1] | 통합조사의 원칙과 특정세목의 세무조사에도 불구하고 다음의 어느 하나에 해당하는 경우에는 해당 사항에 대한 확인을 위하여 필요한 부분에 한정한 조사(부분조사)를 실시할 수 있음
① 경정 등의 청구에 대한 처리 또는 국세환급금의 결정을 위하여 확인이 필요한 경우
② 재조사 결정에 따라 사실관계의 확인 등이 필요한 경우
③ 거래상대방에 대한 세무조사 중에 거래 일부의 확인이 필요한 경우
④ 납세자에 대한 구체적인 탈세 제보가 있는 경우로서 해당 탈세 혐의에 대한 확인이 필요한 경우
⑤ 명의위장, 차명계좌의 이용을 통하여 세금을 탈루한 혐의에 대한 확인이 필요한 경우
⑥ 법인이 주식 또는 출자지분을 시가보다 높거나 낮은 가액으로 거래하거나 불공정자본거래로 인하여 해당 법인의 특수관계인인 다른 주주 등에게 이익을 분여하거나 분여받은 구체적인 혐의가 있는 경우로서 해당 혐의에 대한 확인이 필요한 경우
⑦ 무자료거래, 위장·가공거래 등 특정 거래 내용이 사실과 다른 구체적인 혐의가 있는 경우로서 조세채권의 확보 등을 위하여 긴급한 조사가 필요한 경우
⑧ 과세관청 외의 기관이 직무상 목적을 위해 작성하거나 취득하여 과세관청에 제공한 자료의 처리를 위해 조사하는 경우
⑨ 비거주자 또는 외국법인에 대한 조세조약상 비과세 또는 면제 적용 신청의 내용을 확인할 필요가 있는 경우 |

[1] ③ ~ ⑨까지에 해당하는 사유로 인한 부분조사는 같은 세목 및 같은 과세기간에 대하여 2회를 초과하여 실시할 수 없다.

8. 세무조사의 결과통지

(1) 의의

세무공무원은 세무조사를 마쳤을 때에는 그 조사를 마친 날부터 20일(공시송달 사유에 해당하는 경우에는 40일) 이내에 세무조사내용, 결정 또는 경정할 과세표준·세액 및 산출근거, 가산세의 종류, 금액 및 그 산출근거, 과세전적부심사를 청구할 수 있다는 사실 등의 사항이 포함된 조사결과를 납세자에게 설명하고, 이를 서면으로 통지하여야 한다. 다만, 다음에 해당하는 경우에는 그러하지 아니하다.

① 납세관리인을 정하지 아니하고 국내에 주소 또는 거소를 두지 아니한 경우
② 재조사 결정에 의한 조사를 마친 경우
③ 세무조사결과통지서 수령을 거부하거나 회피하는 경우

🏛 **기출 체크**

명의위장, 차명계좌의 이용을 통하여 세금을 탈루한 혐의에 내한 확인이 필요한 경우에 해당하는 사유로 인한 부분조사는 같은 세목 및 같은 과세기간에 대하여 2회를 초과하여 실시할 수 있다. (×)

2022년 국가직 9급

(2) 세무조사의 부분 결과통지

① 세무공무원은 다음 중 어느 하나에 해당하는 사유로 결과통지기간 이내에 조사결과를 통지할 수 없는 부분이 있는 경우에는 납세자가 동의하는 경우에 한정하여 조사결과를 통지할 수 없는 부분을 제외한 조사결과를 납세자에게 설명하고, 이를 서면으로 통지할 수 있다.

ㄱ 국제조세조정에 관한 법률 및 조세조약에 따른 국외자료의 수집·제출 또는 상호합의절차 개시에 따라 외국 과세기관과의 협의가 진행 중인 경우

ㄴ 해당 세무조사와 관련하여 세법의 해석 또는 사실관계 확정을 위하여 기획재정부장관 또는 국세청장에 대한 질의 절차가 진행 중인 경우

② 상호합의절차 종료, 세법의 해석 또는 사실관계 확정을 위한 질의에 대한 회신 등 사유가 해소된 때에는 그 사유가 해소된 날부터 20일(공시송달 사유에 경우 40일) 이내에 부분통지한 부분 외에 대한 조사결과를 납세자에게 설명하고, 이를 서면으로 통지하여야 한다.

IV 과세정보의 비밀 유지

세무공무원은 납세자가 세법에서 정한 납세의무를 이행하기 위하여 제출한 자료나 국세의 부과·징수를 위하여 업무상 취득한 자료 등(과세정보)을 타인에게 제공 또는 누설하거나 목적 외의 용도로 사용해서는 아니 된다. 다만, 다음 중 어느 하나에 해당하는 경우에는 그 사용 목적에 맞는 범위에서 납세자의 과세정보를 제공할 수 있다. 세무공무원은 위 규정을 위반하여 과세정보의 제공을 요구받으면 그 요구를 거부하여야 한다.

1. 세무서장에게 문서로 요구하여야 하는 경우

다음의 사유로 과세정보의 제공을 요구하는 자는 납세자의 인적사항, 과세정보의 사용목적, 요구하는 과세정보의 내용 및 기간 등을 기재한 문서로 해당 세무관서의 장에게 요구하여야 한다.

(1) 국가행정기관, 지방자치단체 등이 법률에서 정하는 조세, 과징금의 부과·징수 등을 위하여 사용할 목적으로 과세정보를 요구하는 경우

(2) 국가기관이 조세쟁송이나 조세범 소추를 위하여 과세정보를 요구하는 경우

(3) 통계청장이 국가통계작성 목적으로 과세정보를 요구하는 경우

(4) 사회보장기본법에 따른 사회보험의 운영을 목적으로 설립된 기관이 관계 법률에 따른 소관 업무를 수행하기 위하여 과세정보를 요구하는 경우

(5) 국가행정기관, 지방자치단체 또는 공공기관의 운영에 관한 법률에 따른 공공기관이 급부·지원 등을 위한 자격의 조사·심사 등에 필요한 과세정보를 당사자의 동의를 받아 요구하는 경우

(6) 국정감사 및 조사에 관한 법률에 따른 조사위원회가 국정조사의 목적을 달성하기 위하여 조사위원회의 의결로 비공개회의에 과세정보의 제공을 요청하는 경우

(7) 다른 법률의 규정에 따라 과세정보를 요구하는 경우

2. 문서로 요구할 필요가 없는 경우

(1) 법원의 제출명령 또는 법관이 발부한 영장에 의하여 과세정보를 요구하는 경우

(2) 세무공무원 간에 국세의 부과·징수 또는 질문·검사에 필요한 과세정보를 요구하는 경우

Ⅴ 납세자의 권리 행사에 필요한 정보의 제공

납세자 본인의 권리 행사에 필요한 정보를 납세자(세무사 등 납세자로부터 세무업무를 위임받은 자를 포함)가 요구하는 경우 세무공무원은 신속하게 정보를 제공하여야 한다.

Ⅵ 납세자의 협력의무

납세자는 세무공무원의 적법한 질문·조사, 제출명령에 대하여 성실하게 협력하여야 한다.

Ⅶ 국세청장의 납세자 권리보호

1. 국세청장은 직무를 수행할 때에 납세자의 권리가 보호되고 실현될 수 있도록 성실하게 노력하여야 한다.

2. 납세자의 권리보호를 위하여 국세청에 납세자 권리보호업무를 총괄하는 납세자보호관을 두고, 세무서 및 지방국세청에 납세자 권리보호업무를 수행하는 담당관을 각각 1인을 둔다.

3. 국세청장은 납세자보호관을 개방형직위로 운영하고 납세자보호관 및 담당관이 업무를 수행함에 있어 독립성이 보장될 수 있도록 하여야 한다. 이 경우 납세자보호관은 조세·법률·회계 분야의 전문지식과 경험을 갖춘 사람으로서 세무공무원 또는 세무공무원으로 퇴직한 지 3년이 지나지 아니한 사람에 해당하지 아니하는 사람을 대상으로 공개모집한다.

4. 국세청장은 납세자 권리보호업무의 추진실적 등의 자료를 일반 국민에게 정기적으로 공개하여야 한다.

VIII 납세자보호위원회

1. 심의사항

(1) 납세자 권리보호에 관한 사항을 심의하기 위하여 세무서, 지방국세청 및 국세청에 납세자보호위원회를 둔다.

(2) 세무서에 두는 납세자보호위원회(세무서 납세자보호위원회) 및 지방국세청에 두는 납세자보호위원회(지방국세청 납세자보호위원회)는 다음의 사항을 심의한다.

① 세무조사의 대상이 되는 과세기간 중 연간 수입금액 또는 양도가액이 가장 큰 과세기간의 연간 수입금액 또는 양도가액이 100억 원 미만(부가가치세에 대한 세무조사의 경우 1과세기간 공급가액의 합계액이 50억 원 미만)인 납세자(중소규모납세자) 외의 납세자에 대한 세무조사(조세범 처벌절차법에 따른 조세범칙조사는 제외) 기간의 연장(다만, 조사대상자가 해명 등을 위하여 연장을 신청한 경우는 제외)

② 중소규모납세자 이외의 납세자에 대한 세무조사 범위의 확대

③ 세무조사 기간 연장 및 세무조사 범위 확대에 대한 중소규모납세자의 세무조사 일시중지 및 중지 요청

④ 위법·부당한 세무조사 및 세무조사 중 세무공무원의 위법·부당한 행위에 대한 납세자의 세무조사 일시중지 및 중지 요청

⑤ 장부 등의 일시 보관 기간 연장

⑥ 그 밖에 납세자의 권리보호를 위하여 납세자보호담당관이 심의가 필요하다고 인정하는 안건

(3) 국세청 납세자보호위원회는 다음의 사항을 심의한다.

① 세무서 납세자보호위원회 또는 지방국세청 납세자보호위원회의 심의를 거친 세무서장 또는 지방국세청장의 결정에 대한 납세자의 취소 또는 변경 요청

② 그 밖에 납세자의 권리보호를 위한 국세행정의 제도 및 절차 개선 등으로서 납세자보호관이 심의가 필요하다고 인정하는 사항

2. 구성

(1) 납세자보호위원회는 위원장 1명을 포함한 18명 이내의 위원으로 구성한다.

(2) 납세자보호위원회의 위원장은 다음의 구분에 따른 사람이 된다.

① 세무서: 공무원이 아닌 사람 중에서 세무서장의 추천을 받아 지방국세청장이 위촉하는 사람

② 지방국세청: 공무원이 아닌 사람 중에서 지방국세청장의 추천을 받아 국세청장이 위촉하는 사람

③ 국세청: 공무원이 아닌 사람 중에서 지방국세청장의 추천을 받아 국세청장이 위촉하는 사람공무원이 아닌 사람 중에서 기획재정부장관의 추천을 받아 국세청장이 위촉하는 사람

(3) 납세자보호위원회의 위원은 세무 분야에 전문적인 학식과 경험이 풍부한 사람과 관계 공무원 중에서 국세청장(세무서 납세자보호위원회의 위원은 지방국세청장)이 임명 또는 위촉한다.

3. 비밀유지

납세자보호위원회의 위원은 업무 중 알게 된 과세정보를 타인에게 제공 또는 누설하거나 목적 외의 용도로 사용해서는 아니 된다.

4. 제척과 회피

납세자보호위원회의 위원은 공정한 심의를 기대하기 어려운 사정이 있다고 인정될 때에는 대통령령으로 정하는 바에 따라 위원회 회의에서 제척되거나 회피하여야 한다.

3 보칙

Ⅰ 납세관리인

1. 납세자가 국내에 주소 또는 거소를 두지 않거나 국외로 주소 또는 거소를 이전할 때에는 국세에 관한 사항을 처리하기 위하여 납세관리인을 정하여야 한다.

2. 납세자는 국세에 관한 사항을 처리하게 하기 위하여 변호사, 세무사 또는 세무사법에 따라 등록한 공인회계사를 납세관리인으로 둘 수 있다.

Ⅱ 고지금액의 최저한도

고지할 국세(인지세는 제외) 및 강제징수비를 합친 금액이 1만 원 미만일 때에는 그 금액은 없는 것으로 본다.

Ⅲ 불성실기부금수령단체 등의 명단공개

국세청장은 다음 중 어느 하나에 해당하는 자의 인적사항 등을 공개할 수 있다. 다만, 체납된 국세가 이의신청·심사청구 등 불복청구 중에 있거나 그 밖에 대통령령으로 정하는 사유가 있는 경우에는 그러하지 아니하다.

1. 대상자

(1) 불성실기부금수령단체

(2) 조세범 처벌법에 따른 범죄로 유죄판결이 확정된 자로서 동법에 따른 포탈세액 등이 연간 2억 원 이상인 자

(3) 국제조세조정에 관한 법률에 따른 해외금융계좌정보의 신고의무자로서 신고기한 내에 신고하지 아니한 금액이나 과소 신고한 금액이 50억 원을 초과하는 자

(4) 세금계산서발급의무 등 위반자

특정범죄 가중처벌 등에 관한 법률에 따른 범죄로 유죄판결이 확정된 사람의 인적사항, 부정 기재한 공급가액 등의 합계액 등

2. 제외 사유

불성실기부금 수령단체	① 이의신청·심사청구·심판청구, 감사원법에 따른 심사청구 또는 행정소송법에 따른 행정소송 중에 있는 경우 ② 위원회가 공개할 실익이 없거나 공개하는 것이 부적절하다고 인정하는 경우
조세포탈범	위원회가 공개할 실익이 없거나 공개하는 것이 부적절하다고 인정하는 경우
해외금융계좌 신고의무 위반자	① 위원회가 신고의무자의 신고의무 위반에 정당한 사유가 있다고 인정하는 경우 ② 수정신고 및 기한 후 신고를 한 경우(해당 해외금융계좌와 관련하여 세무공무원이 세무조사에 착수한 것을 알았거나 과세자료 해명 통지를 받고 수정신고 및 기한 후 신고를 한 경우는 제외)

3. 제척·회피

위원회의 위원은 공정한 심의를 기대하기 어려운 사정이 있다고 인정될 때에는 대통령령으로 정하는 바에 따라 위원회 회의에서 제척되거나 회피하여야 한다.

4. 게시방법 등

(1) 공개는 관보에 게재하거나 국세정보통신망 또는 관할 세무서 게시판에 게시하는 방법으로 한다.

(2) 국세청장은 위원회의 심의를 거친 공개 대상자에게 불성실기부금수령단체 또는 해외금융계좌 신고의무 위반자 명단공개 대상자임을 통지하여 소명 기회를 주어야 하며, 통지일부터 6개월이 지난 후 위원회로 하여금 기부금영수증 발급명세의 작성·보관 의무 이행 또는 해외금융계좌의 신고의무 이행 등을 고려하여 불성실기부금수령단체 또는 해외금융계좌 신고의무 위반자 명단 공개 여부를 재심의하게 한 후 공개대상자를 선정한다.

Ⅳ 포상금

1. 포상금 지급

국세청장은 다음 중 어느 하나에 해당하는 자에게는 40억 또는 20억 범위에서 포상금을 지급할 수 있다. 한편, 탈루세액 등이 일부 납부된 경우에는 포상금 지급금액 범위에서 법령의 지급기준에 따라 포상금을 지급할 수 있다.

40억	조세를 탈루한 자에 대한 탈루세액 또는 부당하게 환급·공제받은 세액을 산정하는 데 중요한 자료를 제공한 자
30억	체납자의 은닉재산을 신고한 자
20억	① 다음의 어느 하나에 해당하는 경우로서 해당 행위를 한 신용카드가맹점(여신전문금융업법에 따른 신용카드가맹점으로서 소득세법 및 법인세법에 따라 가입한 신용카드가맹점)을 신고한 자. 다만, 신용카드(신용카드와 유사한 것으로서 대통령령으로 정하는 것을 포함) 결제 대상 거래금액이 5천 원 미만인 경우는 제외 ㉠ 신용카드로 결제할 것을 요청하였으나 이를 거부하는 경우 ㉡ 신용카드매출전표(신용카드매출전표와 유사한 것으로서 대통령령으로 정하는 것을 포함)를 사실과 다르게 발급하는 경우로서 대통령령으로 정하는 경우 ② 다음의 어느 하나에 해당하는 경우로서 해당 행위를 한 조세특례제한법에 따른 현금영수증가맹점을 신고한 자. 다만, 조세특례제한법에 따른 현금영수증 발급 대상 거래금액이 5천 원 미만인 경우는 제외 ㉠ 현금영수증의 발급을 거부하는 경우 ㉡ 현금영수증을 사실과 다르게 발급하는 경우 ③ 소득세법 또는 법인세법에 따른 현금영수증 발급의무를 위반한 자를 신고한 자 ④ 타인의 명의를 사용하여 사업을 경영하는 자를 신고한 자 ⑤ 국제조세조정에 관한 법률에 따른 해외금융계좌 신고의무 위반행위를 적발하는 데 중요한 자료를 제공한 자 ⑥ 타인 명의로 되어 있는 법인 또는 복식부기의무자의 금융실명거래 및 비밀보장에 관한 법률에 따른 금융자산을 신고한 자

2. 포상금 배제 사유

(1) 탈루세액, 부당하게 환급·공제받은 세액, 은닉재산의 신고를 통하여 징수된 금액이 5천만 원 미만인 경우

(2) 해외금융계좌 신고의무 불이행에 따른 과태료가 2천만 원 미만인 경우

(3) 공무원이 그 직무와 관련하여 자료를 제공하거나 은닉재산을 신고한 경우

Ⅴ 서류접수증 발급

1. 납세자 또는 세법에 따라 과세자료를 제출할 의무가 있는 자(납세자 등)로부터 과세표준신고서, 과세표준수정신고서, 경정청구서 또는 과세표준신고·과세표준수정신고·경정청구와 관련된 서류 및 그 밖에 대통령령으로 정하는 서류를 받는 경우에는 세무공무원은 납세자 등에게 접수증을 발급하여야 한다. 다만, 우편신고 등 대통령령으로 정하는 경우에는 접수증을 발급하지 아니할 수 있다.

2. 납세자 등으로부터 신고서 등을 국세정보통신망을 통해 받은 경우에는 그 접수사실을 전자적 형태로 통보할 수 있다.

Ⅵ 장부 등의 비치와 보존

납세자는 각 세법에서 규정하는 바에 따라 모든 거래에 관한 장부 및 증거서류를 성실하게 작성하여 갖춰 두어야 한다. 이러한 장부 및 증거서류는 그 거래사실이 속하는 과세기간에 대한 해당 국세의 법정신고기한이 지난 날부터 5년간(역외거래의 경우 7년간) 보존하여야 한다. 다만, 무신고의 경우 및 일반적인 경우의 제척기간이 만료된 날이 속하는 과세기간 이후에 이월결손금을 공제하는 경우에는 이월결손금 공제한 과세기간의 법정신고기한으로부터 1년간 보존하여야 한다. 납세자는 장부와 증거서류의 전부 또는 일부를 전산조직을 이용하여 작성할 수 있다. 이 경우 그 처리과정 등을 자기테이프, 디스켓 또는 그 밖의 정보보존 장치에 보존하여야 한다.

Ⅶ 국세행정에 대한 협조

세무공무원은 직무를 집행할 때 필요하면 국가기관, 지방자치단체 또는 그 소속 공무원에게 협조를 요청할 수 있다. 이 경우 요청을 받은 자는 정당한 사유가 없으면 협조하여야 한다. 또한 정부는 납세지도를 담당하는 단체에 그 납세지도 경비의 전부 또는 일부를 대통령령으로 정하는 바에 따라 교부금으로 지급할 수 있다.

Ⅷ 과세자료의 제출과 그 수집에 대한 협조

1. 세법에 따라 과세자료를 제출할 의무가 있는 자는 과세자료를 성실하게 작성하여 정해진 기한까지 소관 세무서장에게 제출하여야 한다. 다만, 국세정보통신망을 이용하여 제출하는 경우에는 지방국세청장이나 국세청장에게 제출할 수 있다.

2. 국가기관, 지방자치단체, 금융회사 등 또는 전자계산·정보처리시설을 보유한 자는 과세에 관계되는 자료 또는 통계를 수집하거나 작성하였을 때에는 국세청장에게 통보하여야 한다.

IX 지급명세서 자료의 이용

금융실명거래 및 비밀보장에 관한 법률에도 불구하고 세무서장(지방국세청장, 국세청장을 포함)은 소득세법 및 법인세법에 따라 제출받은 이자소득 또는 배당소득에 대한 지급명세서를 다음의 어느 하나에 해당하는 용도에 이용할 수 있다.

1. 상속·증여 재산의 확인
2. 조세탈루의 혐의를 인정할 만한 명백한 자료의 확인
3. 조세특례제한법에 따른 근로장려금 신청자격의 확인

X 통계자료의 작성 및 공개

1. 작성

국세청장은 조세정책의 수립 및 평가 등에 활용하기 위하여 과세정보를 분석·가공한 통계자료(통계자료)를 작성·관리하여야 한다. 이 경우 통계자료는 납세자의 과세정보를 직접적 방법 또는 간접적인 방법으로 확인할 수 없도록 작성되어야 한다.

2. 공개

(1) 세원의 투명성, 국민의 알권리 보장 및 국세행정의 신뢰증진을 위하여 국세청장은 통계자료를 국세정보공개심의위원회의 심의를 거쳐 일반 국민에게 정기적으로 공개하여야 한다.

(2) 또한 국세청장은 국세정보를 공개하기 위하여 예산의 범위 안에서 국세정보시스템을 구축·운용할 수 있다.

3. 제공

(1) 국세청장은 다음의 경우에 그 목적의 범위에서 통계자료를 제공하여야 하고 제공한 통계자료의 사본을 기획재정부장관에게 송부하여야 한다.
  ① 국회 소관 상임위원회가 의결로 세법의 제정법률안·개정법률안, 세입예산안의 심사 및 국정감사 기타 의정활동에 필요한 통계자료를 요구하는 경우

② 국회예산정책처장이 의장의 허가를 받아 세법의 제정법률안·개정법률안에 대한 세수추계 또는 세입예산안의 분석을 위하여 필요한 통계자료를 요구하는 경우

(2) 국세청장은 국회 소관 상임위원회가 의결로 국세의 부과·징수·감면 등에 관한 자료를 요구하는 경우에는 그 사용목적에 맞는 범위 안에서 과세정보를 납세자 개인정보를 직접적인 방법 또는 간접적인 방법으로 확인할 수 없도록 가공하여 제공하여야 한다.

(3) 국세청장은 정부출연연구기관 등의 설립·운영 및 육성에 관한 법률 제8조 제1항에 따라 설립된 연구기관의 장이 조세정책의 연구를 목적으로 통계자료를 요구하는 경우 그 사용 목적에 맞는 범위 안에서 제공할 수 있다. 이 경우 통계자료의 범위, 제공 절차, 비밀유지 등에 관하여 필요한 사항은 대통령령으로 정한다.

(4) 국세청장은 다음 중 하나에 해당하는 자가 조세정책의 평가 및 연구 등에 활용하기 위하여 통계자료 작성에 사용된 기초자료(이하 '기초자료')를 직접 분석하기를 원하는 경우 국세청 내에 설치된 대통령령으로 정하는 시설 내에서 기초자료를 그 사용목적에 맞는 범위에서 제공할 수 있다. 이 경우 기초자료는 개별 납세자의 과세정보를 직접적 또는 간접적 방법으로 확인할 수 없는 상태로 제공하여야 한다.
① 국회의원
② 국회법에 따른 국회사무총장·국회도서관장·국회예산정책처장·국회입법조사처장 및 국회미래연구원법에 따른 국회미래연구원장
③ 정부조직법에 따른 중앙행정기관의 장
④ 지방자치법에 따른 지방자치단체의 장
⑤ 그 밖에 정부출연연구기관 등의 설립·운영 및 육성에 관한 법률에 따른 정부출연연구기관의 장 등 대통령령으로 정하는 자

(5) 국세청장은 조세정책의 평가 및 연구를 목적으로 기초자료를 이용하려는 자가 소득세 관련 기초자료의 일부의 제공을 요구하는 경우에는 소득세 관련 기초자료의 일부를 검증된 통계작성기법을 적용하여 표본 형태로 처리한 기초자료(이하 '표본자료')를 대통령령으로 정하는 방법에 따라 제공할 수 있다. 이 경우 표본자료는 그 사용 목적에 맞는 범위에서 개별 납세자의 과세정보를 직접적 또는 간접적 방법으로 확인할 수 없는 상태로 가공하여 제공하여야 한다.

(6) 제공되거나 송부된 통계자료(공개된 것은 제외), 제공된 기초자료 및 제공된 표본자료를 알게 된 자는 그 통계자료, 기초자료 및 표본자료를 목적 외의 용도로 사용해서는 아니 된다.

4. 비밀유지

제공되거나 송부된 통계자료(공개된 것은 제외)를 알게 된 자는 그 통계자료를 목적 외의 용도로 사용해서는 아니 된다.

XI 가족관계등록 전산정보의 공동이용

1. 국세청장, 지방국세청장, 세무서장 및 조세심판원장은 심사·심판 및 과세전적부심사 업무를 처리할 때 행정심판법에 따른 청구인 지위 승계의 신고 또는 허가 업무를 처리하기 위하여 전자정부법에 따라 가족관계의 등록 등에 관한 법률에 따른 전산정보자료를 공동이용(개인정보 보호법에 따른 처리를 포함)할 수 있다.

2. 벌칙

(1) **직무집행 거부 등에 대한 과태료**

관할 세무서장은 세법의 질문·조사권 규정에 따른 세무공무원의 질문에 대하여 거짓으로 진술하거나 그 직무집행을 거부 또는 기피한 자에게 5천만 원 이하의 과태료를 부과·징수한다.

(2) **금품 수수 및 공여에 대한 과태료**

관할 세무서장 또는 세관장은 세무공무원에게 금품을 공여한 자에게 그 금품 상당액의 2배 이상 5배 이하의 과태료를 부과·징수한다. 다만, 형법 등 다른 법률에 따라 형사처벌을 받은 경우에는 과태료를 부과하지 아니하고, 과태료를 부과한 후 형사처벌을 받은 경우에는 과태료 부과를 취소한다.

(3) **비밀유지 의무 위반에 대한 과태료**

국세청장은 알게 된 과세정보를 타인에게 제공 또는 누설하거나 그 목적 외의 용도로 사용한 자에게 2천만 원 이하의 과태료를 부과·징수한다. 다만, 형법 등 다른 법률에 따라 형사처벌을 받은 경우에는 과태료를 부과하지 아니하고, 과태료를 부과한 후 형사처벌을 받은 경우에는 과태료 부과를 취소한다.

PART 2 기출문제

01 국세기본법에서 사용하는 용어의 뜻으로 옳지 않은 것은? 2022년 국가직 9급

① '납세자'란 납세의무자(연대납세의무자를 제외함)와 세법에 따라 국세를 징수하여 납부할 의무를 지는 자를 말한다.
② '원천징수'란 세법에 따라 원천징수의무자가 국세(이와 관계되는 가산세는 제외함)를 징수하는 것을 말한다.
③ '보증인'이란 납세자의 국세 또는 강제징수비의 납부를 보증한 자를 말한다.
④ '제2차 납세의무자'란 납세자가 납세의무를 이행할 수 없는 경우에 납세자를 갈음하여 납세의무를 지는 자를 말한다.

> **정답 및 해설**
>
> 납세자란 납세의무자(연대납세의무자와 납세자를 갈음하여 납부할 의무가 생긴 경우의 제2차 납세의무자 및 보증인을 포함함)와 세법에 따라 국세를 징수하여 납부할 의무를 지는 자를 말한다.
>
> 답 ①

02 국세기본법상 기간과 기한에 대한 설명으로 옳은 것은? 2011년 국가직 9급 변형

① 기간의 계산에 대한 국세기본법 또는 세법의 규정이 민법의 규정과 상충되면 민법의 규정에 따른다.
② 금융회사 등(한국은행 국고대리점 및 국고수납대리점인 금융회사 등만 해당함) 또는 체신관서의 휴무나 그 밖의 부득이한 사유로 정상적인 세금납부가 곤란하다고 국세청장이 인정하는 경우는 기한연장사유에 해당하지 않는다.
③ 과세표준신고서 등을 국세정보통신망을 이용하여 제출하는 경우에는 해당 신고서 등을 국세정보통신망에 전송된 때에 신고되거나 청구된 것으로 본다.
④ 증여세 신고기한이 4월 1일(금요일)이고 공휴일인 경우 4월 3일까지 신고하여야 한다.

> **정답 및 해설**
>
> 과세표준신고서 등을 국세정보통신망을 이용하여 제출하는 경우에는 해당 신고서 등이 국세청장에게 전송된 때에 신고되거나 청구된 것으로 본다. 국세정보통신망 개편으로 과세표준신고서 등의 임시저장이 가능해짐에 따라 전자신고에 따른 신고시기를 전송된 때로 변경하였다.
>
> **선지분석**
>
> ① 국세기본법 또는 세법에 규정하는 기간의 계산은 국세기본법 또는 그 세법에 특별한 규정이 있는 것을 <u>제외하고는 민법에 따른다</u>.
> ② 금융기관 등의 휴무로 인하여 정상적인 세금납부가 곤란하다고 국세청장이 인정하는 경우 기한연장사유에 <u>해당한다</u>.
> ④ 신고기한이 공휴일·토요일 및 근로자의 날에 해당하는 때에는 그 공휴일·토요일 및 근로자의 날의 다음 날을 기한으로 한다. 따라서 증여세 신고기한이 4월 1일(금요일)이고 공휴일인 경우 4월 4일까지 신고하여야 한다.
>
> | 4월 1일 | 4월 2일 | 4월 3일 | 4월 4일 |
> | --- | --- | --- | --- |
> | 공휴일 | 토요일 | 일요일 | 신고기한 |
>
> 답 ③

국세기본법령과 소득세법의 기간 및 기한에 대한 설명으로 옳은 것은? 2022년 국가직 9급

① 수시부과 후 추가발생소득이 없는 거주자는 그 종합소득과세표준을 다음 연도 5월 1일부터 5월 31일까지 확정신고하고 종합소득 산출세액을 자진납부하여야 한다.

② 부담부증여의 채무액에 해당하는 부분으로서 양도로 보는 경우 그 양도일이 속하는 달의 말일부터 4개월 이내에 양도소득과세표준을 납세지 관할 세무서장에게 신고하여야 한다.

③ 세무조사의 결과에 대한 서면통지를 받은 자는 통지를 받은 날로부터 90일 이내에 과세전적부심사 청구를 할 수 있다.

④ 국세기본법 또는 세법에서 규정하는 납부기한 만료일에 정전으로 국세정보통신망의 가동이 정지되어 전자납부를 할 수 없는 경우 그 장애가 복구되어 납부할 수 있게 된 날의 다음 날을 기한으로 한다.

정답 및 해설

선지분석

① 수시부과 후 추가로 발생한 소득이 없을 경우에는 과세표준확정신고를 하지 아니할 수 있다.

② 부담부증여의 채무액에 해당하는 부분으로서 양도로 보는 경우 그 양도일이 속하는 달의 말일부터 3개월 이내에 양도소득과세표준을 납세지 관할 세무서장에게 신고하여야 한다.

③ 세무조사의 결과에 대한 서면통지를 받은 자는 통지를 받은 날로부터 30일 이내에 과세전적부심사 청구를 할 수 있다.

답 ④

04 국세기본법상 기간과 기한에 대한 설명으로 옳지 않은 것을 모두 고르면? 2012년 국가직 7급 변형

> ㄱ. 우편으로 과세표준신고서를 제출한 경우로서 우편날짜도장이 찍히지 아니하였거나 분명하지 아니한 경우에는 신고서가 도달한 날에 신고된 것으로 본다.
> ㄴ. 세법에서 규정하는 신고기한 만료일 또는 납부기한 만료일에 국세정보통신망이 장애로 가동이 정지되어 전자신고나 전자납부를 할 수 없는 경우에는 그 장애가 복구되어 신고 또는 납부할 수 있게 된 날을 기한으로 한다.
> ㄷ. 천재지변 등의 사유로 세법에서 규정하는 신고 또는 납부를 정해진 기한까지 할 수 없다고 관할 세무서장이 인정하는 경우에는 납세자의 신청이 없는 경우에도 그 기한을 연장할 수 있다.
> ㄹ. 관할 세무서장은 천재지변이나 그 밖에 대통령령으로 정하는 사유로 국세기본법 또는 세법에서 규정하는 신고, 신청, 청구, 그 밖에 서류의 제출 또는 통지를 정하여진 기한까지 할 수 없다고 인정하는 경우나 납세자가 기한 연장을 신청한 경우에는 그 기한을 연장할 수 있다.

① ㄱ, ㄴ
② ㄴ, ㄷ
③ ㄴ, ㄹ
④ ㄷ, ㄹ

정답 및 해설

ㄱ. 우편으로 과세표준신고서를 제출한 경우 통신날짜도장이 찍히지 아니하였거나 분명하지 아니한 경우에는 통상 걸리는 배송일수를 기준으로 발송한 날로 인정되는 날에 신고된 것으로 본다.
ㄴ. 전자납부의 활성화를 유도하고 납세편의를 제고하기 위하여 전산시스템의 장애로 전자납부를 원하는 납세자가 납부를 못하는 경우 그 장애가 복구되어 신고 또는 납부할 수 있게 된 날의 다음 날을 기한으로 한다.

선지분석

ㄹ. 납부기한 연장과 징수유예의 제도의 목적, 절차 및 효과가 유사하여 납부기한 연장과 관련된 규정은 국세징수법으로 이관한다.

답 ①

05 국세기본법상 서류의 송달에 대한 설명으로 옳은 것은?

2014년 국가직 7급 변형

① 연대납세의무자에게 강제징수에 관한 서류를 송달할 때에는 연대납세의무자 모두에게 각각 송달하여야 한다.
② 소득세 중간예납세액이 100만 원인 납부고지서의 송달을 우편으로 할 때는 일반우편으로 하여야 한다.
③ 정보통신망의 장애로 납부고지서의 전자송달이 불가능한 경우에는 교부에 의해서만 송달을 할 수 있다.
④ 납부고지서를 송달받아야 할 자의 주소를 주민등록표에 의해 확인할 수 없는 경우, 서류의 주요 내용을 공고한 날부터 14일이 지나면 서류송달이 된 것으로 본다.

정답 및 해설

납부고지서를 송달받아야 할 자의 주소를 주민등록표에 의해 확인할 수 없는 경우(공시송달사유), 서류의 주요 내용을 공고한 날부터 14일이 지나면 서류송달이 된 것으로 본다(공시송달의 효력발생시기).

선지분석

① 연대납세의무자에게 납부의 고지와 독촉(강제징수 ×)에 관한 서류는 연대납세의무자 모두에게 각각 송달하여야 한다.
② 소득세 중간예납세액이 50만 원 미만에 해당하는 납부고지서는 일반우편으로 송달할 수 있다. 따라서 소득세 중간예납세액이 100만 원인 납부고지서는 반드시 등기우편으로 하여야 한다.
③ 정보통신망의 장애로 납부고지의 전자송달이 불가능한 경우에는 교부 또는 우편에 의하여 송달할 수 있다.

답 ④

06 국세기본법령상 서류의 송달에 대한 설명으로 옳지 않은 것은?

2020년 국가직 9급

① 서류명의인, 그 동거인 등 법정된 자가 송달할 장소에 없는 경우로서 서류를 등기우편으로 송달하였으나 수취인이 부재중인 것으로 확인되어 반송됨으로써 납부기한 내에 송달이 곤란하다고 인정되는 경우에는 공시송달할 수 있다.
② 독촉에 관한 서류는 연대납세의무자 모두에게 각각 송달하여야 한다.
③ 송달할 장소에서 서류를 송달받아야 할 자가 부재중인 경우에는 송달할 장소에 서류를 둘 수 있다.
④ 상속이 개시된 경우 상속재산관리인이 있을 때에는 세법에서 규정하는 서류는 그 상속재산관리인의 주소 또는 영업소에 송달한다.

정답 및 해설

송달할 장소에서 서류를 송달받아야 할 자를 만나지 못하였을 때에는 그 사용인이나 그 밖의 종업원 또는 동거인으로서 사리를 판별할 수 있는 사람에게 서류를 송달할 수 있으며, 서류를 송달받아야 할 자 또는 그 사용인이나 그 밖의 종업원 또는 동거인으로서 사리를 판별할 수 있는 사람이 <u>정당한 사유 없이 서류 수령을 거부할 때에는 송달할 장소에 서류를 둘 수 있다.</u> 따라서 적법한 수령권자들이 송달장소를 이탈하여 부재중인 상태에서 이루어진 유치송달은 부적법하다.

답 ③

07 국세기본법상 공시송달에 대한 설명으로 옳지 않은 것은?

① 서류를 송달받아야 할 자의 주소 또는 영업소가 국외에 있고 송달하기 곤란한 경우에 서류의 주요 내용을 공고한 날부터 14일이 지나면 서류송달이 된 것으로 본다.

② 서류를 송달받아야 할 자의 주소 또는 영업소가 분명하지 아니한 경우에 서류의 주요 내용을 공고한 날부터 14일이 지나면 서류송달이 된 것으로 본다.

③ 국세정보통신망을 이용하여 공시송달을 할 때에는 다른 공시송달 방법과 함께 하여야 한다.

④ 세무서의 게시판이나 그 밖의 적절한 장소를 이용하여 공시송달을 할 때에는 다른 공시송달 방법과 함께 하여야 한다.

정답 및 해설

세무서의 게시판이나 그 밖의 적절한 장소를 이용하여 공시송달을 할 때에는 다른 송달방법과 함께 하지 않아도 된다.

> **국세기본법 제11조【공시송달】** ② 제1항에 따른 공고는 다음 각 호의 어느 하나에 게시하거나 게재하여야 한다. 이 경우 국세정보통신망을 이용하여 공시송달을 할 때에는 다른 공시송달 방법과 함께 하여야 한다.
> 1. 국세정보통신망
> 2. 세무서의 게시판이나 그 밖의 적절한 장소
> 3. 해당 서류의 송달 장소를 관할하는 특별자치시 등의 홈페이지, 게시판이나 그 밖의 적절한 장소
> 4. 관보 또는 일간신문

선지분석

①, ② 공시송달의 사유와 공시송달의 효력발생시기에 대한 옳은 내용이다.

답 ④

08 국세기본법상 법인 아닌 단체에 대한 설명으로 옳지 않은 것은?

① 국세기본법에 의하여 법인으로 보는 법인 아닌 단체는 법인세법에서 비영리법인으로 본다.

② 주무관청의 허가 또는 인가를 받아 설립된 단체로서 수익을 구성원에게 분배하지 않는 경우에는 대표자나 관리인이 관할 세무서장에게 신청하여 승인을 받아야 법인으로 본다.

③ 법인 아닌 단체가 국세기본법에 의하여 법인으로 의제되지 않더라도 소득세법에 의하여 그 단체를 1거주자로 보아 과세할 수도 있다.

④ 법인으로 보는 법인 아닌 단체의 국세에 관한 의무는 그 대표자나 관리인이 이행하여야 한다.

정답 및 해설

📄 **당연의제법인(국세기본법 제13조 제1항 참조)**

법인 아닌 단체 가운데 다음 중 어느 하나에 해당하는 것으로서 수익을 구성원에게 분배하지 아니하는 것은 법인으로 보아 국세기본법과 세법을 적용함. 즉, 다음 중 어느 하나에 해당하며, 수익을 구성원에게 분배하지 아니한 경우 과세관청의 승인 등과 같은 별도의 특정한 절차를 거침이 없이 당연히 법인으로 의제함

1. 주무관청의 허가 또는 인가를 받아 설립되거나 법령에 따라 주무관청에 등록한 사단, 재단, 그 밖의 단체로서 등기되지 않은 것
2. 공익을 목적으로 출연된 기본재산이 있는 재단으로서 등기되지 않은 것

선지분석

① 국세기본법상 법인으로 보는 단체는 구성원에게 수익을 분배하지 아니하므로 비영리법인으로 보아 법인세법·상속증여세법을 적용한다.

③ 법인으로 보는 단체 외의 단체가 구성원 간 이익의 분배방법이나 분배비율이 정하여져 있지 아니하거나 확인되지 아니하는 경우에는 1거주자 또는 1비거주자로 보아 소득세를 부과한다.

④ 법인으로 보는 단체의 의무이행규정에 대한 옳은 내용이다.

답 ②

---

09 거주자 甲이 A 회사와 판매수익의 귀속주체를 甲으로 하는 판매약정을 체결한 후 A 회사 영업이사 직함을 사용하여 A 회사가 생산한 정제유를 A 회사 명의로 판매하였다. 甲이 독자적으로 관리·사용하던 A 회사 명의의 계좌를 통한 거래 중 무자료 거래에서 확인된 매출누락 등에 따른 세금을 과세관청이 A 회사가 아닌 甲에게 부담시키기 위한 국세부과의 원칙은?

① 실질과세의 원칙
② 신의성실의 원칙
③ 근거과세의 원칙
④ 조세감면의 사후관리의 원칙

정답 및 해설

과세의 대상이 되는 소득, 수익, 재산, 행위 또는 거래의 귀속이 명의일 뿐이고 사실상 귀속되는 자가 따로 있을 때에는 사실상 귀속되는 자를 납세의무자로 하여 세법을 적용한다.

답 ①

10 국세기본법상 신의성실의 원칙에 관한 판례의 내용으로 옳은 것은? 2009년 국가직 7급

① 과세관청이 납세의무자에게 부가가치세 면세사업자용 사업자등록증을 교부하였다면 그가 영위하는 사업에 관하여 부가가치세를 과세하지 아니함을 시사하는 언동이나 공적인 견해를 표명한 것으로 볼 수 있다.

② 조세법률주의에 의하여 합법성이 강하게 작용하는 조세 실체법에 대한 신의성실의 원칙 적용은 합법성을 희생하여서라도 구체적 신뢰보호의 필요성이 인정되는 경우에 한하여 허용된다.

③ 납세의무자가 자산을 과대계상하거나 부채를 과소계상하는 등의 방법으로 분식결산을 하고 이에 따라 과다하게 법인세를 신고·납부하였다가 그 과다납부한 세액에 대하여 취소소송을 제기하여 다툰다는 것만으로도 신의성실의 원칙에 위반될 정도로 심한 배신행위를 하였다고 할 수 있다.

④ 과세관청에게 신의성실의 원칙을 적용하기 위해서는 객관적으로 모순되는 행태가 존재하고, 그 행태가 납세의무자의 심한 배신행위에 기인하였으며, 그에 기하여 야기된 과세관청의 신뢰가 보호받을 가치가 있는 것이어야 한다.

정답 및 해설

조세법률주의는 조세법의 최고의 지도원리이므로 신의성실의 원칙은 합법성의 원칙을 훼손하지 않는 범위에서 제한적으로 적용되어야 한다.

> **📄 과세관청에 대한 신의성실의 원칙**
>
> 1. 과세관청이 납세자에게 신뢰의 대상이 되는 공적인 견해표명을 하여야 함
> 2. 과세관청의 견해표명이 정당하다고 신뢰한 데 대하여 납세자에게 귀책사유가 없어야 함
> 3. 납세자가 그 견해표명을 신뢰하고 이에 따라 세무처리 등의 행위를 하여야 함
> 4. 과세관청이 위 견해표명에 반하는 처분을 함으로써 납세자가 불이익을 받아야 함
>   **참고** 이때 처분은 반드시 적법한 처분이어야 함. 위법한 처분인 경우 무효이거나 취소되기 때문임

선지분석

① 과세관청이 납세의무자에게 부가가치세 면세사업자용 사업자등록증을 교부한 것은 그가 영위하는 사업에 관하여 부가가치세를 과세하지 아니함을 시사하는 언동이나 공적인 견해를 표명한 것으로 볼 수 없다.

③ 납세의무자가 자산을 과대계상하거나 부채를 과소계상하는 등의 방법으로 분식결산을 하고 이에 따라 과다하게 법인세를 신고, 납부하였다가 그 과다납부한 세액에 대하여 취소소송을 제기하여 다툰다는 것만으로는 신의성실의 원칙에 위반한 정도에 심한 배신행위를 하였다고 할 수 없다.

④ 납세자에게 신의성실의 원칙을 적용하기 위해서는 객관적으로 모순되는 행태가 존재하고, 그 행태가 납세의무자의 심한 배신행위에 기인하였으며, 그에 기하여 과세관청의 신뢰가 보호받을 가치가 있어야 한다.

답 ②

11 국세기본법상 세법해석의 기준 및 소급과세의 금지에 대한 설명으로 옳지 않은 것은?

2011년 국가직 9급

① 세법의 해석·적용에 있어서는 과세의 형평과 당해 조항의 합목적성에 비추어 납세자의 재산권이 부당하게 침해되지 아니하도록 하여야 한다.

② 국세를 납부할 의무가 성립한 소득·수익·재산·행위 또는 거래에 대하여는 그 성립 후의 새로운 세법에 의하여 소급하여 과세하지 아니한다.

③ 세법의 해석 또는 국세행정의 관행이 일반적으로 납세자에게 받아들여진 후에는 그 해석이나 관행에 의한 행위 또는 계산은 정당한 것으로 보며, 새로운 해석이나 관행에 의하여 소급하여 과세되지 아니한다.

④ 세법 이외의 법률 중 국세의 부과·징수·감면 또는 그 절차에 관하여 규정하고 있는 조항에 대해서는 세법해석의 기준에 대한 국세기본법 규정이 적용되지 아니한다.

정답 및 해설

세법 외의 법률 중 국세의 부과·징수·감면 또는 그 절차에 관하여 규정하고 있는 조항은 세법해석의 기준 및 소급과세의 금지의 규정을 적용할 때에는 세법으로 본다. 따라서 세법 이외의 법률 중 국세의 부과·징수·감면 또는 그 절차에 관하여 규정하고 있는 조항에 대해서는 세법해석의 기준에 대한 국세기본법의 규정이 적용된다.

선지분석

① 세법적용의 원칙 중 세법해석의 기준에 대한 옳은 내용이다.
② 세법적용의 원칙 중 입법에 의한 소급과세의 금지에 대한 옳은 내용이다.
③ 세법적용의 원칙 중 세법의 해석·관행에 의한 소급과세의 금지에 대한 옳은 내용이다.

답 ④

12 국세기본법상 납세의무의 성립시기로 옳지 않은 것은?

2010년 국가직 7급

① 부가가치세는 과세기간이 끝나는 때 납세의무가 성립한다. 단, 수입재화의 경우에는 세관장에게 수입신고를 하는 때 납세의무가 성립한다.
② 각 사업연도소득에 대한 법인세는 과세표준과 세액을 정부에 신고하는 때 납세의무가 성립한다.
③ 상속세는 상속이 개시되는 때 납세의무가 성립한다.
④ 인지세는 과세문서를 작성한 때 납세의무가 성립한다.

정답 및 해설

각 사업연도소득에 대한 법인세는 과세기간이 끝나는 때 납세의무가 성립한다.

> 📄 **법인세의 성립시기(국세기본법 제21조 제2항 제1호 참조)**
>
> 1. 원칙: 과세기간이 끝나는 때
> 2. 청산소득 법인세: 그 법인이 해산하는 때

선지분석

① 📄 **부가가치세의 성립시기(국세기본법 제21조 제2항 제4호 참조)**
>
> 1. 원칙: 과세기간이 끝나는 때
> 2. 수입재화 부가가치세: 세관장에게 수입신고하는 때

③ 📄 **상속세 · 증여세의 성립시기(국세기본법 제21조 제2항 제2호 · 제3호 참조)**
>
> 1. 상속세: 상속이 개시되는 때(상속세 신고일 ×)
> 2. 증여세: 증여에 의하여 재산을 취득하는 때(증여계약일 ×)

④ 📄 **인지세 · 증권거래세의 성립시기(국세기본법 제21조 제2항 제6호 · 제7호 참조)**
>
> 1. 인지세: 과세문서를 작성한 때(인지를 첩부할 때 ×)
> 2. 증권거래세: 해당 매매거래가 확정되는 때

답 ②

13 국세기본법상 납세의무의 성립에 대한 설명으로 옳지 않은 것은?

2012년 국가직 9급 변형

① 청산소득에 대한 법인세는 그 법인이 해산하는 때에 성립한다.

② 무신고가산세는 법정신고기한이 경과한 때에 성립한다.

③ 금융업자의 수익금액에 부과되는 교육세는 해당 금융업자의 법인세 납세의무가 확정하는 때에 성립한다.

④ 납세조합이 징수하는 소득세 또는 예정신고납부하는 소득세는 과세표준이 되는 금액이 발생한 달의 말일에 성립한다.

정답 및 해설

금융보험업자의 수입금액에 부과하는 교육세는 <u>과세기간이 끝나는 때</u> 납세의무가 성립한다.

> 📄 **과세기간이 끝나는 때 성립하는 국세(국세기본법 제21조 제2항 제1호·제4호·제8호 참조)**
>
> 1. 소득세
> 2. 법인세(단, 청산소득 법인세는 해산하는 때)
> 3. 부가가치세(단, 수입재화 부가가치세는 수입신고를 하는 때)
> 4. 금융보험업자의 수입금액에 부과하는 교육세
>
> **참고** 국세에 부과되는 교육세는 해당 국세의 납세의무가 성립하는 때 납세의무가 성립함

선지분석

①
> 📄 **법인세의 성립시기(국세기본법 제21조 제2항 제1호 참조)**
>
> 1. 원칙: 과세기간이 끝나는 때
> 2. 청산소득 법인세: 그 법인이 해산하는 때

④
> 📄 **예외적인 성립시기(국세기본법 제21조 제3항 제2호·제3호 참조)**
>
> | 납세조합이 징수하는 소득세 또는 예정신고납부하는 소득세 | 과세표준이 되는 금액이 발생한 달의 말일 |
> |---|---|
> | 중간예납하는 소득세·법인세 또는 예정신고기간·예정부과기간에 대한 부가가치세 | 중간예납기간 또는 예정신고기간·예정부과기간이 끝나는 때 |

답 ③

14 국세를 납부할 의무의 확정 또는 그 관련 쟁점에 대한 설명으로 옳은 것은?

① 기한 후 신고는 과세표준과 세액을 확정하는 효력을 가진다.
② 세법에 따라 당초 확정된 세액을 증가시키는 경정은 당초 확정된 세액에 관한 국세기본법 및 기타 세법에서 규정하는 권리·의무관계에 영향을 미치지 아니한다.
③ 과세표준신고서를 법정신고기한까지 제출한 자가 수정신고를 하는 경우, 당해 수정신고에는 당초의 신고에 따라 확정된 과세표준과 세액을 증액하여 확정하는 효력이 인정되지 아니한다.
④ 상속세는 상속이 개시되는 때, 증여세는 증여에 의하여 재산을 취득하는 때에 각각 납세의무가 성립하고, 상속세 및 증여세법에 따라 납부의무가 있는 자가 신고하는 때에 확정된다.

정답 및 해설

선지분석
① 기한 후 신고는 가산세 부담을 일부 경감하기 위한 추가 신고·납부기회를 준 것에 불과할 뿐이므로 과세표준과 세액을 확정하는 효력이 없다.
③ 과세표준신고서를 법정신고기한까지 제출한 자가 수정신고를 하는 경우, 당해 수정신고에는 당초의 신고에 따라 확정된 과세표준과 세액을 증액하여 확정하는 효력을 가진다.
④ 상속세는 상속이 개시되는 때, 증여세는 증여에 의하여 재산을 취득하는 때에 각각 납세의무가 성립하고, 상속세 및 증여세법에 따라 해당 국세의 과세표준과 세액을 정부가 결정하는 때에 확정된다.

답 ②

15 국세기본법상 납세의무의 성립과 확정에 대한 설명으로 옳지 않은 것은?

① 청산소득에 대한 법인세의 납세의무 성립시기는 그 법인이 해산을 하는 때이다.
② 원천징수하는 소득세의 납세의무 성립시기는 과세기간이 끝나는 때이다.
③ 소득세와 법인세는 납세의무자가 과세표준과 세액의 신고를 하지 아니한 경우에는 정부가 과세표준과 세액을 결정하는 때에 그 결정에 따라 확정된다.
④ 납세조합이 징수하는 소득세는 납세의무가 성립하는 때에 특별한 절차 없이 그 세액이 확정된다.

정답 및 해설

원천징수하는 소득세의 납세의무 성립시기는 소득금액 또는 수입금액을 지급하는 때이다.

답 ②

16

국세기본법상 당초처분과 경정처분 간의 관계에 대한 설명으로 옳지 않은 것은? (다툼이 있는 경우 판례에 의함)

2012년 국가직 7급

① 당초처분보다 증액하는 경정처분이 있는 경우 당초처분의 소멸시효는 영향을 받지 않고 진행된다.
② 당초처분보다 감액하는 경정처분이 있는 경우 당초처분에 대한 강제징수절차는 감액된 범위 안에서 계속 진행된다.
③ 감액경정처분은 당초처분과 별개의 독립된 과세처분이 아니라 그 실질은 당초처분의 변경이다.
④ 당초처분에 대해 전치절차를 거친 경우라 하더라도 경정처분은 형식적으로 별개의 행위이므로 전치절차를 생략할 수 없다.

정답 및 해설

증액경정의 경우 그에 대한 불복 시 당초처분에서 치유되지 않은 하자는 다시 이를 다툴 수 있으며 당초처분 시에 존재하고 있다고 주장하는 취소사유가 경정 시에도 계속 존재한다면 당초처분에 대하여 적법한 전심절차를 거친 이상 그 경정에 대하여 따로 전심절차를 거칠 필요없다(대판 1987.3.10, 86누911; 대판 1990.8.28, 90누1892).

선지분석

①
📄 **증액경정처분에 대한 일반적인 권리의무관계: 병존설**
1. 당초처분에 따라 확정된 세액에 대해서 행해진 납부고지, 독촉, 가산금 과징, 압류 등의 강제징수절차는 경정처분에 따라 영향을 받지 않고 여전히 유효하게 됨
2. 국세징수권의 소멸시효도 각각 별도로 진행함
3. 불복청구기한도 당초처분과 경정처분별로 각각 판단함

②
📄 **감액경정처분: 역흡수설**
1. 감액경정으로 감소된 세액 외의 세액에 대한 납부고지, 독촉, 가산금, 압류 등 강제징수절차는 감액경정에 영향을 받지 않고 그대로 존속함
2. 국세징수권의 소멸시효는 잔존세액을 기준으로 기산함
3. 당초처분의 통지를 받은 날부터 90일 이내에 불복청구를 하여야 함

③ 감액경정처분은 당초처분과 별개의 독립된 과세처분이 아니라 그 실질은 당초처분의 변경이다(대판 1995.8.11, 95누351).

답 ④

17

국세기본법상 납부의무의 소멸에 대한 설명으로 옳지 않은 것은?

2021년 국가직 9급

① 국세 및 강제징수비를 납부할 의무는 국세를 부과할 수 있는 기간에 국세가 부과되지 아니하고 그 기간이 끝난 때에 소멸한다.
② 교부청구가 있으면 국세징수권 소멸시효는 중단된다.
③ 납세자가 법정신고기한까지 부가가치세 과세표준신고서를 제출하지 않은 경우 부가가치세를 부과할 수 있는 날부터 5년을 부과제척기간으로 한다.
④ 체납자가 국외에 6개월 이상 계속 체류하는 경우 해당 국외체류기간에는 국세징수권의 소멸시효가 진행되지 않는다.

정답 및 해설

납세자가 부가가치세를 법정신고기한까지 과세표준신고서를 제출하지 아니한 경우에는 해당 국세를 부과할 수 있는 날부터 7년(역외거래의 경우 10년)을 부과제척기간으로 한다.

답 ③

18 내국법인 (주)D는 제21기(2022년 1월 1일 ~ 12월 31일) 귀속분 법인세 과세표준 및 세액을 법정 신고기한까지 신고·납부하지 않았다. 관할 세무서는 2023년 4월 29일 과세표준과 세액을 결정하여 납부고지서를 발송하였다(발송일: 2023년 5월 2일, 도달일: 2023년 5월 4일, 고지서상 납부기한: 2023년 5월 31일). (주)D의 제21기 귀속분 법인세 납세의무의 소멸에 대한 견해 중 옳은 것만을 모두 고른 것은? 2016년 9급 국가직 변형

> 갑. 법정 신고기한의 다음 날 즉, 2023년 4월 1일이 법인세 부과 제척기간의 기산일이다.
> 을. 납부고지서를 발송하지 않았다면 제척기간이 만료된 후의 부과처분은 당연히 무효가 되므로, 납세고지를 2028년 3월 31일까지 하여야 한다.
> 병. 납부고지서 발송일의 다음 날(2023년 5월 3일)이 징수권 소멸시효의 기산일이다.
> 정. 소멸시효가 완성되는 경우 법인세의 가산금, 강제징수비 및 이자상당세액에도 그 효력이 미친다.

① 갑, 을
② 갑, 정
③ 을, 병
④ 병, 정

갑. 법인세 법정신고기한은 3월 31일이고, 부과권의 제척기간(법정신고기한의 다음 날)은 4월 1일이다.
정. 국세징수권의 소멸시효가 완성하면 기산일에 소급하여 징수권이 소멸한다. 따라서 국세는 물론이고 시효기간 중에 발생한 그 국세의 가산금, 강제징수비 및 이자상당세액도 함께 소멸하게 되는 것이다.

선지분석

을. 법인세 무신고시 국세부과의 제척기간은 7년이다. 법인세는 과세표준과 세액을 신고하는 국세에 해당하므로 제척기간의 기산일은 과세표준의 신고기한의 다음 날이다. 따라서 관할 세무서는 제척기간 기산일인 2023년 4월 1일부터 7년 뒤 제척기간 만료일인 2030년 3월 31일까지 납부고지를 하여야 한다.
병. 과세표준과 세액을 정부가 결정하는 경우 소멸시효의 기산일은 그 납부고지에 따른 납부기한의 다음 날이다. 따라서 2023년 5월 31일의 다음 날인 2023년 6월 1일이 소멸시효의 기산일이다.

답 ②

19 甲 세무서장은 법인세를 체납하고 있는 乙 회사에 대하여 회사 소유 A 부동산을 압류하고 이를 매각한 금액으로
□□□ 법인세를 충당하려고 한다. 그런데 乙 회사에게는 체불임금도 있고, A 부동산을 담보로 한 丙 은행 대출채권도 있다.
이 경우 A 부동산의 매각대금에 대한 변제 순위가 빠른 순서대로 바르게 나열된 것은?　　2014년 국가직 7급

① A 부동산에 법인세의 법정기일 이전에 저당권이 설정된 경우: 丙 은행 대출채권 > 법인세 > 최종 3월분
　이외의 임금채권

② A 부동산에 법인세의 법정기일 이전에 저당권이 설정된 경우: 최종 3월분 이외의 임금채권 > 丙 은행 대
　출채권 > 법인세

③ A 부동산에 법인세의 법정기일 이후에 저당권이 설정된 경우: 법인세 > 丙 은행 대출채권 > 최종 3월분
　이외의 임금채권

④ A 부동산에 법인세의 법정기일 이후에 저당권이 설정된 경우: 최종 3월분 이외의 임금채권 > 법인세 > 丙
　은행 대출채권

정답 및 해설

구분	법정기일 > 설정기일	법정기일 < 설정기일
1순위	국세채권(법인세)	피담보채권(은행 대출채권)
2순위	피담보채권(은행 대출채권)	3개월 이외의 임금채권
3순위	3개월 이외의 임금채권	국세채권

답 ③

20

한국세무서는 거주자 甲의 2022년도 귀속분 소득세 100,000,000원(가산금 제외)이 체납되어 거주자 甲 소유의 주택 D를 2023년 6월 1일에 압류하여 2023년 7월 20일에 매각하였다. 다음 자료에 따라 주택 D의 매각대금 100,000,000원 중 거주자 甲이 체납한 소득세로 징수될 수 있는 금액은?

2017년 국가직 9급

- 거주자 甲의 소득세 신고일: 2023년 5월 30일
- 강제징수비: 3,000,000원
- 주택 D에 설정된 저당권에 따른 피담보채권(저당권 설정일: 2023년 3월 28일): 50,000,000원
- 주택 D에 대한 임차보증금: 25,000,000원(이 중 주택임대차보호법에 따른 우선변제금액은 12,000,000원)
- 거주자 甲이 운영하는 기업체 종업원의 임금채권: 30,000,000원(이 중 근로기준법에 따른 우선변제금액은 15,000,000원)
- 주택 D에 부과된 국세와 가산금은 없음

① 5,000,000원
② 17,000,000원
③ 20,000,000원
④ 70,000,000원

정답 및 해설

1순위	강제징수비 300만 원	
2순위	법정 소액임차보증금 1,200만 원 + 우선변제임금채권 1,500만 원 = 2,700만 원	
3순위	–	
구분	Case 2. 법정기일(2023년 5월 30일) < 설정기일(2023년 3월 28일)	
4순위	피담보채권	5,000만 원
5순위	그 밖의 임금채권	1,500만 원
6순위	소득세	500만 원
7순위	일반채권 및 공과금	–

답 ①

21 거주자 甲이 2020년 귀속 종합소득세를 납부하지 않아 관할 세무서장은 甲의 주택을 2022년 10월 7일에 압류하고, 2023년 4월 5일에 매각하였다. 다음 자료에 따라 주택의 매각대금 70,000,000원 중에서 종합소득세로 징수할 수 있는 금액은?

2021년 국가직 7급

- 강제징수비: 7,000,000원
- 종합소득세: 80,000,000원(신고일: 2023년 5월 20일)
- 해당 주택에 설정된 저당권에 의해 담보되는 채권: 10,000,000원(저당권 설정일: 2023년 5월 25일)
- 해당 주택에 대한 임차보증금(확정일자: 2023년 5월 30일): 40,000,000원(이 중 주택임대차보호법에 따라 임차인이 우선하여 변제받을 수 있는 금액은 15,000,000원임)
- 甲이 운영하는 기업체 종업원의 임금채권: 30,000,000원(이 중 최종 3개월분의 임금은 18,000,000원임)

① 0원

② 20,000,000원

③ 30,000,000원

④ 53,000,000원

정답 및 해설

법정기일 2023년 5월 20일(소득세 신고일)이 담보 설정기일보다 빠르므로 국세채권을 우선하여 징수한다.

우선순위	내용	금액
1순위	강제징수비	7,000,000원
2순위	소액임차보증금과 최종3개월 분 임금채권	33,000,000원
3순위	소득세	30,000,000원

답 ③

22 세법상 양도담보와 관련된 규정에 대한 설명으로 옳지 않은 것은?

2012년 국가직 7급 변형

① 납세자가 국세 및 강제징수비를 체납한 경우에 그 납세자에게 양도담보재산이 있을 때에는 그 납세자의 다른 재산에 대하여 강제징수를 집행하여도 징수할 금액에 미치지 못하는 경우에만 국세징수법에서 정하는 바에 따라 그 양도담보재산으로써 납세자의 국세 및 강제징수비를 징수할 수 있다.

② 양도담보계약에 의하여 자산의 소유권을 이전하더라도 소득세법상 양도로 보지 아니한다.

③ 양도담보의 목적으로 동산이나 부동산을 제공하더라도 부가가치세법상 재화의 공급에 해당하지 아니한다.

④ 양도담보설정자인 사업자가 양도담보로 제공한 자산을 사업에 직접 사용하고 있는 경우에는 양도담보권자가 그 자산에 대한 감가상각비를 손금에 산입할 수 있다.

정답 및 해설

양도담보설정자인 사업자가 양도담보로 제공한 자산을 사업에 직접 사용하고 있는 경우에는 양도담보설정자(양도담보권자 ✕)가 그 자산에 대한 감가상각비를 손금에 산입할 수 있다.

선지분석

① 양도담보권자의 물적납세의무에 대한 옳은 내용이다.

② 📄 **양도담보에 대한 소득세법 규정(소득세법 제88조 제1호, 소득세법 시행령 제151조 제2항 참조)**
   1. 원칙: 양도 ✕
   2. 채무불이행으로 인하여 자산을 변제에 충당한 때: 양도 ○

③ 부가가치세법령상 양도담보의 목적으로 부동산상의 권리를 제공하는 것은 형식적 소유권 이전에 불과하므로 재화의 공급으로 보지 아니한다.

답 ④

23 국세기본법상 납세의무의 승계에 대한 설명으로 옳지 않은 것은?

2016년 국가직 7급 변형

① 법인이 합병한 경우 합병 후 존속하는 법인 또는 합병으로 설립된 법인은 합병으로 소멸된 법인에 부과되거나 그 법인이 납부할 국세 및 강제징수비를 납부할 의무를 진다.

② 상속이 개시된 때에 그 상속인은 피상속인에게 부과되거나 그 피상속인이 납부할 국세 및 강제징수비를 상속으로 받은 재산의 한도에서 납부할 의무를 진다.

③ 피상속인에게 한 처분은 상속으로 인한 납세의무를 승계하는 상속인에 대해서도 효력이 있다.

④ 상속으로 납세의무를 승계함에 있어서 상속인이 2명 이상일 때에는 각 상속인은 피상속인이 납부할 국세 및 강제징수비를 상속분에 따라 나누어 계산하여 상속으로 받은 재산의 한도에서 분할하여 납부할 의무를 진다.

정답 및 해설

상속인이 2명 이상일 때에는 각 상속인은 피상속인에게 부과되거나 그 피상속인이 납부할 국세 및 강제징수비를 상속분에 따라 나누어 계산하여 상속으로 받은 재산의 한도에서 연대하여 납부할 의무를 진다.

선지분석

① 납세의무의 승계 중 법인의 합병으로 인한 승계에 대한 옳은 설명이다.

② 납세의무의 승계 중 상속으로 인한 승계에 대한 옳은 설명이다.

③ 피상속인에 대해 행한 처분의 효력에 관한 규정에 대한 옳은 설명이다.

답 ④

24 국세기본법상 연대납세의무에 대한 설명으로 옳지 않은 것은?

2011년 국가직 9급 변형

① 공유물, 공동사업 또는 그 공동사업에 속하는 재산과 관계되는 국세 및 강제징수비는 공유자 또는 공동 사업자가 연대하여 납부할 의무를 진다.

② 분할법인이 존속하는 경우 분할법인 등은 분할등기일 이전에 분할법인에 부과되거나 납세의무가 성립한 국세 및 강제징수비에 대하여 분할로 승계된 재산가액을 한도로 연대하여 납부할 의무가 있다.

③ 연대납세의 고지와 독촉에 관한 서류는 그 대표자를 명의인으로 하여 송달하여야 한다.

④ 상속인이 있는지 분명하지 아니할 때에는 상속인에게 하여야 할 납부의 고지·독촉이나 그 밖에 필요한 사항은 상속재산관리인에게 하여야 한다.

정답 및 해설

연대납세의 고지와 독촉에 관한 서류는 모두에게 각자 송달하여야 한다.

선지분석

① 연대납세의무 중 공유물 등의 연대납세의무에 대한 옳은 설명이다.

② 연대납세의무 중 분할 시 연대납세의무에 대한 옳은 설명이다.

> 📑 **국세기본법상 연대납세의무(국세기본법 제25조 참조)**
> 1. 공유물, 공동사업의 연대납세의무
> 2. 분할 시 연대납세의무
> 3. 신회사 설립 시 연대납세의무

답 ③

25 거주자 甲은 비상장법인인 (주)A의 발행주식총수 100,000주(20,000주는 의결권이 없음) 중 75,000주(15,000주는 의결권이 없음)를 보유하고 있으며, 과점주주면서 그 법인의 경영에 대하여 지배적인 영향력을 행사하고 있다. (주)A가 10억 원의 국세를 체납하였고, (주)A의 재산으로 충당하여도 부족한 금액이 8억 원인 경우 甲이 제2차 납세의무자로서 부담하여야 할 한도는 얼마인가?

2011년 국가직 7급 변형

① 6억 원

② 7.5억 원

③ 8억 원

④ 10억 원

정답 및 해설

[시험장 풀이]

$$8억\ 원 \times \frac{60,000주}{80,000주} = 6억\ 원$$

[이해용 풀이]

ⓐ 제2차 납세의무는 주된 납세자의 재산으로 충당하여도 부족한 금액에 대해서만 진다.

ⓑ 과점주주의 한도액 = 징수부족액 × $\dfrac{과점주주의\ 소유주식수^*}{발행주식총수^*}$

  *의결권 없는 주식은 제외

답 ①

26 국세기본법상 제2차 납세의무에 대한 설명으로 옳지 않은 것은?

① 청산인 등의 제2차 납세의무는 청산인의 경우 분배하거나 인도한 재산의 가액을 한도로 하고, 그 분배 또는 인도를 받은 자의 경우에는 각자가 받은 재산의 가액을 한도로 한다.

② 자본시장과 금융투자업에 관한 법률에 따른 유가증권시장에 상장한 법인의 과점주주는 그 법인이 납부 하는 국세에 대하여 제2차 납세의무를 지지 아니한다.

③ 법인의 출자자가 소유한 주식의 양도가 법률에 의해 제한된 경우에는, 그 출자자가 납부할 국세에 대하여 법인은 제2차 납세의무를 진다.

④ 사업양수인의 제2차 납세의무에 있어서 사업양수인이란 사업장별로 그 사업에 관한 미수금을 포함한 모든 권리와 모든 의무를 포괄적으로 승계한 자를 말한다.

정답 및 해설

사업양수인의 제2차 납세의무에 있어 사업양수인이란 사업장별로 그 사업에 관한 모든 권리(미수금에 관한 것 <u>제외</u>)와 모든 의무(미지급금에 관한 것 <u>제외</u>)를 포괄적으로 승계한 자를 의미한다. 미수금 및 미지급금은 해당 사업의 중요한 내용에 해당하지 않기 때문이다.

선지분석

① 📄 **청산인 등의 제2차 납세의무의 한도(국세기본법 제38조 참조)**
   1. 청산인: 분배하거나 인도한 재산의 가액
   2. 잔여재산을 분배 또는 인도를 받은 자: 각자가 받은 재산의 가액

② 📄 **출자자 등의 제2차 납세의무(국세기본법 제39조 참조)**
   1. 주된 납세의무자: 법인(유가증권시장 및 코스닥시장에 주권상장된 법인은 제외)
   2. 제2차 납세의무자: 납세의무 성립일 무한책임사원 및 과점주주

③ 법인의 제2차 납세의무에 대한 옳은 내용이다.

답 ④

27 국세기본법상 제2차 납세의무에 대한 설명으로 옳지 않은 것은?

2017년 국가직 7급 변형

① 법인의 제2차 납세의무는 그 법인의 자산총액에서 부채총액을 뺀 가액을 그 법인의 발행주식 총액 또는 출자총액으로 나눈 가액에 그 출자자의 소유주식금액 또는 출자액을 곱하여 산출한 금액을 한도로 한다.

② 사업이 양도·양수된 경우에 양도일 이전에 양도인의 납세의무가 확정된 그 사업에 관한 국세 및 강제징수비를 양도인의 재산으로 충당하여도 부족할 때에는 대통령령으로 정하는 사업의 양수인은 그 부족한 금액에 대하여 양수한 재산의 가액을 한도로 제2차 납세의무를 진다.

③ 법인이 해산한 경우에 그 법인에 부과되거나 그 법인이 납부할 국세 및 강제징수비를 납부하지 아니하고 청산 후 남은 재산을 분배하거나 인도하였을 때에 그 법인에 대하여 강제징수를 집행하여도 징수할 금액에 미치지 못하는 경우에는 청산인 또는 청산 후 남은 재산을 분배받거나 인도받은 자는 그 부족한 금액에 대하여 제2차 납세의무를 진다. 이에 따른 제2차 납세의무는 청산인의 경우 분배하거나 인도한 재산의 가액을 한도로 하고, 그 분배 또는 인도를 받은 자의 경우에는 각자가 받은 재산의 가액을 한도로 한다.

④ 법인(대통령령으로 정하는 증권시장에 주권이 상장된 법인은 제외)의 재산으로 그 법인에 부과되거나 그 법인이 납부할 국세 및 강제징수비에 충당하여도 부족한 경우에는 그 국세의 납부기간 만료일 현재 과점주주는 그 부족한 금액에 대하여 제2차 납세의무를 진다.

정답 및 해설

납부기간 만료일이 아닌 납세의무 성립일이다.

> 📄 **제2차 납세의무를 지는 시기(국세기본법 제39조·제40조 참조)**
> 1. 출자자 등의 제2차 납세의무자: 납세의무 성립일 무한책임사원 및 과점주주
> 2. 법인의 제2차 납세의무 중 주된 납세자: 납부기간 만료일 무한책임사원 또는 과점주주

답 ④

28

국세기본법상 수정신고와 경정청구에 대한 설명으로 옳지 않은 것은?

① 과세표준신고서를 법정신고기한까지 제출한 자는 과세표준신고서에 기재된 과세표준 및 세액이 세법에 따라 신고하여야 할 과세표준 및 세액보다 큰 경우 과세표준수정신고서를 제출할 수 있다.

② 국세의 과세표준 및 세액의 결정 또는 경정을 받은 자가 소득의 귀속을 제3자에게로 변경시키는 결정 또는 경정이 있을 때에는 그 사유가 발생한 것을 안 날부터 3개월 이내에 결정 또는 경정을 청구할 수 있다.

③ 과세표준신고서를 법정신고기한까지 제출한 자는 과세표준신고서에 기재된 환급세액이 세법에 따라 신고하여야 할 환급세액을 초과할 때는 법에 정한 바에 따라 과세표준수정신고서를 제출할 수 있다.

④ 결정 또는 경정의 청구를 받은 세무서장은 그 청구를 받은 날부터 2개월 이내에 과세표준 및 세액을 결정 또는 경정하거나 결정 또는 경정하여야 할 이유가 없다는 뜻을 그 청구를 한 자에게 통지하여야 한다.

정답 및 해설

과세표준신고서에 기재된 과세표준 및 세액이 세법에 따라 신고하여야 할 과세표준 및 세액을 초과하는 때에는 경정청구를 해야 한다.

📄 **수정신고와 경정청구의 사유 비교(국세기본법 제45조 제1항, 제45조의2 제1항 참조)**

수정신고 사유	1. 과세표준신고서에 기재된 과세표준 및 세액이 세법에 따라 신고하여야 할 <u>과세표준 및 세액에 미치지 못할 때</u> 2. 과세표준신고서에 기재된 결손금액 또는 환급세액이 세법에 따라 신고하여야 할 결손금액이나 환급세액을 초과할 때
경정청구 사유	1. 과세표준신고서에 기재된 과세표준 및 세액이 세법에 따라 신고하여야 할 <u>과세표준 및 세액을 초과할 때</u> 2. 과세표준신고서에 기재된 결손금액 또는 환급세액이 세법에 따라 신고하여야 할 <u>결손금액 또는 환급세액에 미치지 못할 때</u>

선지분석

④ 경정청구에 대한 결정통지는 청구를 한 자가 2개월 이내에 아무런 통지를 받지 못한 경우에는 통지를 받기 전이라도 그 2개월이 되는 날의 다음 날부터 이의신청, 심사청구, 심판청구 또는 감사원법에 따른 심사청구를 할 수 있다.

답 ①

29

국세기본법상 경정청구에 관한 설명으로 옳지 않은 것은?

① 법인세 납세의무자가 법정신고기한까지 과세표준확정신고를 한 후 다시 적법한 경정청구를 한 경우에는 그 금액에 대해 납세자의 경정청구만으로도 납세의무가 확정되는 효력이 있다.

② 납세자의 신고에 의하여 확정되는 국세뿐만 아니라 정부의 결정에 의하여 확정되는 국세도 경정청구를 할 수 있다.

③ 납세자가 과세표준신고서를 법정신고기한까지 제출하였으나 해당 국세를 자진 납부하지 않은 경우에도 경정청구를 할 수 있다.

④ 납세자가 과세표준신고서를 법정신고기한까지 제출한 후 관할 세무서장이 경정처분을 한 경우에도 납세자는 경정청구를 할 수 있다.

정답 및 해설

경정청구는 자체만으로는 과세표준 및 세액을 확정시키는 효력이 없다. 경정청구 후 과세관청이 구체적인 결정 또는 경정의 조치를 하여야 확정력이 발생된다.

선지분석

③ 과세표준신고서를 법정신고기한까지 제출한 자(납부와는 관련 ×)가 통상적인 경정청구를 할 수 있는 자이다.

④ 증액경정처분을 받은 경우 처분이 있음을 안 날부터 90일 이내에 경정을 청구할 수 있다.

📄 **확정력의 유무 비교**

구분	수정신고		경정청구		기한 후 신고
	신고납세세목	정부부과세목	통상적	후발적	
확정력	○	×	×	×	×

답 ①

30 국세기본법상 경정청구의 청구기간과 관련한 다음 제시문의 ㉠ ~ ㉢에 들어갈 내용을 바르게 연결한 것은?

2018년 국가직 9급

> 납세자가 법정신고기한까지 과세표준신고서를 제출한 경우에는 국세기본법 제45조의2 제1항에 따라 경정청구를 할 수 있는데 이 경우 법정신고기한이 지난 후 (㉠) 이내에 관할 세무서장에게 그 경정청구를 해야 한다. 다만, 결정 또는 경정으로 인하여 증가된 과세표준 및 세액에 대하여는 해당 처분이 있음을 안 날(처분의 통지를 받은 때에는 그 받은 날)부터 (㉡) 이내[법정신고기한이 지난 후 (㉢) 이내로 한정한다]에 경정을 청구할 수 있다.

	㉠	㉡	㉢
①	5년	60일	5년
②	3년	60일	3년
③	5년	90일	5년
④	3년	90일	3년

정답 및 해설

㉠은 5년, ㉡은 90일, ㉢은 5년이다.

경정청구기한(국세기본법 제45조2 제1항 참조)

통상적 경정청구	법정신고기한이 지난 후 5년 이내
증액경정처분	해당 처분이 있음을 안 날부터 90일 이내(법정신고기한이 지난 후 5년 이내에 한정)
후발적 경정청구	후발적 사유가 발생한 것을 안 날부터 3개월 이내

답 ③

31 국세기본법령상 후발적 사유에 의한 경정청구에 대한 설명으로 옳지 않은 것은?

2021년 국가직 9급

① 과세표준신고서를 법정신고기한까지 제출한 자는 소득이나 그 밖의 과세물건의 귀속을 제3자에게로 변경시키는 결정 또는 경정이 있을 때에는 후발적 사유에 의한 경정을 청구할 수 없다.
② 국세의 과세표준 및 세액의 결정을 받은 자는 조세조약에 따른 상호합의가 최초의 신고·결정 또는 경정의 내용과 다르게 이루어졌을 때에는 후발적 사유에 의한 경정을 청구할 수 있다.
③ 과세표준신고서를 법정신고기한까지 제출한 자는 최초의 신고·결정 또는 경정에서 과세표준 및 세액의 계산 근거가 된 거래 또는 행위 등이 그에 관한 소송에 대한 판결에 의하여 다른 것으로 확정되었을 때에는 후발적 사유에 의한 경정을 청구할 수 있다.
④ 후발적 사유가 발생하였을 때에는 그 사유가 발생한 것을 안 날부터 3개월 이내에 결정 또는 경정을 청구할 수 있다.

정답 및 해설

과세표준신고서를 법정신고기한까지 제출한 자 또는 국세의 과세표준 및 세액의 결정을 받은 자는 소득이나 그 밖의 과세물건의 귀속을 제3자에게로 변경시키는 결정 또는 경정이 있을 때에는 그 사유가 발생한 것을 안 날부터 3개월 이내에 결정 또는 경정을 청구할 수 있다.

답 ①

32

국세기본법상 수정신고와 경정 등의 청구에 대한 설명으로 옳은 것만을 모두 고르면?

> ㄱ. 상속세의 수정신고는 당초의 신고에 따라 확정된 과세표준과 세액을 증액하여 확정하는 효력을 가진다.
> ㄴ. 과세표준신고서를 법정신고기한까지 제출한 자 또는 국세의 과세표준 및 세액의 결정을 받은 자는 후발적 사유가 발생한 경우 그 사유가 발생한 것을 안 날부터 4개월 이내에 결정 또는 경정을 청구할 수 있다.
> ㄷ. 과세표준신고서를 법정신고기한까지 제출한 자 및 기한 후 과세표준신고서를 제출한 자는 관할 세무서장이 과세표준과 세액을 결정 또는 경정하여 통지하기 전으로서 국세의 부과제척기간이 끝나기 전까지 수정신고를 할 수 있다.
> ㄹ. 과세표준신고서를 법정신고기한까지 제출한 자뿐만 아니라 기한 후 과세표준신고서를 제출한 자도 과세표준 및 세액의 결정 또는 경정을 청구할 수 있다.

① ㄱ, ㄴ
② ㄱ, ㄷ
③ ㄴ, ㄹ
④ ㄷ, ㄹ

정답 및 해설

옳은 것은 ㄷ, ㄹ이다.

선지분석
ㄱ. 상속세의 수정신고는 당초의 신고에 따라 확정된 과세표준과 세액을 증액하여 확정하는 효력을 가지지 아니한다. ∵ 정부부과세목이기 때문이다.
ㄴ. 과세표준신고서를 법정신고기한까지 제출한 자 또는 국세의 과세표준 및 세액의 결정을 받은 자는 후발적 사유가 발생한 경우 그 사유가 발생한 것을 안 날부터 3개월 이내에 결정 또는 경정을 청구할 수 있다.

답 ④

33 국세기본법상 기한 후 신고에 대한 설명으로 옳지 않은 것은? 2018년 국가직 9급

① 납세자가 적법하게 기한 후 과세표준신고서를 제출한 경우 관할 세무서장은 세법에 따라 신고일부터 30일 이내에 해당 국세의 과세표준과 세액을 결정하여야 한다.

② 적법하게 기한 후 과세표준신고서를 제출한 자로서 세법에 따라 납부하여야 할 세액이 있는 자는 그 세액을 납부하여야 한다.

③ 적법한 기한 후 신고가 있다고 하더라도 그 신고에는 해당 국세의 납세의무를 확정하는 효력은 없다.

④ 납세자가 적법하게 기한 후 과세표준신고서를 제출한 경우이지만, 세무서장이 과세표준과 세액을 결정할 것을 미리 알고 그러한 신고를 한 경우에는 기한 후 신고에 따른 무신고가산세 감면을 해주지 않는다.

정답 및 해설

기한 후 과세표준신고서를 제출하거나 수정신고에 따라 기한 후 과세표준신고서를 제출한 자가 과세표준수정신고서를 제출한 경우 관할 세무서장은 세법에 따라 신고일부터 3개월 이내에 해당 국세의 과세표준과 세액을 결정 또는 경정하여 신고인에게 통지하여야 한다. 다만, 그 과세표준과 세액을 조사할 때 조사 등에 장기간이 걸리는 등 부득이한 사유로 신고일부터 3개월 이내에 결정 또는 경정할 수 없는 경우에는 그 사유를 신고인에게 통지하여야 한다.

선지분석

② 단, 제출과 동시에 납부하지 않은 경우에도 적법한 기한 후 신고로 인정한다.

③ 기한 후 신고는 확정력이 없다.

④ 과세표준과 세액을 결정할 것을 미리 알고 신고서를 제출한 경우는 가산세를 감면해주지 아니한다.

답 ①

34 국세기본법상 가산세에 대한 설명으로 옳지 않은 것은? 2015년 국가직 7급

① 세법에 따른 제출기한이 지난 후 1개월 이내에 해당 세법에 따른 제출의무를 이행하는 경우 제출의무 위반에 대하여 세법에 따라 부과되는 해당 가산세액의 100분의 50에 상당하는 금액을 감면한다.

② 납세자가 의무를 이행하지 아니한 데 대한 정당한 사유가 있는 때에는 해당 가산세를 부과하지 아니한다.

③ 가산세는 해당 의무가 규정된 세법의 해당 국세의 세목으로 하며, 해당 국세를 감면하는 경우에는 가산세도 그 감면대상에 포함한 것으로 한다.

④ 가산세 부과의 원인이 되는 사유가 국세기본법에 따른 기한연장사유에 해당하는 경우에는 해당 가산세를 부과하지 아니한다.

정답 및 해설

가산세는 해당 의무가 규정된 세법의 해당 국세의 세목으로 하며, 해당 국세를 감면하는 경우에는 가산세는 그 감면대상에 <u>포함하지 아니한다.</u>

선지분석

① 📄 세법에 따른 제출 등의 기한이 지난 후 1개월 이내에 해당 세법에 따른 제출 등의 의무를 이행하는 경우 가산세 감면(국세기본법 제48조 제2항 제3호 참조)
　1. 감면대상 가산세목: 제출 등의 의무 위반에 대하여 세법에 따라 부과되는 가산세
　2. 감면율: 50%

②, ④ 가산세 100% 감면사유에 해당한다.

답 ③

35 국세기본법상 가산세에 대한 설명으로 옳지 않은 것은?

① 가산세는 납부할 세액에 가산하거나 환급받을 세액에서 공제한다.

② 소득세법에 따라 소득세를 원천징수하여 납부할 의무를 지는 자에게 원천징수 등 납부지연가산세를 부과하는 경우에는 납부하지 아니한 세액의 100분의 20에 상당하는 금액을 가산세로 한다.

③ 과세전적부심사 결정·통지기간에 그 결과를 통지하지 아니한 경우 결정·통지가 지연됨으로써 해당 기간에 부과되는 납부불성실·환급불성실가산세액의 100분의 50에 상당하는 금액을 감면한다.

④ 제47조의5 제1항 제1호에 따른 원천징수 등 납부지연가산세 납세의무는 법정납부기한이 경과하는 때에 성립한다.

정답 및 해설

국세기본법 제47조의5【원천징수 등 납부지연가산세】 ① 국세를 징수하여 납부할 의무를 지는 자가 징수하여야 할 세액을 법정납부기한까지 납부하지 아니하거나 과소납부한 경우에는 납부하지 아니한 세액 또는 과소납부분 세액의 100분의 50(제1호의 금액과 제2호 중 법정납부기한의 다음 날부터 납부고지일까지의 기간에 해당하는 금액을 합한 금액은 100분의 10)에 상당하는 금액을 한도로 하여 다음의 금액을 합한 금액을 가산세로 한다.
1. 납부하지 아니한 세액 또는 과소납부분 세액의 100분의 3에 상당하는 금액
2. 납부하지 아니한 세액 또는 과소납부분 세액 × 법정납부기한의 다음 날부터 납부일까지의 기간(납부고지일부터 납부고지서에 따른 납부기한까지의 기간은 제외) × 10만분의 22

선지분석

③ 📄 과세전적부심사 감면대상 가산세(국세기본법 제47조의5 제1항 참조)

1. 감면대상 가산세: 결정·통지가 지연됨으로써 해당 기간에 부과되는 납부불성실·환급불성실가산세
2. 감면세액: 가산세액 × 50%

답 ②

36 국세기본법상 가산세의 감면에 대한 설명으로 옳지 않은 것은?

① 납세자가 의무를 이행하지 아니한 데 대한 정당한 사유가 있는 경우에는 가산세를 부과하지 아니한다.

② 법정신고기한이 지난 후 1개월 이내에 수정신고한 경우에는 과소신고·초과환급신고가산세액의 90%에 상당하는 금액을 감면한다. 다만, 과세표준과 세액을 경정할 것을 미리 알고 과세표준수정신고서를 제출한 경우는 제외한다.

③ 법정신고기한이 지난 후 국세기본법 제45조의3에 따라 기한 후 신고납부를 한 경우에 그 신고납부가 법정신고기한이 지난 후 1개월 이내에 이루어진 경우에는 무신고가산세의 50%에 상당하는 금액을 감면한다. 다만, 과세표준과 세액을 결정할 것을 미리 알고 기한 후 과세표준신고서를 제출한 경우는 제외한다.

④ 국세기본법 제81조의15에 따른 과세전적부심사 결정·통지기간에 그 결과를 통지하지 아니한 경우에는 신고·납부 관련 가산세의 50%에 상당하는 금액을 감면한다.

정답 및 해설

과세전적부심사 결정 통시기간에 그 결과를 통지하지 아니한 경우(결정 통지가 지연됨으로써 해당 기간에 부과되는 납부지연가산세만 해당) 해당 가산세액의 50%에 상당하는 금액을 감면한다.

답 ④

37 국세기본법상 국세환급가산금에 관한 설명으로 옳지 않은 것은?

① 납세자의 국세환급가산금에 관한 권리는 행사할 수 있는 때로부터 5년간 행사하지 아니하면 소멸시효가 완성된다.

② 세무서장은 국세환급금을 충당하거나 지급할 때에는 대통령령으로 정하는 국세환급가산금 기산일부터 충당하는 날 또는 지급결정을 하는 날까지의 기간과 금융회사 등의 예금이자율 등을 고려한 국세환급가산금을 국세환급금에 가산하여야 한다.

③ 경정 등의 청구 또는 이의신청, 심사청구, 심판청구, 감사원법에 따른 심사청구 또는 행정소송법에 따른 소송에 대한 결정이나 판결 없이 고충민원의 처리에 따라 국세환급금을 충당하거나 지급하는 경우에는 국세환급가산금을 가산하여야 한다.

④ 납세자가 상속세를 물납한 후 그 부과의 일부를 감액하는 경정결정에 따라 환급하는 경우에는 국세환급가산금을 국세환급금에 가산하지 아니한다.

정답 및 해설

경정청구, 이의신청, 심사청구, 심판청구 등의 권리구제절차를 거치지 아니한 고충민원의 처리에 따라 국세를 환급하는 경우에는 국세환급가산금 지급대상에서 제외하였다.

선지분석

① 국세환급금의 소멸시효에 대한 옳은 내용이다.
④ 물납재산으로 환급하는 경우 국세환급가산금은 지급하지 아니한다.

답 ③

38

국세기본법상 국세환급에 대한 설명으로 옳은 것은?

2016년 국가직 7급 변형

① 국세환급은 별도의 환급신청이 필요하지 않으며, 당초 물납했던 재산으로 환급받는 물납재산환급의 경우에도 국세환급가산금을 받을 수 있다.

② 세무서장은 국세환급금으로 결정한 금액을 납세자의 동의와 관계없이 대통령령으로 정하는 바에 따라 체납된 국세 및 강제징수비에 충당하여야 한다. 이는 다른 세무서에 체납된 국세 및 강제징수비에 충당하는 경우에도 같다.

③ 세무서장이 국세환급금의 결정이 취소됨에 따라 이미 충당되거나 지급된 금액의 반환을 청구하는 경우에는 고지와 독촉의 절차 없이 당해 납세자의 재산에 대하여 압류를 행한다.

④ 납세자의 국세환급금에 관한 권리는 행사할 수 있는 때부터 5년간 행사하지 아니하면 소멸시효가 완성되며 타인에게 양도할 수 없다.

정답 및 해설

📄 **직권충당(납세자의 동의 없이 충당하는 것, 국세기본법 제51조 제2항 참조)**
1. 국세징수법에 따른 납기 전 징수사유로 납부고지에 의한 납부세액
2. 체납된 국세 및 강제징수비(다른 세무서에 체납된 국세 및 강제징수비 포함)

선지분석

① 국세환급은 별도의 환급신청이 필요하지 않으며, 당초 물납했던 재산으로 환급받는 경우에는 해당 물납 재산으로 환급하여야 한다. 이 경우 국세환급가산금은 지급하지 아니한다.

③ 세무서장이 국세환급금의 결정이 취소됨에 따라 이미 충당되거나 지급된 금액의 반환을 청구하는 경우에는 국세징수법의 고지·독촉 및 강제징수의 규정을 준용한다. **오답** 고지와 독촉의 절차 없이

④ 국세환급금에 관한 권리는 국세환급금통지서를 발급하기 전에 문서로 세무서장에게 양도를 요구한 경우 양도할 수 있다.

답 ②

39

국세기본법상 국세의 환급에 대한 설명으로 옳지 않은 것은?

2020년 국가직 7급

① 국세환급금의 소멸시효는 세무서장이 납세자의 환급청구를 촉구하기 위하여 납세자에게 하는 환급청구의 통지로 인하여 중단되지 아니한다.

② 국세환급금과 국세환급가산금을 과세처분의 취소 또는 무효확인청구의 소 등 행정소송으로 청구한 경우 시효의 중단에 관하여 민법에 따른 청구를 한 것으로 본다.

③ 납세자가 상속세를 물납한 후 그 부과의 전부 또는 일부를 취소하거나 감액하는 경정 결정에 따라 환급하는 경우에는 해당 물납재산으로 환급하면서 국세환급가산금도 지급하여야 한다.

④ 2020년 1월 1일 이후 국세를 환급하는 분부터 과세의 대상이 되는 소득의 귀속이 명의일 뿐이고 실질귀속자가 따로 있어 명의대여자에 대한 과세를 취소하고 실질귀속자를 납세의무자로 하여 과세하는 경우 명의대여자 대신 실질귀속자가 납부한 것으로 확인된 금액은 실질귀속자의 기납부세액으로 먼저 공제하고 남은 금액이 있는 경우에는 실질귀속자에게 환급한다.

정답 및 해설

납세자가 상속세 및 증여세법에 따라 상속세를 물납한 후 그 부과의 전부 또는 일부를 취소하거나 감액하는 경정 결정에 따라 환급하는 경우에는 해당 물납재산으로 환급하여야 한다. 이 경우 국세환급가산금은 지급하지 아니한다.

답 ③

40

국세환급가산금의 기산일에 대한 설명으로 옳지 않은 것은? (단, 국세는 분할납부하지 않는다고 가정함)

2012년 국가직 7급 변형

① 법인세법, 소득세법, 부가가치세법, 개별소비세법, 주세법 또는 교통·에너지·환경세법에 따른 환급세액을 신고 또는 잘못 신고함에 따른 경정으로 인하여 환급하는 경우 – 경정결정일
② 적법하게 납부된 후 법률이 개정되어 발생한 국세환급금 – 개정된 법률의 시행일
③ 착오납부, 이중납부 또는 납부 후 그 납부의 기초가 된 신고 또는 부과를 경정하거나 취소함에 따라 발생한 국세환급금 – 국세 납부일
④ 적법하게 납부된 국세의 감면으로 발생한 국세환급금 – 감면결정일

정답 및 해설

법인세법·소득세법·부가가치세법·개별소비세법·주세법, 교통·에너지·환경세법 또는 조세특례제한법에 따른 환급세액의 신고, 환급신청, 경정 또는 결정으로 인하여 환급하는 경우의 기산일은 신고를 한 날(신고한 날이 법정신고기일 전인 경우에는 해당 법정신고기일) 또는 신청을 한 날부터 30일이 지난 날(세법에서 환급기한을 정하고 있는 경우에는 그 환급기한의 다음 날)이다. 다만, 환급세액을 법정신고기한까지 신고하지 않음에 따른 결정으로 인하여 발생한 환급세액을 환급할 때에는 해당 결정일부터 30일이 지난 날로 한다.

답 ①

41

국세기본법상 불복절차에 관한 설명으로 옳지 않은 것은?

2007년 국가직 9급

① 국세기본법 또는 세법의 규정에 의한 처분이 국세청장이 조사·결정 또는 처리하거나 하였어야 할 것인 경우를 제외하고는 그 처분에 대하여 심사청구 또는 심판청구에 앞서 이의신청을 할 수 있다.
② 국세기본법상의 심판청구에 대한 결정이 있은 때에는 당해 행정청은 결정의 취지에 따라 즉시 필요한 처분을 하여야 한다.
③ 국세처분에 관한 행정소송은 행정소송법의 규정에 불구하고 심사청구 또는 심판청구에 대한 결정의 통지를 받은 날로부터 90일 이내에 제기하여야 한다. 결정기간 내에 결정의 통지를 받지 못한 경우에는 행정소송을 제기할 수 없다.
④ 국세청장은 심사청구의 내용이나 절차가 국세기본법 또는 세법에 적합하지 아니하나 보정할 수 있다고 인정하는 때에는 20일 이내의 기간을 정하여 보정할 것을 요구할 수 있다.

정답 및 해설

국세처분에 관한 행정소송은 행정소송법의 규정에 불구하고 심사청구 또는 심판청구에 대한 결정의 통지를 받은 날로부터 90일 이내에 제기하여야 한다. 결정기간 내에 통지를 받지 못한 경우에는 결정의 통지를 받기 전이라도 그 결정기간이 지난 날부터 행정소송을 <u>제기할 수 있다.</u>

답 ③

42 국세기본법상 조세불복제도에 관한 설명으로 옳지 않은 것은? 2008년 국가직 7급

① 불복청구인의 대리인은 본인의 특별한 위임 없이도 불복의 신청 또는 청구의 취하를 할 수 있다.

② 조세심판관회의는 심판청구에 대한 결정을 함에 있어서 심판청구를 한 처분보다 청구인에게 불이익이 되는 결정을 할 수 없다.

③ 조세심판관합동회의는 심판청구에 대한 결정을 함에 있어서 심판청구를 한 처분 이외의 처분에 대하여는 그 처분의 전부 또는 일부를 취소 또는 변경하거나 새로운 처분의 결정을 하지 못한다.

④ 이의신청에 대한 결정기간 내에 결정통지를 받지 못한 경우에는 결정통지를 받기 전이라도 그 결정기간이 지난 날부터 심사청구를 할 수 있다.

정답 및 해설

대리인은 본인을 위하여 그 신청 또는 청구에 관한 모든 행위를 할 수 있다. 다만, <u>그 신청 또는 청구의 취하는 특별한 위임을 받은 경우에만 할 수 있다.</u> 불복의 취하는 납세자에게 불리한 행위이므로 신중을 기하기 위함이다.

선지분석
② 불이익변경금지의 원칙에 대한 옳은 내용이다.
③ 불고불리의 원칙에 대한 옳은 내용이다.

답 ①

---

43 국세기본법령상 조세불복의 대리인에 대한 설명으로 옳지 않은 것은? (단, 지방세는 고려하지 않음) 2019년 국가직 9급

① 이의신청인 등과 처분청은 변호사를 대리인으로 선임할 수 있다.

② 이의신청인 등은 신청 또는 청구의 대상이 되는 금액이 3천만 원 미만인 경우 그 배우자도 대리인으로 선임할 수 있다.

③ 조세불복의 신청 또는 청구의 취하는 대리인이 본인으로부터 특별한 위임을 받은 경우에만 할 수 있다.

④ 법인이 아닌 심판청구인이 심판청구의 대상세목이 상속세이고, 청구금액이 5천만 원인 경우 조세심판원에 세무사를 국선대리인으로 선정하여 줄 것을 신청할 수 있다.

정답 및 해설

> 📄 **국선대리인 선정신청(국세기본법 제59조의2 제1항 참조)**
> 이의신청인, 심사청구인, 심판청구인 및 과세전적부심사 청구인은 재결청(과세전적부심사의 경우에는 통지를 한 세무서장이나 지방국세청장)에 다음의 요건을 모두 갖추어 국선대리인으로 선정하여 줄 것을 신청할 수 있음
> 1. 이의신청인 등의 소득세법에 따른 종합소득금액이 5천만 원 이하 + 소유 재산의 가액이 5억 원 이하일 것
> 2. 이의신청인 등이 법인이 아닐 것
> 3. 3천만 원 이하인 신청 또는 청구일 것
> 4. 상속세, 증여세 및 종합부동산세가 아닌 세목에 대한 신청 또는 청구일 것

답 ④

44 국세기본법령상 조세불복제도에 대한 설명으로 옳은 것은? (다툼이 있는 경우, 판례에 의함) 2019년 국가직 7급

□□□

① 불복을 하더라도 압류 및 공매의 집행에 효력을 미치지 아니하는 것이 원칙이다.

② 조세범 처벌절차법에 따른 통고처분에 대해서는 불복할 수 없다.

③ 심판청구에 대한 재조사결정의 취지에 따른 후속처분이 심판청구를 한 당초처분보다 납세자에게 불리하더라도 불이익변경금지원칙이 적용되지 아니하므로 후속처분 중 당초처분의 세액을 초과하는 부분은 위법하지 않다.

④ 국세청장이 심사청구의 내용이나 절차가 국세기본법 또는 세법에 적합하지 아니하여 20일 이내의 기간을 정하여 보정을 요구한 경우 보정기간은 심사청구기간에 산입하지 아니하나 심사청구에 대한 결정기간에는 산입한다.

정답 및 해설

선지분석

① 납세자의 불복에 대하여는 집행부정지원칙이 적용되므로 납세자가 국세를 납부하지 아니하고 불복하면 압류 등 강제징수가 행해질 수 있다. 다만, 국세기본법에 따른 이의신청·심사청구 또는 심판청구절차가 진행 중이거나 행정소송이 계속 중인 국세의 체납으로 압류한 재산은 그 신청 또는 청구에 대한 결정이나 소(訴)에 대한 판결이 확정되기 전에는 공매할 수 없는 것이 원칙이다.

③ 조세심판관회의 또는 조세심판관합동회의는 심판결정을 할 때 심판청구를 한 처분보다 청구인에게 불리한 결정을 할 수 없다는 것으로, 재조사결정도 불이익변경금지원칙을 적용받는다(대판 2010.6.25, 2007두12514).

④ 국세청장은 심사청구의 내용이나 절차가 이 법 또는 세법에 적합하지 아니하나 보정할 수 있다고 인정되면 20일 이내의 기간을 정하여 보정할 것을 요구할 수 있다. 보정기간은 심사청구기간에 산입하지 아니하며, 심사청구에 대한 결정기간에도 산입하지 아니한다.

답 ②

150 해커스공무원 학원·인강 gosi.Hackers.com

45

국세기본법상 심사와 심판에 대한 설명으로 옳은 것으로만 묶은 것은?

> ㄱ. 심사청구가 이유 있다고 인정되어 행한 재조사결정에 따른 처분청의 처분에 대한 행정소송은 심사청구와 그에 대한 결정을 거치지 아니하면 제기할 수 없다.
> ㄴ. 감사원법에 따라 심사청구를 한 처분이나 그 심사청구에 대한 처분에 대해서는 국세기본법에 따른 처분의 취소 또는 변경을 청구하거나 필요한 처분을 청구할 수 없다.
> ㄷ. 국세청장은 심사청구의 내용이나 절차가 국세기본법 또는 세법에 적합하지 아니하나 보정(補正)할 수 있다고 인정되면 20일 이내의 기간을 정하여 보정할 것을 요구할 수 있고, 보정할 사항이 경미한 경우에는 직권으로 보정할 수 있다.
> ㄹ. 심판청구를 제기한 후 같은 날 심사청구를 제기한 경우에는 심사청구를 기각하는 결정을 한다.

① ㄱ, ㄴ
② ㄱ, ㄹ
③ ㄴ, ㄷ
④ ㄷ, ㄹ

정답 및 해설

옳은 것은 ㄴ, ㄷ이다.

선지분석

ㄱ. 위법한 처분에 대한 행정소송은 행정소송법에도 불구하고 국세기본법에 따른 심사청구 또는 심판청구와 그에 대한 결정을 거치지 아니하면 제기할 수 없다. 다만, 심사청구 또는 심판청구에 대한 재조사 결정에 따른 처분청의 처분에 대한 행정소송은 그러하지 아니하다.
ㄹ. 심판청구를 제기한 후 같은 날 심사청구를 제기한 경우에는 부적법한 청구로 보아 각하하는 결정을 한다.

답 ③

46

국세기본법상 납세자의 권리에 대한 설명으로 옳지 않은 것은?

① 세무공무원은 납세자 甲에 대한 구체적인 탈세제보가 있는 경우 甲이 제출한 신고서를 진실한 것으로 추정할 수 없다.
② 납세자는 세무조사 시에 변호사, 공인회계사, 세무사 등으로 하여금 조사에 참여하게 하거나 의견을 진술하게 할 수 있다.
③ 세무공무원은 조사대상 세목·업종·규모, 조사 난이도 등을 고려하여 세무조사기간이 최소한이 되도록 정하여야 하되, 거래처 조사가 필요한 경우에는 세무조사기간을 연장할 수 있다.
④ 세무공무원은 납세자 乙의 거래상대방에 대한 조사가 필요한 경우에도 乙의 같은 세목과 같은 과세기간에 대하여 재조사를 할 수 없다.

정답 및 해설

세무공무원은 거래상대방에 대한 조사가 필요한 경우 같은 세목 및 같은 과세기간에 대한 재조사를 할 수 있다.

선지분석

① 수시조사사유는 납세자의 성실성 추정의 배제사유이다.
③ 세무조사기간은 최소한(최대 ×)이 되도록 하여야 한다.

답 ④

47 국세기본법에서 규정하고 있는 납세자의 권리에 대한 설명으로 옳지 않은 것은? 2016년 국가직 9급

① 세무조사의 사전통지를 받은 납세자가 장기출장을 사유로 조사를 받기 곤란한 경우에는 조사의 연기를 신청할 수 있다.

② 세무공무원은 납세자가 세법에서 정하는 신고 등의 납세협력의무를 이행하지 아니한 경우에도 납세자가 성실하며 납세자가 제출한 신고서 등이 진실한 것으로 추정하여야 한다.

③ 납세자의 과세정보에 대한 비밀유지원칙에 불구하고 지방자치단체가 지방세 부과·징수 등을 위하여 사용할 목적으로 과세정보를 요구하는 경우 세무공무원은 이를 제공할 수 있다.

④ 납세자 본인의 권리행사에 필요한 정보를 납세자가 요구하는 경우 세무공무원은 이를 신속하게 제공하여야 한다.

정답 및 해설

수시선정 세무조사사유에 해당하는 경우 납세자의 성실성 추정은 배제된다.

> 📄 **납세자의 성실성 추정의 배제사유 = 수시선정 세무조사사유(국세기본법 제81조의6 제3항 참조)**
>
> 세무공무원은 납세자가 다음의 어느 하나에 해당하는 경우를 제외하고는 납세자가 성실하며 제출한 신고서 등이 진실한 것으로 추정하여야 함
> 1. 납세자가 세법에서 정하는 신고, 성실신고확인서의 제출, 세금계산서 또는 계산서의 작성 등 납세협력의무를 이행하지 아니한 경우
> 2. 무자료 거래, 위장 등 거래 내용이 사실과 다른 혐의가 있는 경우
> 3. 납세자에 대한 구체적인 탈세제보가 있는 경우
> 4. 신고 내용에 탈루나 오류의 혐의를 인정할 만한 명백한 자료가 있는 경우
> 5. 납세자가 세무공무원에게 직무와 관련하여 금품을 제공하거나 금품의 제공을 알선한 경우

선지분석

① 세무조사 연기신청사유이다.

③ 원칙은 세무공무원은 납세자가 세법에서 정한 납세의무를 이행하기 위하여 제출한 자료나 국세의 부과·징수를 위하여 업무상 취득한 자료 등을 타인에게 제공 또는 누설하거나 목적 외의 용도로 사용해서는 안 된다. 보기지문은 과세정보를 제공할 수 있는 사유이다.

답 ②

48 국세기본법상 정기선정 세무조사사유로 옳지 않은 것은?　　　　　　　　　　2009년 국가직 7급

① 국세청장이 납세자의 신고 내용에 대한 정기적인 성실도 분석결과 불성실혐의가 있다고 인정하는 경우
② 최근 4과세기간(또는 4사업연도) 이상 동일세목의 세무조사를 받지 아니한 납세자에 대하여 업종, 규모 등을 고려하여 대통령령이 정하는 바에 따라 신고 내용이 적정한지를 검증할 필요가 있는 경우
③ 신고 내용에 탈루나 오류의 혐의를 인정할 만한 명백한 자료가 있는 경우
④ 무작위추출방식에 의하여 표본조사를 하려는 경우

정답 및 해설

신고 내용에 탈루나 오류의 혐의를 인정할 만한 명백한 자료가 있는 경우는 정기선정 세무조사사유에 해당하지 않는다.

> 📄 **정기선정 세무조사사유(국세기본법 제81조의6 제2항 참조)**
> 1. 국세청장이 납세자의 신고 내용에 대하여 과세자료, 세무정보 및 주식회사의 외부감사에 관한 법률에 따른 감사의견, 외부감사 실시 내용 등 회계성실도 자료 등을 고려하여 정기적으로 성실도를 분석한 결과 불성실혐의가 있다고 인정하는 경우
> 2. 최근 4과세기간 이상 같은 세목의 세무조사를 받지 아니한 납세자에 대한 업종, 규모, 경제력 집중 등을 고려하여 신고 내용이 적정한지를 검증할 필요가 있는 경우
> 3. 무작위추출방식으로 표본조사를 하려는 경우

답 ③

49 국세기본법상 세무조사에 관한 설명으로 옳지 않은 것은?　　　　　　　　　　2010년 국가직 7급

① 조사대상 과세기간 중 연간 수입금액 또는 양도가액이 가장 큰 과세기간의 연간 수입금액 또는 양도가액이 100억 원 미만인 납세자에 대한 세무조사기간은 20일 이내로 하는 것을 원칙으로 한다.
② 세무공무원은 구체적인 세금탈루의 혐의가 여러 과세기간 또는 다른 세목까지 관련되는 것으로 확인되는 경우에는 조사진행 중 세무조사의 범위를 확대할 수 있다.
③ 세무공무원은 세무조사(조세범 처벌절차법에 따른 조세범칙조사를 포함)의 목적으로 납세자의 장부 등을 세무관서에 임의로 보관할 수 없는 것이 원칙이다.
④ 납세자의 사업과 관련된 세목이 여러 가지인 경우 이를 통합하지 않고 특정한 세목만을 조사하는 것을 원칙으로 한다.

정답 및 해설

세무조사는 납세자의 사업과 관련하여 세법에 따라 신고·납부의무가 있는 세목을 통합하여 실시하는 것을 원칙으로 한다.

(선지분석)
③ 세무공무원은 원칙적으로 세무조사의 목적으로 납세자의 장부 또는 서류 등을 세무관서에 임의로 보관할 수 없다. 다만, 수시선정시유에 해당하는 경우에는 조사 목적에 필요한 최소한의 범위에서 납세자, 소지자 또는 보관자 등 정당한 권한이 있는 자가 임의로 제출한 장부 등을 납세자의 동의를 받아 세무관서에 일시 보관할 수 있다.

답 ④

50 국세기본법상 세무조사권 남용금지에 대한 설명으로 옳지 않은 것은? 2020년 국가직 7급

① 세무공무원은 부분조사를 실시한 후 해당 조사에 포함되지 아니한 부분에 대하여 조사하는 경우에는 같은 세목 및 같은 과세기간에 대하여 재조사를 할 수 있다.

② 세무공무원은 과세전적부심사청구가 이유 있다고 인정되어 행한 재조사결정에 따라 조사를 하는 경우에 결정서 주문에 기재된 범위의 조사를 넘어 같은 세목 및 같은 과세기간에 대하여 재조사를 할 수 있다.

③ 세무공무원은 세무조사를 하기 위하여 필요한 최소한의 범위에서 장부 등의 제출을 요구하여야 하며, 조사대상 세목 및 과세기간의 과세표준과 세액의 계산과 관련 없는 장부 등의 제출을 요구해서는 아니 된다.

④ 세무공무원은 적정하고 공평한 과세를 실현하기 위하여 필요한 최소한의 범위에서 세무조사(조세범 처벌절차법에 따른 조세범칙조사를 포함)를 하여야 하며, 다른 목적 등을 위하여 조사권을 남용해서는 아니 된다.

정답 및 해설

세무공무원은 과세전적부심사청구가 이유 있다고 인정되어 행한 재조사결정에 따라 조사를 하는 경우(결정서 주문에 기재된 범위의 조사에 한정) 같은 세목 및 같은 과세기간에 대하여 재조사를 할 수 있다.

답 ②

51 국세기본법상 과세전적부심사의 청구를 할 수 있는 경우는 모두 몇 개인가? 2011년 국가직 7급 변형

- 국세징수법에 규정된 납기전징수의 사유가 있는 경우
- 납부고지하려는 세액이 500만 원인 과세예고통지를 받은 경우
- 조세범 처벌법 위반으로 통고처분하는 경우
- 세무조사결과에 대한 서면통지를 받은 경우
- 국세청장의 훈령·예규·고시 등과 관련하여 새로운 해석이 필요한 경우
- 국제조세조정에 관한 법률에 따라 조세조약을 체결한 상대국이 상호합의절차의 개시를 요청한 경우

① 2개 ② 3개
③ 4개 ④ 5개

정답 및 해설

국세기본법상 과세전적부심사의 청구를 할 수 있는 경우는 3개이다.

📋 **과세전적부심사청구의 대상(국세기본법 시행령 제63조의15 제1항 참조)**

1. 세무조사결과에 대한 서면통지 또는 과세예고통지를 받은 경우
2. 법령과 관련하여 국세청장의 유권해석을 변경하여야 하거나 새로운 해석이 필요한 것
3. 세무서 또는 지방국세청에 대한 국세청장의 업무감사결과(현지에서 시정조치하는 경우를 포함)에 따라 세무서장 또는 지방국세청장이 하는 과세예고통지에 관한 것
4. 위 1.~3.의 규정에 해당하지 아니하는 사항 중 과세전적부심사청구금액이 10억 원 이상인 것
5. 감사원법에 따른 시정요구에 따라 세무서장 또는 지방국세청장이 과세처분하는 경우로서 시정요구 전에 과세처분 대상자가 감사원의 지적사항에 대한 소명안내를 받지 못한 것

답 ②

52 □□□ 국세기본법상 과세전적부심사와 관련된 설명으로 옳지 않은 것은?

2008년 국가직 9급

① 조세쟁송제도가 사후적 권리구제제도라면 과세전적부심사제도는 사전적 권리구제제도에 해당한다.

② 세무조사결과통지 및 과세예고통지를 하는 날부터 국세부과제척기간의 만료일까지의 기간이 4월인 경우에는 과세전적부심사를 청구할 수 없다.

③ 과세전적부심사를 받기 위해서는 세무조사결과에 대한 서면통지 또는 법령이 정하는 과세예고통지를 받은 날부터 30일 이내에 심사를 청구하여야 한다.

④ 과세전적부심사청구의 배제사유에 해당하는 경우가 아니라면 과세전적부심사의 청구부분에 대하여는 과세전적부심사에 대한 결정이 있을 때까지 과세표준 및 세액의 결정이나 경정결정이 유보된다.

정답 및 해설

세무조사결과통지 및 과세예고통지를 하는 날부터 국세부과제척기간의 만료일까지의 기간이 3개월 이하인 경우 과세전 적부심사 청구를 할 수 없다.

선지분석

③ 과세전적부심사의 청구기한에 대한 옳은 설명이다.
④ 과세전적부심사의 효력과 결정의 유보에 대한 옳은 설명이다.

답 ②

PART 3
국세징수법

01 국세징수법 총칙

1 총칙

I 목적

국세징수법은 국세의 징수에 필요한 사항을 규정함으로써 국민의 납세의무의 적정한 이행을 통하여 국세수입을 확보하는 것을 목적으로 한다.

II 다른 법률과의 관계

국세의 징수에 관하여 국세기본법이나 다른 세법에 특별한 규정이 있는 경우를 제외하고는 국세징수법에서 정하는 바에 따른다. 예를 들어 원천징수의무자가 납세의무자로부터 국세를 징수하는 경우에는 각 세법이 정하는 바에 따르며, 국세징수법이 적용되지 않는다.

III 용어의 정의

국세징수법에서 사용하는 용어의 뜻은 다음과 같다. 다만, 다음의 정의 외에 국세징수법에서 사용하는 용어의 뜻은 국세기본법에서 정하는 바에 따른다.

1. 납부기한

납세의무가 확정된 국세(가산세를 포함)를 납부하여야 할 기한으로서 다음의 구분에 따른 기한을 말한다.

법정납부기한	국세의 종목과 세율을 정하고 있는 법률, 국세기본법, 조세특례제한법 및 국제조세조정에 관한 법률에서 정한 기한을 말함
지정납부기한	관할 세무서장이 납부고지를 하면서 지정한 기한. 단, 다음의 기한은 지정납부기한(소득세법 중간예납세액, 부가가치세법 예정신고와 납부 및 간이과세자의 신고, 종합부동산세법 부과·징수 규정에 따라 세액의 결정이 없었던 것으로 보는 경우는 제외)으로 봄 ① 관할 세무서장이 소득세법에 따라 중간예납세액을 징수하여야 하는 기한 ② 관할 세무서장이 부가가치세법 예정부과징수 규정에 따라 부가가치세액을 징수하여야 하는 기한 ③ 관할 세무서장이 종합부동산세법에 따라 종합부동산세액을 징수하여야 하는 기한

2. 기타 용어의 정의

체납	국세를 지정납부기한까지 납부하지 아니하는 것을 말함. 다만, 지정납부기한 후에 납세의무가 성립·확정되는 국세기본법에 따른 납부지연가산세 및 원천징수 등 납부지연가산세의 경우 납세의무가 확정된 후 즉시 납부하지 아니하는 것을 말함
체납자	국세를 체납한 자
체납액	체납된 국세와 강제징수비

Ⅳ 징수의 순위

체납액의 징수 순위는 다음의 순서에 따른다.

> [1순위] 강제징수비 → [2순위] 국세(가산세는 제외) → [3순위] 가산세

국세의 경우 교육세, 농어촌특별세, 교통·에너지·환경세, 그 밖의 국세의 순으로 징수한다. 또한 국세에는 상속세 및 증여세법에 따른 연부연납 이자세액 및 조세특례제한법에 따라 소득세 또는 법인세에 가산하여 징수하는 이자상당가산액과 각 세법에 따른 가산세가 포함된다.

2 간접적 납세보전제도

납세자가 국세 등을 체납한 경우에 과세관청은 강제적(직접적)으로 국세 등을 징수할 수 있다. 이러한 절차를 체납처분(압류·매각·청산)이라고 한다. 그러나 국세징수법은 이러한 직접적인 징수 외에도 체납자에게 여러 가지 불이익을 줌으로써 국세 등의 납부를 보전하기 위하여 간접적으로 징수하는 제도를 두고 있다.

Ⅰ 납세증명서

1. 개념

납세자(모든 내국인과 납세의무가 있는 외국인)가 국가 등에 대하여 일정한 행위를 할 때 납세의무를 이행하였음을 증명하기 위하여 제출하는 서류를 말한다.

2. 내용

납세증명서는 발급일 현재 다음의 금액을 제외하고는 다른 체납액이 없다는 사실을 증명하는 문서를 말하며, 재난 등으로 인한 납부기한 등의 연장규정에 따라 지정납부기한이 연장된 경우 그 사실도 기재되어야 한다.

(1) 독촉장에서 정하는 기한의 연장에 관계된 금액

(2) 압류·매각의 유예액

(3) 납부고지의 유예액

(4) 채무자 회생 및 파산에 관한 법률에 따른 징수유예액 또는 강제징수에 따라 압류된 재산의 환가유예에 관련된 체납액

(5) 부가가치세법에 따라 물적납세의무를 부담하는 수탁자가 그 물적납세의무와 관련하여 체납한 부가가치세 등

(6) 종합부동산세법에 따라 물적납세의무를 부담하는 수탁자가 그 물적납세의무와 관련하여 체납한 종합부동산세 등

3. 제출

납세자는 다음 중 어느 하나에 해당하는 경우 납세증명서를 제출하여야 한다.

(1) 국가, 지방자치단체 또는 감사원의 검사 대상이 되는 법인 또는 단체 등으로부터 대금을 지급받을 경우

(2) 출입국관리법에 따른 외국인등록 또는 재외동포의 출입국과 법적 지위에 관한 법률에 따른 국내거소신고를 한 외국인이 체류기간 연장허가 등 체류 관련 허가를 법무부장관에게 신청하는 경우

(3) 내국인이 해외이주 목적으로 해외이주법에 따라 외교부장관에게 해외이주신고를 하는 경우

4. 제출의 예외

다음 중 어느 하나에 해당하면 납세증명서를 제출하지 아니하여도 된다.

(1) 국가를 당사자로 하는 계약에 관한 법률 시행령 및 지방자치단체를 당사자로 하는 계약에 관한 법률 시행령에 해당하는 수의계약과 관련하여 대금을 지급받는 경우

(2) 국가 또는 지방자치단체가 대금을 지급받아 그 대금이 국고 또는 지방자치단체금고에 귀속되는 경우

(3) 국세 강제징수에 따른 채권 압류로 관할 세무서장이 그 대금을 지급받는 경우

(4) 채무자 회생 및 파산에 관한 법률에 따른 파산관재인이 납세증명서를 발급받지 못하여 관할법원이 파산절차를 원활하게 진행하기 곤란하다고 인정하는 경우로서 관할 세무서장에게 납세증명서 제출의 예외를 요청하는 경우

(5) 납세자가 계약대금 전액을 체납세액으로 납부하거나 계약대금 중 일부금액으로 체납세액 전액을 납부하려는 경우

5. 제출대상자

대금을 지급받는 자가 원래의 계약자 외의 자인 경우 다음의 구분에 따라 납세증명서를 제출하여야 한다.

채권양도로 인한 경우	양도인과 양수인의 납세증명서
법원의 전부명령에 따르는 경우	압류채권자의 납세증명서
하도급거래 공정화에 관한 법률에 따라 건설공사의 하도급대금을 직접 지급받는 경우	수급사업자의 납세증명서

6. 관할 세무서장 등에 대한 조회

납세자가 납세증명서를 제출하여야 하는 경우 해당 주무관서 등은 국세청장(국세정보통신망을 통한 조회만 해당) 또는 관할 세무서장에게 조회하거나 납세자의 동의를 받아 전자정부법에 따른 행정정보의 공동이용을 통하여 그 체납사실 여부를 확인하는 경우에는 납세증명서를 제출받은 것으로 볼 수 있다.

7. 발급신청

납세증명서를 발급받으려는 자는 납세자의 주소 또는 거소와 성명, 납세증명서의 사용 목적, 납세증명서의 수량을 적은 문서(전자문서 포함)를 다음의 구분에 따른 관할 세무서장에게 제출(국세정보통신망을 통한 제출을 포함)하여야 한다. 다만, 국세청장이 납세자의 편의를 위하여 발급 세무서를 달리 정하는 경우에는 그 발급 세무서의 장에게 제출하여야 한다.

개인	원칙	주소지 또는 사업장 소재지
	주소가 없는 외국인	거소지 또는 사업장 소재지
법인	내국법인	본점소재지
	외국법인	국내 주사업장 소재지

8. 납세증명서의 발급

관할 세무서장은 납세자로부터 납세증명서의 발급을 신청받은 경우 그 사실을 확인한 후 즉시 납세증명서를 발급하여야 한다.

9. 납세증명서의 유효기간

(1) 원칙

그 증명서를 발급한 날부터 30일간으로 한다. 다만, 발급일 현재 해당 신청인에게 납부고지된 국세가 있는 경우에는 해당 지정납부기한까지로 할 수 있다.

(2) 유효기간의 기재

관할 세무서장은 유효기간을 지정납부기한까지로 정하는 경우 해당 납세증명서에 그 사유와 유효기간을 분명하게 적어야 한다.

Ⅱ 미납국세 등의 열람

1. 개요

(1) 주택임대차보호법에 따른 주거용 건물 또는 상가건물 임대차보호법에 따른 상가건물을 임차하여 사용하려는 자는 해당 건물에 대한 임대차계약을 하기 전 또는 임대차계약을 체결하고 임대차 기간이 시작하는 날까지 임대인의 동의를 받아 그 자가 납부하지 아니한 다음의 국세 또는 체납액의 열람을 임차할 건물 소재지의 관할 세무서장에게 신청할 수 있다. 이 경우 열람 신청은 관할 세무서장이 아닌 다른 세무서장에게도 할 수 있으며, 신청을 받은 세무서장은 열람 신청에 따라야 한다.
　① 세법에 따른 과세표준 및 세액의 신고기한까지 신고한 국세 중 납부하지 아니한 국세
　② 납부고지서를 발급한 후 지정납부기한이 도래하지 아니한 국세
　③ 체납액

(2) 임대차계약을 체결한 임차인으로서 해당 계약에 따른 보증금이 1천만 원을 초과하는 자는 임대차 기간이 시작하는 날까지 임대인의 동의 없이도 (1)에 따른 신청을 할 수 있다. 이 경우 신청을 받은 세무서장은 열람 내역을 지체 없이 임대인에게 통지하여야 한다.

2. 열람신청

(1) 미납국세 등의 열람을 신청하려는 자는 미납국세 등 열람신청서에 임대인의 동의를 증명할 수 있는 서류와 임차하려는 자의 신분을 증명할 수 있는 서류를 첨부하여 관할 세무서장에게 제출하여야 한다.

(2) 열람신청을 받은 관할 세무서장은 각 세법에 따른 과세표준 및 세액의 신고기한까지 임대인이 신고한 국세 중 납부하지 아니한 국세에 대해서는 신고기한부터 30일(종합소득세의 경우에는 60일)이 지났을 때부터 열람신청에 응하여야 한다.

Ⅲ 체납자료의 제공

1. 개요

관할 세무서장(지방국세청장을 포함)은 국세징수 또는 공익 목적을 위하여 필요한 경우로서 신용정보의 이용 및 보호에 관한 법률에 따른 신용정보집중기관, 그 밖에 대통령령으로 정하는 자가 다음 중 어느 하나에 해당하는 체납자료(체납자의 인적사항 및 체납액에 관한 자료)를 요구한 경우 이를 제공할 수 있다.

(1) 체납 발생일부터 1년이 지나고 체납액이 500만 원 이상인 자
(2) 1년에 3회 이상 체납하고 체납액이 500만 원 이상인 자

2. 정보제공 배제사유

체납된 국세와 관련하여 심판청구 등이 계속 중이거나 다음 중 어느 하나에 해당하는 경우에는 체납자료를 제공할 수 없다.

(1) 납세자가 재난 또는 도난으로 재산에 심한 손실을 입은 경우
(2) 납세자가 경영하는 사업에 현저한 손실이 발생하거나 부도 또는 도산의 우려가 있는 경우
(3) 압류 또는 매각이 유예된 경우
(4) 부가가치세법에 따라 물적납세의무를 부담하는 수탁자가 그 물적납세의무와 관련한 부가가치세 등을 체납한 경우
(5) 종합부동산세법에 따라 물적납세의무를 부담하는 수탁자가 그 물적납세의무와 관련한 종합부동산세 등을 체납한 경우

3. 체납자료 파일의 작성

관할 세무서장(지방국세청장을 포함)은 체납자료를 전산정보처리조직에 의하여 처리하는 경우에는 체납자료 파일(자기테이프, 자기디스크, 그 밖에 이와 유사한 매체에 체납자료가 기록·보관된 것)을 작성할 수 있다.

4. 요구절차

(1) 체납자료를 요구하려는 자는 요구자의 이름 및 주소, 요구하는 자료의 내용 및 이용 목적을 적은 문서를 관할 세무서장에게 제출하여야 한다.

(2) 체납자료를 요구받은 관할 세무서장은 체납자료 파일이나 문서로 제공할 수 있다.

(3) 제공한 체납자료가 체납액의 납부 등으로 체납자료에 해당되지 아니하게 되는 경우에는 그 사실을 사유 발생일부터 15일 이내에 요구자에게 통지하여야 한다.

Ⅳ 사업에 관한 허가 등의 제한

1. 제한 요건

(1) 사전적 제한

관할 세무서장은 납세자가 허가 등(인가·면허 및 등록 등을 포함)을 받은 사업과 관련된 소득세, 법인세 및 부가가치세를 체납한 경우 해당 사업의 주무관청에 그 납세자에 대하여 허가 등의 갱신과 그 허가 등의 근거 법률에 따른 신규 허가 등을 하지 아니할 것을 요구할 수 있다.

(2) 사후적 제한

관할 세무서장은 허가 등을 받아 사업을 경영하는 자가 해당 사업과 관련된 소득세, 법인세 및 부가가치세를 3회(3회의 체납횟수는 납부고지서 1통을 1회로 보아 계산함) 이상 체납하고 그 체납된 금액의 합계액이 500만원 이상인 경우 해당 주무관청에 사업의 정지 또는 허가 등의 취소를 요구할 수 있다.

2. 사업에 관한 허가 등 제한의 예외

다음 중 어느 하나에 해당하는 경우로서 관할 세무서장이 인정하는 경우에는 사업에 관한 허가 등을 제한하지 않는다.

(1) 공시송달의 방법으로 납부고지된 경우

(2) 납세자가 재난 또는 도난으로 재산에 심한 손실을 입은 경우

(3) 납세자가 경영하는 사업에 현저한 손실이 발생하거나 부도 또는 도산의 우려가 있는 경우

(4) 납세자 또는 그 동거가족이 질병이나 중상해로 6개월 이상의 치료가 필요한 경우 또는 사망하여 상중인 경우

(5) 민사집행법에 따른 강제집행 및 담보권 실행 등을 위한 경매가 시작되거나 채무자 회생 및 파산에 관한 법률에 따른 파산선고를 받은 경우

(6) 어음법 및 수표법에 따른 어음교환소에서 거래정지처분을 받은 경우

(7) 총 재산의 추산가액이 강제징수비(압류에 관계되는 국세에 우선하는 피담보채권 금액이 있는 경우 이를 포함)를 징수하면 남을 여지가 없어 강제징수를 종료할 필요가 있는 경우

(8) 부가가치세법에 따라 물적납세의무를 부담하는 수탁자가 그 물적납세의무와 관련한 부가가치세 등을 체납한 경우

(9) 종합부동산세법에 따라 물적납세의무를 부담하는 수탁자가 그 물적납세의무와 관련한 종합부동산세 등을 체납한 경우

(10) 관할 세무서장이 납세자에게 납부가 곤란한 사정이 있다고 인정하는 경우(이는 사후적 제한에 한하여 인정됨)

3. 기타 사항

(1) 관할 세무서장은 사업에 관한 허가 등의 제한요구를 한 후 해당 국세를 징수한 경우 즉시 그 요구를 철회하여야 한다.

(2) 해당 주무관청은 관할 세무서장의 요구가 있는 경우 정당한 사유가 없으면 요구에 따라야 하며, 그 조치 결과를 즉시 관할 세무서장에게 알려야 한다.

Ⅴ 출국금지

1. 개요

(1) 국세청장은 정당한 사유 없이 5천만 원 이상의 국세를 체납한 자 중 다음 중 어느 하나에 해당하는 사람으로서 관할 세무서장이 압류·공매, 담보 제공, 보증인의 납세보증서 등으로 조세채권을 확보할 수 없고, 강제징수를 회피할 우려가 있다고 인정되는 사람에 대하여 법무부장관에게 출입국관리법에 따라 출국금지를 요청하여야 한다.

　① 배우자 또는 직계존비속이 국외로 이주(국외에 3년 이상 장기체류 중인 경우를 포함)한 사람

　② 출국금지 요청일 현재 최근 2년간 미화 5만 달러 상당액 이상을 국외로 송금한 사람

　③ 미화 5만 달러 상당액 이상의 국외자산이 발견된 사람

　④ 국세징수법에 따라 명단이 공개된 고액·상습체납자

　⑤ 출국금지 요청일을 기준으로 최근 1년간 체납된 국세가 5천만 원 이상인 상태에서 사업 목적, 질병 치료, 직계존비속의 사망 등 정당한 사유 없이 국외 출입 횟수가 3회 이상이거나 국외 체류 일수가 6개월 이상인 사람

　⑥ 사해행위 취소소송 중이거나 제3자와 짜고 한 거짓계약에 대한 취소소송 중인 사람

(2) 국세청장은 법무부장관에게 체납자에 대한 출국금지를 요청하는 경우 해당 체납자가 위 사유 중 어느 항목에 해당하는지와 조세채권을 확보할 수 없고 강제징수를 회피할 우려가 있다고 인정하는 사유를 구체적으로 밝혀야 한다.

2. 통보의무

법무부장관은 출국금지요청에 따라 출국금지를 한 경우 국세청장에게 그 결과를 정보통신망 등을 통하여 통보하여야 한다.

3. 출국금지 해제요청

(1) 국세청장은 체납액 징수, 체납자 재산의 압류 및 담보 제공 등으로 출국금지 사유가 없어진 경우 즉시 법무부장관에게 출국금지의 해제를 요청하여야 한다.

(2) 국세청장은 출국금지 중인 사람에게 다음 중 어느 하나에 해당하는 사유가 발생한 경우 지체 없이 법무부장관에게 출국금지의 해제를 요청하여야 한다.
  ① 체납액의 납부 또는 부과결정의 취소 등에 따라 체납된 국세가 5천만 원 미만으로 된 경우
  ② 출국금지 요청의 요건이 해소된 경우

(3) 국세청장은 출국금지 중인 사람에게 다음 중 어느 하나에 해당하는 사유가 발생한 경우로서 강제징수를 회피할 목적으로 국외로 도피할 우려가 없다고 인정할 때에는 법무부장관에게 출국금지의 해제를 요청할 수 있다.
  ① 국외건설계약 체결, 수출신용장 개설, 외국인과의 합작사업 계약 체결 등 구체적인 사업계획을 가지고 출국하려는 경우
  ② 국외에 거주하는 직계존비속이 사망하여 출국하려는 경우
  ③ ① 및 ②의 사유 외에 본인의 신병 치료 등 불가피한 사유로 출국금지를 해제할 필요가 있다고 인정되는 경우

Ⅵ 재산조회 및 강제징수를 위한 지급명세서 등의 사용

국세청장·지방국세청장 또는 관할 세무서장은 금융실명거래 및 비밀보장에 관한 법률에도 불구하고 이자소득 또는 배당소득에 대한 지급명세서 등 금융거래에 관한 정보를 체납자의 재산조회와 강제징수를 위하여 사용할 수 있다.

Ⅶ 고액·상습체납자의 명단공개

1. 개요

(1) 국세청장은 국세기본법상 비밀유지규정에도 불구하고 체납발생일부터 1년이 지난 국세의 합계액이 2억 원 이상인 경우 체납자의 인적사항 및 체납액 등을 공개할 수 있다. 이 경우 체납발생일부터 1년이 지났는지 여부는 명단공개일이 속하는 연도의 직전 연도 12월 31일을 기준으로 판단한다.

(2) 체납자의 명단을 공개하는 경우 공개할 사항은 체납자의 성명·상호(법인의 명칭을 포함), 나이, 직업, 주소, 체납액의 세목·납부하여야 할 기한 및 체납 요지 등으로 하고, 체납자가 법인인 경우에는 법인의 대표자를 함께 공개한다.

(3) 명단공개 대상자의 선정 절차, 명단공개 방법, 그 밖에 명단공개와 관련하여 필요한 사항은 국세기본법상 불성실기부금수령단체 등의 명단공개 규정을 준용한다.

2. 명단공개 배제사유

체납된 국세와 관련하여 심판청구 등이 계속 중이거나 다음 중 어느 하나에 해당하는 경우에는 명단을 공개할 수 없다.

(1) 다음 계산식에 따라 계산한 최근 2년간의 체납액 납부비율이 50% 이상인 경우

$$최근\ 2년간의\ 체납액\ 납부비율 = \frac{B}{A+B}$$

A: 명단공개 예정일이 속하는 연도의 직전연도 12월 31일 당시의 명단공개 대상 예정자의 체납액

B: 명단공개 예정일이 속하는 연도의 직전 2개 연도 동안 명단공개 대상 예정자가 납부한 금액

(2) 회생계획인가의 결정에 따라 체납된 국세의 징수를 유예받고 그 유예기간 중에 있거나 체납된 국세를 회생계획의 납부일정에 따라 납부하고 있는 경우

(3) 재산상황, 미성년자 해당 여부 및 그 밖의 사정 등을 고려할 때 위원회가 공개할 실익이 없거나 공개하는 것이 부적절하다고 인정하는 경우

(4) 부가가치세법에 따라 물적납세의무를 부담하는 수탁자가 물적납세의무와 관련된 부가가치세를 체납한 경우

(5) 종합부동산세법에 따라 물적납세의무를 부담하는 수탁자가 물적납세의무와 관련된 종합부동산세를 체납한 경우

VIII 고액·상습체납자의 감치

1. 개요

법원은 검사의 청구에 따라 체납자가 다음의 사유에 모두 해당하는 경우 결정으로 30일의 범위에서 체납된 국세가 납부될 때까지 그 체납자를 감치에 처할 수 있다. 이 경우 국세청장은 아래 사유에 모두 해당하는 경우 체납자의 주소 또는 거소를 관할하는 지방검찰청 또는 지청의 검사에게 체납자의 감치를 신청할 수 있다.

(1) 국세를 3회 이상 체납하고 있고, 체납 발생일부터 각 1년이 경과하였으며, 체납된 국세의 합계액이 2억 원 이상인 경우
(2) 체납된 국세의 납부능력이 있음에도 불구하고 정당한 사유 없이 체납한 경우
(3) 국세기본법에 따른 국세정보위원회의 의결에 따라 해당 체납자에 대한 감치 필요성이 인정되는 경우

2. 체납자의 기본권 보호조치

(1) 국세청장은 체납자의 감치를 신청하기 전에 체납자에게 소명자료를 제출하거나 의견을 진술할 수 있는 기회를 주어야 한다.
(2) 감치결정에 대해서는 즉시항고를 할 수 있다.
(3) 감치에 처해진 체납자는 동일한 체납 사실로 인하여 다시 감치되지 않는다.
(4) 감치에 처하는 재판을 받은 체납자가 그 감치의 집행 중에 체납된 국세를 납부한 경우 감치집행을 종료하여야 한다.
(5) 세무공무원은 감치집행 시 감치대상자에게 감치사유, 감치기간 및 감치집행의 종료 등 감치결정에 대한 사항을 설명하고 그 밖에 감치집행에 필요한 절차에 협력하여야 한다.

3. 감치재판 절차

감치에 처하는 재판의 절차 및 그 집행, 그 밖에 필요한 사항은 대법원규칙으로 정한다.

4. 감치 신청에 대한 의견진술 등

(1) 국세청장은 체납자가 소명자료를 제출하거나 의견을 진술할 수 있도록 다음의 사항이 모두 포함된 서면(체납자가 동의하는 경우 전자문서를 포함)을 체납자에게 통지하여야 한다. 이 경우 ④에 따른 기간(30일)에 소명자료를 제출하지 아니하거나 의견진술 신청이 없는 경우에는 의견이 없는 것으로 본다.

① 체납자의 성명과 주소

② 감치 요건, 감치 신청의 원인이 되는 사실, 감치 기간 및 적용 법령

③ 감치의 집행 중에 체납된 국세를 납부하는 경우에는 감치 집행이 종료될 수 있다는 사실

④ 체납자가 소명자료를 제출하거나 의견을 진술할 수 있다는 사실과 소명자료 제출 및 의견진술 신청 기간(이 경우 그 기간은 통지를 받은 날부터 30일 이상으로 하여야 함)

⑤ 그 밖에 소명자료 제출 및 의견진술 신청에 관하여 필요한 사항

(2) 의견을 진술하려는 사람은 (1)의 ④에 따른 기간(30일)에 국세청장에게 진술하려는 내용을 간략하게 적은 문서(전자문서를 포함)를 제출하여야 한다.

(3) 의견진술 신청을 받은 국세청장은 국세정보위원회의 회의 개최일 3일 전까지 신청인에게 회의 일시 및 장소를 통지하여야 한다.

02 신고납부, 납부고지 등

1 납부고지

Ⅰ 신고납부

납세자는 세법에서 정하는 바에 따라 국세를 관할 세무서장에게 신고납부하는 경우 그 국세의 과세기간, 세목, 세액 및 납세자의 인적사항을 납부서에 적어 납부하여야 한다.

Ⅱ 납부고지

납부고지란 확정된 조세채권에 대하여 과세관청이 납부기한을 지정하여 그 이행을 청구하는 행위를 말한다.

1. 납세자에 대한 납부고지 등

(1) 관할 세무서장은 납세자로부터 국세를 징수하려는 경우 국세의 과세기간, 세목, 세액, 산출 근거, 납부하여야 할 기한(납부고지를 하는 날부터 30일 이내의 범위로 정함) 및 납부장소를 적은 납부고지서를 납세자에게 발급하여야 한다. 다만, 국세기본법에 따른 납부지연가산세 및 원천징수 등 납부지연가산세 중 지정납부기한이 지난 후의 가산세를 징수하는 경우에는 납부고지서를 발급하지 아니할 수 있다.

(2) 관할 세무서장은 납세자가 체납액 중 국세만을 완납하여 강제징수비를 징수하려는 경우 강제징수비의 징수와 관계되는 국세의 과세기간, 세목, 강제징수비의 금액, 산출 근거, 납부하여야 할 기한(강제징수비 고지를 하는 날부터 30일 이내의 범위로 정함) 및 납부장소를 적은 강제징수비 고지서를 납세자에게 발급하여야 한다.

2. 제2차 납세의무자 등에 대한 고지

(1) 관할 세무서장은 납세자의 체납액을 다음 중 어느 하나에 해당하는 자로부터 징수하는 경우 징수하려는 체납액의 과세기간, 세목, 세액, 산출 근거, 납부하여야 할 기한(납부고지를 하는 날부터 30일 이내의 범위로 정함), 납부장소, 제2차 납세의무자 등으로부터 징수할 금액, 그 산출 근거, 그 밖에 필요한 사항을 적은 납부고지서를 제2차 납세의무자 등에게 발급하여야 한다.

① 제2차 납세의무자

② 보증인

③ 국세기본법 및 세법에 따라 물적납세의무를 부담하는 자

(2) 관할 세무서장은 (1)에 따라 제2차 납세의무자 등에게 납부고지서를 발급하는 경우 납세자에게 그 사실을 통지하여야 하고, 물적납세의무를 부담하는 자로부터 납세자의 체납액을 징수하는 경우 물적납세의무를 부담하는 자의 주소 또는 거소를 관할하는 세무서장에게도 그 사실을 통지하여야 한다.

3. 납부고지서의 발급시기

납부고지서는 징수결정 즉시 발급하여야 한다. 다만, 납부고지를 유예한 경우 유예기간이 끝난 날의 다음 날에 발급한다. 그러나 발급시기 이후에 발급된 고지서도 그 효력에는 영향이 없다.

4. 연대납세의무자에 대한 고지

(1) 연대납세의무자에게 서류를 송달할 때에는 그 대표자를 명의인으로 하며, 대표자가 없을 때에는 연대납세의무자 중 국세를 징수하기에 유리한 자를 명의인으로 한다. 다만, 납부의 고지와 독촉에 관한 서류는 연대납세의무자 모두에게 각각 송달하여야 한다.

(2) 연대납세의무를 지는 납세자에게 납부고지를 할 때에는 연대납세의무자 전원을 고지서에 기재하여야 하며, 연대납세의무자 전원에게 납부고지서를 발부하여야 한다.

Ⅲ 납부기한 전 징수

납부기한 전 징수는 관할 세무서장이 납부기한까지 기다릴 경우 국세를 징수할 수 없는 경우 납부기한 전에 국세를 징수할 수 있는 제도를 말한다.

1. 사유

관할 세무서장은 납세자에게 다음 중 어느 하나에 해당하는 사유가 있는 경우 납부기한 전이라도 이미 납세의무가 확정된 국세를 징수할 수 있다.

(1) 국세, 지방세 또는 공과금의 체납으로 강제징수 또는 체납처분이 시작된 경우

(2) 민사집행법에 따른 강제집행 및 담보권 실행 등을 위한 경매가 시작되거나 채무자 회생 및 파산에 관한 법률에 따른 파산선고를 받은 경우

(3) 어음법 및 수표법에 따른 어음교환소에서 거래정지처분을 받은 경우

(4) 법인이 해산한 경우

(5) 국세를 포탈하려는 행위가 있다고 인정되는 경우

(6) 납세관리인을 정하지 아니하고 국내에 주소 또는 거소를 두지 아니하게 된 경우

2. 대상 국세

세무서장이 납기 전에 징수할 수 있는 국세는 납부기한까지 기다려서는 해당 국세를 징수할 수 없다고 인정하는 것으로서 다음과 같이 확정된 국세(연대납세의무자, 납세보증인, 원천징수의무자 포함)에 한정한다.

(1) 납부고지를 한 국세

(2) 과세표준 결정의 통지를 한 국세

(3) 원천징수한 국세

(4) 납세조합이 징수한 국세

(5) 중간예납하는 법인세

3. 절차

(1) 관할 세무서장은 납부기한 전에 국세를 징수하려는 경우 당초의 납부기한보다 단축된 기한을 정하여 납세자에게 납부고지를 하여야 한다.

(2) 관할 세무서장은 (1)에 따라 납부고지를 하는 경우 납부고지서에 당초의 납부기한, 납부기한 전 징수 사유 및 납부기한 전에 징수한다는 뜻을 부기하여야 한다.

4. 효력

(1) 독촉의 생략

납세자가 납부기한 전 징수의 고지를 받고 납부기한까지 완납하지 않으면 독촉절차를 거치지 않고 납세자의 재산을 압류할 수 있다.

(2) 과세전적부심사 청구 배제대상이다.

(3) 국세환급금 직권충당사유에 해당한다.

(4) 납부기한 전에 납부고지를 하는 경우에는 다음의 구분에 따른 날을 납부하여야 할 기한으로 한다.

① 단축된 기한 전에 도달한 경우: 단축된 기한

② 단축된 기한이 지난 후에 도달한 경우: 도달한 날

2 독촉

Ⅰ 독촉

1. 절차

관할 세무서장은 납세자가 국세를 지정납부기한까지 완납하지 아니한 경우 지정납부기한이 지난 후 10일 이내에 체납된 국세에 대한 독촉장을 발급하여야 한다.

2. 예외

다음 중 어느 하나에 해당하는 경우에는 독촉장을 발급하지 아니할 수 있다.

(1) 납부기한 전 징수 규정에 따라 국세를 납부기한 전에 징수하는 경우

(2) 체납된 국세가 1만 원 미만인 경우

(3) 국세기본법 및 세법에 따른 물적납세의무를 부담하는 경우

3. 독촉장의 납부기한

관할 세무서장은 독촉장을 발급하는 경우 독촉을 하는 날부터 20일 이내의 범위에서 기한을 정하여 발급한다.

Ⅱ 체납액 징수 관련 사실행위의 위탁

1. 의의

관할 세무서장은 독촉에도 불구하고 납부되지 아니한 체납액을 징수하기 위하여 한국자산관리공사에 다음의 징수 관련 사실행위를 위탁할 수 있다. 이 경우 한국자산관리공사는 위탁받은 업무를 제3자에게 다시 위탁할 수 없다.

(1) 체납자의 주소 또는 거소 확인

(2) 체납자의 재산 조사

(3) 체납액의 납부를 촉구하는 안내문 발송과 전화 또는 방문 상담

(4) (1) ~ (3) 규정에 준하는 단순 사실행위에 해당하는 업무로서 대통령령으로 정하는 사항

2. 위탁대상 체납액

관할 세무서장이 체납액 징수업무를 위탁하는 경우는 다음 중 어느 하나에 해당하는 경우로 한다.

(1) 체납자별 체납액이 1억 원 이상인 경우

(2) 관할 세무서장이 체납자 명의의 소득 또는 재산이 없는 등의 사유로 징수가 어렵다고 판단한 경우

3. 위탁절차

관할 세무서장은 체납액 징수 관련 사실행위를 위탁하는 경우 한국자산관리공사에 체납자가 체납한 국세의 과세기간·세목·세액과 지정납부기한 등을 적은 위탁의뢰서를 보내야 한다. 이 경우 관할 세무서장은 체납액 징수업무를 위탁한 경우 즉시 그 위탁사실을 체납자에게 통지하여야 한다.

4. 위탁수수료

위탁수수료는 한국자산관리공사가 징수 업무를 위탁받은 체납액 중 다음의 금액에 25%를 초과하지 아니하는 범위에서 기획재정부령으로 정하는 비율을 곱한 금액으로 한다.

(1) 체납자가 체납액의 전부 또는 일부를 납부하였을 경우 해당 금액
(2) 한국자산관리공사가 체납자의 소득 또는 재산을 발견하여 관할 세무서장에게 통보한 금액 중 징수한 금액

5. 위탁해지

관할 세무서장은 다음 중 어느 하나에 해당하는 사유가 발생한 경우 해당 체납액에 대하여 징수업무의 위탁을 해지하여야 한다.

(1) 국세기본법상 납세의무 소멸사유에 따라 체납자의 납부의무가 소멸된 경우
(2) 체납자가 납세담보를 제공하여 체납액 징수가 가능하게 된 경우

6. 위탁업무에 대한 감독

국세청장은 위탁된 징수업무의 관리를 위하여 필요하다고 인정하는 경우 한국자산관리공사에 관할 세무서장이 위탁한 업무에 관한 사항을 보고하게 하거나, 필요한 조치를 하도록 요구할 수 있다. 이 경우 한국자산관리공사는 특별한 사유가 없으면 국세청장의 요구에 따라야 한다.

3 | 납부의 방법

Ⅰ 원칙

국세 또는 강제징수비는 다음의 방법으로 납부한다. 한편 신용카드, 직불카드 및 통신과금서비스 등으로 국세를 납부하는 경우에는 국세납부대행기관의 승인일을 납부일로 본다.

1. 현금(일정한 방법에 따라 계좌이체❶하는 경우를 포함)
2. 증권에 의한 세입납부에 관한 법률에 따른 증권
3. 국세납부대행기관❷(정보통신망을 이용하여 신용카드 등에 의한 결제를 수행하는 기관으로서 국세납부대행기관으로 지정받은 자)을 통해 처리되는 신용카드 또는 직불카드, 통신과금서비스 및 그 밖에 위와 유사한 것에 해당하는 결제수단

Ⅱ 자동이체납부

납세자는 납부고지받은 국세 중 기획재정부령으로 정하는 국세는 금융회사 등에 개설된 예금계좌로부터 자동이체하는 방법으로 납부할 수 있다. 다만, 지정납부기한이 지난 국세는 자동이체로 납부할 수 없다.

Ⅲ 제3자의 납부

1. 국세 및 강제징수비는 납세자를 위하여 제3자도 납부할 수 있으며, 이 경우 제3자의 납부는 납세자의 명의로 납부하는 경우로 한정한다.
2. 1.에 따라 국세 및 강제징수비를 납부한 제3자는 국가에 대하여 그 납부한 금액의 반환을 청구할 수 없다.

❶
계좌이체는 국고금 관리법에 따라 국고금 출납사무를 취급하는 금융회사 등에 개설된 계좌에서 다른 계좌로 전자적 장치에 의하여 자금을 이체하는 것(자동이체를 하는 경우를 포함)을 말한다. 이 경우 납세자는 전자적 장치를 활용한 납부확인서 등 납부증명서류를 세법에서 정한 수납기관이 발급한 영수증을 갈음하여 사용할 수 있다.

❷
국세납부대행기관은 납세자로부터 신용카드 등에 의한 국세납부 대행용역의 대가로 해당 납부세액의 1천분의 10(1%) 이내에서 납부대행수수료를 받을 수 있다.

4 납부기한 등의 연장

Ⅰ 재난 등으로 인한 납부기한 등의 연장

1. 개요

관할 세무서장은 납세자가 다음 중 어느 하나에 해당하는 사유로 국세를 납부기한 또는 독촉장에서 정하는 기한(이하 납부기한 등)까지 납부할 수 없다고 인정되는 경우 납부기한 등을 연장(세액을 분할하여 납부하도록 하는 것을 포함)할 수 있다.

(1) 납세자가 재난 또는 도난으로 재산에 심한 손실을 입은 경우
(2) 납세자가 경영하는 사업에 현저한 손실이 발생하거나 부도 또는 도산의 우려가 있는 경우
(3) 납세자 또는 그 동거가족이 질병이나 중상해로 6개월 이상의 치료가 필요한 경우 또는 사망하여 상중인 경우
(4) 정전, 프로그램의 오류, 그 밖의 부득이한 사유로 한국은행(그 대리점을 포함) 및 체신관서의 정보통신망의 정상적인 가동이 불가능한 경우
(5) 금융회사 등(한국은행 국고대리점 및 국고수납대리점인 금융회사 등만 해당) 또는 체신관서의 휴무, 그 밖의 부득이한 사유로 정상적인 국세 납부가 곤란하다고 국세청장이 인정하는 경우
(6) 권한 있는 기관에 장부나 서류가 압수 또는 영치된 경우 및 이에 준하는 경우
(7) 세무사법에 따라 납세자의 장부 작성을 대행하는 세무사(세무사법에 등록한 세무법인을 포함) 또는 공인회계사(공인회계사법에 따라 등록한 회계법인을 포함)가 화재, 전화, 그 밖의 재해를 입거나 도난을 당한 경우
(8) 위 (1) ~ (3)의 사유에 준하는 경우로서 국세청장이 정하는 경우

2. 기한연장 절차

(1) 납세자가 납부기한 등의 연장을 신청하려는 경우 납부기한 등 만료일 3일 전까지 다음의 사항을 적은 신청서(전자문서 포함)를 관할 세무서장에게 제출하여야 한다. 다만, 관할 세무서장은 납세자가 기한 만료일 3일 전까지 신청서를 제출할 수 없다고 인정하는 경우에는 기한 만료일까지 제출하게 할 수 있다.
  ① 납세자의 주소 또는 거소와 성명
  ② 납부할 국세의 과세기간, 세목, 세액과 기한
  ③ 연장 또는 유예를 받으려는 이유와 기간
  ④ 분할납부의 방법으로 연장 또는 유예를 받으려는 경우에는 그 분납액 및 분납횟수

(2) 신청을 받은 관할 세무서장은 납부기한 등의 만료일까지 납세자에게 납부기한 등의 연장 승인 여부를 문서로 통지하여야 하고, 기각하는 경우에는 그 사유를 통지하여야 한다.

(3) 납세자가 납부기한 등의 만료일 10일 전까지 (1)에 따른 신청을 하였으나 관할 세무서장이 그 신청일부터 10일 이내에 승인 여부를 통지하지 아니한 경우에는 신청일부터 10일이 되는 날에 신청을 승인한 것으로 본다.

(4) 관할 세무서장은 다음 중 어느 하나에 해당하는 경우 통지규정에도 불구하고 관보, 일간신문 또는 정보통신망을 통하여 공고하는 방법으로 통지를 갈음할 수 있다.

① 납부기한 등 연장사유가 전국적으로 일시에 발생하는 경우

② 연장 또는 유예의 통지 대상자가 불특정 다수인 경우

③ 연장 또는 유예의 사실을 그 대상자에게 개별적으로 통지할 시간적 여유가 없는 경우

3. 직권연장

관할 세무서장은 직권으로 납부기한 등을 연장하는 경우 즉시 납세자에게 그 사실을 통지하여야 한다.

Ⅱ 납부고지의 유예

1. 개요

관할 세무서장은 납세자가 재난 등으로 인한 납부기한 등의 연장 사유로 국세를 납부할 수 없다고 인정되는 경우 납부고지를 유예(세액을 분할하여 납부고지하는 것을 포함)할 수 있다.

2. 신청 및 승인통지

(1) 납세자가 납부고지의 유예를 신청하려는 경우 납부고지 예정인 국세의 납부하여야 할 기한 만료일 3일 전까지 다음의 사항을 적은 신청서(전자문서 포함)를 관할 세무서장에게 제출하여야 한다. 다만, 관할 세무서장은 납세자가 기한 만료일 3일 전까지 신청서를 제출할 수 없다고 인정하는 경우에는 기한 만료일까지 제출하게 할 수 있다.

① 납세자의 주소 또는 거소와 성명

② 납부할 국세의 과세기간, 세목, 세액과 기한

③ 연장 또는 유예를 받으려는 이유와 기간

④ 분할납부 방법으로 연장이나 유예를 받으려는 경우 그 분납액 및 분납횟수

(2) 납부고지의 유예를 신청받은 관할 세무서장은 납부고지 예정인 국세의 납부하여야 할 기한의 만료일까지 납세자에게 납부고지 유예의 승인 여부를 문서로 통지하여야 하고, 기각하는 경우에는 그 사유를 통지하여야 한다.

(3) 납세자가 납부고지 예정인 국세의 납부하여야 할 기한의 만료일 10일 전까지 신청을 하였으나 관할 세무서장이 신청일부터 10일 이내에 승인 여부를 통지하지 아니한 경우에는 신청일부터 10일이 되는 날에 신청을 승인한 것으로 본다.

(4) 관할 세무서장은 다음 중 어느 하나에 해당하는 경우 통지규정에도 불구하고 관보, 일간신문 또는 정보통신망을 통하여 공고하는 방법으로 통지를 갈음할 수 있다.

① 납부기한 등 연장사유가 전국적으로 일시에 발생하는 경우
② 연장 또는 유예의 통지 대상자가 불특정 다수인 경우
③ 연장 또는 유예의 사실을 그 대상자에게 개별적으로 통지할 시간적 여유가 없는 경우

3. 직권연장

관할 세무서장은 직권으로 납부고지를 유예하는 경우 즉시 납세자에게 그 사실을 통지하여야 한다.

Ⅲ 납부기한 등 연장 및 납부고지 유예의 기간과 분납한도 등

1. 연장 등의 기간과 분납한도

(1) 관할 세무서장이 납부기한 등을 연장하거나 납부고지의 유예를 하는 경우 그 연장 또는 유예 기간은 연장 또는 유예한 날의 다음 날부터 9개월 이내로 하고, 연장 또는 유예 기간 중의 분납기한 및 분납금액은 관할 세무서장이 정할 수 있다. 이 경우 관할 세무서장은 연장 또는 유예 기간이 6개월을 초과할 때에는 가능하면 연장 또는 유예 기간 개시 후 6개월이 지난 날부터 3개월 이내에 균등액을 분납할 수 있도록 정하여야 한다.

(2) 관할 세무서장은 고용재난지역 및 지정·고시된 지역, 산업위기대응특별지역 및 특별재난지역(선포된 날부터 2년으로 한정)에 사업장을 가진 자가 납부기한 연장사유❶ 중 (1)부터 (3)까지 및 (8)의 사유로 납부기한 등의 연장 또는 납부고지의 유예를 신청하는 경우(같은 사유로 연장 또는 유예를 받고 그 연장 또는 유예 기간 중에 신청하는 경우를 포함) 그 연장 또는 유예(소득세, 법인세, 부가가치세 및 이에 부가되는 세목에 대한 연장 또는 유예로 한정)의 기간은 연장 또는 유예한 날의 다음 날부터 2년[같은 사유로 연장 또는 유예를 받은 분에 대해서는 연장 또는 유예를 받은 기간을 포함하여 산정] 이내로 할 수 있고, 연장 또는 유예 기간 중의 분납기한 및 분납금액은 관할 세무서장이 정할 수 있다.

❶
p.176 1. 개요의 (1) ~ (8)을 의미한다.

2. 납부지연가산세 등 미부과

관할 세무서장은 납부기한 등을 연장하거나 납부고지를 유예한 경우 연장 또는 유예 기간 동안 국세기본법에 따른 납부지연가산세 및 원천징수 등 납부지연가산세를 부과하지 아니한다. 납세자가 납부고지 또는 독촉을 받은 후에 채무자 회생 및 파산에 관한 법률에 따른 징수의 유예를 받은 경우에도 또한 같다.

Ⅳ 납부기한 등 연장 등에 관한 담보

관할 세무서장은 납부기한 등의 연장 또는 납부고지의 유예를 하는 경우 그 연장 또는 유예와 관계되는 금액에 상당하는 납세담보의 제공을 요구할 수 있다. 다만, 다음 중 어느 하나에 해당하는 경우에는 그렇지 아니하다.

1. 납세자가 사업에서 심각한 손해를 입거나 그 사업이 중대한 위기에 처한 경우로서 관할 세무서장이 납부하여야 할 금액, 연장 또는 유예기간 및 납세자의 과거 국세 납부내역 등을 고려하여 납세자가 그 연장 또는 유예 기간 내에 해당 국세를 납부할 수 있다고 인정하는 경우
2. 납세자가 재난 또는 도난으로 재산에 심한 손실을 입은 경우
3. 정전, 프로그램의 오류, 그 밖의 부득이한 사유로 한국은행(그 대리점을 포함) 및 체신관서의 정보통신망의 정상적인 가동이 불가능한 경우
4. 금융회사 등(한국은행 국고대리점 및 국고수납대리점인 금융회사 등만 해당) 또는 체신관서의 휴무, 그 밖의 부득이한 사유로 정상적인 국세 납부가 곤란하다고 국세청장이 인정하는 경우
5. 위 1.~4.와 유사한 사유에 해당하는 경우

Ⅴ 납부기한 등 연장 등의 취소

1. 관할 세무서장은 납부기한 등의 연장 또는 납부고지의 유예를 한 후 해당 납세자가 다음 중 어느 하나의 사유에 해당하게 된 경우 그 납부기한 등의 연장 또는 납부고지의 유예를 취소하고 연장 또는 유예와 관계되는 국세를 한꺼번에 징수할 수 있다. 납부기한 등의 연장 또는 납부고지의 유예를 취소한 경우 납세자에게 그 사실을 통지하여야 한다.

(1) 국세를 분할납부하여야 하는 각 기한까지 분할납부하여야 할 금액을 납부하지 아니한 경우
(2) 관할 세무서장의 납세담보물의 추가 제공 또는 보증인의 변경 요구에 따르지 아니한 경우

(3) 재산 상황의 변동, 납세자가 재난 또는 도난으로 재산에 심한 손실을 입은 경우 및 금융회사 등(한국은행 국고대리점 및 국고수납대리점인 금융회사 등만 해당) 또는 체신관서의 휴무, 그 밖의 부득이한 사유로 정상적인 국세 납부가 곤란하다고 국세청장이 인정하는 사유로 연장 또는 유예를 한 경우에 그 사유의 소멸, 그 밖에 연장 또는 유예를 한 당시의 사정이 변화된 경우

(4) 납부기한 전 징수 사유가 있어 그 연장 또는 유예한 기한까지 연장 또는 유예와 관계되는 국세의 전액을 징수할 수 없다고 인정되는 경우

2. 위 (1), (2) 또는 (4)에 따라 지정납부기한 또는 독촉장에서 정한 기한의 연장을 취소한 경우 그 국세에 대하여 다시 지정납부기한 등의 연장을 할 수 없다.

Ⅵ 송달 지연으로 인한 지정납부기한 등의 연장

1. 원칙

납부고지서 또는 독촉장의 송달이 지연되어 다음 중 어느 하나에 해당하는 경우에는 도달한 날부터 14일이 지난 날을 지정납부기한 등으로 한다.

(1) 도달한 날에 이미 지정납부기한 등이 지난 경우

(2) 도달한 날부터 14일 이내에 지정납부기한 등이 도래하는 경우

2. 납부기한 전 납부고지

납부기한 전에 납부고지를 하는 경우에는 원칙에도 불구하고 다음의 구분에 따른 날을 납부하여야 할 기한으로 한다.

(1) **단축된 기한 전에 도달한 경우**

단축된 기한

(2) **단축된 기한이 지난 후에 도달한 경우**

도달한 날

5 납세담보

Ⅰ 종류·평가·제공방법

납세담보는 세법에 따라 제공하는 담보를 말한다. 국세기본법 및 다른 세법에 따라 제공하는 담보는 이를 요구할 수 있는 세법규정에 근거하여야 하며, 구체적인 담보의 종류와 평가 및 제공방법은 다음과 같다.

종류	평가	제공방법
금전	–	① 공탁하고 그 공탁수령증을 관할 세무서장(국세징수법 및 다른 세법에 따라 국세에 관한 사무를 세관장이 관장하는 경우에는 세관장)에게 제출하여야 함 ② 등록된 유가증권의 경우에는 담보 제공의 뜻을 등록하고 그 등록확인증을 제출하여야 함
일정한 유가증권❶	담보로 제공하는 날의 전날을 평가기준일로 하여 상속세 및 증여세법 시행령 제58조 제1항을 준용하여 계산한 가액	
납세보증 보험증권❷	보험금액	그 보험증권이나 보증서를 관할 세무서장에게 제출하여야 함
보증인❸의 납세보증서	보증금액	
토지, 보험에 든 등기·등록된 건물, 공장재단, 광업재단, 선박, 항공기 또는 건설기계	① 토지 또는 건물: 상속세 및 증여세법 제60조, 제61조에 따라 평가한 가액 ② 공장재단, 광업재단, 선박, 항공기 또는 건설기계: 감정평가법인 등의 평가액 또는 지방세법에 따른 시가표준액	① 그 등기필증, 등기완료통지서 또는 등록필증을 관할 세무서장에게 제시하여야 하며, 관할 세무서장은 이에 따라 저당권 설정을 위한 등기 또는 등록 절차를 밟아야 함 ② 선박, 항공기 또는 건설기계를 납세담보로 제공하려는 자는 그 화재보험증권도 관할 세무서장에게 제출하여야 함

> **참고**
>
> 1. 관할 세무서장은 납세자가 토지, 건물, 공장재단, 광업재단, 선박, 항공기 또는 건설기계를 납세담보로 제공하려는 경우 등기필증, 등기완료통지서 또는 등록필증이 사실과 부합하는지를 조사하여 다음 중 어느 하나에 해당하는 경우에는 다른 담보를 제공하게 하여야 함
>   ① 법령에 따라 담보제공이 금지되거나 제한된 경우. 다만, 주무관청의 허가를 받아 제공하는 경우는 제외함
>   ② 법령에 따라 사용·수익이 제한된 것으로서 담보의 목적을 달성할 수 없다고 인정된 경우
>   ③ 그 밖에 담보의 목적을 달성할 수 없다고 인정된 경우

❶
1. 자본시장과 금융투자업에 관한 법률에 따른 국채증권, 지방채증권 및 특수채증권
2. 증권시장에 주권을 상장한 법인이 발행한 사채권 중 보증사채 및 전환사채
3. 증권시장에 상장된 유가증권으로서 매매사실이 있는 것
4. 수익증권으로서 무기명 수익증권 및 환매청구가 가능한 수익증권
5. 양도성 예금증서

❷
납세담보로 제공하는 납세보증보험증권은 그 보험증권의 보험기간이 납세담보를 필요로 하는 기간에 30일 이상을 더한 것이어야 한다. 다만, 납부하여야 할 기한이 확정되지 아니한 국세의 경우에는 국세청장이 정하는 기간으로 하여야 한다.

❸
보증인(다음 중 어느 하나에 해당하는 자)
1. 은행법에 따른 은행
2. 신용보증기금법에 따른 신용보증기금
3. 보증채무를 이행할 수 있는 자금능력이 충분하다고 관할 세무서장이 인정하는 자

📖 기출 체크

01 보석 또는 자동차와 같이 자산적 가치가 있는 것은 법에 열거되지 않더라도 납세담보로 인정한다. (×)
2022년 국가직 9급

02 납세보증보험증권으로 납세담보를 한 경우, 납세담보의 가액은 그 보험금액으로 한다. (○) 2013년 국가직 7급

03 등록된 유가증권을 납세담보로 제공하려는 자는 그 유가증권을 공탁하고 그 공탁수령증을 세무서장(세법에 따라 국세에 관한 사무를 세관장이 관장하는 경우에는 세관장을 말함)에게 제출하여야 한다. (×) 2017년 국가직 7급

04 금전을 납세담보로 제공할 때에는 담보할 국세의 120% 이상의 가액에 상당하는 현금을 제공하여야 한다. (×)
2014년 국가직 9급

2. 보험에 든 건물, 공장재단, 광업재단, 선박, 항공기 또는 건설기계를 납세담보로 제공하려는 자는 그 화재보험증권을 제출하여야 함. 이 경우 그 보험기간은 납세담보를 필요로 하는 기간에 30일 이상을 더한 것이어야 함

3. 관할 세무서장이 저당권을 설정하기 위한 등기 또는 등록을 하려는 경우 다음 사항을 적은 문서로 관할 등기소 등에게 촉탁하여야 함
   ① 재산의 표시
   ② 등기 또는 등록의 원인과 그 연월일
   ③ 등기 또는 등록의 목적
   ④ 저당권의 범위
   ⑤ 등기 또는 등록 권리자
   ⑥ 등기 또는 등록 의무자의 주소와 성명

Ⅱ 납세담보의 제공

납세담보를 제공하는 경우 다음의 가액에 상당하는 담보를 제공하여야 한다. 다만, 그 국세가 확정되지 아니한 경우에는 국세청장이 정하는 가액으로 하여야 한다.

1. 현금, 납세보증보험증권 또는 은행의 납세보증서

담보할 국세의 110% 이상의 가액

2. 1. 외의 담보자산

담보할 국세의 120% 이상의 가액

Ⅲ 담보의 변경과 보충

1. 담보의 변경

납세담보를 제공한 자는 관할 세무서장의 승인을 받아 그 담보를 변경할 수 있다. 관할 세무서장은 납세자가 이미 제공한 납세담보를 변경하려는 경우 다음 중 어느 하나에 해당하면 이를 승인하여야 한다.

(1) 보증인의 납세보증서를 갈음하여 다른 담보재산을 제공한 경우

(2) 제공한 납세담보의 가액이 변동되어 과다하게 된 경우

(3) 납세담보로 제공한 유가증권 중 상환기간이 정해진 것이 그 상환시기에 이른 경우

2. 담보의 보충

관할 세무서장은 납세담보물의 가액 감소, 보증인의 자력 감소 또는 그 밖의 사유로 그 납세담보로는 국세 및 강제징수비의 납부를 담보할 수 없다고 인정할 때에는 담보를 제공한 자에게 담보물의 추가 제공 또는 보증인의 변경을 요구할 수 있다.

3. 문서 요구

납세담보의 변경승인신청 또는 납세담보물의 추가 제공이나 보증인의 변경 요구는 문서로 하여야 한다.

Ⅳ 담보에 의한 납부와 징수

1. 담보에 의한 납부

납세담보로서 금전을 제공한 자는 그 금전으로 담보한 국세 및 강제징수비를 납부할 수 있다. 이 경우 납세담보로 제공한 금전으로 국세 및 강제징수비를 납부하려는 자는 그 뜻을 적은 문서로 관할 세무서장에게 신청하여야 한다. 이 경우 신청한 금액에 상당하는 국세 및 강제징수비를 납부한 것으로 본다.

→ 따라서 금전 외의 담보(例 유가증권 등)를 제공한 경우 담보에 의한 납부가 허용되지 아니함

2. 담보에 의한 징수

(1) 관할 세무서장은 납세담보를 제공받은 국세 및 강제징수비가 담보의 기간에 납부되지 않는 경우 납세담보가 금전이면 그 금전으로써 해당 국세 및 강제징수비를 징수하고, 납세담보가 금전 외의 것이면 다음의 구분에 따른 방법으로 현금화하거나 징수한 금전으로써 해당 국세 및 강제징수비를 징수한다.

① 국채, 지방채, 그 밖의 유가증권, 토지, 건물, 공장재단, 광업재단, 선박, 항공기 또는 건설기계인 경우: 공매절차에 따라 매각

② 납세보증보험증권인 경우: 해당 납세보증보험사업자에게 보험금의 지급을 청구

③ 납세보증서인 경우: 보증인으로부터의 징수절차에 따라 징수

(2) 이처럼 납세담보를 현금화한 금액이 징수하여야 할 국세 및 강제징수비를 징수하고 남은 경우 공매대금의 배분방법에 따라 배분한 후 납세자에게 지급한다.

Ⅴ 담보의 해제

1. 관할 세무서장은 납세담보를 제공받은 국세 및 강제징수비가 납부되면 지체 없이 담보 해제 절차를 밟아야 한다. 납세담보의 해제는 그 뜻을 적은 문서를 납세담보를 제공한 자에게 통지함으로써 한다. 이 경우 납세담보를 제공할 때 제출한 관계 서류가 있으면 그 서류를 첨부하여야 한다.

2. 한편 저당권의 등기 또는 등록을 촉탁한 경우에는 문서로 관할 등기소 등에 저당권 말소의 등기 또는 등록을 촉탁하여야 한다.

03 강제징수

1 통칙

I 강제징수[1]

관할 세무서장(체납 발생 후 1개월이 지나고 체납액이 5천만 원 이상인 체납자의 경우에는 지방국세청장을 포함)은 납세자가 독촉 또는 납부기한 전 징수의 고지를 받고 지정된 기한까지 국세 또는 체납액을 완납하지 아니한 경우 재산의 압류(교부청구·참가압류를 포함함), 압류재산의 매각·추심 및 청산의 절차에 따라 강제징수를 한다.

> **Check 강제징수의 인계**
>
> 1. 관할 세무서장은 체납자가 관할구역 밖에 거주하거나 압류할 재산이 관할구역 밖에 있는 경우 체납자의 거주지 또는 압류할 재산의 소재지를 관할하는 세무서장에게 강제징수를 인계할 수 있음. 다만, 압류할 재산이 채권이거나 체납자의 거주지 또는 압류할 재산의 소재지가 둘 이상의 세무서가 관할하는 구역인 경우에는 강제징수를 인계할 수 없음
> 2. 강제징수를 인계받은 세무서장은 압류할 재산이 그 관할구역에 없는 경우 강제징수의 인수를 거절할 수 있음. 이 경우 체납자가 그 관할구역에 거주하고 있는 경우에는 수색조서를 강제징수를 인계한 세무서장에게 보내야 함

II 사해행위의 취소 및 원상회복

관할 세무서장은 강제징수를 할 때 납세자가 국세의 징수를 피하기 위하여 한 재산의 처분이나 그 밖에 재산권을 목적으로 한 법률행위(신탁법에 따른 사해신탁을 포함)에 대하여 신탁법 제8조 및 민법 제406조, 제407조를 준용하여 사해행위의 취소 및 원상회복을 법원에 청구할 수 있다.

> 신탁법 제8조【사해신탁】채무자가 채권자를 해함을 알면서 신탁을 설정한 경우 채권자는 수탁자가 선의일지라도 수탁자나 수익자에게 민법 제406조 제1항의 취소 및 원상회복을 청구할 수 있다. 다만, 수익자가 수익권을 취득할 당시 채권자를 해함을 알지 못한 경우에는 그러하지 아니하다.

[1] 관할 세무서장은 체납자가 파산선고를 받은 경우에도 이미 압류한 재산이 있을 때에는 강제징수를 속행하여야 한다.

민법 제406조【채권자취소권】① 채무자가 채권자를 해함을 알고 재산권을 목적으로 한 법률행위를 한 때에는 채권자는 그 취소 및 원상회복을 법원에 청구할 수 있다. 그러나 그 행위로 인하여 이익을 받은 자나 전득한 자가 그 행위 또는 전득 당시에 채권자를 해함을 알지 못한 경우에는 그러하지 아니하다.
민법 제407조【채권자취소의 효력】제406조의 규정에 의한 취소와 원상회복은 모든 채권자의 이익을 위하여 그 효력이 있다.

Ⅲ 가압류·가처분 재산에 대한 강제징수

1. 개요

관할 세무서장은 재판상의 가압류 또는 가처분 재산이 강제징수 대상인 경우에도 국세징수법에 따른 강제징수를 한다.

2. 가압류·가처분 재산에 대한 압류통지

세무공무원이 재판상의 가압류 또는 가처분을 받은 재산을 압류하려는 경우 그 뜻을 해당 법원, 집행공무원 또는 강제관리인에게 통지하여야 한다. 그 압류를 해제하려는 경우에도 또한 같다.

Ⅳ 상속 또는 합병의 경우 강제징수의 속행 등

체납자의 재산에 대하여 강제징수를 시작한 후 체납자가 사망하였거나 체납자인 법인이 합병으로 소멸된 경우에도 그 재산에 대한 강제징수는 계속 진행하여야 한다. 이 경우 체납자가 사망한 후 체납자 명의의 재산에 대하여 한 압류는 그 재산을 상속한 상속인에 대하여 한 것으로 본다.

Ⅴ 제3자의 소유권 주장

1. 압류한 재산에 대하여 소유권을 주장하고 반환을 청구하려는 제3자는 그 재산의 매각 5일 전까지 소유자로 확인할 만한 증거서류를 관할 세무서장에게 제출하여야 한다.

2. 관할 세무서장은 제3자가 소유권을 주장하고 반환을 청구하는 경우 그 재산에 대한 강제징수를 정지하여야 한다.

3. 관할 세무서장은 제3자의 소유권 주장 및 반환 청구가 정당하다고 인정되는 경우 즉시 압류를 해제하여야 하고, 부당하다고 인정되면 즉시 그 뜻을 제3자에게 통지하여야 한다. 이러한 통지를 받은 제3자가 통지를 받은 날부터 15일 이내에 그 재산에 대하여 체납자를 상대로 소유권에 관한 소송을 제기한 사실을 증명하지 아니하면 즉시 강제징수를 계속하여야 한다.

4. 관할 세무서장은 **3.**에 따른 통지를 받은 제3자가 체납자를 상대로 소유권에 관한 소송을 제기하여 승소 판결을 받고 그 사실을 증명한 경우 압류를 즉시 해제하여야 한다.

→ 제3자가 패소한 경우 강제징수를 계속하여야 함

Ⅵ 인지세와 등록면허세의 면제

1. 인지세 면제

압류재산을 보관하는 과정에서 작성하는 문서에 관하여는 인지세를 면제한다.

2. 등록면허세 면제

다음의 등기 또는 등록에 관하여는 등록면허세를 면제한다.

(1) 부동산 등의 압류절차에 따른 압류의 등기 또는 등록

(2) 압류말소의 등기 또는 등록

(3) 공매공고의 등기 또는 등록

(4) 공매공고 말소의 등기 또는 등록

Ⅶ 고액·상습체납자의 수입물품에 대한 강제징수의 위탁

1. 개요

(1) 관할 세무서장은 체납 발생일부터 1년이 지난 국세의 합계액이 2억 원 이상인 경우 체납자의 수입물품에 대한 강제징수를 세관장에게 위탁할 수 있다.

(2) 관할 세무서장은 고액·상습체납자에 대하여 1개월 이내의 기간을 정하여 체납된 국세를 납부하지 아니하는 경우 강제징수가 세관장에게 위탁될 수 있다는 사실을 알려야 한다.

2. 통지

관할 세무서장은 세관장에게 강제징수를 위탁한 경우 즉시 그 위탁사실을 체납자에게 통지하여야 한다.

3. 철회

관할 세무서장은 체납자가 고액·상습체납자의 명단공개에서 제외되는 경우 즉시 해당 체납자의 수입물품에 대한 강제징수의 위탁을 철회하여야 한다.

2 압류

Ⅰ 통칙

1. 개념

압류란 체납자의 특정재산에 대하여 처분을 금지시키는 조세채권을 미리 확보하는 과세관청의 행위이다. 이 경우 압류에 의하여 금지되는 법률상 또는 사실상의 처분은 압류채권자인 국가에 불이익에 관련된 것이므로 국가에 유리한 처분(예 다른 담보권자의 담보권 해제 등)은 포함되지 아니한다.

2. 요건

관할 세무서장은 다음 중 어느 하나에 해당하는 경우 납세자의 재산을 압류한다.

(1) 납세자가 독촉을 받고 독촉장에서 정한 기한까지 국세를 완납하지 아니한 경우

(2) 납세자가 납부기한 전 징수에 따라 납부고지를 받고 단축된 기한까지 국세를 완납하지 아니한 경우

3. 확정 전 보전압류

(1) 관할 세무서장은 납세자에게 납부기한 전 징수 사유가 있어 국세가 확정된 후 그 국세를 징수할 수 없다고 인정할 때에는 국세로 확정되리라고 추정되는 금액의 한도에서 납세자의 재산을 압류할 수 있다. 이 경우 관할 세무서장은 미리 지방국세청장의 승인을 받아야 하고, 압류 후에는 납세자에게 문서로 그 압류사실을 통지하여야 한다.

(2) 관할 세무서장은 (1)에 따라 재산을 압류한 경우로서 다음 중 어느 하나에 해당하면 즉시 압류를 해제하여야 한다.

　① 납세자가 납세담보를 제공하고 압류해제를 요구한 경우

　② 압류를 한 날부터 3개월(국세 확정을 위하여 실시한 세무조사가 국세기본법에 따라 중지된 경우에 그 중지 기간은 빼고 계산함)이 지날 때까지 압류에 따라 징수하려는 국세를 확정하지 아니한 경우

(3) 관할 세무서장은 (1)에 따라 압류를 한 후 압류에 따라 징수하려는 국세를 확정한 경우 압류한 재산이 금전, 납부기한 내 추심 가능한 예금 또는 유가증권에 해당하고 납세자의 신정이 있으면 압류한 재신의 한도에서 확정된 국세를 징수한 것으로 볼 수 있다.

4. 초과압류의 금지

(1) 관할 세무서장은 국세를 징수하기 위하여 필요한 재산 외의 재산을 압류할 수 없다. 다만, 불가분물(不可分物) 등 부득이한 경우에는 압류할 수 있다.

(2) 관할 세무서장은 채권을 압류하는 경우 체납액을 한도로 하여야 한다. 다만, 압류하려는 채권에 국세보다 우선하는 질권이 설정되어 있어 압류에 관계된 체납액의 징수가 확실하지 아니한 경우 등 필요하다고 인정되는 경우 채권 전액을 압류할 수 있다.

5. 제3자의 권리보호

관할 세무서장은 압류재산을 선택하는 경우 강제징수에 지장이 없는 범위에서 전세권·질권·저당권 등 체납자의 재산과 관련하여 제3자가 가진 권리를 침해하지 아니하도록 하여야 한다.

Ⅱ 압류의 절차

1. 증표 등의 제시

세무공무원은 압류, 수색 및 질문·검사를 하는 경우 그 신분을 나타내는 증표 및 압류·수색 등 통지서를 지니고 이를 관계자에게 보여 주어야 한다.

2. 수색

(1) 수색방법

　① 세무공무원은 재산을 압류하기 위하여 필요한 경우에는 체납자의 주거·창고·사무실·선박·항공기·자동차 또는 그 밖의 장소(이하 '주거 등')를 수색할 수 있고, 해당 주거 등의 폐쇄된 문·금고 또는 기구를 열게 하거나 직접 열 수 있다.

　② 세무공무원은 다음 중 어느 하나에 해당하는 경우 제3자의 주거 등을 수색할 수 있고, 해당 주거 등의 폐쇄된 문·금고 또는 기구를 열게 하거나 직접 열 수 있다.

　　㉠ 체납자 또는 제3자가 제3자의 주거 등에 체납자의 재산을 감춘 혐의가 있다고 인정되는 경우

　　㉡ 체납자의 재산을 점유하는 제3자가 재산의 인도를 거부하는 경우

(2) 수색시간❶

수색은 해가 뜰 때부터 해가 질 때까지만 할 수 있다. 다만, 해가 지기 전에 시작한 수색은 해가 진 후에도 계속할 수 있다. 그러나 주로 야간에 영업을 하는 장소에 대해서는 해가 진 후에도 영업 중에는 수색을 시작할 수 있다.

❶
야간수색 대상 영업
1. 객실을 설비하여 음식과 주류를 제공하고, 유흥종사자에게 손님을 유흥하게 하는 영업
2. 무도장을 설치하여 일반인에게 이용하게 하는 영업
3. 주류, 식사, 그 밖의 음식물을 제공하는 영업
4. 1.부터 3.까지와 유사한 영업

(3) 수색조서 작성

① 세무공무원은 수색을 하였으나 압류할 재산이 없는 경우 수색조서를 작성하고 수색조서에 참여자와 함께 서명날인하여야 한다. 다만, 참여자가 서명날인을 거부한 경우에는 그 사실을 수색조서에 적는 것으로 참여자의 서명날인을 갈음할 수 있다.

② 세무공무원은 수색조서를 작성한 경우 그 등본을 수색을 받은 체납자 또는 참여자에게 내주어야 한다.

3. 압류조서

(1) 세무공무원은 체납자의 재산을 압류하는 경우 압류조서를 작성하여야 한다. 다만, 참가압류에 압류의 효력이 생긴 경우에는 압류조서를 작성하지 아니할 수 있다.

(2) 압류재산이 동산 또는 유가증권, 채권 및 채권과 소유권을 제외한 그 밖의 재산권에 해당하는 경우 압류조서 등본을 체납자에게 내주어야 한다.

(3) 압류조서에는 압류에 참여한 세무공무원이 참여자와 함께 서명날인을 하여야 한다. 다만, 참여자가 서명날인을 거부한 경우에는 그 사실을 압류조서에 적는 것으로 참여자의 서명날인을 갈음할 수 있다.

(4) 세무공무원은 질권이 설정된 동산 또는 유가증권을 압류한 경우 그 동산 또는 유가증권의 질권자에게 압류조서의 등본을 내주어야 한다.

(5) 압류조서에는 압류한 재산에 관하여 양도, 제한물권의 설정, 채권의 영수(領收) 및 그 밖의 처분을 할 수 없다는 뜻이 기재되어야 한다.

4. 질문검사

(1) 세무공무원은 강제징수를 하면서 압류할 재산의 소재 또는 수량을 알아내기 위하여 필요한 경우 체납자, 체납자와 거래관계가 있는 자 등에게 구두 또는 문서로 질문하거나 장부, 서류 및 그 밖의 물건을 검사할 수 있다.

(2) (1)에 따라 구두로 질문한 내용이 중요한 사항인 경우 그 내용을 기록하고 기록한 서류에 답변한 자와 함께 서명날인하여야 한다. 다만, 답변한 자가 서명날인을 거부한 경우 그 사실을 본문의 서류에 적는 것으로 답변한 자의 서명날인을 갈음할 수 있다.

5. 참여자

(1) 세무공무원은 수색 또는 검사를 하는 경우 그 수색 또는 검사를 받는 사람, 그 가족·동거인이나 사무원 또는 그 밖의 종업원을 참여시켜야 한다.

(2) (1)을 적용할 때 참여시켜야 할 자가 없거나 참여 요청에 따르지 아니하는 경우 성인 2명 이상 또는 특별시·광역시·특별자치시·특별자치도·시·군·자치구의 공무원이나 경찰공무원 1명 이상을 증인으로 참여시켜야 한다.

6. 압류·수색 또는 질문·검사 중의 출입 제한

세무공무원은 압류·수색 및 질문·검사를 하는 경우로서 강제징수를 위하여 필요하다고 인정하는 경우 체납자 및 참여자 등 관계자를 제외한 사람에 대하여 해당 장소에서 나갈 것을 요구하거나 그 장소에 출입하는 것을 제한할 수 있다.

7. 저당권자 등에 대한 압류 통지

(1) 관할 세무서장은 재산을 압류한 경우 전세권, 질권, 저당권 또는 그 밖에 압류재산 위의 등기 또는 등록된 권리자(이하 '저당권자 등')에게 그 사실을 통지하여야 한다.

(2) 국세에 대하여 우선권을 가진 저당권자 등이 (1)에 따라 통지를 받고 그 권리를 행사하려는 경우 통지를 받은 날부터 10일 이내에 그 사실을 관할 세무서장에게 신고하여야 한다.

8. 공유물에 대한 압류

압류할 재산이 공유물인 경우 각자의 지분이 정해져 있지 아니하면 그 지분이 균등한 것으로 보아 압류한다.

Ⅲ 압류금지 등

1. 압류금지 재산

(1) 체납자 또는 그와 생계를 같이 하는 가족(사실상 혼인관계에 있는 사람을 포함. 이하 '동거가족')의 생활에 없어서는 아니 될 의복, 침구, 가구, 주방기구, 그 밖의 생활필수품

(2) 체납자 또는 그 동거가족에게 필요한 3개월간의 식료품 또는 연료

(3) 인감도장이나 그 밖에 직업에 필요한 도장

(4) 제사 또는 예배에 필요한 물건, 비석 또는 묘지

(5) 체납자 또는 그 동거가족의 장례에 필요한 물건

(6) 족보·일기 등 체납자 또는 그 동거가족에게 필요한 장부 또는 서류

(7) 직무 수행에 필요한 제복

(8) 훈장이나 그 밖의 명예의 증표

(9) 체납자 또는 그 동거가족의 학업에 필요한 서적과 기구

(10) 발명 또는 저작에 관한 것으로서 공표되지 아니한 것

(11) 주로 자기의 노동력으로 농업을 하는 사람에게 없어서는 아니 될 기구, 가축, 사료, 종자, 비료, 그 밖에 이에 준하는 물건

(12) 주로 자기의 노동력으로 어업을 하는 사람에게 없어서는 아니 될 어망, 기구, 미끼, 새끼 물고기, 그 밖에 이에 준하는 물건

(13) 전문직 종사자·기술자·노무자, 그 밖에 주로 자기의 육체적 또는 정신적 노동으로 직업 또는 사업에 종사하는 사람에게 없어서는 아니 될 기구, 비품, 그 밖에 이에 준하는 물건

(14) 체납자 또는 그 동거가족의 일상생활에 필요한 안경·보청기·의치·의수족·지팡이·장애보조용 바퀴의자, 그 밖에 이에 준하는 신체보조기구 및 자동차관리법에 따른 경형자동차

(15) 재해의 방지 또는 보안을 위하여 법령에 따라 설치하여야 하는 소방설비, 경보기구, 피난시설, 그 밖에 이에 준하는 물건

(16) 법령에 따라 지급되는 사망급여금 또는 상이급여금 → 전액

(17) 주택임대차보호법에 따라 우선변제를 받을 수 있는 금액

(18) **체납자의 생계 유지에 필요한 소액금융재산으로서 다음의 구분에 따른 금액**

① 사망보험금 중 1천5백만 원 이하의 보험금

② 상해·질병·사고 등을 원인으로 체납자가 지급받는 보장성보험의 보험금 중 다음에 해당하는 보험금

ⓗ 진료비, 치료비, 수술비, 입원비, 약제비 등 치료 및 장애 회복을 위하여 실제 지출되는 비용을 보장하기 위한 보험금

ⓛ 치료 및 장애 회복을 위한 보험금 중 ⓗ에 해당하는 보험금을 제외한 보험금의 2분의 1에 해당하는 금액

③ 보장성보험의 해약환급금 중 250만 원 이하의 금액

④ 보장성보험의 만기환급금 중 250만 원 이하의 금액

⑤ 개인별 잔액이 250만 원 미만인 예금(적금, 부금, 예탁금과 우편대체를 포함)을 말한다.

Check **체납자가 보장성보험의 보험금, 해약환급금 또는 만기환급금 채권을 취득하는 보험계약이 둘 이상인 경우**

체납자가 보장성보험의 보험금, 해약환급금 또는 만기환급금 채권을 취득하는 보험계약이 둘 이상인 경우 다음의 구분에 따라 위 (18)의 ①~④ 금액을 계산함

①, ③ 및 ④	보험계약별 사망보험금, 해약환급금, 만기환급금을 각각 합산한 금액
②의 ⓛ	보험계약별 금액

---

2. 급여채권의 압류제한

(1) 급료, 연금, 임금, 봉급, 상여금, 세비, 퇴직연금, 그 밖에 이와 비슷한 성질을 가진 급여채권에 대해서는 다음 구분에 따라 금액을 압류가 금지되는 금액으로 한다.

월급여총액❶	압류금지금액	산정기준
250만 원 이하	전액	표준적인 가구의 최저생계비❷
250만 원 초과 500만 원 이하	250만 원	
500만 원 초과 600만 원 이하	월급여총액 × 1/2	표준적인 가구의 생계비
600만 원 초과	300만 원 + (월급여총액 − 600만 원) × 1/4	

(2) 퇴직금이나 그 밖에 이와 비슷한 성질을 가진 급여채권에 대해서는 그 총액의 2분의 1에 해당하는 금액은 압류하지 못한다.

> **사례**
>
> 세무공무원이 납세자의 체납된 세금을 이유로 그의 재산을 압류하려고 함에 있어서 그 재산이 월급여(그에 대한 근로소득세와 소득세분 지방소득세 100만 원 포함)가 800만 원인 경우 세무공무원이 압류할 수 있는 재산의 총액은?
>
> **해설**
>
> 1. 압류금지금액: 300만 원 + (700만 원 − 600만 원) × 1/4 = 325만 원
> 2. 압류가능금액: 700만 원 − 325만 원 = 375만 원
> * 월급여총액: 800만 원 − 100만 원 = 700만 원

Ⅳ 압류의 효력

1. 처분의 제한

(1) 세무공무원이 재산을 압류한 경우 체납자는 압류한 재산에 관하여 양도, 제한물권의 설정, 채권의 영수, 그 밖의 처분을 할 수 없다.

(2) 세무공무원이 채권 또는 그 밖의 재산권을 압류한 경우 해당 채권의 채무자 및 그 밖의 재산권의 채무자 또는 이에 준하는 자는 체납자에 대한 지급을 할 수 없다.

(3) 세무공무원이 예탁유가증권지분 또는 전자등록주식 등을 압류한 경우 예탁결제원 또는 예탁자는 해당 체납자에 대하여 계좌대체 및 증권반환을 할 수 없고, 해당 체납자에 대하여 계좌대체 및 전자등록말소를 할 수 없다.

❶ 월급여총액 등은 소득세법에 해당하는 근로소득의 금액의 합계액(비과세소득의 금액은 제외) 또는 퇴직소득의 금액의 합계액(비과세소득의 금액은 제외)에서 그 근로소득 또는 퇴직소득에 대한 소득세 및 소득세분 지방소득세를 뺀 금액으로 한다.

❷ 국민기초생활보장법에 따른다.

2. 과실에 대한 압류의 효력❶

(1) 압류의 효력은 압류재산으로부터 생기는 천연과실 또는 법정과실에도 미친다.

(2) (1)에도 불구하고 체납자 또는 제3자가 압류재산의 사용 또는 수익을 하는 경우 그 재산의 매각으로 인하여 권리를 이전하기 전까지 이미 거두어들인 천연과실에 대해서는 압류의 효력이 미치지 아니한다.

Ⅴ 압류의 본절차

1. 부동산 등의 압류

(1) 절차

① 관할 세무서장은 등기된 부동산, 등기된 공장재단 및 광업재단 및 등기된 선박을 압류하려는 경우 압류조서를 첨부하여 압류등기를 관할 등기소에 문서로 촉탁❷하여야 한다. 그 변경등기에 관하여도 또한 같다.

② 관할 세무서장은 등록된 자동차, 등록된 선박(선박등기법에 따라 등기된 선박은 제외), 등록된 항공기 및 등록된 건설기계를 압류하려는 경우 압류의 등록을 관계 행정기관의 장 또는 지방자치단체의 장에게 촉탁하여야 한다. 그 변경등록에 관하여도 또한 같다.

③ 관할 세무서장은 압류를 하기 위하여 부동산, 공장재단 및 광업재단의 재산을 분할하거나 구분하려는 경우 분할 또는 구분의 등기를 관할 등기소에 촉탁하여야 한다. 그 합병 또는 변경등기에 관하여도 또한 같다.

④ 관할 세무서장은 등기되지 아니한 부동산을 압류하려는 경우 토지대장 등본, 건축물대장 등본 또는 부동산종합증명서를 갖추어 보존등기를 관할 등기소에 촉탁하여야 한다.

⑤ 관할 세무서장은 압류한 자동차, 선박, 항공기 또는 건설기계가 은닉 또는 훼손될 우려가 있다고 인정되는 경우 체납자에게 인도를 명하여 이를 점유할 수 있다.

⑥ 관할 세무서장은 ①, ② 및 ④에 따라 압류를 한 경우 그 사실을 체납자에게 통지하여야 한다.

(2) 효력

① 부동산 등의 압류의 효력은 그 압류등기 또는 압류의 등록이 완료된 때에 발생한다.

② ①에 따른 압류의 효력은 해당 압류재산의 소유권이 이전되기 전에 국세기본법에 따른 법정기일이 도래한 국세의 체납액에 대해서도 미친다.

❶ 과실에 대한 압류의 효력의 특례: 천연과실 중 성숙한 것은 토지 또는 입목과 분리하여 동산으로 볼 수 있다.

❷ 대등한 지위의 관청 사이에 행하여지는 위임을 말한다.

(3) 압류 부동산 등의 사용·수익

① 체납자는 압류된 부동산, 공장재단, 광업재단, 선박, 항공기, 자동차 또는 건설기계(이하 '부동산 등')를 사용하거나 수익할 수 있다. 다만, 관할 세무서장은 그 가치가 현저하게 줄어들 우려가 있다고 인정할 경우에는 그 사용 또는 수익을 제한할 수 있다.

② 압류된 부동산 등을 사용하거나 수익할 권리를 가진 제3자의 사용·수익에 관하여는 ①을 준용한다.

③ 관할 세무서장은 자동차, 선박, 항공기 또는 건설기계에 대하여 강제징수를 위하여 필요한 기간 동안 정박 또는 정류를 하게 할 수 있다. 다만, 출항준비를 마친 선박 또는 항공기에 대해서는 정박 또는 정류를 하게 할 수 없다. 관할 세무서장은 정박 또는 정류를 하게 하였을 경우 그 감시와 보존에 필요한 처분을 하여야 한다.

2. 동산과 유가증권의 압류

(1) 개요

① 동산 또는 유가증권의 압류는 세무공무원이 점유함으로써 하고, 압류의 효력은 세무공무원이 점유한 때에 발생한다.

② 세무공무원은 제3자가 점유하고 있는 체납자 소유의 동산 또는 유가증권을 압류하기 위해서는 먼저 그 제3자에게 문서로 해당 동산 또는 유가증권의 인도를 요구하여야 한다.

③ 세무공무원은 인도를 요구받은 제3자가 해당 동산 또는 유가증권을 인도하지 아니하는 경우 제3자의 주거 등에 대한 수색을 통하여 이를 압류할 수 있다.

④ 세무공무원은 체납자와 그 배우자의 공유재산으로서 체납자가 단독 점유하거나 배우자와 공동 점유하고 있는 동산 또는 유가증권을 압류할 수 있다.

(2) 압류동산의 사용·수익

① 동산과 유가증권의 압류규정에도 불구하고 운반하기 곤란한 동산은 체납자 또는 제3자에게 보관하게 할 수 있다. 이 경우 봉인이나 그 밖의 방법으로 압류재산임을 명백히 하여야 하며, 세무공무원은 압류재산임을 표시하는 경우 압류 연월일과 압류한 세무공무원이 소속된 세무서의 명칭을 명백히 하여야 한다.

② 관할 세무서장은 ①에 따라 압류한 동산을 체납자 또는 이를 사용하거나 수익할 권리를 가진 제3자에게 보관하게 한 경우 강제징수에 지장이 없다고 인정되면 그 동산의 사용 또는 수익을 허가할 수 있다. 압류된 동산을 사용하거나 수익하려는 자는 압류재산 사용·수익 허가신청서를 관할 세무서장에게 제출하여야 한다. 압류재산 사용·수익

허가신청서를 받은 관할 세무서장은 해당 사용·수익 행위가 압류재산의 보전에 지장을 주는지를 조사하여 30일 이내에 그 허가 여부를 신청인에게 통지하여야 한다.

③ ②에 따라 허가를 받은 자는 압류 동산을 사용하거나 수익하는 경우 선량한 관리자의 주의의무를 다하여야 하며, 관할 세무서장이 해당 재산의 인도를 요구하는 경우 즉시 이에 따라야 한다.

(3) 금전의 압류 및 유가증권에 관한 채권의 추심

① 관할 세무서장이 금전을 압류한 경우에는 그 금전 액수만큼 체납자의 압류에 관계되는 체납액을 징수한 것으로 본다.

② 관할 세무서장은 유가증권을 압류한 경우 그 유가증권에 따라 행사할 수 있는 금전의 급부를 목적으로 한 채권을 추심할 수 있다. 이 경우 관할 세무서장이 채권을 추심하였을 때에는 추심한 채권의 한도에서 체납자의 압류와 관계되는 체납액을 징수한 것으로 본다.

3. 채권압류

(1) 절차

관할 세무서장은 채권을 압류하려는 경우 그 뜻을 제3채무자에게 통지하여야 하며, 채권을 압류한 경우 그 사실을 체납자에게 통지하여야 한다.

(2) 효력 및 추심

① 효력은 채권압류 통지서가 제3채무자에게 송달된 때에 발생한다.

② 관할 세무서장은 채권압류 통지를 한 경우 체납액을 한도로 하여 체납자인 채권자를 대위❶한다. 이 경우 관할 세무서장이 채권자를 대위하는 경우 압류 후 1년 이내에 제3채무자에 대한 이행의 촉구와 채무 이행의 소송을 제기하여야 한다. 다만, 체납된 국세와 관련하여 심판청구 등이 계속 중이거나 그 밖에 이에 준하는 사유로 법률상·사실상 추심이 불가능한 경우에는 그러하지 아니하다.

③ 관할 세무서장은 심판청구 등 법률상·사실상 추심이 불가능한 사유가 해소되어 추심이 가능해진 때에는 지체 없이 제3채무자에 대한 이행의 촉구와 채무 이행의 소송을 제기하여야 한다.

(3) 채무불이행에 따른 절차

① 관할 세무서장은 채권압류의 통지를 받은 제3채무자가 채무이행의 기한이 지나도 이행하지 아니하는 경우 체납자인 채권자를 대위하여 이행의 촉구를 하여야 한다.

② 관할 세무서장은 ①에 따라 이행의 촉구를 받은 제3채무자가 촉구한 기한까지 채무를 이행하지 아니하는 경우 체납자인 채권자를 대위하여 제3채무자를 상대로 소송을 제기하여야 한다. 다만, 채무이행의 자력이 없다고 인정하는 경우에는 채권의 압류를 해제할 수 있다.

❶
대위는 제3자가 다른 사람의 법률적 지위를 대신하여 그가 가진 권리를 얻거나 행사하는 일을 말한다.

(4) 범위

관할 세무서장은 채권을 압류하는 경우 체납액을 한도로 하여야 한다. 다만, 압류하려는 채권에 국세보다 우선하는 질권이 설정되어 있어 압류에 관계된 체납액의 징수가 확실하지 아니한 경우 등 필요하다고 인정되는 경우 채권 전액을 압류할 수 있다.

(5) 계속적 거래관계에서 발생하는 채권의 압류

급료, 임금, 봉급, 세비, 퇴직연금 또는 그 밖에 계속적 거래관계에서 발생하는 이와 유사한 채권에 대한 압류의 효력은 체납액을 한도로 하여 압류 후에 발생할 채권에도 미친다.

(6) 조건부채권의 압류

관할 세무서장은 신원보증금, 계약보증금 등의 조건부채권을 그 조건 성립 전에도 압류할 수 있다. 이 경우 압류한 후에 채권이 성립되지 아니할 것이 확정된 때에는 그 압류를 지체 없이 해제하여야 한다.

4. 그 밖의 재산권의 압류

(1) 그 밖의 재산권의 압류 절차 등

① 관할 세무서장은 권리의 변동에 등기 또는 등록이 필요한 그 밖의 재산권을 압류하려는 경우 압류의 등기 또는 등록을 관할 등기소 등에게 문서(압류조서를 첨부하여야 함)로 촉탁하여야 한다. 그 변경의 등기 또는 등록에 관하여도 또한 같다.

② 관할 세무서장은 권리의 변동에 등기 또는 등록이 필요하지 아니한 그 밖의 재산권을 압류하려는 경우 그 뜻을 다음의 구분에 따른 자에게 통지하여야 한다.

    ㉠ 제3채무자가 있는 경우: 제3채무자

    ㉡ 제3채무자가 없는 경우: 체납자

③ 관할 세무서장은 ① 및 ②의 ㉠에 따라 압류를 한 경우 그 사실을 체납자에게 통지하여야 한다.

④ 관할 세무서장은 가상자산을 압류하려는 경우 체납자(가상자산사업자 등 제3자가 체납자의 가상자산을 보관하고 있을 때에는 그 제3자)에게 해당 가상자산의 이전을 문서로 요구할 수 있고, 요구받은 체납자 또는 그 제3자는 이에 따라야 한다.

⑤ 관할 세무서장은 가상자산을 압류를 한 경우 및 체납자의 가상자산을 보관하고 있는 제3자에게 해당 가상자산의 이전을 요구한 경우 그 사실을 체납자에게 통지하여야 한다.

⑥ 관할 세무서장이 그 밖의 재산권을 압류한 경우 채권압류의 효력 및 추심 ③ 및 ⑥을 준용하거나 매각·추심에 착수한다.

(2) 국가 등의 재산에 관한 권리의 압류

① 관할 세무서장은 체납자가 국가 또는 지방자치단체(지방자치단체조합 포함)의 재산을 매수한 경우 소유권 이전 전이라도 그 재산에 관한 체납자의 국가 또는 지방자치단체에 대한 권리를 압류한다. 한편, 관할 세무서장은 압류를 한 경우 그 사실을 체납자에게 통지하여야 한다.

② 관할 세무서장은 국가 또는 지방자치단체의 재산에 관한 체납자의 권리를 압류하는 경우 문서로 압류의 등록을 국가 또는 지방자치단체에 촉탁하여야 한다. 이 경우 관할 세무서장은 문서에 압류조서를 첨부하여야 한다. 촉탁을 받은 국가 또는 지방자치단체는 관계 대장에 그 사실을 등록하고 그 뜻을 지체 없이 관할 세무서장에게 통지하여야 한다.

③ ①의 압류재산을 매각함에 따라 이를 매수한 자는 그 대금을 완납한 때에 그 재산에 관한 체납자의 국가 또는 지방자치단체에 대한 모든 권리·의무를 승계한다.

> **참고**
>
> **압류의 효력발생시기**
>
> | 부동산 등 | 압류등기 또는 압류의 등록이 완료된 때 |
> |---|---|
> | 동산·유가증권 | 점유한 때 |
> | 채권 | 채권 압류 통지서가 제3채무자에게 송달된 때 |

5. 예탁된 유가증권의 압류 절차 등

(1) 예탁된 유가증권

① 관할 세무서장은 예탁결제원에 예탁된 유가증권(예탁결제원에 예탁된 것으로 보는 경우를 포함)에 관한 공유지분(이하 '예탁유가증권지분')을 압류하려는 경우에는 그 뜻을 다음의 구분에 따른 자에게 통지하여야 한다.

ㄱ 체납자가 예탁자인 경우: 예탁결제원

ㄴ 체납자가 「자본시장과 금융투자업에 관한 법률」 제309조 제2항에 따른 투자자인 경우: 예탁자

② 관할 세무서장은 예탁유가증권지분을 압류한 경우에는 그 사실을 체납자에게 통지하여야 한다.

③ 예탁유가증권지분 압류의 효력은 그 압류 통지서가 ①의 구분에 따른 자에게 송달된 때에 발생한다.

∵ 유가증권의 이전 없이 권리관계가 변동되는 재산에 대한 국세 채권의 확보와 강제징수의 실효성을 높이기 위함

(2) 전자등록된 주식 등

① 관할 세무서장은 전자등록주식 등을 압류하려는 경우 그 뜻을 다음의 구분에 따른 자에게 통지하여야 한다.

㉠ 체납자가 「주식·사채 등의 전자등록에 관한 법률」 제23조 제1항에 따른 계좌관리기관등인 경우: 전자등록기관

㉡ 체납자가 「주식·사채 등의 전자등록에 관한 법률」 제22조 제1항에 따라 계좌관리기관에 고객계좌를 개설한 자인 경우: 계좌관리기관

㉢ 체납자가 「주식·사채 등의 전자등록에 관한 법률」 제29조 제1항에 따른 특별계좌의 명의자인 경우: 명의개서대행회사 등

② 관할 세무서장은 ①에 따라 전자등록주식 등을 압류한 경우 그 사실을 체납자에게 통지하여야 한다.

③ 전자등록주식 등 압류의 효력은 그 압류 통지서가 ①의 구분에 따른 자에게 송달된 때에 발생한다.

Ⅵ 압류의 해제

1. 요건

(1) 필요적해제요건

관할 세무서장은 다음 중 어느 하나에 해당하는 경우 압류를 즉시 해제하여야 한다.

① 압류와 관계되는 체납액의 전부가 납부 또는 충당(국세환급금, 그 밖에 관할 세무서장이 세법상 납세자에게 지급할 의무가 있는 금전을 체납액과 대등액에서 소멸시키는 것)된 경우

② 국세 부과의 전부를 취소한 경우

③ 여러 재산을 한꺼번에 공매하는 경우로서 일부 재산의 공매대금으로 체납액 전부를 징수한 경우

④ 총 재산의 추산가액이 강제징수비(압류에 관계되는 국세에 우선하는 담보된 채권 금액이 있는 경우 이를 포함)를 징수하면 남을 여지가 없어 강제징수를 종료할 필요가 있는 경우.❶ 다만, 교부청구 또는 참가압류가 있는 경우로서 교부청구 또는 참가압류와 관계된 체납액을 기준으로 할 경우 남을 여지가 있는 경우는 제외함

⑤ 압류금지재산을 압류한 경우

⑥ 제3자의 재산을 압류한 경우

⑦ 그 밖에 ①부터 ④까지의 규정에 준하는 사유로 압류할 필요가 없게 된 경우

❶
이 경우 관할 세무서장은 압류를 해제하려면 국세체납정리위원회의 심의를 거쳐야 한다.

(2) 임의적 해제요건

관할 세무서장은 다음 중 어느 하나에 해당하는 경우 압류재산의 전부 또는 일부에 대하여 압류를 해제할 수 있다.

① 압류 후 재산가격이 변동하여 체납액 전액을 현저히 초과한 경우

② 압류와 관계되는 체납액의 일부가 납부 또는 충당된 경우

③ 국세 부과의 일부를 취소한 경우

④ 체납자가 압류할 수 있는 다른 재산을 제공하여 그 재산을 압류한 경우

2. 압류해제의 절차 등

(1) 관할 세무서장은 재산의 압류를 해제한 경우 그 사실을 그 재산의 압류 통지를 한 체납자, 제3채무자 및 저당권자 등에게 통지하여야 한다. 또한 압류를 해제한 경우 압류의 등기 또는 등록을 한 것에 대해서는 압류해제조서❶를 첨부하여 압류 말소의 등기 또는 등록을 관할 등기소 등에 촉탁하여야 한다.

(2) 관할 세무서장은 제3자에게 보관하게 한 압류재산의 압류를 해제한 경우 그 보관자에게 압류해제 통지를 하고 압류재산을 체납자 또는 정당한 권리자에게 반환하여야 한다. 이 경우 관할 세무서장이 받았던 압류재산의 보관증은 보관자에게 반환하여야 한다. 관할 세무서장은 필요하다고 인정하는 경우 보관자가 체납자 또는 정당한 권리자에게 그 압류재산을 직접 인도하게 할 수 있다. 이 경우 체납자 또는 정당한 권리자에게 보관자로부터 압류재산을 직접 인도받을 것을 통지하여야 한다.

(3) 관할 세무서장은 보관 중인 재산을 반환하는 경우 영수증을 받아야 한다. 다만, 체납자 또는 정당한 관리자에게 압류조서에 영수 사실을 적고 서명날인하게 함으로써 영수증을 받는 것에 갈음할 수 있다.

Ⅶ 교부청구 및 참가압류

1. 교부청구

(1) 개요

관할 세무서장은 다음 중 어느 하나에 해당하는 경우 해당 관할 세무서장, 지방자치단체의 장, 공공기관의 장, 지방공사 또는 지방공단의 장, 집행법원, 집행공무원, 강제관리인, 파산관재인 또는 청산인에 대하여 다음에 따른 절차의 배당·배분 요구의 종기까지 체납액(재난 등으로 지정납부기한이 연장된 국세를 포함함)의 교부를 청구하여야 한다.

① 국세, 지방세 또는 공과금의 체납으로 체납자에 대한 강제징수 또는 체납처분이 시작된 경우

❶ 관할 세무서장은 재산의 압류를 해제하는 경우 압류해제조서를 작성하여야 한다. 다만, 압류를 해제하려는 재산이 동산이나 유가증권인 경우에는 압류조서의 여백에 해제 연월일과 해제 이유를 함께 적음으로써 압류해제조서를 갈음할 수 있다.

② 체납자에 대하여 민사집행법에 따른 강제집행 및 담보권 실행 등을 위한 경매가 시작되거나 체납자가 채무자 회생 및 파산에 관한 법률에 따른 파산선고를 받은 경우

③ 체납자인 법인이 해산한 경우

(2) 대상 국세
납세의무가 확정된 국세 등만이 교부청구의 대상이 될 수 있다.

(3) 해제
① 관할 세무서장은 납부, 충당, 국세 부과의 취소나 그 밖의 사유로 교부를 청구한 체납액의 납부의무가 소멸된 경우 그 교부청구를 해제하여야 한다.

② 관할 세무서장은 교부청구를 해제하려는 경우 그 사실을 교부청구를 받은 기관에 통지하여야 한다.

(4) 효력
① 교부청구는 과세관청 입장에서 체납자의 재산에 대하여 중복하여 압류하는 번거로움 없이 환가대금의 분배를 받을 수 있다.

② 교부청구는 압류의 요건을 충족하지 않은 경우에도 할 수 있기 때문에 사전에 독촉장을 발부할 필요가 없다.

③ 고지유예기간 중이라 할지라도 교부청구는 가능하다.

④ 교부청구는 강제환가절차에 따른 매각대금의 배분을 요구하는 효력을 가진다.

⑤ 교부청구는 국세징수권의 소멸시효의 진행을 중단시키는 효력이 있다.

⑥ 교부청구를 받은 기관의 강제환가절차가 해제되거나 취소되는 경우에는 교부청구의 효력이 상실된다.❶

⑦ 고지유예기간 중에도 교부청구는 가능하다.

> **Check | 파산선고에 따른 교부청구**
>
> 관할 세무서장이 파산관재인에게 교부청구를 하는 경우 다음에 따라야 함
> 1. 압류한 재산의 가액이 징수할 금액보다 적거나 적다고 인정될 경우 재단채권으로서 파산관재인에게 그 부족액을 교부청구하여야 함
> 2. 납세담보물 제공자가 파산선고를 받아 강제징수에 의하여 그 담보물을 공매하려는 경우 채무자 회생 및 파산에 관한 법률에 따른 절차를 밟은 후 별제권을 행사하여도 부족하거나 부족하다고 인정되는 금액을 교부청구하여야 함. 다만, 파산관재인이 그 재산을 매각하려는 경우에는 징수할 금액을 교부청구하여야 함

❶
참가압류의 필요성에 해당한다.

2. 참가압류

(1) 개요

① 관할 세무서장은 압류하려는 재산이 이미 다른 기관에 압류되어 있는 경우 참가압류 통지서를 선행압류기관에 송달함으로써 교부청구를 갈음하고 그 압류에 참가할 수 있다.

② 관할 세무서장은 참가압류를 한 경우 그 사실을 체납자, 제3채무자 및 저당권자 등에게 통지하여야 한다.

③ 관할 세무서장은 권리의 변동에 등기 또는 등록이 필요한 재산에 대하여 참가압류를 하려는 경우 참가압류의 등기 또는 등록을 관할 등기소 등에 촉탁하여야 한다.

(2) 효력 등

① 참가압류를 한 후에 선행압류기관이 그 재산에 대한 압류를 해제한 경우 그 참가압류는 다음의 구분에 따른 시기로 소급하여 압류의 효력을 갖는다.

권리의 변동에 등기 또는 등록이 필요한 재산	참가압류의 등기 또는 등록이 완료된 때
권리의 변동에 등기 또는 등록이 필요하지 아니한 재산	참가압류 통지서가 선행압류기관에 송달된 때

② ①을 적용할 때 둘 이상의 참가압류가 있는 경우에는 다음의 구분에 따른 시기로 소급하여 압류의 효력이 생긴다.

권리의 변동에 등기 또는 등록을 필요로 하는 재산	가장 먼저 참가압류의 등기 또는 등록이 완료된 때
권리의 변동에 등기 또는 등록을 필요로 하지 아니한 재산	가장 먼저 참가압류 통지서가 송달된 때

③ 선행압류기관은 압류를 해제한 경우 압류가 해제된 재산 목록을 첨부하여 그 사실을 참가압류를 한 관할 세무서장에게 통지하여야 한다.

④ 선행압류기관은 압류를 해제한 재산이 동산 또는 유가증권 등인 경우로서 해당 재산을 선행압류기관이 점유하고 있거나 제3자에게 보관하게 한 경우 참가압류를 한 관할 세무서장에게 직접 인도하여야 한다. 다만, 제3자가 보관하고 있는 재산에 대해서는 그 제3자가 발행한 해당 보관증을 인도함으로써 재산을 직접 인도하는 것을 갈음할 수 있다.

⑤ 참가압류를 한 관할 세무서장은 선행압류기관이 그 압류재산을 장기간이 지나도록 매각하지 아니한 경우 이에 대한 매각을 선행압류기관에 촉구할 수 있다. 참가압류를 한 관할 세무서장은 매각의 촉구를 받은 선행압류기관이 촉구를 받은 날부터 3개월 이내에 공매공고 등의 행위를 하지 아니한 경우 해당 압류재산을 매각할 수 있다. 참가압류를 한 관할 세무서장은 압류재산을 매각하려는 경우 그 내용을 선행압류기관에 통지하여야 하며, 선행압류기관은 통지를 받은 경우 점유하고 있거나 제3자에게 보관하게 하고 있는 동산 또는 유가증권 등 압류재산을 매각을 촉구한 관할 세무서장에게 인도하여야 한다.

(3) 해제

참가압류의 해제에 관하여는 인지세와 등록면허세의 면제 및 압류 해제를 준용한다.

📋 핵심정리 | 교부청구와 참가압류의 비교

구분	교부청구	참가압류
요건	해당 국세가 확정되어 있을 것 (압류의 요건은 충족될 필요 없음)	해당 국세가 압류의 요건을 충족하고 있을 것
효력	① 매각대금을 배분받을 권리가 있음 ② 소멸시효의 중단사유 ③ 기압류기관의 강제환가절차가 해제되면 효력을 상실 ④ 기집행기관에 대하여 매각최고를 할 수 없음 ⑤ 징수유예기간 중 교부청구 가능	 ③ 기압류기관의 압류가 해제되면 소급하여 압류 효력이 발생 ④ 기압류기관에 대하여 매각최고를 할 수 있음 ⑤ 징수유예기간 중 참가압류 불가능
해제	납부·충당·부과취소 등	압류의 해제사유 준용

---

3 압류재산의 매각

Ⅰ 매각 방법

압류재산은 공매 또는 수의계약으로 매각한다.

1. 공매

공매란 법률의 규정에 따라 공적 기관에 의하여 강제적으로 이루어지는 매매를 말하며, 다음 중 어느 하나에 해당하는 방법(정보통신망을 이용한 것을 포함)으로 한다. 한편, 경매의 방법으로 매각하는 경우 경매의 성질에 반하지 아니하는 범위에서 경쟁입찰에 관한 규정을 준용한다.

(1) 경쟁입찰

공매를 집행하는 공무원이 공매예정가격을 제시하고, 매수신청인에게 문서로 매수신청을 하게 하여 공매예정가격 이상의 신청가격 중 최고가격을 신청한 자(최고가 매수신청인)를 매수인으로 정하는 방법이다.

(2) 경매

공매를 집행하는 공무원이 공매예정가격을 제시하고, 매수신청인에게 구두 등의 방법으로 신청가격을 순차로 올려 매수신청을 하게 하여 최고가 매수신청인을 매수인으로 정하는 방법이다.

2. 수의계약

경쟁계약에 의하지 않고 임의로 상대를 선택하여 맺는 계약을 말한다.

Check 매각의 착수시기

1. 관할 세무서장은 압류 후 1년 이내에 매각을 위한 다음 중 어느 하나에 해당하는 행위를 하여야 함. 다만, 체납된 국세와 관련하여 심판청구 등이 계속 중인 경우, 국세기본법 또는 다른 세법에 따라 압류재산의 매각을 유예한 경우, 압류재산의 감정평가가 곤란한 경우, 그 밖에 이에 준하는 사유로 법률상·사실상 매각이 불가능한 경우에는 그러하지 아니함
   ① 수의계약으로 매각하려는 사실의 체납자 등에 대한 통지
   ② 공매공고
   ③ 공매 또는 수의계약을 대행하게 하는 의뢰서의 송부
2. 관할 세무서장은 심판청구 등 법률상·사실상 매각이 불가능한 사유가 해소되어 매각이 가능해진 때에는 지체 없이 1.의 어느 하나에 해당하는 행위를 하여야 함

Ⅱ 매각의 요건

1. 매각대상 자산

(1) 관할 세무서장은 압류한 부동산 등, 동산, 유가증권, 그 밖의 재산권과 체납자를 대위하여 받은 물건(금전은 제외)을 공매한다. 다만, 관할 세무서장은 다음 중 어느 하나에 해당하는 압류재산의 경우에는 각 구분에 따라 직접 매각할 수 있다.
   ① 증권시장에 상장된 증권: 증권시장에서의 매각
   ② 가상자산사업자를 통해 거래되는 가상자산: 가상자산사업자를 통한 매각
(2) 금전은 체납액에 직접 충당하므로 매각대상 자산이 되지 않는다.
(3) 채권의 경우 추심에 따라 환가하여야 하므로 매각의 대상이 되지 않는다. 다만, 압류채권을 추심하여 받은 것이 금전 이외의 재산인 경우에는 매각의 대상이 된다.

(4) 관할 세무서장은 압류재산을 직접 매각하려는 경우에는 매각 전에 그 사실을 체납자 등 대통령령으로 정하는 자에게 통지하여야 한다.
(5) 관할 세무서장(한국자산관리공사가 공매를 대행하는 경우에는 한국자산관리공사를 말함)은 공매를 위하여 필요한 경우 전자정부법에 따라 가족관계의 등록 등에 관한 법률에 따른 전산정보자료를 공동이용(개인정보 보호법 제2조 제2호에 따른 처리를 포함)할 수 있다.

2. 확정된 조세 등

(1) 확정 전 보전압류에 따라 압류한 재산은 그 압류와 관계되는 국세의 납세 의무가 확정되기 전에는 공매할 수 없다.
(2) 심판청구 등이 계속 중인 국세의 체납으로 압류한 재산은 그 신청 또는 청구에 대한 결정이나 소에 대한 판결이 확정되기 전에는 공매할 수 없다. 다만, 그 재산이 부패·변질 또는 감량되기 쉬운 재산으로서 속히 매각하지 아니하면 그 재산가액이 줄어들 우려가 있는 경우에는 그러하지 아니하다.

3. 매수인의 제한

(1) 다음 중 어느 하나에 해당하는 자는 자기 또는 제3자의 명의나 계산으로 압류재산을 매수하지 못한다.
① 체납자
② 세무공무원
③ 매각 부동산을 평가한 감정평가법인 등(감정평가법인의 경우 그 감정평가법인 및 소속 감정평가사)
(2) 공매재산의 매수신청인이 매각결정기일(매각결정기일이 연기된 경우 연기된 매각결정기일) 전까지 공매재산의 매수인이 되기 위하여 다른 법령에 따라 갖추어야 하는 자격을 갖추지 못한 경우에는 공매재산을 매수하지 못한다.

Ⅲ 공매

1. 공매의 주체 및 장소

(1) 공매의 주체
① 공매는 관할 세무서장이 행하는 것이 원칙이지만 공매 등에 전문지식이 필요하거나 그 밖에 직접 공매 등을 하기에 적당하지 아니하다고 인정되는 경우 한국자산관리공사에 공매 등을 대행하게 할 수 있다. 이 경우 공매 등은 관할 세무서장이 한 것으로 본다. 관할 세무서장은 한국자산관리공사가 공매 등을 대행하는 경우 수수료를 지급할 수 있다.

② 한국자산관리공사가 공매 등의 업무를 대행하는 경우 한국자산관리 공사의 직원은 형법이나 그 밖의 법률에 따른 벌칙을 적용할 때 세무 공무원으로 본다.

(2) 전문매각기관 매각대행

① 관할 세무서장은 압류한 재산이 예술적·역사적 가치가 있어 가격을 일률적으로 책정하기 어렵고, 그 매각에 전문적인 식견이 필요하여 직접 매각을 하기에 적당하지 아니한 물품인 경우 직권이나 납세자의 신청에 따라 예술품 등의 매각에 전문성과 경험이 있는 기관 중에서 전문매각기관을 선정하여 매각 관련 사실행위를 대행하게 할 수 있다.

② 전문매각기관 및 전문매각기관의 임직원은 직접적으로든 간접적으로 든 매각 관련 사실행위 대행의 대상인 예술품 등을 매수하지 못한다.

③ 관할 세무서장은 전문매각기관이 매각 관련 사실행위를 대행하는 경우 수수료를 지급할 수 있다.

④ 국세청장은 다음의 요건을 모두 충족하는 기관 중에서 전문매각기관 으로 선정될 수 있는 대상 기관을 지정하여 관보 및 국세청 홈페이지에 공고하여야 한다. 이 경우 매각대행할 수 있는 기간은 공고일부터 2년으로 한다.

   ⊙ 공고일이 속하는 연도의 직전 2년 동안 예술품 등을 경매를 통하여 매각한 횟수가 연평균 10회 이상일 것

   ⓒ 정보통신망을 이용한 매각이 가능할 것

(3) 공매 장소

공매는 지방국세청, 세무서, 세관 또는 공매재산이 있는 특별자치시·특별자치도·시·군·자치구에서 한다. 다만, 관할 세무서장이 필요하다고 인정하는 경우에는 다른 장소에서 공매할 수 있다.

2. 공매의 준비

(1) 공매예정가격의 결정

① 관할 세무서장은 압류재산을 공매하려면 그 공매예정가격을 결정하여야 한다.

② 관할 세무서장은 공매예정가격을 결정하기 어려운 경우 감정인에게 평가를 의뢰하여 그 가액을 참고할 수 있다. 감정인은 평가를 위하여 필요한 경우 조치를 할 수 있다.

③ 관할 세무서장은 감정인에게 공매대상 재산의 평가를 의뢰한 경우 수수료를 지급할 수 있다.

(2) 공매대상 재산에 대한 현황조사

① 관할 세무서장은 공매예정가격을 결정하기 위하여 공매재산의 현 상태, 점유관계, 임차료 또는 보증금의 액수, 그 밖의 현황을 조사하여야 한다.

② 세무공무원은 현황조사를 위하여 건물에 출입할 수 있고, 체납자 또는 건물을 점유하는 제3자에게 공매재산의 현황과 관련된 질문을 하거나 문서의 제시를 요구할 수 있다.

③ 세무공무원은 건물에 출입하기 위하여 필요한 경우 잠긴 문을 여는 등 적절한 처분을 할 수 있다.

(3) 공매보증

① 관할 세무서장은 압류재산을 공매하는 경우 필요하다고 인정하면 공매에 참여하려는 자에게 공매보증을 받을 수 있다. 공매보증금액은 공매예정가격의 10% 이상으로 한다.

② 공매보증은 금전, 국공채, 증권시장에 상장된 증권 및 보험회사가 발행한 보증보험증권에 해당하는 것으로 한다.

③ 관할 세무서장은 다음의 경우 공매보증을 반환한다.

  ㉠ 개찰 후: 최고가 매수신청인을 제외한 다른 매수신청인

  ㉡ 매수인이 매수대금을 납부하기 전 체납자가 매수인의 동의를 받아 압류와 관련된 체납액을 납부하여 압류재산의 매각결정이 취소된 경우: 매수인

  ㉢ 차순위 매수신청인이 있는 경우로서 매수인이 대금을 모두 지급한 경우: 차순위 매수신청인

  ㉣ 매수신청인이 제80조 제2항에 해당하여 매각결정을 받지 못한 경우: 매수신청인

④ 관할 세무서장은 다음 중 어느 하나에 해당하는 경우 공매보증을 강제징수비, 압류와 관계되는 국세의 순으로 충당한 후 남은 금액은 체납자에게 지급한다.

  ㉠ 최고가 매수신청인이 개찰 후 매수계약을 체결하지 아니한 경우

  ㉡ 제86조 제2호 또는 제3호에 해당하는 사유로 압류재산의 매각결정이 취소된 경우

(4) 공매공고

① 관할 세무서장은 공매를 하려는 경우 대금납부기한, 공매재산의 명칭, 소재, 수량, 품질, 공매예정가격, 그 밖의 중요한 사항, 개찰의 장소와 일시 및 공매재산이 공유물의 지분 또는 부부공유의 동산·유가증권인 경우 공유자(체납자는 제외)·배우자에게 각각 우선매수권이 있다는 사실 등의 사항을 공고하여야 한다.

② 관할 세무서장은 공매공고를 하는 경우 동일한 재산에 대한 향후 여러 차례의 공매에 관한 사항을 한꺼번에 공고할 수 있다.

③ 공매공고는 정보통신망을 통하여 하되, 지방국세청, 세무서, 세관, 특별자치시·특별자치도·시·군·자치구, 그 밖의 적절한 장소에 게시 및 관보 또는 일간신문에 게재 게시 또는 게재도 함께 하여야 한다.

④ 배분요구의 종기는 절차 진행에 필요한 기간을 고려하여 정하되, 최초의 입찰서 제출 시작일 이전으로 하여야 한다. 다만, 공매공고에 대한 등기 또는 등록이 지연되거나 누락되는 등 대통령령으로 정하는 사유로 공매 절차가 진행되지 못하는 경우에는 관할 세무서장은 배분요구의 종기를 최초의 입찰서 제출 마감일 이후로 연기할 수 있다.

⑤ 매각결정기일은 개찰일부터 7일(토요일, 일요일, 공휴일 및 대체공휴일은 제외) 이내로 정하여야 한다.

⑥ 관할 세무서장은 경매의 방법으로 재산을 공매하는 경우 경매인을 선정하여 이를 취급하게 할 수 있다.

⑦ 관할 세무서장은 공매공고를 한 압류재산이 권리의 변동에 등기 또는 등록이 필요한 경우 공매공고 즉시 그 사실을 등기부 또는 등록부에 기입하도록 관할 등기소 등에 촉탁하여야 한다.

(5) 공매공고 기간

공매공고 기간은 10일 이상으로 한다. 다만, 그 재산을 보관하는 데에 많은 비용이 들거나 재산의 가액이 현저히 줄어들 우려가 있으면 이를 단축할 수 있다.

(6) 공매통지

① 관할 세무서장은 공매공고를 한 경우 즉시 그 내용을 다음의 자에게 통지하여야 한다.

　㉠ 체납자

　㉡ 납세담보물 소유자

　㉢ 다음의 구분에 따른 자

　　ⓐ 공매재산이 공유물의 지분인 경우: 공매공고의 등기 또는 등록 전날 현재의 공유자

　　ⓑ 공매재산이 부부공유의 동산·유가증권인 경우: 배우자

　㉣ 공매공고의 등기 또는 등록 전 날 현재 공매재산에 대하여 전세권·질권·저당권 또는 그 밖의 권리를 가진 자

② 일부에 대한 공매통지의 송달 불능 등의 사유로 동일한 공매재산에 대하여 다시 공매공고를 하는 경우 그 이전 공매공고 당시 공매통지가 도달되었던 다시 하는 공매통지는 주민등록표 등본 등 공매 집행기록에 표시된 주소, 거소, 영업소 또는 사무소에 등기우편을 발송하는 방법으로 할 수 있다. 이 경우 그 공매통지는 송달받아야 할 자에게 발송한 때부터 효력이 발생한다.

(7) 국세에 우선하는 제한물권 등의 인수 등

관할 세무서장은 공매재산에 압류와 관계되는 국세보다 우선하는 제한물권 등이 있는 경우 제한물권 등을 매수인에게 인수하게 하거나 매수대금으로 그 제한물권 등에 의하여 담보된 채권을 변제하는 데 충분하다고 인정된 경우가 아니면 그 재산을 공매하지 못한다.

(8) 공유자 · 배우자우선매수권

① 공유자는 공매재산이 공유물의 지분인 경우 매각결정기일 전까지 공매보증을 제공하고 최고가 매수신청가격(최고가 매수신청인이 없는 경우 공매예정가격으로 함)으로 공매재산을 우선매수하겠다는 신청을 할 수 있다.

② 체납자의 배우자는 공매재산이 압류한 부부공유의 동산 또는 유가증권인 경우 공매재산을 우선매수하겠다는 신청을 할 수 있다.

③ 관할 세무서장은 우선매수 신청이 있는 경우 그 공유자 또는 체납자의 배우자에게 매각결정을 하여야 한다.

④ 관할 세무서장은 여러 사람의 공유자가 우선매수 신청을 하고 공유자 간의 특별한 협의가 없으면 공유지분의 비율에 따라 공매재산을 매수하게 한다.

⑤ 관할 세무서장은 매각결정 후 매수인이 매수대금을 납부하지 아니한 경우 최고가 매수신청인에게 다시 매각결정(재공매 ✕)을 할 수 있다.

(9) 공매참가의 제한

관할 세무서장은 다음 중 어느 하나에 해당한다고 인정되는 사실이 있는 자에 대해서는 그 사실이 있은 후 2년간 공매장소 출입을 제한하거나 입찰에 참가시키지 아니할 수 있다. 그 사실이 있은 후 2년이 지나지 아니한 자를 사용인이나 그 밖의 종업원으로 사용한 자와 이러한 자를 입찰대리인으로 한 자에 대해서도 또한 같다.

① 입찰을 하려는 자의 공매참가, 최고가 매수신청인의 결정 또는 매수인의 매수대금 납부를 방해한 사실

② 공매에서 부당하게 가격을 낮출 목적으로 담합한 사실

③ 거짓 명의로 매수신청을 한 사실

3. 공매의 실시

(1) 입찰서 제출과 개찰

① 입찰서 제출: 공매를 입찰의 방법으로 하는 경우 공매재산의 매수신청인은 그 성명 · 주소 · 거소, 매수하려는 재산의 명칭, 매수신청가격, 공매보증, 그 밖에 필요한 사항을 입찰서에 적어 개찰이 시작되기 전에 공매를 집행하는 공무원에게 제출하여야 한다.

② 개찰: 공매를 집행하는 공무원이 공개적으로 각각 적힌 매수신청가격을 불러 입찰조서에 기록하는 방법으로 한다.

③ 공매를 집행하는 공무원은 최고가 매수신청인을 정한다. 이 경우 최고가 매수신청가격이 둘 이상이면 즉시 추첨으로 최고가 매수신청인을 정한다. 이 경우 공매를 집행하는 공무원은 해당 매수신청인 중 출석하지 아니한 자 또는 추첨을 하지 아니한 자가 있는 경우 입찰 사무와 관계없는 공무원으로 하여금 대신하여 추첨하게 할 수 있다.

④ 공매를 집행하는 공무원은 공매예정가격 이상으로 매수신청한 자가 없는 경우 즉시 그 장소에서 재입찰을 실시할 수 있다.

(2) 차순위 매수신청

① 최고가 매수신청인이 결정된 후 해당 최고가 매수신청인 외의 매수신청인은 매각결정기일 전까지 공매보증을 제공하고 납부를 촉구하여도 매수인이 매수대금을 지정된 기한까지 납부하지 아니하여 매각결정이 취소되는 경우 최고가 매수신청가격에서 공매보증을 뺀 금액 이상의 가격으로 공매재산을 매수하겠다는 신청을 할 수 있다.

② 관할 세무서장은 차순위 매수신청을 한 자가 둘 이상인 경우 최고액의 매수신청인을 차순위 매수신청인으로 정하고, 최고액의 매수신청인이 둘 이상인 경우에는 추첨으로 차순위 매수신청인을 정한다.

③ 관할 세무서장은 차순위 매수신청이 있는 경우 납부를 촉구하여도 매수인이 매수대금을 지정된 기한까지 납부하지 아니하여 매각결정을 취소한 날부터 3일(토요일, 일요일, 공휴일 및 대체공휴일은 제외) 이내에 차순위 매수신청인을 매수인으로 정하여 매각결정을 할 것인지 여부를 결정하여야 한다. 다만, 아래 (3)의 ① 각 사유가 있는 경우에는 차순위 매수신청인에게 매각결정을 할 수 없다.

(3) 매각결정 및 대금납부기한

① 관할 세무서장은 다음의 사유가 없으면 매각결정기일에 최고가 매수신청인을 매수인으로 정하여 매각결정을 하여야 한다.

　㉠ 공유자·배우자의 우선매수 신청이 있는 경우

　㉡ 최고가 매수신청인이 매수인의 제한 또는 공매참가의 제한을 받는 자에 해당하는 경우

　㉢ 매각결정 전에 공매 취소·정지 사유가 있는 경우

　㉣ 그 밖에 매각결정을 할 수 없는 중대한 사실이 있다고 관할 세무서장이 인정하는 경우

② 관할 세무서장은 최고가 매수신청인이 공매재산의 매수인이 되기 위하여 다른 법령에 따라 갖추어야 하는 자격을 갖추지 못한 경우에는 매각결정기일을 1회에 한정하여 당초 매각결정기일부터 10일 이내의 범위에서 연기할 수 있다.

③ 매각결정의 효력은 매각결정기일에 매각결정을 한 때에 발생한다.

④ 관할 세무서장은 매각결정을 한 경우 매수인에게 대금납부기한을 정하여 매각결정 통지서를 발급하여야 한다. 다만, 권리 이전에 등기 또는 등록이 필요 없는 재산의 매수대금을 즉시 납부시킬 경우에는 구두로 통지할 수 있다.

⑤ 대금납부기한은 매각결정을 한 날부터 7일 이내로 한다. 다만, 관할 세무서장이 필요하다고 인정하는 경우에는 그 대금납부기한을 30일의 범위에서 연장할 수 있다.

(4) 매각결정의 취소

관할 세무서장은 다음 중 어느 하나에 해당하는 경우 압류재산의 매각결정을 취소하고 그 사실을 매수인에게 통지하여야 한다.

① 매각결정을 한 후 매수인이 매수대금을 납부하기 전에 체납자가 압류와 관련된 체납액을 납부하고 매각결정의 취소를 신청하는 경우(이 경우 체납자는 매수인의 동의를 받아야 함)

② 매수인이 배분기일에 차액납부를 하지 아니하거나 이의가 제기된 금액을 납부하지 아니한 경우

③ 납부를 촉구하여도 매수인이 매수대금을 지정된 기한까지 납부하지 아니한 경우

(5) 재공매

① 관할 세무서장은 다음 중 어느 하나에 해당하는 경우 재공매를 한다.
　㉠ 재산을 공매하여도 매수신청인이 없거나 매수신청가격이 공매예정가격 미만인 경우
　㉡ 납부를 촉구하여도 매수인이 매수대금을 지정된 기한까지 납부하지 아니한 경우 및 배분기일에 차액납부를 하지 아니하거나 이의가 제기된 금액을 납부하지 아니한 경우로서 매각결정을 취소한 경우

② 관할 세무서장은 재공매를 할 때마다 최초의 공매예정가격의 10%에 해당하는 금액을 차례로 줄여 공매하며, 최초의 공매예정가격의 50%에 해당하는 금액까지 차례로 줄여 공매하여도 매각되지 아니할 때에는 새로 공매예정가격을 정하여 재공매를 할 수 있다. 다만, 공매예정가격 이상으로 매수신청한 자가 없어 즉시 재입찰을 실시한 경우에는 최초의 공매예정가격을 줄이지 아니한다.

③ 관할 세무서장은 재공매 시 공매공고 기간을 5일까지 단축할 수 있다.

(6) 공매의 취소 및 정지

① 관할 세무서장은 다음 중 어느 하나에 해당하는 경우 공매를 취소하여야 한다.

    ㉠ 해당 재산의 압류를 해제한 경우

    ㉡ 관할 세무서장이 직권으로 또는 한국자산관리공사의 요구에 따라 해당 재산에 대한 공매대행 의뢰를 해제한 경우

② 관할 세무서장은 다음 중 어느 하나에 해당하는 경우 공매를 정지하여야 한다. 만약 관할 세무서장은 공매를 정지한 후 그 사유가 소멸되어 공매를 계속할 필요가 있다고 인정하는 경우 즉시 공매를 속행하여야 한다.

    ㉠ 압류 또는 매각을 유예한 경우

    ㉡ 국세기본법 또는 행정소송법에 따라 강제징수에 대한 집행정지의 결정이 있는 경우

    ㉢ 그 밖에 공매를 정지하여야 할 필요가 있는 경우로서 대통령령으로 정하는 경우

③ 관할 세무서장은 매각결정기일 전에 공매를 취소한 경우 공매취소 사실을 공고하여야 한다.

Check 매수대금의 차액납부

1. 공매재산에 대하여 저당권이나 대항력 있는 임차권 등을 가진 매수신청인으로서 저당권, 전세권 또는 가등기담보권 및 대항력 있는 임차권 또는 등기된 임차권을 가진 매수신청인은 매각결정기일 전까지 관할 세무서장에게 자신에게 배분될 금액을 제외한 금액을 매수대금으로 납부(이하 '차액납부')하겠다는 신청을 할 수 있다.
2. 신청을 받은 관할 세무서장은 그 신청인을 매수인으로 정하여 매각결정을 할 때 차액납부 허용 여부를 함께 결정하여 통지하여야 한다.
3. 관할 세무서장은 차액납부 여부를 결정할 때 차액납부를 신청한 자가 다음 중 어느 하나에 해당하는 경우에는 차액납부를 허용하지 아니할 수 있다.
    ① 배분요구의 종기까지 배분요구를 하지 아니하여 배분받을 자격이 없는 경우
    ② 배분받으려는 채권이 압류 또는 가압류되어 지급이 금지된 경우
    ③ 배분순위에 비추어 실제로 배분받을 금액이 없는 경우
    ④ 그 밖에 제1호부터 제3호까지에 준하는 사유가 있는 경우
4. 관할 세무서장은 차액납부를 허용하기로 결정한 경우에는 대금납부기한을 정하지 아니하며, 배분기일에 매수인에게 차액납부를 하게 하여야 한다.
5. 관할 세무서장은 차액납부를 허용하기로 결정한 경우에는 그 결정일부터 30일 이내의 범위에서 배분기일을 정하여 배분하여야 한다. 다만, 30일 이내에 배분계산서를 작성하기 곤란한 경우에는 배분기일을 30일 이내의 범위에서 연기할 수 있다.
6. 관할 세무서장으로부터 차액납부를 허용하는 결정을 받은 매수인은 그가 배분받아야 할 금액에 대하여 이의가 제기된 경우 이의가 제기된 금액을 배분기일에 납부하여야 한다.

Ⅳ 수의계약

1. 개요

관할 세무서장은 압류재산이 다음 중 어느 하나에 해당하는 경우 수의계약으로 매각할 수 있다.

(1) 수의계약으로 매각하지 아니하면 매각대금이 강제징수비 금액 이하가 될 것으로 예상되는 경우

(2) 부패·변질 또는 감량되기 쉬운 재산으로서 속히 매각하지 아니하면 그 재산가액이 줄어들 우려가 있는 경우

(3) 압류한 재산의 추산가격이 1천만 원 미만인 경우

(4) 법령으로 소지 또는 매매가 금지 및 제한된 재산인 경우

(5) 제1회 공매 후 1년간 5회 이상 공매하여도 매각되지 아니한 경우

(6) 공매가 공익을 위하여 적절하지 아니한 경우

2. 절차

(1) 관할 세무서장은 압류재산을 수의계약으로 매각하려는 경우 추산가격조서를 작성하고 2인 이상으로부터 견적서를 받아야 한다. 다만, 제1회 공매 후 1년간 5회 이상 공매하여도 매각되지 아니하여 수의계약을 하는 경우로서 그 매각금액이 최종 공매시의 공매예정가격 이상인 경우에는 견적서를 받지 아니할 수 있다.

(2) 관할 세무서장은 압류재산을 수의계약으로 매각하려는 경우 그 사실을 체납자, 납세담보물소유자, 그 재산에 전세권·질권·저당권 또는 그 밖의 권리를 가진 자에게 통지하여야 한다.

Ⅴ 매수대금의 납부와 권리의 이전

1. 공매보증과 매수대금 납부

(1) 매수인이 공매보증으로 금전을 제공한 경우 그 금전은 매수대금으로서 납부된 것으로 본다.

(2) 관할 세무서장은 매수인이 공매보증으로 국공채 등을 제공한 경우 그 국공채 등을 현금화하여야 한다. 이 경우 그 현금화에 사용된 비용을 뺀 금액은 공매보증 금액을 한도로 매수대금으로서 납부된 것으로 본다.

(3) 관할 세무서장은 현금화한 금액(현금화에 사용된 비용을 뺀 금액)이 공매보증 금액보다 적으면 다시 대금납부기한을 정하여 매수인에게 그 부족액을 납부하게 하여야 하고, 공매보증 금액보다 많으면 그 차액을 매수인에게 반환하여야 한다.

2. 매수대금 납부의 효과

(1) 매수인은 매수대금을 완납한 때에 공매재산을 취득한다.

(2) 관할 세무서장이 매수대금을 수령한 때에는 체납자로부터 매수대금만큼
의 체납액을 징수한 것으로 본다.

3. 공매재산에 설정된 제한물권 등의 소멸과 인수

(1) 공매재산에 설정된 모든 질권·저당권 및 가등기담보권은 매각으로 소멸
된다.

(2) 지상권·지역권·전세권 및 등기된 임차권 등은 압류채권(압류와 관계되
는 국세를 포함)·가압류채권 및 (1)에 따라 소멸하는 담보물권에 대항할
수 없는 경우 매각으로 소멸된다.

(3) (2) 외의 경우 지상권·지역권·전세권 및 등기된 임차권 등은 매수인이
인수한다. 다만, 전세권자가 배분요구를 한 전세권의 경우에는 매각으로
소멸된다.

(4) 매수인은 유치권자에게 그 유치권으로 담보되는 채권을 변제할 책임이
있다.

4. 매각재산의 권리이전 절차

관할 세무서장은 매각재산에 대하여 체납자가 권리이전의 절차를 밟지 아니
한 경우 체납자를 대신하여 그 절차를 밟는다.

Ⅵ 청산

청산은 압류재산의 매각대금 등 강제징수에 따라 얻은 금전에 대하여 국세
및 강제징수비와 기타 채권에 배분금액을 확정시키는 처분을 말한다.

1. 배분방법

관할 세무서장은 아래와 같이 금전을 배분하고 남은 금액이 있는 경우 체납
자에게 지급한다. 관할 세무서장은 배분을 할 때 국세보다 우선하는 채권이
있음에도 불구하고 배분 순위의 착오나 부당한 교부청구 또는 그 밖에 이에
준하는 사유로 체납액에 먼저 배분한 경우 그 배분한 금액을 국세보다 우선
하는 채권의 채권자에게 국세환급금 환급의 예에 따라 지급한다.

기출 체크

공매재산에 설정된 저당권은 매각으로
소멸되지 아니한다. (×)

2021년 국가직 7급

배분금전의 범위	배분방법❶
① 압류한 금전 ② 교부청구에 따라 받은 금전	각각 그 압류 또는 교부청구와 관계되는 체납액에 배분함
③ 채권·유가증권·그 밖의 재산권의 압류에 따라 체납자 또는 제3채무자로부터 받은 금전 ④ 압류재산의 매각대금 및 그 매각대금의 예치 이자	다음의 체납액과 채권에 배분함. 이 경우 배분요구의 종기까지 배분요구를 하여야 하는 채권의 경우에는 배분요구를 한 채권에 대해서만 배분함 ㉠ 압류재산과 관계되는 체납액 ㉡ 교부청구를 받은 체납액·지방세 또는 공과금 ㉢ 압류재산과 관계되는 전세권·질권·저당권 또는 가등기담보권에 의하여 담보된 채권 ㉣ 주택임대차보호법 또는 상가건물 임대차보호법에 따라 우선변제권이 있는 임차보증금 반환채권 ㉤ 근로기준법 또는 근로자퇴직급여 보장법에 따라 우선변제권이 있는 임금, 퇴직금, 재해보상금 및 그 밖에 근로관계로 인한 채권 ㉥ 압류재산과 관계되는 가압류채권 ㉦ 집행문이 있는 판결정본에 의한 채권

Check **배분기일의 지정**

1. 관할 세무서장은 1.의 배분금전의 범위 중 ③ 또는 ④의 금전을 배분하려면 체납자, 제3채무자 또는 매수인으로부터 해당 금전을 받은 날부터 30일 이내에서 배분기일을 정하여 배분하여야 함. 다만, 30일 이내에 배분계산서를 작성하기 곤란한 경우에는 배분기일을 30일 이내에서 연기할 수 있음
2. 관할 세무서장은 배분기일을 정한 경우 체납자 등에게 그 사실을 통지하여야 함. 다만, 체납자 등이 외국에 있거나 있는 곳이 분명하지 아니한 경우 통지하지 아니할 수 있음

---

2. 그 밖의 청산절차

(1) 국가 등의 재산에 관한 권리의 매각대금의 배분

압류한 국가 또는 지방자치단체의 재산에 관한 체납자의 권리를 매각한 경우 다음의 순서에 따라 매각대금을 배분한다. 관할 세무서장은 배분하고 남은 금액은 체납자에게 지급한다.

① 국가 또는 지방자치단체가 체납자로부터 지급받지 못한 매각대금
② 체납액

(2) 배분계산서의 작성

① 관할 세무서장은 금전을 배분하는 경우 배분계산서 원안을 작성하고, 이를 배분기일 7일 전까지 갖추어 두어야 한다.

② 체납자 등은 관할 세무서장에게 교부청구서, 감정평가서, 채권신고서, 배분요구서, 배분계산서 원안 등 배분금액 산정의 근거가 되는 서류의 열람 또는 복사를 신청할 수 있다. 관할 세무서장은 이러한 열람 또는 복사의 신청을 받은 경우 이에 따라야 한다.

(3) 배분계산서에 대한 이의 등

① 배분기일에 출석한 체납자 등은 배분기일이 끝나기 전까지 자기의 채권과 관계되는 범위에서 배분계산서 원안에 기재된 다른 채권자의 채권 또는 채권의 순위에 대하여 이의제기를 할 수 있다.

② 단, 체납자는 배분기일에 출석하지 아니한 경우에도 배분계산서 원안이 갖추어진 이후부터 배분기일이 끝나기 전까지 문서로 이의제기를 할 수 있다.

③ 관할 세무서장은 다음의 구분에 따라 배분계산서를 확정하여 배분을 실시하고, 확정되지 아니한 부분에 대해서는 배분을 유보한다.

　㉠ 관할 세무서장이 이의제기가 정당하다고 인정하거나 배분계산서 원안과 다른 내용으로 체납자 등이 한 합의가 있는 경우: 정당하다고 인정된 이의제기의 내용 또는 합의에 따라 배분계산서를 수정하여 확정한다.

　㉡ 관할 세무서장이 이의제기가 정당하다고 인정하지 아니하고 배분계산서 원안과 다른 내용으로 체납자 등이 한 합의도 없는 경우: 배분계산서 중 이의제기가 없는 부분에 한정하여 확정한다. 배분계산서 중 이의제기가 있어 확정되지 아니한 부분이 있는 경우 이의를 제기한 체납자 등이 관할 세무서장의 배분계산서 작성에 관하여 심판청구 등을 한 사실을 증명하는 서류를 배분기일부터 1주일 이내에 제출하지 아니하면 이의제기가 취하된 것으로 본다.

　㉢ 이의제기가 없는 경우: 배분계산서 원안대로 확정한다.

④ 배분기일에 출석하지 아니한 채권자는 배분계산서 원안과 같이 배분을 실시하는 데에 동의한 것으로 보고, 그가 다른 체납자 등이 제기한 이의에 관계된 경우 그 이의제기에 동의하지 아니한 것으로 본다.

(4) 배분금전의 예탁

① 관할 세무서장은 다음 중 어느 하나에 해당하는 사유가 있는 경우 그 채권에 관계되는 배분금전을 한국은행(국고대리점을 포함)에 예탁하여야 한다.

　㉠ 채권에 정지조건 또는 불확정기한이 붙어 있는 경우

　㉡ 가압류채권자의 채권인 경우

　㉢ 체납자 등이 배분계산서 작성에 대하여 심판청구 등을 한 사실을 증명하는 서류를 제출한 경우

　㉣ 그 밖의 사유로 배분금전을 체납자 등에게 지급하지 못한 경우

② 관할 세무서장은 예탁한 경우 그 사실을 체납자 등에게 통지하여야
한다.

(5) 예탁금에 대한 배분의 실시

① 관할 세무서장은 배분금전을 예탁한 후 다음 중 어느 하나에 해당하
는 사유가 있는 경우 예탁금을 당초 배분받을 체납자 등에게 지급하
거나 배분계산서 원안을 변경하여 예탁금에 대한 추가 배분을 실시하
여야 한다.

㉠ 배분계산서 작성에 관한 심판청구 등의 결정·판결이 확정된 경우
㉡ 그 밖에 예탁의 사유가 소멸한 경우

② 관할 세무서장은 예탁금의 추가 배분을 실시하려는 경우 당초의 배분
계산서에 대하여 이의를 제기하지 아니한 체납자 등을 위해서도 배분
계산서를 변경하여야 한다.

③ 체납자 등은 추가 배분기일에 이의를 제기할 경우 종전의 배분기일에
서 주장할 수 없었던 사유만을 주장할 수 있다.

4 압류·매각의 유예

I 압류·매각의 유예

1. 개요

납세자에게 특별한 사정이 있는 경우에 강제징수의 요건이 이미 충족되어
있음에도 불구하고 압류·매각을 일시적으로 늦추는 제도를 말한다.

2. 사유

관할 세무서장은 체납자가 다음 중 어느 하나에 해당하는 경우 체납자의 신
청 또는 직권으로 그 체납액에 대하여 강제징수에 따른 재산의 압류 또는
압류재산의 매각을 유예할 수 있다.

(1) 국세청장이 성실납세자로 인정하는 기준에 해당하는 경우

(2) 재산의 압류나 압류재산의 매각을 유예함으로써 체납자가 사업을 정상
적으로 운영할 수 있게 되어 체납액의 징수가 가능하게 될 것이라고 관
할 세무서장이 인정하는 경우

3. 유예기간

(1) 압류 또는 매각의 유예기간은 그 유예한 날의 다음 날부터 1년 이내로 한다.

(2) 관할 세무서장은 고용재난지역, 특별재난지역(선포된 날부터 2년으로 한정) 등에 사업장이 소재하는 중소기업이 압류 또는 매각의 유예를 신청하는 경우(압류 또는 매각의 유예를 받고 그 유예기간 중에 신청하는 경우를 포함) 그 압류 또는 매각의 유예(소득세, 법인세, 부가가치세 및 이에 부가되는 세목에 대한 압류 또는 매각의 유예로 한정)의 기간은 유예한 날의 다음 날부터 2년(압류 또는 매각의 유예를 받은 분에 대해서는 유예받은 기간을 포함하여 산정) 이내로 할 수 있다.

4. 담보의 제공

관할 세무서장은 재산의 압류를 유예하거나 압류를 해제하는 경우 그에 상당하는 납세담보의 제공을 요구할 수 있다. 다만, 성실납세자가 체납세액 납부계획서를 제출하고 국세체납정리위원회가 체납세액 납부계획의 타당성을 인정하는 경우에는 그러하지 아니하다.

5. 효과

(1) 관할 세무서장은 압류·매각유예를 하는 경우 필요하다고 인정하면 이미 압류한 재산의 압류를 해제할 수 있다.

(2) 압류·매각유예기간 중에는 징수권을 행사하지 못하므로 국세징수권의 소멸시효가 정지된다.

(3) 관할 세무서장은 압류 또는 매각이 유예된 체납세액을 압류 또는 매각의 유예기간 이내에 분할하여 징수할 수 있다.

6. 유예의 취소

압류·매각의 유예 취소와 체납액의 일시징수에 관하여는 납부기한 등 연장 등의 취소 규정을 준용한다.

Ⅱ 국세체납정리위원회

1. 개요

국세의 체납정리에 관한 사항을 심의하기 위하여 지방국세청과 1급지세무서에 국세체납정리위원회를 둔다.

2. 구성

(1) 지방국세청에 두는 국세체납정리위원회를 지방국세청위원회라 하고 세무서에 두는 국세체납정리위원회를 세무서위원회라 한다.

(2) 지방국세청위원회는 위원장을 포함한 7명 이상 9명 이하의 위원으로 구성하고, 세무서위원회는 위원장을 포함한 5명 이상 7명 이하의 위원으로 구성하며, 지방국세청위원회의 위원장은 지방국세청장이 되고, 세무서위원회의 위원장은 세무서장이 된다.

(3) 국세체납정리위원회의 위원은 해당 지방국세청장 또는 세무서장이 다음 중 어느 하나에 해당하는 사람 중에서 임명 또는 위촉함

    ① 해당 지방국세청 또는 세무서 소속 5급 이상 공무원

    ② 변호사·공인회계사 또는 세무사의 자격이 있는 사람❶

    ③ 법률·회계 또는 경제에 관하여 학식과 경험이 풍부한 사람으로서 경제계에 종사하는 사람❶

❶ 임기는 2년으로 하며, 한 차례만 연임할 수 있다.

3. 심의사항

지방국세청장과 세무서장은 다음 중 어느 하나에 해당하는 경우 각각 지방국세청위원회 및 세무서위원회의 심의를 거쳐야 한다.

(1) 총 재산의 추산가액이 강제징수비(압류에 관계되는 국세에 우선하는 피담보채권 금액이 있는 경우 이를 포함)를 징수하면 남을 여지가 없어 강제징수를 종료할 필요가 있는 사유로 압류를 해제하려는 경우

(2) 그 밖에 국세징수법 또는 다른 세법에 따라 국세체납정리위원회의 심의를 거쳐야 하는 경우

4. 위원장의 직무

(1) 국세체납정리위원회의 위원장은 해당 위원회를 대표하고, 위원회의 업무를 총괄한다.

(2) 위원장이 사고가 있는 경우 위원장이 지명하는 해당 위원회의 위원이 그 직무를 대행한다.

5. 회의

(1) 위원장은 해당 위원회의 회의를 소집하고 그 의장이 된다.

(2) 위원장은 회의의 일정과 의안을 미리 각 위원에게 통지하여야 한다.

(3) 회의는 재적위원 과반수의 출석으로 개의하고, 출석위원 과반수의 찬성으로 의결한다.

01 국세징수법상 체납액의 징수 순서로 옳은 것은?

2012년 국가직 9급 변형

① 강제징수비, 국세, 가산세
② 가산세, 강제징수비, 국세
③ 국세, 가산세, 강제징수비
④ 국세, 강제징수비, 가산세

정답 및 해설

체납액의 징수 순서는 강제징수비, 국세(가산세 제외), 가산세로 한다.

> 📄 **체납액의 징수 순서(국세징수법 제3조 참조)**
>
> 1. 강제징수비
> 2. 국세(가산세는 제외)
> 3. 가산세
>   **참고** 국세는 교육세, 농어촌특별세, 교통세 기타 국세의 순으로 징수함

답 ①

02 국세징수법상 납세증명서제도에 관한 설명으로 옳은 것은?

① 납세증명서는 발급일 현재 독촉장에서 정하는 기한의 연장에 관계된 금액, 압류·매각의 유예액 및 그 밖에 대통령령으로 정하는 금액을 포함한 다른 체납액이 없다는 사실을 증명하는 문서를 말한다.

② 국내거소신고를 한 외국인이 체류기간 연장허가 등 체류 관련 허가를 법무부장관에게 신청하는 경우에는 납세증명서를 제출하여야 한다.

③ 지방자치단체가 국가로부터 대금을 지급받아 그 대금이 지방자치단체금고에 귀속되는 경우 납세증명서를 제출하여야 한다.

④ 법원의 전부명령에 따라 원래의 계약자 외의 자가 지방자치단체로부터 대금을 지급받는 경우 압류채권자와 채무자의 납세증명서를 제출하여야 한다.

정답 및 해설

선지분석

① 납세증명서는 발급일 현재 독촉장에서 정하는 기한의 연장에 관계된 금액, 압류·매각의 유예액 및 그 밖에 대통령령으로 정하는 금액을 제외한 다른 체납액이 없다는 사실을 증명하는 문서를 말한다.

③ 지방자치단체가 국가로부터 대금을 지급 받아 그 대금이 지방자치단체금고에 귀속되는 경우 납세증명서를 제출하지 아니하여도 된다.

④ 법원의 전부명령에 따라 원래의 계약자 외의 자가 지방자치단체로부터 대금을 지급받는 경우 압류채권자의 납세증명서만 제출하여도 된다.

📄 **납세증명서 제출대상자(국세징수법 시행령 제90조 참조)**

원칙	계약자
특례	1. 채권양도로 인한 경우: 양도인과 양수인의 납세증명서 2. 법원의 전부명령에 따르는 경우: 압류채권자의 납세증명서 3. 하도급거래 공정화에 관한 법률에 따라 건설공사의 하도급대금을 직접 지급받는 경우: 수급사업자의 납세증명서

답 ②

03 국세징수법령상 납세증명서와 미납국세 등의 열람제도에 대한 설명으로 옳지 않은 것은? (단, 납세증명서발급과 미납국세 등의 열람을 위한 다른 요건은 모두 충족된 것으로 봄)

2020년 국가직 9급 변형

① 임차인이 미납국세 등을 열람하는 경우, 임대인이 각 세법에 따른 과세표준 및 세액의 신고기한까지 신고한 국세 중 납부하지 아니한 국세의 열람이 가능하다.

② 과세표준 및 세액을 신고하였으나 납부하지 아니한 소득(종합소득)세 납세의무는 과세표준 확정신고기한까지는 납세증명서를 통하여 확인할 수 없다.

③ 내국인이 해외이주 목적으로 해외이주법 제6조에 따라 외교부장관에게 해외이주신고를 하는 경우에는 대통령령으로 정하는 바에 따라 납세증명서를 제출하여야 한다.

④ 미납국세 등의 열람으로는 임대인에게 납부고지서를 발급한 후 납기가 도래하지 아니한 국세를 열람할 수 없다.

정답 및 해설

임차인이 열람할 수 있는 국세는 다음의 금액으로서 확정된 국세에 한정한다. 즉, 납부고지서 등을 발급한 후 납기가 도래하지 않은 국세도 열람이 가능하다.

> 📄 미납국세 등의 열람(국세징수법 제109조 제1항 참조)
> 1. 세법에 따른 과세표준 및 세액의 신고기한까지 신고한 국세 중 납부하지 아니한 국세
> 2. 납부고지서를 발급한 후 지정납부기한이 도래하지 아니한 국세
> 3. 체납액

답 ④

04 국세징수법상 사업에 관한 허가 등의 제한에 대한 설명으로 옳지 않은 것은?

2015년 국가직 9급 변형

① 세금체납이 있었지만 그 원인이 납세자가 재난으로 재산에 심한 손실을 입은 경우로서 세무서장이 인정하는 경우에는 관할 세무서장은 인·허가 주무관서에 그 납세자에 대한 인·허가를 하지 아니할 것을 요구할 수 없다.

② 허가 등을 받아 사업을 경영하는 자가 국세를 3회 이상 체납한 경우로서 그 체납세액이 500만 원 이상이라고 하더라도 납세자의 동거가족이 질병이나 중상해로 6개월 이상의 치료가 필요한 경우로서 관할 세무서장이 인정하는 경우에는 관할 세무서장은 그 주무관서에 사업의 정지 또는 허가 등의 취소를 요구할 수 없다.

③ 인·허가 주무관서에 관허사업의 제한요구를 한 후 해당 국세를 징수한 경우 즉시 그 요구를 철회하여야 한다.

④ 세무서장이 관허사업의 제한요구를 함에 있어서 납세자의 세금 체납횟수가 문제되는 경우에는 그 체납세금은 관허사업 자체에 관한 것에 국한하지 아니한다.

정답 및 해설

3회 이상의 체납횟수계산의 기초가 되는 체납국세는 '해당 사업과 관련된 소득세, 법인세 및 부가가치세'로 국한한다.
2019년 법 개정 시 체납 국세의 세목을 소득세, 법인세 및 부가가치세로 한정함으로써 관허사업 제한대상을 축소하였다. 한편, 3회의 체납 횟수는 납부고지서 1통을 1회로 보아 계산한다.

답 ④

05 국세징수법령상 체납자에 대한 사업에 관한 허가 등의 제한과 출국금지에 대해 설명한 것으로 옳지 않은 것은?

2017년 국가직 7급 변형

① 관할 세무서장은 허가 등을 받아 사업을 경영하는 자가 해당 사업과 관련된 소득세, 법인세 및 부가가치세를 3회 이상 체납하고 그 체납된 금액의 합계액이 500만 원 이상인 경우 대통령령으로 정하는 경우를 제외하고 해당 주무관청에 사업의 정지 또는 허가 등의 취소를 요구할 수 있다.

② 납세자에게 공시송달의 방법으로 납부고지 되었으나 납세자가 국세를 체납하였을 경우 관할 세무서장은 허가 등이 필요한 사업의 주무관청에 그 납세자에 대하여 그 허가 등을 하지 아니할 것을 요구하여야 한다.

③ 대법원 판례는 재산을 해외로 도피할 우려가 있는지 여부 등을 확인하지 않은 채 단순히 일정 금액 이상의 조세를 미납하였고 그 미납에 정당한 사유가 없다는 사유만으로 바로 출국금지처분을 하는 것은 헌법상의 기본권 보장 원리 및 과잉금지의 원칙에 비추어 허용되지 않는다고 본다.

④ 국세청장은 체납액 징수, 체납자 재산의 압류 및 담보 제공 등으로 출국금지사유가 없어진 경우 즉시 법무부장관에게 출국금지의 해제를 요청하여야 한다.

> **정답 및 해설**
>
> 국세청장은 공시송달의 방법으로 납부고지된 경우에는 허가 등이 필요한 사업의 주무관청에 그 납세자에 대하여 그 허가 등을 하지 아니할 것을 요구할 수 없다.
>
> 답 ②

06 국세징수법상 고액·상습체납자의 감치사유와 관련이 없는 것은? (단, 체납된 국세는 2020년 1월 1일 이후 체납된 것으로 가정함)

2021년 국가직 7급

① 국세를 3회 이상 체납하고 있고, 체납 발생일부터 각 1년이 경과하였으며, 체납된 국세의 합계액이 2억 원 이상인 경우

② 체납된 국세의 납부능력이 있음에도 불구하고 정당한 사유 없이 체납한 경우

③ 국세정보위원회의 의결에 따라 해당 체납자에 대한 감치 필요성이 인정되는 경우

④ 5천만 원의 국세를 체납한 자로서 직계존비속이 국외로 이주한 경우

> **정답 및 해설**
>
> **국세징수법 제115조 【고액·상습체납자의 감치】** ① 법원은 검사의 청구에 따라 체납자가 다음 각 호의 사유에 모두 해당하는 경우 결정으로 30일의 범위에서 체납된 국세가 납부될 때까지 그 체납자를 감치(監置)에 처할 수 있다.
> 1. 국세를 3회 이상 체납하고 있고, 체납 발생일부터 각 1년이 경과하였으며, 체납된 국세의 합계액이 2억 원 이상인 경우
> 2. 체납된 국세의 납부능력이 있음에도 불구하고 정당한 사유 없이 체납한 경우
> 3. 국세기본법 제85조의5 제2항에 따른 국세정보위원회의 의결에 따라 해당 체납자에 대한 감치 필요성이 인정되는 경우
>
> 답 ④

07 국세징수법상 납부고지에 대한 설명으로 옳지 않은 것은?

2017년 국가직 9급 변형

① 관할 세무서장은 납세자로부터 국세를 징수하려는 경우 국세의 과세기간, 세목, 세액, 납부기한을 적은 과세안내서, 과세예고통지서, 납부고지서 등을 발급하여야 한다.

② 관할 세무서장은 제2차 납세의무자에게 납부고지서를 발급하는 경우 납세자에게 그 사실을 통지하여야 한다.

③ 납부고지서는 징수결정 즉시 발급하여야 한다. 다만, 납부고지를 유예한 경우 유예기간이 끝난 날의 다음 날에 발급한다.

④ 납세자가 국세의 체납으로 강제징수가 시작된 경우 관할 세무서장은 납부기한 전이라도 이미 납세의무가 확정된 국세를 징수할 수 있다.

> **정답 및 해설**
>
> 관할 세무서장은 납세자로부터 국세를 징수하려는 경우 국세의 과세기간, 세목, 세액, 산출 근거, 납부하여야 할 기한(납부고지를 하는 날부터 30일 이내의 범위로 정함) 및 납부장소를 적은 납부고지서를 납세자에게 발급하여야 한다. **참고** 고지서 필요적 기재사항 중 하나라도 누락된 경우 고지의 효력이 인정되지 아니함

답 ①

08 국세징수법상 납세의무가 확정된 국세에 대하여 납부기한 전에 징수할 수 있는 사유로 옳지 않은 것은?

2009년 국가직 7급 변형

① 납세자가 경영하는 사업에 현저한 손실이 발생하거나 부도 또는 도산의 우려가 있는 경우

② 어음법에 따른 어음교환소에서 거래정지처분을 받은 경우

③ 국세를 포탈하려는 행위가 있다고 인정되는 경우

④ 지방세의 체납으로 강제징수가 시작된 경우

> **정답 및 해설**
>
> 사업이 중대한 위기에 처한 때는 납부기한 전 징수사유에 해당하지 아니하며 납부고지의 유예사유에 해당한다.
>
> **📄 납부기한 전 징수사유(국세징수법 제9조 제1항 참조)**
> 1. 국세, 지방세 또는 공과금의 체납으로 강제징수 또는 체납처분이 시작된 경우
> 2. 민사집행법에 따른 강제집행 및 담보권 실행 등을 위한 경매가 시작되거나 채무자 회생 및 파산에 관한 법률에 따른 파산선고를 받은 경우
> 3. 어음법 및 수표법에 따른 어음교환소에서 거래정지처분을 받은 경우
> 4. 법인이 해산한 경우
> 5. 국세를 포탈하려는 행위가 있다고 인정되는 경우
> 6. 납세관리인을 정하지 아니하고 국내에 주소 또는 거소를 두지 아니하게 된 경우

답 ①

09 국세징수법상 납부기한 전 징수와 교부청구의 공통된 사유에 해당하지 않는 것은?

2008년 국가직 9급 변형

① 국세의 체납으로 체납자에 대한 강제징수가 시작된 경우
② 민사집행법에 따른 강제집행 및 담보권 실행 등을 위한 경매가 시작된 경우
③ 법인이 해산한 경우
④ 국세를 포탈하고자 하는 행위가 있다고 인정되는 경우

정답 및 해설

국세를 포탈하고자 하는 행위가 있다고 인정되는 경우는 교부청구사유에만 해당한다.

📄 **납부기한 전 징수와 교부청구의 사유 비교(국세징수법 제9조 제1항·제59조 참조)**

구분	납부기한 전 징수사유	교부청구사유
1. 국세, 지방세 또는 공과금의 체납으로 체납자에 대한 강제징수 또는 체납처분이 시작된 경우		
2. 민사집행법에 따른 강제집행 및 담보권 실행 등을 위한 경매가 시작되거나 체납자가 채무자 회생 및 파산에 관한 법률에 따른 파산선고를 받은 경우	○	○
3. 법인이 해산한 경우		
4. 어음법 및 수표법에 따른 어음교환소에서 거래정지처분을 받은 경우		
5. 국세를 포탈하고자 하는 행위가 있다고 인정되는 때	○	×
6. 납세관리인을 정하지 아니하고 국내에 주소 또는 거소를 두지 아니하게 된 때		

답 ④

---

10 국세징수법상 고지된 국세 등의 납부고지의 유예에 대한 설명으로 옳지 않은 것은? (단, 상호합의절차에 따른 특례는 고려하지 않음)

2018년 국가직 9급 변형

① 관할 세무서장은 납세자가 경영하는 사업에 현저한 손실이 발생하거나 부도 또는 도산의 우려되어 국세를 납부할 수 없다고 인정되는 경우 대통령령으로 정하는 바에 따라 납부고지를 유예할 수 있다.
② 납세자가 납부고지 예정인 국세의 납부하여야 할 기한의 만료일 10일 전까지 신청을 하였으나 관할 세무서장이 신청일부터 10일 이내에 승인 여부를 통지하지 아니한 경우에는 신청일부터 10일이 되는 날에 신청을 승인한 것으로 본다.
③ 관할 세무서장은 납부고지의 유예를 하는 경우 유예와 관계되는 금액에 상당하는 납세담보의 제공을 요구하여야 한다.
④ 관할 세무서장은 고지된 국세 등의 징수를 유예한 기간 중에 그 유예한 국세 또는 체납액에 대하여 교부청구를 할 수 있다.

정답 및 해설

관할 세무서장은 납부고지의 유예를 하는 경우 유예와 관계되는 금액에 상당하는 납세담보의 제공을 요구할 수 있다.

답 ③

---

11 국세징수법상 납세담보에 대한 설명으로 옳지 않은 것은? 2014년 9급 국가직 변형

① 납세담보로서 금전을 제공한 자는 그 금전으로 담보한 국세 및 강제징수비를 납부할 수 있다.
② 납세보증보험증권의 납세담보의 가액은 보험금액이다.
③ 금전을 납세담보로 제공하는 경우에는 담보할 국세의 100분의 120 이상의 가액에 상당하는 현금을 제공하여야 한다.
④ 납세담보를 제공한 자는 관할 세무서장의 승인을 받아 그 담보를 변경할 수 있다.

정답 및 해설

금전, 납세보증보험증권 또는 은행법에 따른 은행의 납세보증서는 담보할 국세의 110% 이상의 가액에 상당하는 금액을 제공하여야 한다.

담보로 제공해야 하는 가액(국세징수법 제18조 제2항 참조)	
1. 금전 2. 납세보증보험증권 3. 은행법에 따른 은행의 납세보증서	담보할 국세의 110% 이상
위 1.~ 3. 외의 납세담보 재산	담보할 국세의 120% 이상

답 ③

12 국세징수법령상 납세담보에 대한 설명으로 옳지 않은 것은? 2022년 국가직 9급

① 증권시장에 상장된 유가증권으로서 매매사실이 있는 것은 납세담보로 인정하고 있다.
② 보석 또는 자동차와 같이 자산적 가치가 있는 것은 법에 열거되지 않더라도 납세담보로 인정한다.
③ 납세담보로서 금전을 제공한 자는 그 금전으로 담보한 국세 및 강제징수비를 납부할 수 있다.
④ 관할 세무서장은 납세담보를 제공받은 국세 및 강제징수비가 그 담보기간에 납부되지 않는 경우 납세담보가 납세보증서이면 보증인으로부터 징수절차에 따라 징수한 금전으로 해당 국세 및 강제징수비를 징수한다.

정답 및 해설

납세담보는 보석 또는 자동차와 같이 자산적 가치가 있더라도 법에 열거되지 않은 경우 제공할 수 없다.

답 ②

13 국세징수법상 강제징수에 대한 설명으로 옳지 않은 것은?

2016년 국가직 9급 변형

① 세무공무원이 재산을 압류하기 위하여 필요한 경우에도 해당 주거 등의 폐쇄된 문이나 금고를 직접 열 수 없다.

② 세무공무원은 제3자가 제3자의 주거 등에 체납자의 재산을 감춘 혐의가 있다고 인정되는 경우 제3자의 주거 등을 수색할 수 있고, 해당 주거 등의 폐쇄된 문·금고 또는 기구를 열게 하거나 직접 열 수 있다.

③ 주로 야간에 주류를 제공하는 영업을 하는 장소에 대해서는 해가 진 후에도 영업 중에는 수색을 시작할 수 있다.

④ 관할 세무서장은 압류재산을 선택하는 경우 강제징수에 지장이 없는 범위에서 전세권·질권·저당권 등 체납자의 재산과 관련하여 제3자가 가진 권리를 침해하지 아니하도록 하여야 한다.

정답 및 해설

세무공무원은 재산을 압류하기 위하여 필요한 경우에는 체납자의 주거 등을 수색할 수 있고, 해당 주거 등의 폐쇄된 문·금고 또는 기구를 열게 하거나 직접 열 수 있다.

선지분석

③ 수색의 시간적 제한(국세징수법 제35조 제3항·제4항 참조)
   1. 수색은 해가 뜰 때부터 해가 질 때까지만 할 수 있다. 다만, 해가 지기 전에 시작한 수색은 해가 진 후에도 계속할 수 있다.
   2. 단, 주로 야간에 영업을 하는 장소에 대해서는 해가 진 후에도 영업 중에는 수색을 시작할 수 있다.

답 ①

14 국세징수법상 강제징수에 대한 설명으로 옳지 않은 것은?

2021년 국가직 9급

① 관할 세무서장은 재판상의 가압류 또는 가처분 재산이 강제징수대상인 경우에는 국세징수법에 따른 강제징수를 할 수 없다.

② 관할 세무서장은 강제징수를 할 때 납세자가 국세의 징수를 피하기 위하여 한 재산의 처분이나 그 밖에 재산권을 목적으로 한 법률행위(신탁법 제8조에 따른 사해신탁을 포함)에 대하여 신탁법 및 민법을 준용하여 사해행위의 취소 및 원상회복을 법원에 청구할 수 있다.

③ 관할 세무서장은 납세자가 독촉 또는 납부기한 전 징수의 고지를 받고 지정된 기한까지 국세를 완납하지 아니한 경우 재산의 압류, 압류재산의 매각·추심 및 청산의 절차에 따라 강제징수를 한다.

④ 체납자의 재산에 대하여 강제징수를 시작한 후 체납자가 사망한 경우에도 그 재산에 대한 강제징수는 계속 진행하여야 한다.

정답 및 해설

관할 세무서장은 재판상의 가압류 또는 가처분 재산이 강제징수대상인 경우에도 강제징수를 한다.

답 ①

15 국세징수법상 압류에 대한 설명으로 옳지 <u>않은</u> 것은?

① 관할 세무서장은 납세자에게 국세를 포탈하려는 행위가 있다고 인정되어 국세가 확정된 후 그 국세를 징수할 수 없다고 인정할 때에는 국세로 확정되리라고 추정되는 금액의 한도에서 납세자의 재산을 압류할 수 있다.

② 세무공무원은 재산을 압류하기 위하여 필요한 경우에는 체납자의 주거 등의 폐쇄된 문·금고 또는 기구를 열게 할 수는 있으나 직접 열 수는 없다.

③ 세무공무원은 강제징수를 하면서 압류할 재산의 소재 또는 수량을 알아내기 위하여 필요한 경우 체납자와 채권·채무관계가 있는 자에게 구두 또는 문서로 질문하거나 장부, 서류 및 그 밖의 물건을 검사할 수 있다.

④ 세무공무원은 수색을 하는 경우 그 신분을 나타내는 증표 및 수색 통지서를 지니고 이를 관계자에게 보여 주어야 한다.

정답 및 해설

세무공무원은 재산을 압류하기 위하여 필요한 경우에는 체납자의 주거·창고·사무실·선박·항공기·자동차 또는 그 밖의 장소를 수색할 수 있고, 해당 주거 등의 폐쇄된 문·금고 또는 기구를 열게 하거나 직접 열 수 있다.

답 ②

16 국세징수법상 세무공무원이 납세자의 체납된 세금 10억 원을 이유로 그의 재산을 압류하려고 함에 있어서 그 재산이 다음과 같은 경우 세무공무원이 압류할 수 있는 재산의 총액은?

> • 법령에 따라 급여하는 상이급여금: 500만 원
> • 체납자의 생계유지에 필요한 소액금융재산: 보장성보험의 만기환급금 150만 원
> • 월급여(그에 대한 근로소득세와 소득세분 지방소득세 100만 원 포함): 800만 원

① 325만 원

② 350만 원

③ 375만 원

④ 450만 원

정답 및 해설

ⓐ 압류금지금액 = 300만 원 + [700만 원 - 600만 원] × 1/4 = 325만 원

ⓑ 압류가능금액 = 700만 원 - 325만 원 = 375만 원

참고 • 월급여총액은 근로소득에 대한 소득세 및 소득세분 지방소득세를 뺀 금액으로 함
• 법령에 따라 지급되는 사망급여금 또는 상이급여금은 전액 압류할 수 없음
• 체납자의 생계 유지에 필요한 소액금융재산으로서 보장성보험의 만기환급금 중 150만 원 이하의 금액은 압류할 수 없음

답 ③

17 국세징수법상 압류의 효력에 대한 설명으로 옳지 않은 것은?

2011년 국가직 9급 변형

① 동산에 대한 압류의 효력은 세무공무원이 그 재산을 점유한 때에 발생한다.
② 부동산 압류의 효력은 해당 압류재산의 소유권이 이전되기 전에 국세기본법에 따른 법정기일이 도래한 국세의 체납액에 대해서도 미친다.
③ 관할 세무서장은 채권을 압류하는 경우 압류하려는 채권에 국세보다 우선하는 질권이 설정되어 있어 압류에 관계된 체납액의 징수가 확실하지 아니하더라도 체납액을 한도로 압류하여야 한다.
④ 관할 세무서장은 권리의 변동에 등기 또는 등록이 필요한 그 밖의 재산권을 압류하려는 경우 압류의 등기 또는 등록을 관할 등기소 등에게 촉탁하여야 한다. 그 변경의 등기 또는 등록에 관하여도 또한 같다.

정답 및 해설

관할 세무서장은 채권을 압류하는 경우 체납액을 한도로 하여야 한다. 다만, 압류하려는 채권에 국세보다 우선하는 질권이 설정되어 있어 압류에 관계된 체납액의 징수가 확실하지 아니한 경우 등 필요하다고 인정되는 경우 채권 전액을 압류할 수 있다.

답 ③

18 국세징수법상 세무서장이 압류를 즉시 해제하여야 하는 경우에 해당하지 않는 것은?

2016년 국가직 7급 변형

① 압류와 관계되는 체납액의 전부가 납부 또는 충당된 경우
② 압류한 재산에 대하여 소유권을 주장하고 반환을 청구하려는 제3자의 소유권 주장 및 반환 청구가 정당하다고 인정되는 경우
③ 제3자가 체납자를 상대로 소유권에 관한 소송을 제기하여 승소판결을 받고 그 사실을 증명한 경우
④ 압류 후 재산가격이 변동하여 체납액 전액을 현저히 초과한 경우

정답 및 해설

📄 **압류의 임의적 해제요건(국세징수법 제57조 제2항 참조)**

관할 세무서장은 다음 중 어느 하나에 해당하는 경우 압류재산의 전부 또는 일부에 대하여 압류를 해제할 수 있음
1. 압류 후 재산가격이 변동하여 체납액 전액을 현저히 초과한 경우
2. 압류와 관계되는 체납액의 일부가 납부 또는 충당된 경우
3. 국세 부과의 일부를 취소한 경우
4. 체납자가 압류할 수 있는 다른 재산을 제공하여 그 재산을 압류한 경우

답 ④

19 국세징수법상 압류재산의 매각에 대한 설명으로 옳지 않은 것은?

① 압류한 재산이 자본시장과 금융투자업에 관한 법률에 따른 증권시장에 상장된 증권인 경우 해당 시장에서 직접 매각할 수 있다.

② 압류한 재산의 추산가격이 1천만 원 미만인 경우에는 수의계약으로 매각할 수 있다.

③ 체납자도 최고입찰가격 이상을 제시한 경우에는 압류재산을 매수할 수 있다.

④ 국세채권이 확정되기 전 적법하게 재산압류가 이루어진 경우라 하더라도 해당 재산을 매각하려면 우선 납세의무가 확정되어야 한다.

정답 및 해설

체납자는 자기 또는 제3자의 명의나 계산으로 압류재산을 매수하지 못한다.

> **국세징수법 제80조【매수인의 제한】** 다음 각 호의 어느 하나에 해당하는 자는 자기 또는 제3자의 명의나 계산으로 압류재산을 매수하지 못한다.
> 1. 체납자
> 2. 세무공무원
> 3. 매각 부동산을 평가한 감정평가 및 감정평가사에 관한 법률에 따른 감정평가법인 등(같은 법 제29조에 따른 감정평가법인의 경우 그 감정평가법인 및 소속 감정평가사를 말한다)

선지분석

④ 확정 전 보전압류한 재산은 그 압류와 관계되는 국세의 납세의무가 확정되기 전에는 공매할 수 없다.

답 ③

20 국세징수법상 공매 시 공유자 및 배우자의 우선매수권에 대한 설명으로 옳지 않은 것은? 2016년 국가직 7급 변형

① 공유자는 공매재산이 공유물의 지분인 경우 매각결정기일 전까지 공매보증을 제공하고 최고가 매수신청가격 또는 공매예정가격으로 공매재산을 우선매수하겠다는 신청을 할 수 있다.

② 체납자의 배우자는 공매재산이 압류한 부부 공유의 동산 또는 유가증권인 경우 ①을 준용하여 공매재산을 우선매수하겠다는 신청을 할 수 있다.

③ 관할 세무서장은 여러 사람의 공유자가 우선매수신청을 하고 그 공유자 또는 체납자의 배우자에게 매각결정절차를 마친 경우 공유자 간의 특별한 협의가 없으면 공유지분의 비율에 따라 공매재산을 매수하게 한다.

④ 관할 세무서장은 매각결정 후 매수인이 매수대금을 납부하지 아니한 경우 매각대금이 완납될 때까지 공매를 중지하여야 한다.

정답 및 해설

관할 세무서장은 그 공유자 또는 체납자의 배우자에게 매각결정 후 매수인이 매수대금을 납부하지 아니한 경우 최고가 매수신청인에게 다시 매각결정을 할 수 있다.

선지분석

①
> **국세징수법 제79조【공유자·배우자의 우선매수권】** ① 공유자는 공매재산이 공유물의 지분인 경우 매각결정기일 전까지 공매보증을 제공하고 다음 각 호의 구분에 따른 가격으로 공매재산을 우선매수하겠다는 신청을 할 수 있다.
> 1. 최고가 매수신청인이 있는 경우: 최고가 매수신청가격
> 2. 최고가 매수신청인이 없는 경우: 공매예정가격

답 ④

PART 4

소득세법

01 소득세법 총칙

1 소득세의 의의

I 개요

소득세란 개인의 소득에 대하여 부과하는 조세를 말한다. 「소득세법」은 개인의 소득에 대하여 소득의 성격과 납세자의 부담능력 등에 따라 적정하게 과세함으로써 조세부담의 형평을 도모하고 재정수입의 원활한 조달에 이바지함을 목적으로 한다.

II 과세소득 범위

「소득세법」은 과세소득의 범위를 소득원천설에 따라 일정한 소득발생의 원천에서 발생한 소득만 과세대상으로 한다. 이는 국가가 개개인의 모든 영역을 간섭할 수 없음을 의미한다. 이처럼 「소득세법」은 원칙적으로 과세소득은 발생원천별로 구분하고, 그 소득의 종류와 범위를 법에 열거하되, 이자·배당·사업소득에 대하여 예외적으로 포괄주의를 채택하고 있으며, 기타·양도소득과 같은 일시·우발적 소득도 과세대상으로 한다.

III 누진세

우리나라 소득세는 수직적 공평과 소득재분배 기능을 수행하기 위하여 초과누진세율(과세표준이 커짐에 따라 높은 세율 적용)을 채택하여 일정 구간을 초과하는 과세표준에 대해서 각 구분별 적용되는 세율을 적용한다.

IV 과세단위

「소득세법」은 원칙적으로 각 개인의 소득에 대하여 각각의 납세의무자로 하여 소득세를 과세한다. 다만, 공동사업합산과세규정이 적용되는 경우에는 주된 소득자 1인의 소득으로 합산하여 과세한다.

V 과세방법

종합과세	원천별로 구분한 소득을 일정한 기간을 단위로 합산하여 과세하는 방식이다. 이자소득, 배당소득, 사업소득, 근로소득, 연금소득, 기타소득을 종합과세대상으로 한다.
분리과세	조세정책과 납세편의를 위하여 종합과세대상 중 다음의 소득은 합산하지 않고 소득이 발생할 때 개별적으로 과세하는 방식이다. ① 원천징수함으로써 납세의무 종결: 분리과세 이자소득, 분리과세 배당소득, 일용근로자 급여, 분리과세 연금소득, 분리과세 기타소득 ② 신고납부·분리과세: 분리과세 주택임대소득 등
분류과세	소득을 그 종류별로 구분하여 각각 별도로 과세하는 방식이다. 이는 장기간에 걸쳐 발생한 소득이 실현될 때 높은 세율로 일시에 과세하는 것을 방지하기 위함이다. 퇴직소득, 금융투자소득 및 양도소득에 대하여 다른 소득과 합산하지 않고 분류하여 과세한다.

VI 인적 공제

가족의 생존에 필요한 최저생계비를 소득에서 공제하고 인적사항에 따라 공평과세를 실현하기 위해 인적 공제 제도를 두고 있다. 이는 동일한 소득도 부양가족에 따라 담세력에 차이가 있다고 보아 이를 반영하는 제도이다.

VII 원천징수기

소득세는 조세포탈을 방지하고, 재정수요를 조기에 확보하기 위하여 대부분의 소득에 대하여 원천징수의무를 부여하고 있다. 따라서 소득을 지급하는 자는 그 지급받는 자의 세금을 징수하여 정부에 납부하여야 한다.

완납적 원천징수	특정한 소득에 대해서 원천징수의무자가 법정 세율로 계산된 세액을 원천징수함으로써 소득세의 납세의무가 종결되어 별도의 확정신고가 없는 제도이다. 주로 분리과세소득에 해당한다.
예납적 원천징수	원천징수세액은 단지 세액을 미리 징수한 것으로 보아 원천징수 이후 당해 소득에 대해 확정신고 또는 연말정산을 필요로 하며, 원천징수세액은 기납부세액으로 정산과정에서 공제된다. 주로 종합과세소득에 해당한다.

Ⅷ 원천징수의무자

다음 중 어느 하나에 해당하는 자는 「소득세법」에 따라 원천징수한 소득세를 납부할 의무를 진다.

1. 거주자
2. 비거주자
3. 내국법인
4. 외국법인의 국내지점 또는 국내영업소(출장소, 그 밖에 이에 준하는 것 포함)
5. 그 밖에 「소득세법」에서 정하는 원천징수의무자

2 납세의무

Ⅰ 개요

1. 납세의무자

다음 중 어느 하나에 해당하는 개인은 「소득세법」에 따라 각자의 소득에 대한 소득세를 납부할 의무를 진다.

구분	개념	납세의무의 범위
거주자	국내에 주소를 두거나 183일 이상 거소를 둔 개인	국내외 모든 소득
비거주자	거주자가 아닌 자	국내원천소득

2. 과세소득 범위

(1) 거주자에게는 「소득세법」에서 규정하는 모든 소득에 대해서 과세한다. 다만, 해당 과세기간 종료일 10년 전부터 국내에 주소나 거소를 둔 기간의 합계가 5년 이하인 외국인 거주자에게는 과세대상 소득 중 국외에서 발생한 소득의 경우 국내에서 지급되거나 국내로 송금된 소득에 대해서만 과세한다.

(2) 비거주자에게는 국내원천소득에 대해서만 과세한다.

(3) 동업기업(「조세특례제한법」)의 동업자에게는 배분받은 소득 및 분배받은 자산의 시가 중 분배일의 지분가액을 초과하여 발생하는 소득에 대하여 과세한다.

Ⅱ 주소와 거소의 판정

1. 개요

(1) 주소는 국내에서 생계를 같이하는 가족 및 국내에 소재하는 자산의 유무 등 생활관계의 객관적 사실에 따라 판정한다.

(2) 거소는 주소지 외의 장소 중 상당기간에 걸쳐 거주하는 장소로서 주소와 같이 밀접한 일반적 생활관계가 형성되지 아니한 장소로 한다.

2. 거주자로 보는 경우

국내에 거주하는 개인이 다음 중 어느 하나에 해당하는 경우에는 국내에 주소를 가진 것으로 본다.

(1) 계속하여 183일 이상 국내에 거주할 것을 통상 필요로 하는 직업을 가진 때

(2) 국내에 생계를 같이하는 가족이 있고, 그 직업 및 자산상태에 비추어 계속하여 183일 이상 국내에 거주할 것으로 인정되는 때

3. 비거주자로 보는 경우

국외에 거주 또는 근무하는 자가 외국국적을 가졌거나 외국법령에 의하여 그 외국의 영주권을 얻은 자로서 국내에 생계를 같이하는 가족이 없고 그 직업 및 자산상태에 비추어 다시 입국하여 주로 국내에 거주하리라고 인정되지 아니하는 때에는 국내에 주소가 없는 것으로 본다.

4. 외국항행 승무원

외국을 항행하는 선박 또는 항공기의 승무원의 경우 그 승무원과 생계를 같이하는 가족이 거주하는 장소 또는 그 승무원이 근무기간 외의 기간 중 통상 체재하는 장소가 국내에 있는 때에는 당해 승무원의 주소는 국내에 있는 것으로 보고, 그 장소가 국외에 있는 때에는 당해 승무원의 주소가 국외에 있는 것으로 본다.

5. 해외파견 임직원 등

거주자나 내국법인의 국외사업장 또는 해외현지법인(내국법인이 발행주식총수 또는 출자지분의 100%를 직접 또는 간접 출자한 경우에 한정함) 등에 파견된 임원 또는 직원이나 국외에서 근무하는 공무원은 거주자로 본다.

6. 거주기간 계산

국내에 거소를 둔 기간이 1과세기간 동안 183일 이상인 경우에는 국내에 183일 이상 거소를 둔 것으로 본다. 이 경우 거주기간은 다음과 같이 계산한다.

(1) 국내에 거소를 둔 기간은 입국하는 날의 다음 날부터 출국하는 날까지로 한다.

(2) 국내에 거소를 두고 있던 개인이 출국 후 다시 입국한 경우에 생계를 같이하는 가족의 거주지나 자산소재지 등에 비추어 그 출국목적이 관광, 질병의 치료 등으로서 명백하게 일시적인 것으로 인정되는 때에는 그 출국한 기간도 국내에 거소를 둔 기간으로 본다.

(3) 재외동포가 입국한 경우 생계를 같이하는 가족의 거주지나 자산소재지 등에 비추어 그 입국목적이 관광, 질병의 치료 등 사유에 해당하여 그 입국한 기간이 명백하게 일시적인 것으로 인정되는 때에는 해당 기간은 국내에 거소를 둔 기간으로 보지 아니한다.

7. 거주자 또는 비거주자가 되는 시기

비거주자가 거주자로 되는 시기	거주자가 비거주자로 되는 시기
① 국내에 주소를 둔 날 ② 국내에 주소를 가지거나 국내에 주소가 있는 것으로 보는 사유가 발생한 날 ③ 국내에 거소를 둔 기간이 183일이 되는 날	① 거주자가 주소 또는 거소의 국외 이전을 위하여 출국하는 날의 다음 날 ② 국내에 주소가 없거나 국외에 주소가 있는 것으로 보는 사유가 발생한 날의 다음 날

III 법인 아닌 단체의 납세의무

1. 의의

법인 아닌 단체는 그 성격에 따라 다음의 3가지 경우로 구분한다.

구분	관련 법령
법인으로 보는 경우	「국세기본법」
단체를 1거주자(또는 1비거주자)로 보는 경우	「소득세법」
구성원별로 과세하는 경우	

2. 해당 단체 과세

「국세기본법」에 의하여 법인으로 보는 단체 외의 법인 아닌 단체는 국내에 주사무소 또는 사업의 실질적 관리장소를 둔 경우에는 1거주자로, 그 밖의 경우에는 1비거주자로 보아 「소득세법」을 적용한다.

∵ 사회·경제적 실체로 활동하면서 그 수익을 구성원에게 분배하지 아니하는 경우 그로 인한 소득을 구성원과 분리하여 단체 자체의 소득으로 파악하고자 함

3. 구성원별 과세

다음 중 어느 하나에 해당하는 경우에는 소득구분에 따라 해당 단체의 각 구성원별로 「소득세법」 또는 「법인세법」에 따라 소득에 대한 소득세 또는 법인세[해당 구성원이 「법인세법」에 따른 법인(법인으로 보는 단체 포함)인 경우로 한정함]를 납부할 의무를 진다.

(1) 구성원 간 이익의 분배비율이 정하여져 있고 해당 구성원별로 이익의 분배비율이 확인되는 경우
(2) 구성원 간 이익의 분배비율이 정하여져 있지 아니하나 사실상 구성원별로 이익이 분배되는 것으로 확인되는 경우

4. 일부 구성원 분배

해당 단체의 전체 구성원 중 일부 구성원의 분배비율만 확인되거나 일부 구성원에게만 이익이 분배되는 것으로 확인되는 경우에는 다음의 구분에 따라 소득세 또는 법인세를 납부할 의무를 진다.

(1) 확인되는 부분
해당 구성원별로 소득세 또는 법인세에 대한 납세의무를 부담한다.
(2) 확인되지 아니하는 부분
해당 단체를 1거주자 또는 1비거주자로 보아 소득세에 대한 납세의무를 부담한다.

5. 국외 투자기구

법인으로 보는 단체 외의 법인 아닌 단체에 해당하는 국외투자기구(투자권유를 하여 모은 금전 등을 가지고 재산적 가치가 있는 투자대상자산을 취득, 처분하거나 그 밖의 방법으로 운용하고 그 결과를 투자자에게 배분하여 귀속시키는 투자행위를 하는 기구로서 국외에서 설립된 기구)를 국내원천소득의 실질귀속자로 보는 경우 그 국외투자기구는 1비거주자로서 소득세를 납부할 의무를 진다.

Ⅳ 신탁재산 귀속 소득에 대한 납세의무

1. 원칙 – 수익자과세

(1) 신탁재산에 귀속되는 소득은 그 신탁의 이익을 받을 수익자(수익자가 사망하는 경우에는 그 상속인)에게 귀속되는 것으로 본다.
(2) 신탁업을 경영하는 자는 각 과세기간의 소득금액을 계산할 때 신탁재산에 귀속되는 소득과 그 밖의 소득을 구분하여 경리하여야 한다.

2. 예외 – 위탁자과세

다음 중 어느 하나에 해당하는 신탁의 경우에는 그 신탁재산에 귀속되는 소득은 위탁자에게 귀속되는 것으로 본다.

∵ 신탁을 통한 조세회피를 방지

(1) 위탁자가 신탁을 해지할 수 있는 권리, 수익자를 지정하거나 변경할 수 있는 권리, 신탁 종료 후 잔여재산을 귀속받을 권리를 보유하는 등 신탁재산을 실질적으로 지배·통제할 것
(2) 신탁재산 원본을 받을 권리에 대한 수익자는 위탁자로, 수익을 받을 권리에 대한 수익자는 그 배우자 또는 같은 주소 또는 거소에서 생계를 같이하는 직계존비속(배우자의 직계존비속 포함)으로 설정했을 것

3 │ 납세의무의 범위

Ⅰ 공동사업

공동사업에 관한 소득금액을 계산하는 경우에는 해당 공동사업자별로 납세의무를 진다. 다만, 주된 공동사업자에게 합산과세되는 경우 그 합산과세되는 소득금액에 대해서는 주된 공동사업자의 특수관계인은 손익분배비율에 해당하는 그의 소득금액을 한도로 주된 공동사업자와 연대하여 납세의무를 진다.

Ⅱ 증여 후 양도행위

증여 후 양도행위 부인규정에 따라 증여자가 자산을 직접 양도한 것으로 보는 경우 그 양도소득에 대해서는 증여자와 증여받은 자가 연대하여 납세의무를 진다.

Ⅲ 피상속인 소득금액

피상속인의 소득금액에 대해서 과세하는 경우에는 그 상속인이 납세의무를 진다. 이 경우 피상속인의 소득금액에 대한 소득세로서 상속인에게 과세할 것과 상속인의 소득금액에 대한 소득세는 구분하여 계산하여야 한다.

Ⅳ 분리과세소득

원천징수되는 소득으로서 또는 다른 법률에 따라 종합소득과세표준에 합산되지 아니하는 소득이 있는 자는 그 원천징수되는 소득세에 대해서 납세의무를 진다.

Ⅴ 공동소유자산

공동으로 소유한 자산에 대한 양도소득금액을 계산하는 경우에는 해당 자산을 공동으로 소유하는 각 거주자가 납세의무를 진다.

기출 체크

01 주된 공동사업자에게 합산과세되는 경우 그 합산과세되는 소득금액에 대해서는 주된 공동사업자의 특수관계인은 공동사업소득금액 전액에 대하여 주된 공동사업자와 연대하여 납세의무를 진다. (×) 2021년 국가직 7급
02 증여 후 양도행위의 부인규정에 따라 증여자가 자산을 직접 양도한 것으로 보는 경우에 증여받은 자는 그 양도소득에 대한 납세의무를 지지 않는다. (×)
03 피상속인의 소득금액에 대한 소득세로서 상속인에게 과세할 것과 상속인의 소득금액에 대한 소득세는 합산하여 계산하여야 한다. (×)
04 공동으로 소유한 자산에 대한 양도소득금액을 계산하는 경우에는 해당 자산을 공동으로 소유하는 거주자가 연대하여 납세의무를 진다. (×)

4 과세기간

I 원칙

소득세의 과세기간은 1월 1일부터 12월 31일까지 1년으로 한다. 따라서 사업자가 과세기간 중 신규로 사업을 개시하거나 폐업한 경우에도 과세기간은 1월 1일부터 12월 31일까지이다.

II 예외

1. 거주자가 사망한 경우의 과세기간은 1월 1일부터 사망한 날까지로 한다.
2. 거주자가 주소 또는 거소를 국외로 이전(이하 "출국")하여 비거주자가 되는 경우의 과세기간은 1월 1일부터 출국한 날까지로 한다.

5 납세지

I 거주자와 비거주자의 납세지

1. 거주자

(1) 거주자의 소득세 납세지는 그 주소지로 한다. 다만, 주소지가 없는 경우에는 그 거소지로 한다. 주소지가 둘 이상인 때에는 「주민등록법」에 의하여 등록된 곳을 납세지로 하고, 거소지가 둘 이상인 때에는 생활관계가 보다 밀접한 곳을 납세지로 한다.

(2) 거주자가 취학·질병의 요양, 근무상 또는 사업상의 형편 등 사유로 일시 퇴거한 경우에는 본래의 주소지 또는 거소지를 납세지로 본다.

2. 비거주자

(1) 비거주자의 소득세 납세지는 국내사업장의 소재지로 한다. 다만, 국내사업장이 둘 이상 있는 경우에는 주된 국내사업장의 소재지로 하고, 국내사업장이 없는 경우에는 국내원천소득이 발생하는 장소로 한다.

(2) 국내에 둘 이상의 사업장이 있는 비거주자의 경우 그 주된 사업장을 판단하기가 곤란한 때에는 당해 비거주자가 납세지로 신고한 장소, 신고가 없는 경우 국세청장 또는 관할 지방국세청장이 지정하는 장소를 납세지로 한다.

🏛 기출 체크

소득세의 과세기간은 신규사업개시자의 경우 사업개시일부터 12월 31일까지로 하며, 폐업자의 경우 1월 1일부터 폐업일까지로 한다. (×)

(3) 국내사업장이 없는 비거주자에게 국내의 둘 이상의 장소에서 국내원천 부동산소득 또는 국내원천 부동산 등 양도소득이 발생하는 경우에는 그 국내원천소득이 발생하는 장소 중에서 해당 비거주자가 납세지로 신고한 장소, 신고가 없는 경우 국세청장 또는 관할 지방국세청장이 지정하는 장소를 납세지로 한다.

3. 상속의 경우

거주자 또는 비거주자가 사망하여 그 상속인이 피상속인에 대한 소득세의 납세의무자가 된 경우 그 소득세의 납세지는 그 피상속인·상속인 또는 납세관리인의 주소지나 거소지 중 상속인 또는 납세관리인이 그 관할 세무서장에게 납세지로서 신고하는 장소로 한다.

4. 비거주자의 납세관리인

비거주자가 납세관리인을 둔 경우 그 비거주자의 소득세 납세지는 그 국내사업장의 소재지 또는 그 납세관리인의 주소지나 거소지 중 그 관할 세무서장에게 납세지로서 신고하는 장소로 한다.

5. 주소가 없는 공무원

국외에서 근무하는 공무원 또는 국외사업장 등에 파견된 임직원으로서 거주자로 보는 사람의 납세지는 그 가족의 생활근거지 또는 소속기관의 소재지로 한다.

Ⅱ 원천징수 납세지

원천징수의무자		원천징수하는 소득세의 납세지
개인	거주자	① 원칙: 거주자의 주된 사업장 소재지 ② 주된 사업장 외의 사업장에서 원천징수하는 경우: 그 사업장의 소재지 ③ 사업장이 없는 경우: 그 거주자의 주소지 또는 거소지
	비거주자	① 원칙: 비거주자의 주된 국내사업장 소재지 ② 주된 국내사업장 외의 국내사업장에서 원천징수하는 경우: 그 국내사업장 소재지 ③ 국내사업장이 없는 경우: 그 비거주자의 거류지 또는 체류지
법인	원칙	법인의 본점 또는 주사무소의 소재지
	독립채산제	지점 등에서 독립채산제에 의해 독자적으로 회계사무를 처리하는 경우: 그 사업장 소재지(그 사업장 소재지가 국외에 있는 경우 제외)
	본점 일괄계산	지점 등에서 지급하는 소득에 대한 원천징수세액의 납세지를 본점 또는 주사무소의 소재지로 국세청장의 승인 받은 경우 또는 「부가가치세법」에 따라 사업자단위로 등록한 경우: 그 법인의 본점 또는 주사무소의 소재지를 납세지로 할 수 있음
납세조합		그 납세조합의 소재지

Ⅲ 납세지의 지정 등

1. 지정요건

국세청장 또는 관할 지방국세청장은 다음의 어느 하나에 해당하는 경우에는 납세지를 따로 지정할 수 있다.

(1) 사업소득이 있는 거주자가 사업장 소재지를 납세지로 신청한 경우

(2) 거주자 또는 비거주자로서 납세지가 납세의무자의 소득 상황으로 보아 부적당하거나 납세의무를 이행하기에 불편하다고 인정되는 경우

2. 지정권자

납세지 지정신청이 있는 경우 관할 지방국세청장(새로 지정할 납세지와 종전의 납세지의 관할 지방국세청장이 다를 때에는 국세청장)이 납세지의 지정을 행한다.

3. 지정통지

(1) 사업장의 이동이 빈번하거나 기타의 사유로 사업장을 납세지로 지정하는 것이 적당하지 아니하다고 국세청장이 인정하는 경우를 제외하고는 사업장을 납세지로 지정하여야 하며 다음연도 2월 말일까지 그 지정여부를 서면으로 통지하여야 한다.

(2) 국세청장 또는 지방국세청장은 납세지를 지정한 때에는 당해 과세기간의 과세표준확정신고 또는 납부기간 개시일 전에 이를 서면으로 통지하여야 한다. 다만, 중간예납 또는 수시부과의 사유가 있는 때에는 그 납기 개시 15일 전에 통지하여야 한다.

(3) 기한 내에 통지를 하지 아니한 때에는 지정신청한 납세지를 납세지로 한다.

4. 지정취소와 효력

(1) 납세지의 지정 사유가 소멸한 경우 국세청장 또는 관할 지방국세청장은 납세지의 지정을 취소하여야 한다.

(2) 납세지의 지정이 취소된 경우에도 그 취소 전에 한 소득세에 관한 신고, 신청, 청구, 납부, 그 밖의 행위의 효력에는 영향을 미치지 아니한다.

5. 납세지 변경신고

(1) 거주자나 비거주자는 납세지가 변경된 경우 변경된 날부터 15일 이내에 그 변경 후의 납세지 관할 세무서장에게 신고하여야 한다.

(2) 납세자의 주소지가 변경됨에 따라 「부가가치세법 시행령」에 따른 사업자등록 정정을 한 경우에는 납세지의 변경신고를 한 것으로 본다.

6. 과세관할

소득세는 납세지를 관할하는 세무서장 또는 지방국세청장이 과세한다.

02 이자소득과 배당소득

1 이자소득

Ⅰ 이자소득으로 보는 경우

1. 이자소득의 범위

(1) 금전 사용에 따른 대가의 성격을 이자소득으로 보며, 종합과세를 원칙으로 하되, 저축을 장려하고 기업의 자금조달을 지원하기 위해 연 2천만원 이하의 금융소득은 분리과세로서 납세의무를 종결한다.

(2) 이자소득은 해당 과세기간에 발생한 다음의 소득으로 한다.

① 국가나 지방자치단체가 발행한 채권 또는 증권의 이자와 할인액

② 내국법인이 발행한 채권 또는 증권의 이자와 할인액

③ 국내 또는 국외에서 받는 대통령령으로 정하는 파생결합사채로부터의 이익(2025. 1. 1. 이후 발생하는 소득분부터 적용함)

④ 국내에서 받는 예금(적금·부금·예탁금 및 우편대체를 포함)의 이자

⑤ 「상호저축은행법」에 따른 신용계 또는 신용부금으로 인한 이익

⑥ 외국법인의 국내지점 또는 국내영업소에서 발행한 채권 또는 증권의 이자와 할인액

⑦ 외국법인이 발행한 채권 또는 증권의 이자와 할인액

⑧ 국외에서 받는 예금의 이자

⑨ 채권 또는 증권의 환매조건부 매매차익

⑩ 저축성보험의 보험차익

⑪ 직장공제회 초과반환금
비영업대금의 이익

⑫ 위 소득과 유사한 소득으로서 금전 사용에 따른 대가로서의 성격이 있는 것

　　예 거주자가 일정기간 후에 같은 종류로서 같은 양의 채권을 반환받는 조건으로 채권을 대여하고 해당 채권의 차입자로부터 지급받는 해당 채권에서 발생하는 이자에 상당하는 금액은 이자소득에 포함된다.

⑬ 위 규정 중 어느 하나에 해당하는 소득을 발생시키는 거래 또는 행위와 파생상품이 결합된 경우 해당 파생상품의 거래 또는 행위로부터의 이익

2. 국가 등이 발행한 채권 또는 증권의 이자와 할인액

(1) 이자와 할인액

국가가 발행한 채권이 원금과 이자가 분리되는 경우에는 원금에 해당하는 채권 및 이자에 해당하는 채권의 할인액은 이자소득에 포함한다. 단, 다음의 채권을 공개시장에서 통합발행(일정 기간 동안 추가하여 발행할 채권의 표면금리와 만기 등 발행조건을 통일하여 발행하는 것)하는 경우 해당 채권의 매각가액과 액면가액과의 차액은 이자 및 할인액에 포함하지 않는다.

① 국채

②「한국산업은행법」에 따른 산업금융채권

③「예금자보호법」에 따른 예금보험기금채권과 예금보험기금채권상환기금채권

④「한국은행법」에 따른 한국은행통화안정증권

(2) 물가연동국고채

국가가 발행한 채권으로서 그 원금이 물가에 연동되는 채권(물가연동국고채)의 경우 해당 채권의 원금증가분은 이자 및 할인액에 포함된다.

∵ 물가연동국고채의 원금상승분은 최초 차입금의 물가상승에 따른 가치하락을 보상한 것으로 금전사용의 대가성격임

3. 사채의 이자와 할인액

(1) 다음의 금액은 이자소득으로 과세한다.

① 내국법인이 발행한 채권 또는 증권의 이자와 할인액

② 외국법인의 국내지점(국내영업소)에서 발행한 채권 또는 증권의 이자와 할인액

③ 외국법인이 발행한 채권 또는 증권의 이자와 할인액

(2) 거주자가 채권 등의 발행법인으로부터 해당 채권 등에서 발생하는 이자 또는 할인액을 지급받거나 해당 채권 등을 매도하는 경우에는 해당 거주자에게 그 보유기간별로 귀속되는 이자를 이자소득으로 보아 소득금액을 계산한다.

사례

㈜대한이 20×1. 12. 31. 발행한 3년 만기 채권(액면가액 50,000,000원, 발행금액 41,000,000원)을 발행일에 취득한 후 20×3. 6. 30. 58,000,000원에 ㈜민국에 매도하였다. 상기 채권의 표면이자율은 연리 2%로 매년 말 지급조건이다. 단, 이자는 월할계산한다.

해설

1. ×3년 표시이자: 50,000,000 × 2% × 6/12 = 500,000
2. ×3년 할인액: 9,000,000 × 18/36 = 4,500,000

4. 채권 또는 증권의 환매조건부매매차익

금융회사 등이 환매기간에 따른 거래의 형식 여하에 불구하고 환매수 또는 환매도하는 경우에 당해 채권 또는 증권의 시장가격에 의하지 않고 사전에 정하여진 이율에 의하여 결정된 가격으로 환매수 또는 환매도하는 조건으로 매매하는 채권 또는 증권의 매매차익은 이자소득으로 본다.

→ 일반적인 채권의 매매차익은 미열거소득으로서 이자소득에 해당하지 않음

5. 저축성 보험의 보험차익

(1) 과세범위

저축성 보험차익이란 보험계약에 따라 만기 또는 보험의 계약기간 중에 받는 보험금·공제금 또는 계약기간 중도에 해당 보험계약이 해지됨에 따라 받는 환급금(피보험자의 사망·질병·부상 그 밖의 신체상의 상해로 인하여 받거나 자산의 멸실 또는 손괴로 인하여 받는 것이 아닌 것으로 한정함)에서 납입보험료 또는 납입공제료를 뺀 금액을 말한다. 이는 일반예금의 이자성격과 유사하기 때문이다.

(2) 보험차익 계산

보험료를 계산함에 있어서 보험계약기간 중에 보험계약에 의하여 받은 배당금 기타 이와 유사한 금액은 이를 납입보험료에서 차감하되, 그 배당금 등으로 납입할 보험료를 상계한 경우에는 배당금 등을 받아 보험료를 납입한 것으로 본다.

> 보험차익 = (보험료·공제금·환급금) − (납입보험료·납입공제료)

예) 계약기간이 5년인 저축성 보험의 만기환급금 20,000,000원
   (납입보험료는 10,000,000원, 계약기간 동안 수령한 배당금은 2,000,000원)
   → 저축성 보험차익: 20,000,000 − (10,000,000 − 2,000,000) = 12,000,000

(3) 과세 제외

일반적인 경우❶	계약자 1명당 납입할 보험료 합계액(계약자가 가입한 모든 저축성 보험계약의 보험료 합계액)이 다음 구분에 따른 금액 이하인 저축성 보험. 다만, 최초납입일부터 만기일 또는 중도해지일까지의 기간은 10년 이상이지만 최초납입일부터 10년이 경과하기 전에 납입한 보험료를 확정된 기간 동안 연금형태로 분할하여 지급받는 경우를 제외한다. ① 2017년 3월 31일까지 체결하는 보험계약의 경우: 2억 원 ② 2017년 4월 1일부터 체결하는 보험계약의 경우: 1억 원
월적립식 저축성 보험❶	① 최초납입일부터 납입기간이 5년 이상인 월적립식 보험계약일 것 ② 최초납입일부터 매월 납입하는 기본보험료가 균등(최초 계약한 기본보험료의 1배 이내로 기본보험료를 증액하는 경우 포함)하고, 기본보험료의 선납기간이 6개월 이내일 것

❶
최초로 보험료를 납입한 날부터 만기일 또는 중도해지일까지의 기간이 10년 이상이어야 한다.

	③ 계약자 1명당 매월 납입하는 보험료 합계액이 150만 원 이하일 것(2017. 4. 1.부터 체결하는 보험계약으로 한정함)
종신형 연금보험	① 계약자가 보험료 납입 계약기간 만료 후 55세 이후부터 사망 시까지 보험금·수익 등을 연금으로 지급받을 것 ② 연금 외의 형태로 보험금·수익 등을 지급하지 아니할 것 ③ 사망 시(기대여명연수 이내에서 보증기간이 설정된 경우로서 계약자가 해당 보증기간 이내에 사망한 경우에는 해당 보증기간의 종료 시) 보험계약 및 연금재원이 소멸할 것 ④ 계약자와 피보험자 및 수익자가 동일하고 최초 연금지급개시 이후 사망일 전에 중도해지할 수 없을 것 ⑤ 매년 수령하는 연금액(연금수령 개시 후에 금리변동에 따라 변동된 금액과 이연하여 수령하는 연금액은 포함하지 아니함)이 일정한 계산식에 따라 계산한 금액을 초과하지 아니할 것

6. 직장공제회 초과반환금

(1) 과세범위

이자소득으로 보는 직장공제회[1] 초과반환금은 근로자가 퇴직하거나 탈퇴하여 그 규약에 따라 직장공제회로부터 받는 반환금에서 납입공제료를 뺀 금액(납입금 초과이익)과 반환금을 분할하여 지급하는 경우 그 지급하는 기간 동안 추가로 발생하는 이익(반환금 추가이익)으로 한다.

(2) 계산

> 초과반환금 = 납입금 초과이익(반환금 – 납입공제료) + 반환금 추가이익

(3) 과세방법

무조건 분리과세로서, 원천징수세율은 기본세율(연분연승법)을 적용한다.

(4) 원천징수세액

직장공제회 초과반환금에 대해서는 다음과 같이 계산한 금액을 그 산출세액으로 한다.

> ① 과세표준: 초과반환금 – 초과반환금 × 40% – 납입연수공제
> ② 산출세액: $\dfrac{\text{과세표준}}{\text{납입연수}}$ × 기본세율 × 납입연수

납입연수공제액은 납입연수(1년 미만인 경우 1년)에 따라 정한 다음의 금액을 말한다.

납입연수	공제액
5년 이하	30만 원 × 납입연수
5년 초과 10년 이하	150만 원 + 50만 원 × (납입연수 – 5년)
10년 초과 20년 이하	400만 원 + 80만 원 × (납입연수 – 10년)
20년 초과	1천 200만 원 + 120만 원 × (납입연수 – 20년)

[1] 직장공제회란 「민법」 제32조 또는 그 밖의 법률에 따라 설립된 공제회·공제조합(이와 유사한 단체 포함)으로서 동일 직장이나 직종에 종사하는 근로자들의 생활안정, 복리증진 또는 상호부조 등을 목적으로 구성된 단체를 말한다.

7. 비영업대금의 이익

(1) 과세범위

비영업대금의 이익은 금전의 대여를 사업목적으로 하지 아니하는 자가 일시적·우발적으로 금전을 대여함에 따라 지급받는 이자 또는 수수료 등은 이자소득으로 본다.

(2) 관련판례

대금업을 하는 거주자임을 대외적으로 표방하고 불특정다수인을 상대로 금전을 대여하는 사업을 하는 경우에는 금융업으로 본다. 다만, 대외적으로 대금업을 표방하지 아니한 거주자의 금전대여는 비영업대금의 이익으로 본다. 대법원 판례는 금전의 대여행위가 영업행위인가의 여부는 거래행위의 규모나 횟수, 양태 등 제반 사정에 비추어 사업활동으로 볼 수 있을 정도의 계속성과 반복성이 있다고 볼 것인지 등의 사정을 고려하여 사회통념에 비추어 판단하여야 한다는 입장이다.

(3) 수입시기

약정에 의한 이자지급일. 다만, 이자지급일의 약정이 없거나 약정에 의한 이자지급일 전에 이자를 지급받는 경우 또는 총수입금액 계산에서 제외하였던 이자를 지급받는 경우에는 그 이자지급일로 한다.

(4) 총수입금액 계산특례

비영업대금의 이익의 총수입금액을 계산할 때 해당 과세기간에 발생한 비영업대금의 이익에 대하여 과세표준확정신고 전에 해당 비영업대금이 회수할 수 없는 채권(예 파산, 강제집행, 형의 집행, 사망)에 해당하여 채무자 또는 제3자로부터 원금 및 이자의 전부 또는 일부를 회수할 수 없는 경우에는 회수한 금액에서 원금을 먼저 차감하여 계산한다. 이 경우 회수한 금액이 원금에 미달하는 때에는 총수입금액은 이를 없는 것으로 한다.

📑 취지

비영업대금에 대하여 나중에 원금조차 회수하지 못하여 결손이 발생하더라도 이를 이자소득의 차감항목으로 반영할 수 있는 제도적 장치가 마련되어 있지 않아 궁극적으로 이자소득이 있다고 할 수 없음에도 이자소득세를 과세하는 부당한 결과를 방지하기 위한 규정이다.

사례

비영업대금의 원금 1억 원과 이자 1천만 원 중 104,000,000원만 회수하였고 잔액은 채무자의 무재산으로 확정신고 전에 회수가 불가능한 것으로 확인된다.
→ 이자소득 총수입금액: 104,000,000 − 100,000,000 = 4,000,000

Ⅱ 이자소득으로 보지 아니하는 경우

1. 사업소득 관련금액

> 집행기준 16-0…1【이자소득으로 보지 아니하는 범위】
> ① 물품을 매입할 때 대금의 결제방법에 따라 에누리되는 금액
> ② 외상매입금이나 미지급금을 약정기일 전에 지급함으로써 받는 할인액
> ③ 물품을 판매하고 대금의 결제방법에 따라 추가로 지급받는 금액
> ④ 외상매출금이나 미수금의 지급기일을 연장하여 주고 추가로 지급받는 금액은 해당 사업의 총 수입금액에 산입하는 것이며, 그 외상매출금이나 미수금이 소비대차로 전환된 경우에는 이자소득에 해당한다.
> ⑤ 장기할부조건으로 판매함으로써 현금거래 또는 통상적인 대금의 결제방법에 의한 거래의 경우보다 추가로 지급받는 금액. 다만, 당초 계약내용에 의하여 매입가액이 확정된 후 그 대금의 지급지연으로 실질적인 소비대차로 전환되어 발생되는 이자는 이자소득으로 본다.

2. 손해배상금 법정이자

법원의 판결 및 화해에 의하여 지급받는 손해배상금에 대한 법정이자는 이자소득으로 보지 아니한다. 다만, 위약 또는 해약을 원인으로 법원의 판결에 의하여 지급받는 손해배상금에 대한 법정이자는 기타소득으로 본다.

Ⅲ 비과세 이자소득

「공익신탁법」에 따른 공익신탁의 이익에 대해서는 소득세를 과세하지 않는다.

Ⅳ 이자소득금액의 계산

이자소득금액은 해당 과세기간의 총수입금액으로 한다. 따라서 필요경비는 인정하지 않는다.

∵ 이자소득의 경우에는 그 본질이 자기자금으로써 얻는 저축의 과실이라는 점에서 그에 소요되는 필요경비는 거의 상정하기 어렵고, 그와 관련하여 비용을 지출하는 경우에도 소득이 개별적·분리적으로 발생함에 따라 개별 건별로 자금의 원천이나 흐름을 명확히 밝혀서 소득과의 연관성을 입증하는 것은 매우 어려운 일임

▌ 사례

지인에게 빌려주었던 사채(私債) 원금 300,000,000원과 이자 18,000,000원을 회수하였다. 이 사채(私債)의 원금은 은행에서 차입한 것으로 이 차입금에 대한 은행이자는 12,000,000원이다.

→ 이자소득 총수입금액: 18,000,000

기출 체크
이자소득금액은 해당 과세기간의 총이자수입금액에서 필요경비를 공제한 금액으로 한다. (×) 2012년 국가직 9급

Ⅴ 이자소득의 수입시기

구분		수입시기
유사 이자소득·파생결합금융상품		약정에 따른 상환일 (다만, 기일 전에 상환하는 때에는 그 상환일)
채권의 이자·할인액	무기명	그 지급을 받은 날
	기명	약정에 의한 지급일
파생결합사채로부터의 이익		그 이익을 지급받은 날 (단, 원본에 전입하는 뜻의 특약이 있는 분배금은 그 특약에 따라 원본에 전입되는 날)
보통예금·정기예금·적금 또는 부금의 이자		① 실제로 이자를 지급받는 날 ② 원본에 전입하는 뜻의 특약이 있는 이자는 그 특약에 의하여 원본에 전입된 날 ③ 해약으로 인하여 지급되는 이자는 그 해약일 ④ 계약기간을 연장하는 경우에는 그 연장하는 날 ⑤ 정기예금연결정기적금의 경우 정기예금의 이자는 정기예금 또는 정기적금이 해약되거나 정기적금의 저축기간이 만료되는 날
통지예금의 이자		인출일
채권 또는 증권의 환매조건부 매매차익		약정에 의한 당해 채권 또는 증권의 환매수일 또는 환매도일 (단, 기일 전에 환매수 또는 환매도하는 경우에는 그 환매수일 또는 환매도일)
저축성 보험의 보험차익		보험금 또는 환급금의 지급일 (단, 기일 전에 해지하는 경우에는 그 해지일)
직장공제회 초과반환금		약정에 따른 납입금 초과이익 및 반환금 추가이익의 지급일 (단, 반환금을 분할하여 지급하는 경우 원본에 전입하는 뜻의 특약이 있는 납입금 초과이익은 특약에 따라 원본에 전입된 날)
비영업대금의 이익		약정에 의한 이자지급일 (단, 이자지급일의 약정이 없거나 약정에 의한 이자지급일 전에 이자를 지급받는 경우 또는 회수한 금액이 원금에 미달하여 총수입금액 계산에서 제외하였던 이자를 지급받는 경우 그 이자지급일)
채권 등의 보유기간이자 등 상당액		해당 채권 등의 매도일 또는 이자 등의 지급일
위 항목의 상속재산이 상속·증여되는 경우		상속개시일 또는 증여일 ∵ 피상속인이나 증여자의 이자소득금액을 상속개시일 또는 증여일까지만 계산해야 함

🏛 **기출 체크**

이자소득이 발생하는 상속재산이 상속되는 경우에는 실제 지급일로 한다. (×)

2021년 국가직 9급

2 배당소득

I 배당소득의 범위

1. 개요

배당소득은 법인으로부터 이익을 분배받음으로써 발생하는 소득과 유사한 소득으로서 수익분배의 성격이 있는 것을 말한다. 배당소득도 종합과세 하는 것이 원칙이나, 기업의 자금조달을 지원하기 위하여 금융소득이 연 2천만 원 이하인 경우 분리과세를 하고 있다.

2. 종류

배당소득은 해당 과세기간에 발생한 다음의 소득으로 한다.

(1) 내국법인으로부터 받는 이익이나 잉여금의 배당 또는 분배금

(2) 법인으로 보는 단체로부터 받는 배당금 또는 분배금

(3) 내국법인으로 보는 신탁재산(법인과세 신탁재산)으로부터 받는 배당금 또는 분배금

(4) 의제배당

(5) 「법인세법」에 따라 배당으로 처분된 금액

(6) 국내 또는 국외에서 받는 집합투자기구로부터의 이익

(7) 국내 또는 국외에서 받는 파생결합증권 또는 파생결합사채로부터의 이익

(8) 외국법인으로부터 받는 이익이나 잉여금의 배당 또는 분배금

(9) 「국제조세조정에 관한 법률」 제27조에 따라 배당받은 것으로 간주된 금액

(10) 공동사업에서 발생한 소득금액 중 출자공동사업자의 손익분배비율에 해당하는 금액

(11) 위 소득과 유사한 소득으로서 수익분배의 성격이 있는 것
　　예 거주자가 일정기간 후에 같은 종류로서 같은 양의 주식을 반환받는 조건으로 주식을 대여하고 해당 주식의 차입자로부터 지급받는 해당 주식에서 발생하는 배당에 상당하는 금액은 배당소득에 포함된다.

(12) 배당소득을 발생시키는 거래 또는 행위와 파생상품이 대통령령으로 정하는 바에 따라 결합된 경우 해당 파생상품의 거래 또는 행위로부터의 이익

🏛 **기출 체크**
공동사업에서 발생한 소득금액 중 출자공동사업자의 손익분배비율에 해당하는 금액은 이자소득으로 과세된다. (×)

3. 이중과세 문제

배당소득에 대해 소득세를 과세하는 경우 동 배당소득이 이미 법인세가 과세된 소득이라면 이중과세되는 문제가 있다. 이와 같은 이중부담을 조정하기 위해 배당소득금액 산정 시 배당소득에 귀속법인세(Gross-up)를 가산하였다가 종합소득산출세액에서 공제해 주는 Gross-up제도를 두고 있다.

4. 의제배당

(1) 의제배당의 개념

의제배당이란 기업경영의 성과인 잉여금 중 사외에 유출되지 않고 법정적립금, 이익준비금 기타 임의적립금 등 형식으로 사내에 유보된 이익이 일정한 사유로 주주나 출자자에게 환원되어 귀속되는 경우 이를 현금배당과 유사한 경제적 이익으로 보아 과세 형평의 원칙에 비추어 배당으로 의제하여 과세하는 제도이다.

(2) 의제배당의 유형

① 잉여금의 자본전입에 따른 의제배당
② 자본의 감소, 해산, 합병, 분할에 따른 의제배당

5. 잉여금의 자본전입에 따른 의제배당

(1) 원칙

법인의 잉여금의 전부 또는 일부를 자본 또는 출자의 금액에 전입함으로써 취득하는 주식 또는 출자의 가액(무상주)은 의제배당으로 본다.

(2) 예외

자본준비금의 자본전입에 의한 무상주의 수령은 의제배당에 해당하지 않는다.

∵ 자본준비금(= 자본잉여금)의 자본전입에 따라 취득하는 주식을 의제배당으로 보지 않는 이유는 자본전입에 따라 주주가 받는 주식의 가액에 대하여 비과세한다는 것이 아니라 자본전입에 따른 증자를 통하여 회사채권자를 보호하고 기업의 신용도를 높여 기업경영의 합리화를 도모하기 위하여 자본전입을 촉진하겠다는 정책적 고려에서 의제배당으로 보지 않고 차후에 의제배당 사유가 생겨 그 소정의 초과금액 또는 유보이익의 증가액이 있을 때 과세를 한다는 것임

(3) 자본전입 잉여금별 의제배당 과세 여부

잉여금의 자본전입으로 인하여 주주 등이 취득하는 주식의 의제배당 해당 여부는 그 무상주 발행의 재원인 잉여금에 따라 다음과 같이 구분한다.

자본금 전입의 재원		의제배당 여부
주식발행 초과금	일반적인 경우	×
	채무의 출자전환 시 채무면제이익	○
	주식의 포괄적 교환차익	×
	주식의 포괄적 이전차익	×
자본 잉여금	감자차익	일반적인 경우	×
	소각 당시 자기주식의 시가가 취득가액을 초과한 경우(자기주식소각이익)	○
	소각일로부터 2년 이내에 자본전입하는 경우 (자기주식소각이익)	○
	재평가 적립금	일반적인 재평가차액(3% 세율)	×
	토지의 재평가차액(1% 세율)	○
	기타자본잉여금(자기주식 처분이익 등)	○
이익 잉여금	법정적립금	○
	임의적립금	○
	미처분이익잉여금	○

(4) 예외의 예외
① 자기주식 보유법인의 잉여금 자본전입에 따른 의제배당: 법인이 자기주식 또는 자기출자지분을 보유한 상태에서 의제배당으로 보지 않는 자본준비금을 자본전입을 함에 따라 그 법인 외의 주주 등의 지분비율이 증가한 경우 증가한 지분비율에 상당하는 주식 등의 가액은 배당으로 본다.
∵ 자기주식을 취득하여 보유한 상태에서 무상증자를 함으로써 세부담 없이 대주주 등의 지분을 증가시키는 조세회피를 방지하기 위함
② 다음 중 어느 하나에 해당하는 자기주식소각이익
㉠ 소각시점에 그 자기주식에 시가가 취득가액을 초과한 경우
㉡ 자기주식소각일부터 2년 이내에 자본에 전입하는 경우

(5) 의제배당 계산
① 원칙: 잉여금의 자본전입 등으로 인해 무상주를 취득하는 경우에는 액면가액(「상법」에 의한 주식배당의 경우에는 발행금액)
② 액면주식: 법인의 자본금에 전입한 금액을 자본금 전입에 따라 신규로 발행한 주식 수로 나누어 계산한 금액
∵ 발행주식 수에 따라 총 의제배당금액이 달라지는 문제를 해소하기 위함

(6) 수입시기
해당 법인의 잉여금처분결의일

(7) 계산구조

① 잉여금 계산방법

구분	1차 배정	2차 배정
의제배당 과세 잉여금	○	○
의제배당 과세되지 않은 잉여금	–	○

② 주식 수 계산방법

ⓐ 1차 배정분: 1차 배정 주식 수 × 의제배당 과세비율 × 액면가액 등

ⓑ 2차 배정분: 2차 배정 주식 수 × 액면가액 등

사례

(예외의 예외)

㈜대한은 주식발행초과금 10,000,000원을 자본에 전입하여 10,000주의 무상주를 교부하였다. 무상증자 전 발행주식총수는 10,000주이며, 1주당 액면가액은 1,000원이다.

[Case 1] 자기주식에 배정할 무상주를 다른 주주에게 배정한 경우

주주	무상증자 전		1차 배정 (지분율)	2차 배정 (지분율 증가분)	무상증자 후	
	비율	주식 수			비율	주식 수
자기주식	20%	2,000주	2,000주	–	10%	2,000주
甲	50%	5,000주	5,000주	1,250주	56.25%	11,250주
기타주주	30%	3,000주	3,000주	750주	33.75%	6,750주
계	100%	10,000주	10,000주	2,000주	100%	20,000주

甲의 지분비율 증가분에 해당하는 의제배당

1. 주식 수 계산방법: 1,250주 × 1,000원 = 1,250,000

2. 잉여금 계산방법

구분	1차 배정분	2차 배정분(12.5%)
주식발행초과금 1천만 원	–	1,250,000

[Case 2] 자기주식에 배정할 무상주를 실권처리한 경우

주주	무상증자 전		1차 배정 (지분율)	2차 배정 (지분율 증가분)	무상증자 후	
	비율	주식 수			비율	주식 수
자기주식	20%	2,000주	–	–	11.11%	2,000주
甲	50%	5,000주	5,000주	–	55.56%	10,000주
기타주주	30%	3,000주	3,000주	–	33.33%	6,000주
계	100%	10,000주	8,000주	–	100%	18,000주

甲의 지분비율 증가분에 해당하는 의제배당

1. 주식 수 계산방법: 18,000주 × (55.56% – 50%) × 1,000원 = 1,000,000

2. 잉여금 계산방법

구분	1차 배정분	2차 배정분(12.5%)
주식발행초과금 800만 원	–	1,000,000

6. 감자·해산·합병·분할에 따른 의제배당

(1) 유형

① 주식의 소각 등: 주식의 소각이나 자본의 감소로 인하여 주주가 취득하는 금전, 그 밖의 재산의 가액 또는 퇴사·탈퇴나 출자의 감소로 인하여 사원이나 출자자가 취득하는 금전, 그 밖의 재산의 가액이 주주·사원이나 출자자가 그 주식 또는 출자를 취득하기 위하여 사용한 금액을 초과하는 금액은 배당으로 본다.

② 해산: 해산한 법인(법인으로 보는 단체를 포함)의 주주·사원·출자자 또는 구성원이 그 법인의 해산으로 인한 잔여재산의 분배로 취득하는 금전이나 그 밖의 재산의 가액이 해당 주식·출자 또는 자본을 취득하기 위하여 사용된 금액을 초과하는 금액은 배당으로 본다.

③ 합병: 합병으로 소멸한 법인의 주주·사원 또는 출자자가 합병 후 존속하는 법인 또는 합병으로 설립된 법인으로부터 그 합병으로 취득하는 주식 또는 출자의 가액과 금전의 합계액이 그 합병으로 소멸한 법인의 주식 또는 출자를 취득하기 위하여 사용한 금액을 초과하는 금액은 배당으로 본다.

④ 분할: 분할법인 또는 소멸한 분할합병의 상대방 법인의 주주가 분할로 설립되는 법인 또는 분할합병의 상대방 법인으로부터 분할로 취득하는 주식의 가액과 금전, 그 밖의 재산가액의 합계액(분할대가)이 그 분할법인 또는 소멸한 분할합병의 상대방 법인의 주식(분할법인이 존속하는 경우에는 소각 등으로 감소된 주식에 한함)을 취득하기 위하여 사용한 금액을 초과하는 금액은 배당으로 본다.

(2) 의제배당의 계산

① 계산방법: 주주 등이 받는 금전 그 밖의 재산가액 – 주식 등의 취득가액

② 금전 외 재산가액

　㉠ 금전 외의 재산의 가액은 아래 구분에 따라 계산한 금액에 의한다.

취득재산의 유형		재산가액
주식 또는 출자지분	적격합병 또는 적격분할	취득가액 (주식 등과 금전, 그 밖의 재산을 함께 받는 경우로서 해당 주식 등의 시가가 피합병법인 등의 주식 등의 취득가액보다 작은 경우에는 시가)
	적격합병 또는 적격분할이 아닌 경우	취득 당시의 시가
기타의 경우		취득 당시의 시가

ⓒ 법인의 합병이나 분할로 주식을 취득하는 경우로서 무액면주식의 가액은 법인의 자본금에 전입한 금액을 자본전입 시 신규로 발행한 주식 수로 나누어 계산한 금액으로 한다.

③ 주식취득가액

㉠ 유상취득분: 해당 주식을 취득하기 위하여 소요된 금액

㉡ 의제배당에 해당하지 않는 무상주를 받은 경우 → 주식 수만 증가

$$1주당 장부가액 = \frac{구주식\ 1주당\ 장부가액}{1 + 구주식\ 1주당\ 신주배정수}$$

㉢ 의제배당에 해당하는 무상주를 받은 경우 액면가액으로 한다. 단, 주식소각 등에 의한 의제배당 총수입금액을 계산함에 있어서 의제배당일부터 역산하여 2년 이내에 자본준비금의 자본전입에 따라 취득한 주식 등으로서 의제배당으로 보지 아니하는 것(주식발행액면초과액의 자본전입에 따라 발행된 주식 제외)이 있는 경우에는 단기소각주식 등이 먼저 감소 또는 소각된 것으로 보며, 당해 단기소각주식 등의 취득가액은 '0'으로 본다. 이 경우 단기 소각주식 등을 취득한 후 의제배당일까지의 기간 중에 주식 등의 일부를 양도하는 경우에는 단기소각주식 등과 다른 주식 등을 각 주식 등의 수에 비례하여 양도되는 것으로 보아 계산하며, 주식소각 등이 있은 이후의 1주당 장부가액은 다음의 산식에 의한다.

$$1주당 장부가액 = \frac{소각\ 후\ 장부가액}{소각\ 후\ 주식\ 등의\ 총수}$$

Ⅱ 집합투자기구로부터의 이익

1. 개요

「자본시장과 금융투자업에 관한 법률」에 따른 집합투자기구로부터의 이익과 국외에서 설정된 집합투자기구로부터의 이익은 배당소득으로 과세한다.

2. 집합투자기구 범위

집합투자기구란 다음의 요건을 모두 갖춘 집합투자기구를 말한다. 다만, 국외에서 설정된 집합투자기구는 다음의 요건을 갖추지 아니하는 경우에도 집합투자기구로 본다.

(1) 자본시장과 금융투자업에 관한 법률에 따른 집합투자기구일 것

(2) 해당 집합투자기구의 설정일부터 매년 1회 이상 결산·분배할 것

(3) 금전으로 위탁받아 금전으로 환급할 것(금전 외의 자산으로 위탁받아 환급하는 경우로서 당해 위탁가액과 환급가액이 모두 금전으로 표시된 것을 포함함)

3. 집합투자기구 이익 계산

집합투자기구로부터의 이익에는 집합투자기구가 다음의 증권의 거래나 평가로 인하여 발생한 손익을 포함하지 않는다. 한편 집합투자기구로부터의 이익은 「자본시장과 금융투자업에 관한 법률」에 따른 각종 보수·수수료 등을 뺀 금액으로 한다.

(1) 증권시장에 상장된 증권(채권과 외국 법령에 따라 설립된 외국 집합투자기구의 주식 또는 수익증권은 과세대상에 포함함)
(2) 벤처기업육성에 관한 특별조치법」에 따른 벤처기업의 주식 또는 출자지분
(3) (1)의 증권을 대상으로 하는 장내 파생상품증권 → 비상장주식도 포함함

■ 사례

구분	채권	구분	상장주식
이자수익	100	배당소득	100
채권매매손실	70	주식매매이익	70
채권평가손실	20	주식평가손실	20
과세대상	10	과세대상	100

Ⅲ 출자공동사업자의 배당소득

1. 개요

공동사업에서 발생한 소득금액 중 출자공동사업자에 대한 손익분배비율에 상당하는 금액은 배당소득으로 과세한다.

∵ 익명조합에 대해서도 공동사업으로 과세하여 익명조합원이 외부에 노출되지 않음에 따른 소득 파악문제를 해소하고 익명조합과 조합원의 관계를 출자로 보는 「상법」과의 조화를 이룸

2. 출자공동사업자

출자공동사업자란 다음 중 어느 하나에 해당하지 아니하는 자로서 공동사업의 경영에 참여하지 아니하고 출자만 하는 자를 말한다.

(1) 공동사업에 성명 또는 상호를 사용하게 한 자
(2) 공동사업에서 발생한 채무에 대하여 무한책임을 부담하기로 약정한 자

3. 원천징수세율

원천징수세율은 25%이다.

4. 수입시기

과세기간 종료일

∵ 일반적인 배당소득과 달리 이익의 현실적 분배, 분배금의 확정 등 소득 확정을 요건으로 하지 않음

5. 부당행위대상소득

공동사업소득금액 중 출자공동사업자에 대한 손익분배액은 사실상 사업소득에 대한 과세인 점을 감안하여 부당행위계산부인 대상소득에 포함함

6. 과세방법

출자공동사업자가 받는 배당소득은 2천만 원 이하인 경우에도 무조건 종합과세한다.

7. 2천만 원 판단 여부

고려대상이 아니다.

8. Gross-up대상

Gross-up대상에서 제외된다.

Ⅳ 배당소득금액의 계산

1. 개요

배당소득금액은 해당 과세기간의 총수입금액으로 한다. 다만, 이중과세문제 배당소득에 대해서는 해당 과세기간의 총수입금액에 그 배당소득의 10%에 해당하는 금액을 더한 금액으로 한다.

> 배당소득금액 = 총 수입금액(비과세 · 분리과세 제외) + Gross-up금액

2. Gross-up금액

> Min(①, ②) × 10%
> ① Gross-up대상 배당소득
> ② 종합과세대상 금융소득(출자공동사업자의 배당소득 제외) - 2천만 원

Ⅴ Gross-up제도

1. 개요

법인단계에서 법인세가 과세된 후 주주에게 배당되는 시점에 소득세가 다시 과세되면 동일한 소득에 대해 이중과세가 된다. 이와 같은 이중과세를 조정하기 위해 배당소득금액 산정 시 배당소득에 10%❶를 가산하였다가 종합소득산출세액에서 배당세액공제를 해주는 제도이다.

❶
10%를 Gross-up하는 이유는 법인세가 부담된 배당소득에 대하여 법인세 9%가 과세되었다는 가정하에 환원하는 것이다.

> 배당소득금액 = 배당소득 총수입금액 + Gross-up금액
> 종합소득결정세액 = 종합소득산출세액 − Gross-up금액

2. Gross-up 요건

다음의 요건을 모두 충족한 배당소득이어야 한다.

(1) 법인세가 과세된 소득을 재원으로 하는 배당소득

(2) 내국법인으로부터 받는 배당소득

(3) 종합소득과세표준에 포함된 배당소득으로서 2천만 원을 초과한 것

∵ 2,000만 원 이하인 배당소득에는 원천징수로 과세가 종결되는 관계로 절차면에서 배당세액공제를 적용하는 것이 곤란함

▌사례

<법인>		<개인>			
		Gross-up 미적용		Gross-up 적용	
세전순이익	100	총수입금액	90	총수입금액	90
법인세	(−)10			Gross-up	(+)9
배당가능이익	90	배당소득금액	90	배당소득금액	99
		× 세율	30%	× 세율	30%
		산출세액	27	산출세액	29.7
				배당세액공제	(−)9
				결정세액	20.7

⟨Check⟩ 법인세와 소득세 세부담 비교

구분	법인세	소득세	합계
Gross-up 미적용	10	27	37
Gross-up 적용	10	20.7	30.7
If 법인세 없는 경우	−	30	30

PART 4 소득세법 해커스공무원 이훈엽 세법 기본서

3. Gross-up대상 소득

종합과세되는 배당소득으로서 다음에 해당되는 배당소득은 Gross-up대상 소득이다.

(1) 내국법인으로부터 받는 이익이나 잉여금의 배당 또는 분배금

(2) 법인으로 보는 단체로부터 받는 배당금 또는 분배금

(3) 「법인세법」에 따라 배당으로 처분된 금액(인정배당)

(4) 기관전용 사모집합투자기구로부터 받는 배당소득

(5) 다음 중 어느 하나에 해당하는 의제배당

　　① 출자전환에 따른 채무면제이익의 자본전입에 따른 의제배당

　　② 자기주식처분이익의 자본전입에 따른 의제배당

　　③ 이익잉여금의 자본전입에 따른 의제배당

(6) 감자·해산·합병·분할에 따른 의제배당

4. Gross-up대상이 아닌 소득

(1) 외국법인으로부터 받는 배당소득

(2) 다음 중 어느 하나에 해당하는 의제배당

　　① 소각 당시 시가가 취득가액을 초과하는 자기주식소각이익의 자본전입에 따른 의제배당

　　② 소각일로부터 2년이 경과하지 아니한 자기주식소각이익의 자본전입에 따른 의제배당

　　③ 토지의 재평가차익(1%)의 자본전입으로 인한 의제배당

　　④ 법인이 자기주식을 보유한 상태에서 의제배당 재원이 아닌 익금불산입 항목을 자본전입함에 따라 그 법인 외의 주주 등의 지분비율이 증가한 경우 증가한 지분비율에 상당액

(3) 집합투자기구로부터의 이익(사모집합투자기구로부터 받는 배당소득 제외)

(4) 「국제조세조정에 관한 법률」에 따라 배당받은 것으로 간주된 금액

(5) 출자공동사업자의 배당소득

(6) 유사배당소득(주식대차거래 배당상당액)

(7) 파생결합증권 또는 파생결합사채로부터의 이익

(8) 분리과세배당소득

(9) 법인과세신탁재산으로부터 받는 배당

(10) 배당금에 대한 소득공제를 적용받는 유동화전문회사 등, 프로젝트금융투자회사로부터 받는 배당금

(11) 동업기업과세특례를 적용받는 법인으로부터 받은 배당

(12) 최저한세액이 적용되지 않는 비과세·면제·감면 또는 소득공제를 받은 다음의 법인[1]으로부터 받은 배당소득 중 감면비율 상당액

   ① 법인의 공장 및 본사를 수도권 밖으로 이전하는 경우 법인세 등 감면

   ② 외국인투자에 대한 법인세 등의 감면

   ③ 외국인투자기업이 증자하는 경우 증자분에 대한 조세감면

   ④ 제주첨단과학기술단지 입주기업에 대한 법인세 등의 감면

   ⑤ 제주투자진흥기구 또는 제주자유무역지역 입주기업에 대한 법인세 등의 감면

$$\text{Gross-up대상이 아닌 소득} = \text{배당금} \times \frac{\text{직전 2개 사업연도의 감면대상소득금액} \times \text{감면비율}}{\text{직전 2개 사업연도의 소득금액의 합계액}}$$

❶
위 법인으로부터 지급받은 배당금 중 Gross-up대상이 아닌 소득은 다음과 같이 계산한다. 산식을 적용함에 있어 감면을 적용받는 사업연도가 1개 사업연도인 경우에는 당해 사업연도의 소득금액을 기준으로 하며, 상기 산식은 100%를 한도로 한다.

사례

A사는 외국인투자기업에 대한 법인세감면을 받고 있는데, 감면비율은 50%이다. 직전 2개 사업연도의 총소득금액의 합계액은 10억 원이고, 이 중 감면대상 소득금액은 4억 원이다. A사로부터 당기 중 현금배당 10,000,000원을 수령하였다.

해설

1. Gross-up대상이 아닌 소득: 10,000,000 × (4억 원 × 50%)/10억 원 = 2,000,000
2. Gross-up대상 소득: 10,000,000 − 2,000,000 = 8,000,000

5. 배당소득의 계산 시 2천만 원 구성순서

(1) 종합과세기준금액 2천만 원 초과 여부는 Gross-up하지 않은 금액을 기준으로 판단한다.

(2) Gross-up은 종합과세기준금액 2천만 원 초과부분에만 적용한다.

(3) 2천만 원 초과부분에 대해 Gross-up을 적용할 때 2천만 원은 다음과 같이 순차적 구성된 것으로 본다.

   ① 이자소득(이자소득과 배당소득이 함께 있는 경우)

   ② 배당가산(Gross-up) 제외 배당소득

   ③ 배당가산(Gross-up)대상 배당소득

Ⅵ 배당소득의 수입시기

일반적인 경우	① 무기명주식의 배당: 그 지급을 받은 날 ② 잉여금처분에 의한 배당: 잉여금처분결의일
출자공동사업자의 배당	과세기간 종료일(실제로 분배금 받은 날 아님)
의제배당	① 잉여금의 처분에 의한 배당: 당해 법인의 잉여금처분 결의일(실제 무상주 수령일 아님) ② 자본 감소(예 퇴사·탈퇴): 주식의 소각, 자본의 감소 또는 자본에의 전입을 결정한 날(이사회의 결의에 의하는 경우에는 「상법」에 의하여 정한 날)이나 퇴사 또는 탈퇴한 날 ③ 해산: 잔여재산가액 확정일(해산등기일 아님) ④ 합병: 합병등기일 ⑤ 분할: 분할등기일
인정배당	당해 법인의 당해 사업연도의 결산확정일❶
집합투자기구로부터의 이익	배당소득을 지급받은 날. 다만, 원본에 전입하는 뜻의 특약이 있는 분배금은 그 특약에 따라 원본에 전입되는 날
파생결합증권· 파생결합사채로부터의 이익	그 이익을 지급받은 날. 다만, 원본에 전입하는 뜻의 특약이 있는 분배금은 그 특약에 따라 원본에 전입되는 날
간주배당	특정외국법인의 해당 사업연도 종료일의 다음 날부터 60일이 되는 날
유사배당 및 파생결합금융상품의 이익	그 지급을 받은 날
동업기업으로부터의 배당소득	해당 동업기업의 과세연도의 종료일. 단, 분배받은 자산의 시가 중 분배일의 지분가액을 초과하여 발생하는 소득은 분배일

❶
정기주주총회에서 재무제표를 승인한 날이다.

3 금융소득의 과세방법

Ⅰ 원천징수

1. 의무

국내에서 거주자나 비거주자에게 이자소득 또는 배당소득을 지급하는 경우 그 거주자나 비거주자에 대한 소득세를 원천징수하여 다음 달 10일까지 납부하여야 한다.

2. 세율

구분		원천징수세율
일반적인 이자소득		14%
분리과세 신청한 장기채권의 이자		30%
비영업대금의 이익	일반적인 경우	25%
	온라인투자연계금융업자를 통하여 지급받는 이자	14%
직장공제회 초과반환금		기본세율
법원보관금 등의 이자		14%
일반적인 배당소득		14%
출자공동사업자의 배당소득		25%
비실명 금융소득	원칙	45%
	실명에 의하지 않고 거래한 비실명금융자산 소득❶	90%

3. 세액

> 이자소득 또는 배당소득(지급금액) × 원천징수세율

Ⅱ 종합과세와 분리과세

1. 무조건 분리과세

다음의 금융소득에 대해서는 다른 종합소득과 합산하지 않고, 소득 지급 시 특정한 원천징수세율을 적용하여 원천징수함으로써 납세의무가 종결된다.

구분		원천징수세율
장기채권	2013. 1. 1. 이전 발행한 장기채권(채권의 발행일부터 원금 전부를 일시에 상환하기로 약정한 날까지의 기간이 10년 이상)의 이자와 할인액을 분리과세 신청한 경우	30%
	2013. 1. 1. ~ 2017. 12. 31. 발행한 장기채권을 3년 이상 계속 보유한 경우로서 분리과세를 신청한 경우	
법원에 납부한 보증금 및 경락대금에서 발생하는 이자소득		14%
실지명의가 확인되지 아니하는 소득 (「금융실명거래 및 비밀보장에 관한 법률」규정 위반)		45% (90%)
직장공제회 초과반환금		기본세율
법인으로 보는 단체 외의 단체 중 수익을 구성원에게 배분하지 아니하는 단체로서 단체명을 표기하여 금융거래를 하는 단체(예 아파트관리기구)가 금융회사 등으로부터 받는 금융소득		14%

❶ 원천징수의무자가 「금융실명거래 및 비밀보장에 관한 법률」에 따른 차등과세가 적용되는 이자 및 배당소득에 대하여 고의 또는 중대한 과실 없이 14% 세율로 원천징수한 경우에는 해당 계좌의 실질 소유자가 소득세 원천징수 부족액(원천징수납부 불성실 가산세를 포함)을 납부하여야 한다. 이 경우 소득세 원천징수 부족액에 관하여는 해당 계좌의 실질 소유자를 원천징수의무자로 본다.

2012. 12. 31. 이전 발행	2013. 1. 1. ~ 2017. 12. 31. 발행	2018. 1. 1. 이후 발행
보유기간 관계없이 분리과세 신청 가능	3년 이상 계속 보유한 경우 분리과세 신청 가능	14% 원천징수하고 조건부 종합과세

2. 무조건 종합과세

(1) 국내에서 원천징수되지 않아 분리과세할 수 없는 금융소득

　① 국외에서 지급받은 금융소득

　② 국내에서 지급받는 금융소득 중 원천징수가 누락된 소득

(2) 출자공동사업자의 배당소득

3. 조건부 종합과세

금융소득 중 비과세소득 및 무조건 분리과세소득, 출자공동사업자의 배당소득을 제외한 금융소득의 합계액이(Gross-up금액 제외) 2,000만 원을 초과하는 경우 종합과세되고, 2,000만 원 이하인 경우 분리과세된다.

구분	① 조건부종합과세 (원천징수 O)	② 무조건종합과세 (원천징수 X)	출자공동사업자 배당소득
(① + ②) > 2천	종합과세	종합과세	무조건 종합과세
(① + ②) ≤ 2천	분리과세	종합과세	

Check	「조세특례제한법」상 무조건 분리과세 금융소득	

구분	원천징수세율
특정사회기반시설 집합투자기구로부터 지급받는 배당소득 (각 가입일부터 3년 이내에 지급받는 경우로 한정함)	9%
투융자집합투자기구(사모집합투자기구에 해당하는 경우 제외) 투자자로부터 받는 배당소득	14%
농업회사법인의 식량작물재배업소득 외의 소득에서 발생한 소득	14%
공모부동산집합투자기구의 집합투자증권의 배당소득 (거주자별 투자액이 5천만 원을 초과하지 않는 범위에서 지급받는 경우로서 투자일부터 3년 이내 지급받는 경우에 한정함)	9%
개인종합자산관리계좌(ISA)에서 발생하는 이자소득과 배당소득 합계액 중 비과세 한도(400만 원·200만 원을 초과하는 금액)❶	9%
개인투자용 국채에 발생한 이자소득 (총 2억 원까지의 매입금액에서 발생하는 이자소득에 한정함)	14%
고위험고수익채권투자신탁에서 발생하는 이자·배당소득	14%

❶
비과세 한도

직전연도 총급여액 5,000만 원 이하인 거주자	
직전연도 종합소득금액이 3,800만 원 이하인 거주자 (총급여액이 5천만 원을 초과하지 않는 자로 한함)	400만 원
위에 해당하지 않는 자(일반형)	200만 원

🏛 기출 체크

대통령령으로 정하는 실지명의가 확인되지 아니하는 배당소득은 분리과세배당소득이며, 원천징수세율은 30%를 적용한다. (×)

Ⅲ 금융소득에 대한 종합과세 시 세액계산의 특례

1. 출자공동사업자의 배당이 없는 경우

(1) 종합소득과세표준에 포함된 금융소득이 2천만 원을 초과하는 경우

① 계산방법

> 종합소득산출세액: Max(ⓐ, ⓑ)
> ⓐ 2,000만 원 × 14% + (종합소득과세표준 − 2,000만 원) × 기본세율
> ⓑ 금융소득 총수입금액 × 원천징수세율 + [(다른 종합소득금액 − 종합소득공제)]
>   × 기본세율

ⓐ 종합소득과세표준 − 2,000만 원: 2,000만 원 초과 금융소득금액 + 다른 종합소득금액 − 종합소득공제

ⓒ 금융소득 총 수입금액: Gross-up금액이 포함되지 않은 금액으로서 원천징수되지 않은 금융소득 포함한다.

ⓒ 원천징수세율
   ⓐ 비영업대금의 이익: 25%(적격 P2P의 경우: 14%)
   ⓑ 위 외 금융소득(Gross-up금액 제외): 14%

ⓔ 다른 종합소득금액 − 종합소득공제: 종합소득과세표준 − 금융소득금액

② 내용: 종합소득과세표준에 금융소득이 포함되어 있는 경우로서 2천만 원을 초과하는 경우 종합소득산출세액은 그 과세표준에 기본세율 (6~45%)을 곱하여 종합소득산출세액을 계산하는 것이 아니라, 두 가지 방법에 의한 세액 중 큰 금액을 종합소득산출세액으로 한다.

ⓐ 일반산출세액: 2천만 원을 초과하는 경우 급격히 세부담이 늘어나는 것을 방지한다.

ⓒ 비교산출세액: 다른 종합소득금액의 결손 또는 소득공제 등으로 그 과세표준이 '0'이 되거나 저율의 기본세율이 적용되는 경우에는 오히려 해당 금융소득을 분리과세하는 경우보다 오히려 세부담이 줄어드는 결과가 초래되는 것을 방지한다.

(2) 종합소득과세표준에 포함된 금융소득이 2천만 원 이하인 경우

① 개요: 금융소득이 2천만 원 이하인 경우에는 원칙적으로 종합과세대상이 아니나, 원천징수대상이 아닌 금융소득(국외금융소득 등)은 종합소득에 합산한다.

② 계산방법 → 비교산출세액과 동일함

> 금융소득 × 원천징수세율 + (다른 종합소득금액 − 소득공제) × 기본세율

사례

국내에서 원천징수되지 않는 국외예금 이자소득이 3,000,000원 있고, 근로소득금액이 10,000,000원 있는 경우 산출세액은? 단, 종합소득공제 2,000,000원이다.

해설 ·······

3,000,000 × 14% + (10,000,000 − 2,000,000) × 6% = 900,000원

2. 출자공동사업자의 배당소득이 있는 경우 산출세액 계산 특례

(1) 종합소득과세표준에 포함된 금융소득이 2천만 원을 초과하는 경우

> Max(①, ②)
> ① 2,000만 원 × 14% + (과세표준 − 2,000만 원) × 기본세율
> ② 다음 ㉠, ㉡ 중 큰 금액
>   ㉠ 출자공동사업자의 배당소득을 배당소득으로 간주: [출자공동사업자의 배당소득 × 14% + 금융소득 × 14%(25%)] + (다른 종합소득금액❶ − 종합소득공제) × 기본세율
>   ㉡ 출자공동사업자의 배당소득을 사업소득으로 간주: [금융소득 × 14%(25%)] + (다른 종합소득금액❷ − 종합소득공제) × 기본세율

❶ 출자공동사업자의 배당소득을 제외한 다른 종합소득금액

❷ 출자공동사업자의 배당소득을 포함한 다른 종합소득금액

사례

거주자의 금융소득의 내역은 다음과 같으며 사업소득금액은 20,000,000원이 있다. 종합소득공제금액을 6,000,000원으로 가정할 경우 종합소득산출세액은?

1. 상장법인 현금배당: 20,000,000원

2. 비영업대금이익(차입자로부터 직접 지급받음): 10,000,000원

3. 출자공동사업자의 배당소득: 30,000,000원

해설 ·······

1. 종합소득과세표준

이자소득	10,000,000	
배당소득	50,000,000	20,000,000 + 30,000,000(출자공동사업자)
Gross-up금액	1,100,000	Min(2,000만 원, 3,000만 원 − 2,000만 원) × 11%
금융소득금액	61,100,000	
사업소득금액	20,000,000	
종합소득공제	6,000,000	
과세표준	75,100,000	

2. 종합소득 산출세액의 계산: Max[①, ②]
  ① 20,000,000 × 14% + (75,100,000 − 20,000,000) × 기본세율 = 10,264,000
  ② Max(㉠, ㉡)
    ㉠ 50,000,000 × 14% + 10,000,000 × 25% + (20,000,000 − 6,000,000) × t
      = 10,340,000
    ㉡ 20,000,000 × 14% + 10,000,000 × 25% + (50,000,000 − 6,000,000) × t
      = 10,640,000

(2) 종합소득과세표준에 포함된 금융소득이 2천만 원 이하인 경우

Max(①, ②)
① 출자공동사업자의 배당소득을 배당소득으로 간주: [출자공동사업자의 배당소득 × 14% + 금융소득 × 14%(25%)] + (다른 종합소득금액❶ − 종합소득공제) × 기본세율
② 출자공동사업자의 배당소득을 사업소득으로 간주: [금융소득 × 14%(25%)] + (다른 종합소득금액❷ − 종합소득공제) × 기본세율

❶
출자공동사업자의 배당소득을 제외한 다른 종합소득금액
❷
출자공동사업자의 배당소득을 포함한 다른 종합소득금액

03 사업소득

1 사업소득의 범위

I 개념

사업소득은 영리를 목적으로 독립된 지위에서 계속적·반복적으로 행하는 활동을 통하여 얻는 소득이다.

II 범위

사업소득은 해당 과세기간에 발생한 다음의 소득으로 한다. 사업의 범위에 관하여는 「소득세법」에 특별한 규정이 있는 경우 외에는 통계청장이 고시하는 한국표준산업분류에 따른다.

1. 농업(작물재배업 중 곡물 및 기타 식량작물 재배업 제외)·임업 및 어업에서 발생하는 소득

2. 광업에서 발생하는 소득

3. 제조업에서 발생하는 소득

4. 전기, 가스, 증기 및 공기조절공급업에서 발생하는 소득

5. 수도, 하수 및 폐기물 처리, 원료 재생업에서 발생하는 소득

6. 건설업에서 발생하는 소득

7. 도매 및 소매업에서 발생하는 소득

8. 운수 및 창고업에서 발생하는 소득

9. 숙박 및 음식점업에서 발생하는 소득

10. 정보통신업에서 발생하는 소득

11. 금융 및 보험업에서 발생하는 소득

12. 부동산업에서 발생하는 소득

> → 「공익사업을 위한 토지 등의 취득 및 보상에 관한 법률」에 따른 공익사업과 관련하여 지역권·지상권(지하 또는 공중에 설정된 권리 포함)을 설정하거나 대여함으로써 발생하는 소득은 기타소득임

13. 전문·과학 및 기술서비스업(법령으로 정한 연구개발업 제외)에서 발생하는 소득

14. 사업시설관리, 사업 지원 및 임대 서비스업에서 발생하는 소득

15. 교육서비스업(법령으로 정한 교육기관은 제외)에서 발생하는 소득

16. 보건업 및 사회복지서비스업(법령으로 정한 사회복지사업은 제외)에서 발생하는 소득

17. 예술, 스포츠 및 여가 관련 서비스업에서 발생하는 소득

→ 연예인 및 직업운동선수 등이 사업활동과 관련하여 받는 전속계약금도 사업소득임(∵ 각종 연예계 관련활동 전체를 하나로 보아 그 직업·경제활동으로 평가함)

18. 협회 및 단체(법령으로 정한 협회 및 단체 제외), 수리 및 기타 개인서비스업에서 발생하는 소득

19. 가구 내 고용활동에서 발생하는 소득

20. 복식부기의무자가 사업용 유형자산(차량운반구, 공구, 기구, 비품, 기계장치, 동물 및 식물)을 양도함으로써 발생하는 소득. 다만, 토지 건물 등 양도소득에 해당하는 경우는 양도소득으로 과세한다.

→ 간편장부대상자에 해당하는 경우는 과세대상 아님

→ 건설기계는 2018. 1. 1. 이후 취득하여 양도한 경우에 한함(∵ 건설기계 관련 사업자의 고가 건설기계 처분에 따른 급격한 세부담 증가 완화)

21. 위 규정에 따른 소득과 유사한 소득으로서 영리를 목적으로 자기의 계산과 책임하에 계속적·반복적으로 행하는 활동을 통하여 얻는 소득

→ 통신판매중개를 하는 자를 통하여 물품 또는 장소를 대여하고 연간 수입금액 500만 원 이하의 사용료로서 받은 금품은 사업소득으로 구분하나, 기타소득으로 원천징수하거나 과세표준확정신고를 한 경우에는 기타소득으로 구분함

Check 과세 제외 소득

농업	작물재배업 중 곡물 및 기타 식량작물 재배업 ∵ 영세한 농가 지원 및 농업의 국제경쟁력 강화
전문과학· 기술서비스업	대가를 받지 않는 연구개발업. 따라서 계약 등에 따라 그 대가를 받고 연구 또는 개발용역을 제공하는 것은 사업소득으로 과세한다.
교육 서비스업	「유아교육법」에 따른 유치원, 「초·중등교육법」 및 「고등교육법」에 따른 학교와 이와 유사한 것으로서 다음 중 어느 하나에 해당하는 것 ① 「근로자직업능력 개발법」에 의하여 사업주가 소속 근로자의 직업능력의 개발·향상을 위하여 설치·운영하는 직업능력개발훈련시설 ② 한국표준산업분류상의 달리 분류되지 않은 기타 교육기관 중 노인학교
보건업 사회복지사업	「사회복지사업법」 제2조 제1호에 따른 사회복지사업 및 「노인장기요양보험법」 제2조 제3호에 따른 장기요양사업
협회·단체	한국표준산업분류의 중분류에 따른 협회 및 단체를 말한다. 다만, 해당 협회 및 단체가 특정사업을 경영하는 경우에는 그 사업의 내용에 따라 분류한다.

Check 자산 양도 시 소득의 구분

구분	건물 등	유형자산	무형자산
복식부기의무자	양도소득	사업소득	기타소득
위 외(간편장부대상자 포함)	양도소득	과세제외	기타소득

Check 부동산 양도 관련 사업

구분	양도횟수	소득유형	업종
신축한 주택 양도	관계없음	사업소득	건설업
위 외 부동산 양도	계속·반복적	사업소득	부동산매매업
	일시·우발적	양도소득	–

2 비과세 사업소득

Ⅰ 농지임대소득

논·밭을 작물 생산에 이용하게 함로써 발생하는 소득은 과세하지 않는다.

Ⅱ 주택임대소득

1개의 주택을 소유하는 자의 주택임대소득은 과세하지 않는다(∵ 주택임대업 지원 강화). 단, 과세기간 종료일 또는 해당 주택의 양도일을 현재 기준시가가 12억 원을 초과하는 주택 및 국외에 소재하는 주택의 임대소득은 주택 수에 관계없이 과세한다(∵ 투자목적의 취득이 많고, 국외주택은 시가 산정이 어려움).

1. 주택 보유 수에 따른 비과세 여부

주택 보유 수	월 임대료		간주임대료	
1주택	기준시가 12억 원 이하	비과세	–	
	기준시가 12억 원 초과 또는 국외주택	과세	–	
2주택	과세		–	
3주택	과세		보증금 3억 원 이하	–

2. 주택임대소득에 대한 과세방법

연 총수입금액	과세방법
2천만 원 이하	분리 또는 종합과세 선택
2천만 원 초과	종합과세

3. 주택의 범위

개념	주택(주택 부수토지 포함)이란 상시 주거용(사업을 위한 주거용의 경우 제외)으로 사용하는 건물을 말하고, 주택부수토지란 주택에 딸린 토지로서 다음 중 어느 하나에 해당하는 면적 중 넓은 면적 이내의 토지를 말한다. ① 건물의 연면적(지하층의 면적, 지상층의 주차용으로 사용되는 면적, 피난안전구역의 면적 및 주민공동시설의 면적 제외) ② 건물이 정착된 면적에 5배(도시지역 밖의 토지의 경우 10배)를 곱하여 산정한 면적
겸용주택	「부가가치세법」을 준용한다.

4. 주택 수 계산

다가구주택	다가구주택은 1개의 주택으로 보되, 구분등기된 경우에는 각각을 1개의 주택으로 계산한다.
공동소유 주택	① 원칙(최다지분자의 소유 주택): 공동소유하는 주택은 지분이 가장 큰 사람의 소유로 계산한다(지분이 가장 큰 사람이 2명 이상인 경우로서 그들이 합의하여 그들 중 1명을 해당 주택 임대수입의 귀속자로 정한 경우 그의 소유로 계산함). ② 예외(소수지분자 주택수에도 가산): 다음 중 어느 하나에 해당하는 사람은 본문에 따라 공동소유의 주택을 소유하는 것으로 계산되지 않는 경우라도 그의 소유로 계산한다. 　㉠ 해당 공동소유하는 주택을 임대해 얻은 수입금액(공동소유주택에서 발생한 주택임대소득 × 공동소유자가 소유한 해당 주택의 지분율)이 연간 6백만 원 이상인 사람 　㉡ 해당 공동소유하는 주택의 기준시가가 12억 원을 초과하는 경우로서 그 주택의 지분을 30% 초과 보유하는 사람

예

구분	기준시가	공동소유주택 연 수입금액	공동주택 지분율		소유
			甲	乙	
A주택	10억 원	2,000만 원	80%	20%	甲
B주택	10억 원	3,000만 원	80%	20%	甲과 乙
C주택	13억 원	1,000만 원	60%	40%	甲과 乙

전대·전전세	임차 또는 전세받은 주택을 전대하거나 전전세하는 경우에는 당해 임차 또는 전세받은 주택을 임차인 또는 전세받은 자의 주택으로 계산한다.
부부소유	본인과 배우자가 각각 주택을 소유하는 경우에는 이를 합산한다. 다만, 공동소유주택 예외규정에 따라 공동소유의 주택 하나에 대해 본인과 배우자가 각각 소유하는 주택으로 계산되는 경우에는 다음에 따라 본인과 배우자 중 1명이 소유하는 주택으로 보아 합산한다. ① 본인과 배우자 중 지분이 더 큰 사람의 소유로 계산 ② 본인과 배우자의 지분이 같은 경우로서 그들 중 1명을 해당 주택 임대수입의 귀속자로 합의해 정하는 경우에는 그의 소유로 계산

예

구분	기준시가	공동소유주택 연 수입금액	공동주택 지분율		소유
			甲	甲의 배우자	
A주택	10억 원	2,000만 원	100%	-	甲(乙도 1주택자)
B주택	10억 원	3,000만 원	80%	20%	甲(乙도 1주택자)
C주택	15억 원	1,000만 원	60%	50%	甲·乙 모두 1주택자

Ⅲ 농·어가 부업소득

농·어민이 부업으로 경영하는 축산·고공품 제조·민박·음식물 판매·특산물 제조·전통차 제조 및 그 밖에 이와 유사한 활동에서 발생한 소득 중 다음의 소득은 과세하지 않는다.

∵ 농·어가 소득증대 대책의 일환

1. [별표 1]의 농가부업규모의 축산에서 발생하는 소득
2. 1.외의 소득으로서 소득금액의 합계액이 연 3천만 원 이하인 소득
   → 소득금액이 3천만 원 초과하는 경우 3천만 원 초과분만 과세

Ⅳ 전통주 제조소득

전통주류를 수도권 밖의 읍·면지역에서 제조함으로써 발생하는 소득으로서 소득금액의 합계액이 연 1천200만 원 이하인 것은 과세하지 않는다.

∵ 지방 전통주를 육성하기 위함

→ 연 1,200만 원을 초과 시 전액 과세

Ⅴ 임업소득

사업소득 중 조림기간 5년 이상인 임지의 임목의 벌채 또는 양도로 발생하는 소득으로서 연 600만 원 이하의 금액은 과세하지 않는다.

→ 연 600만 원 초과 시 600만 원 초과분만 과세

Ⅵ 작물재배업소득

작물재배업(곡물 및 기타 식량작물 재배업 제외)에서 발생하는 소득으로서 해당 과세기간의 수입금액의 합계액이 10억 원 이하인 것은 과세하지 않는다.

→ 수입금액 10억 원 초과 시 10억 원분에 해당하는 소득금액 초과분만 과세

Ⅶ 어로어업 또는 양식어업에서 발생하는 소득

한국표준산업분류에 따른 연근해어업, 내수면어업 또는 양식어업에서 발생하는 소득으로서 해당 과세기간의 소득금액의 합계액이 5천만 원 이하인 소득은 과세하지 않는다.

→ 소득금액이 5천만 원 초과하는 경우 5천만 원 초과분만 과세

3 | 사업소득금액의 계산

I 개요

1. 사업소득금액

사업소득금액은 해당 과세기간의 총수입금액에서 이에 사용된 필요경비를 공제한 금액으로 하며, 필요경비가 총수입금액을 초과하는 경우 그 초과하는 금액을 "결손금"이라 한다.

> 사업소득금액 = 총수입금액 − 필요경비

2. 세무조정

손익계산서(회계)	세무조정	「소득세법」
수익	(+)총수입금액 산입	총 수입금액
	(−)총수입금액 불산입	
비용	(+)필요경비 산입	필요경비
	(−) 필요경비 불산입	
당기순이익	(+)총수입금액산입·필요경비 불산입	사업소득금액
	(−)필요경비산입·총수입금액 불산입	

사례

복식부기의무자 甲의 20×1년 손익계산서

매출액	100,000,000	매출 누락 2,000,000
매출원가	50,000,000	원가 누락 1,000,000
매출총이익	50,000,000	
판매관리비	20,000,000	
급여	10,000,000	전액 대표자 甲 급여
광고선전비	10,000,000	
영업이익	30,000,000	
영업외수익	3,000,000	
이자수익	1,000,000	국내은행 예금이자
유형자산처분이익	2,000,000	기계장치 처분이익
영업외비용	7,000,000	
이자비용	3,000,000	
투자주식처분손실	4,000,000	
소득세차감전순이익	26,000,000	
소득세비용	−	
당기순이익	26,000,000	

사업소득금액 계산방법

간접법		직접법	
당기순이익	26,000,000	총수입금액	104,000,000
총수입금액 산입	2,000,000	필요경비	64,000,000
필요경비 불산입	14,000,000		
필요경비 산입	1,000,000		
총수입금액 불산입	1,000,000		
사업소득금액	40,000,000	사업소득금액	40,000,000

Ⅱ 총수입금액 항목

1. 개요

거주자의 총수입금액은 해당 과세기간에 수입하였거나 수입할 금액의 합계액으로 한다. 수입할 금액이란 해당 과세기간 내에 현금으로 받지 않았으나, 이미 수입할 권리가 확정되어 수입실현의 가능성이 있는 금액을 말한다.

2. 선세금

부동산을 임대하거나 지역권·지상권을 설정 또는 대여하고 받은 선세금에 대한 총수입금액은 그 선세금을 계약기간의 월수로 나눈 금액의 각 과세기간의 합계액으로 한다. 이 경우 월수의 계산은 당해 계약기간의 개시일이 속하는 달이 1월 미만인 경우는 1월로 하고 당해 계약기간의 종료일이 속하는 달이 1월 미만인 경우에는 이를 산입하지 아니한다.

3. 매출환입·매출에누리·장려금

환입된 물품의 가액과 매출에누리는 해당 과세기간의 총수입금액에 산입하지 아니한다. 다만, 거래수량 또는 거래금액에 따라 상대편에게 지급하는 장려금과 그 밖에 이와 유사한 성질의 금액과 대손금은 총수입금액에서 차감하지 아니한다.

4. 매출할인

외상매출금을 결제하는 경우의 매출할인금액은 거래상대방과의 약정에 의한 지급기일(지급기일이 정하여져 있지 아니한 경우에는 지급한 날)이 속하는 과세기간의 총수입금액 계산에 있어서 이를 차감한다. 매출할인금액은 외상거래대금을 결제하거나 외상매출금 또는 미수금을 그 약정기일 전에 영수하는 경우 일정액을 할인하는 금액으로 한다.

5. 장려금수입

거래상대방으로부터 받는 장려금 기타 이와 유사한 성질의 금액은 총수입금액에 이를 산입한다.

6. 관세환급금 등

관세환급금 등 필요경비로 지출된 세액이 환입되었거나 환입될 경우에 그 금액은 총수입금액에 이를 산입한다.

예 필요경비로 산입된 세액 중 과오납부한 세금이나 부과취소로 환급받는 세액

7. 자산수증익 · 채무면제익

사업과 관련하여 무상으로 받은 자산의 가액과 채무의 면제 또는 소멸로 인하여 발생하는 부채의 감소액은 총수입금액에 이를 산입한다. 다만, 자산수증익과 채무면제익 중 이월결손금의 보전에 충당된 금액은 총수입금액에 산입하지 아니한다.

→ 복식부기의무자가 법률에 따른 국고보조금 등 국가, 지방자치단체 또는 공공기관으로부터 무상으로 지급받은 금액은 이월결손금의 보전에 충당된 경우에도 총수입금액에 산입

8. 퇴직일시금 신탁의 이익 등

다음 중 어느 하나에 해당되는 이익, 분배금 또는 보험차익은 그 소득의 성격에도 불구하고 총수입금액에 산입한다.

(1) 확정급여형 퇴직연금제도의 보험차익과 신탁계약의 이익 또는 분배금

　∵ 확정급여형 퇴직연금제도의 운용수익은 사용자의 사업과 관련하여 발생하는 소득임

(2) 사업과 관련하여 해당 사업용 자산의 손실로 취득하는 보험차익

　→ 동 보험금으로 대체자산을 취득하는 경우 일시상각충당금 설정 가능

9. 개인적 사용

거주자가 재고자산 또는 임목을 가사용으로 소비하거나 종업원 또는 타인에게 지급한 경우에도 이를 소비하거나 지급하였을 때의 가액에 해당하는 금액은 그 소비하거나 지급한 날이 속하는 과세기간의 사업소득금액 또는 기타소득금액을 계산할 때 총수입금액에 산입한다.

→ 관련 원가는 필요경비 산입함

∵ 거주자가 사업과는 관계없이 개인적인 목적으로 재고자산을 소비하거나 지급한 경우 경제적으로는 그 거주자가 재고자산의 가액 상당의 사업소득을 취한 것과 동일하기 때문에 그 가액 상당의 금액을 수입금액으로 보아 과세하기 위한 것

10. 기타 수입금액

그 밖에 사업과 관련된 수입금액으로서 해당 사업자에게 귀속되었거나 귀속될 금액은 총수입금액에 산입한다.

Ⅲ 금전 이외의 것을 수입하는 경우의 가액

1. 원칙

금전 외의 것을 수입할 때 그 거래 당시의 가액에 따라 계산한다.

2. 물품을 인도받은 경우

(1) 제조업자·생산업자 또는 판매업자로부터 그 제조·생산 또는 판매하는 물품을 인도받은 때

그 제조업자·생산업자 또는 판매업자의 판매가액

(2) 제조업자·생산업자 또는 판매업자가 아닌 자로부터 물품을 인도받은 때

시가

3. 주식배당

법인으로부터 이익배당으로 받은 주식은 그 액면가액

4. 신주인수권

주식의 발행법인으로부터 신주인수권을 받은 때(주주로서 받은 경우 제외)에는 신주인수권에 의하여 납입한 날의 신주가액에서 당해 신주의 발행가액을 공제한 금액

5. 기타

1.~4. 외의 경우에는 시가

Ⅳ 총수입금액 불산입 항목

1. 소득세 등 환급액

거주자가 소득세 또는 개인지방소득세를 환급받았거나 환급받을 금액 중 다른 세액에 충당한 금액은 해당 과세기간의 소득금액을 계산할 때 총수입금액에 산입하지 아니한다.

∵ 소득금액 계산 시 필요경비에 산입하지 않으므로 환급되는 경우에도 총수입금액 불산입

2. 이월결손금 보전에 충당한 금액

거주자가 무상으로 받은 자산의 가액(복식부기의무자가 국고보조금 등 국가·지방자치단체 또는 공공기관으로부터 무상으로 지급받은 금액 제외)과 채무의 면제 또는 소멸로 인한 부채의 감소액 중 이월결손금(공제기한 경과된 것도 포함)의 보전에 충당된 금액은 해당 과세기간의 소득금액을 계산할 때 총수입금액에 산입하지 아니한다.
∵ 거주자의 사업의 유지발전 및 세원의 육성을 위한 조세정책적 목적

3. 이월된 소득금액

거주자의 사업소득금액을 계산할 때 이전 과세기간으로부터 이월된 소득금액은 해당 과세기간의 소득금액을 계산할 때 총수입금액에 산입하지 아니한다. "이전 과세기간으로부터 이월된 소득금액"이란 각 과세기간의 소득으로 이미 과세된 소득을 다시 해당 과세기간의 소득에 산입한 금액을 말한다.
∵ 동일한 소득에 대한 이중과세 방지

4. 자기생산품 자가사용

(1) 농업, 임업, 어업, 광업 또는 제조업을 경영하는 거주자가 자기가 채굴, 포획, 양식, 수확 또는 채취한 농산물, 포획물, 축산물, 임산물, 수산물, 광산물, 토사석이나 자기가 생산한 제품을 자기가 생산하는 다른 제품의 원재료 또는 제조용 연료로 사용한 경우 그 사용된 부분에 상당하는 금액은 해당 과세기간의 소득금액을 계산할 때 총수입금액에 산입하지 아니한다.

(2) 건설업을 경영하는 거주자가 자기가 생산한 물품을 자기가 도급받은 건설공사의 자재로 사용한 경우 그 사용된 부분에 상당하는 금액은 해당 과세기간의 소득금액을 계산할 때 총수입금액에 산입하지 아니한다.

(3) 전기·가스·증기 및 수도사업을 경영하는 거주자가 자기가 생산한 전력·가스·증기 또는 수돗물을 자기가 경영하는 다른 사업의 동력·연료 또는 용수로 사용한 경우 그 사용한 부분에 상당하는 금액은 해당 과세기간의 소득금액을 계산할 때 총수입금액에 산입하지 아니한다.

∵ 내부거래는 다른 물품 생산을 위한 경비로 보며, 자기가 경영하는 다른 사업의 수입금액에 이미 포함되어 있음

5. 개별소비세 등 매출세액

개별소비세 및 주세의 납세의무자인 거주자가 자기의 총수입금액으로 수입하였거나 수입할 금액에 따라 납부하였거나 납부할 개별소비세 및 주세는 해당 과세기간의 소득금액을 계산할 때 총수입금액에 산입하지 아니한다. 다만, 원재료, 연료, 그 밖의 물품을 매입·수입 또는 사용함에 따라 부담하는 세액은 그러하지 아니하다.

∵ 사업자가 거래상대방으로부터 징수하여 국가에 납부할 예수금의 성격

6. 부가가치세 매출세액

부가가치세의 매출세액은 해당 과세기간의 소득금액을 계산할 때 총수입금액에 산입하지 아니한다.

∵ 사업자가 거래상대방으로부터 징수하여 국가에 납부할 예수금의 성격

7. 국세환급가산금

「국세기본법」제52조에 따른 국세환급가산금, 「지방세기본법」제62조에 따른 지방세환급가산금, 그 밖의 과오납금의 환급금에 대한 이자는 해당 과세기간의 소득금액을 계산할 때 총수입금액에 산입하지 아니한다.

∵ 환급금 이자는 국가 등이 국세를 잘못 징수함에 따라 납세자에게 피해를 입힌 결과로 이를 보상하기 위한 성질로서 보상효과가 줄어드는 것을 방지

8. 석유판매업자 환급세액

석유판매업자가 환급받은 세액은 해당 과세기간의 소득금액을 계산할 때 총수입금액에 산입하지 아니한다.

9. 자산의 평가이익

사업용 자산을 임의로 평가(공신력 있는 감정기관의 평가 포함)하여 그 평가차익을 장부에 계상한 경우에는 이를 총수입금액에 산입하지 아니한다. 이 경우 당해 자산의 감가상각비 계산은 평가 전의 장부가액에 의한다.

Ⅴ 필요경비의 계산

1. 원칙

사업소득금액을 계산할 때 필요경비에 산입할 금액은 해당 과세기간의 총수입금액에 대응하는 비용으로서 일반적으로 용인되는 통상적인 것의 합계액으로 한다.

2. 예외

해당 과세기간 전의 총수입금액에 대응하는 비용으로서 그 과세기간에 확정된 것에 대해서는 그 과세기간 전에 필요경비로 계상하지 아니한 것만 그 과세기간의 필요경비로 본다.

3. 필요경비의 일반적 범위

(1) 매입가격과 부대비용

판매한 상품 또는 제품에 대한 원료의 매입가격(매입에누리 및 매입할인금액 제외)과 그 부대비용. 이 경우 사업용 외의 목적으로 매입한 것을 사업용으로 사용한 것에 대하여는 당해 사업자가 당초에 매입한 때의 매입가액과 그 부대비용으로 한다.

(2) 부동산 양도 당시 장부가액

부동산의 양도 당시의 장부가액(건물건설업 과 부동산 개발 및 공급업의 경우만 해당함). 이 경우 사업용 외의 목적으로 취득한 부동산을 사업용으로 사용한 것에 대해서는 해당 사업자가 당초에 취득한 때의 자산의 취득가액규정을 준용하여 계산한 취득가액을 그 장부가액으로 한다.

(3) 판매부대비용

판매한 상품 또는 제품의 보관료, 포장비, 운반비, 판매장려금 및 판매수당 등 판매와 관련한 부대비용(판매장려금 및 판매수당의 경우 사전약정 없이 지급하는 경우 포함)

(4) 종업원의 급여

① 개인기업체의 사업주에 대한 급료는 소득금액계산상 필요경비에 산하지 아니한다. 이 경우 공동사업자의 경우 또한 같다.

② 종업원에는 당해 사업자의 사업에 직접 종사하고 있는 그 사업자의 배우자 또는 부양가족을 포함하는 것으로 한다.

③ 사업자가 그 종업원에게 지급한 경조금 중 사회통념상 타당하다고 인정되는 범위 내의 금액은 해당 과세기간의 소득금액 계산에 있어서 이를 필요경비에 산입한다.

④ 종업원의 출산 또는 양육 지원을 위해 해당 종업원에게 공통적으로 적용되는 지급기준에 따라 지급하는 금액

(5) 사업용 자산에 대한 비용

① 사업용 자산(그 사업에 속하는 일부 유휴시설 포함)의 현상유지를 위한 수선비

② 관리비와 유지비

③ 사업용 자산에 대한 임차료

④ 사업용 자산의 손해보험료

(6) 사업용 유형자산 장부가액

복식부기의무자가 사업용 유형자산의 양도가액을 총수입금액에 산입한 경우 해당 사업용 유형자산의 양도 당시 장부가액(업무용 승용차 감가상 각비 중 업무사용금액에 해당하지 않는 금액이 있는 경우 그 금액을 차 감한 금액)

(7) 제세공과금

사업과 관련이 있는 제세공과금(외국납부세액공제를 적용하지 않는 경 우의 외국소득세액 포함)

(8) 기금에 출연하는 금품

다음 중 어느 하나에 해당하는 기금에 출연하는 금품

∵ 근로자 복지사업 원활화

① 해당 사업자가 설립한 「근로복지기본법」에 따른 사내근로복지기금

② 해당 사업자와 다른 사업자 간에 공동으로 설립한 「근로복지기본법」 에 따른 공동근로복지기금

③ 해당 사업자의 「조세특례제한법」에 따른 협력중소기업이 설립한 「근 로복지기본법」에 따른 사내근로복지기금

④ 해당 사업자의 「조세특례제한법」에 따른 협력중소기업 간에 공동으 로 설립한 「근로복지기본법」에 따른 공동근로복지기금

(9) 퇴직공제부금

「건설근로자의 고용개선 등에 관한 법률」에 따라 공제계약사업주가 건 설근로자퇴직공제회에 납부한 공제부금

(10) 퇴직연금 사용자부담금

① 「근로자퇴직급여 보장법」에 따라 사용자가 부담하는 부담금은 필요 경비에 산입한다.

② 필요경비에 산입할 부담금 중 사용자가 퇴직연금계좌에 납부한 부담 금은 전액 필요경비에 산입하고, 확정급여형퇴직연금제도에 납부한 부담금은 퇴직급여추계액에서 다음의 금액을 순서에 따라 공제한 금 액을 한도로 하며, 둘 이상의 부담금이 있는 경우에는 먼저 계약이 체 결된 퇴직연금의 부담금부터 필요경비에 산입한다.

　㉠ 해당 과세기간 종료일 현재의 퇴직급여충당금

　㉡ 직전 과세기간 종료일까지 지급한 부담금

(11) 중소기업 핵심인력성과보상기금

「중소기업 인력지원 특별법」에 따른 중소기업이 부담하는 기여금

　∵ 중소기업 핵심인력의 장기 근속을 유도

(12) **건강보험료·고용보험료**

「국민건강보험법」, 「고용보험법」 및 「노인장기요양보험법」에 의하여 사용자로서 부담하는 보험료 또는 부담금

(13) **사용자본인 건강보험료 등**

① 「국민건강보험법」 및 「노인장기요양보험법」에 의한 직장가입자로서 부담하는 사용자 본인의 보험료

② 「국민건강보험법」 및 「노인장기요양보험법」에 따른 지역가입자로서 부담하는 보험료

→ 국민연금보험료는 소득공제로 반영되므로 필요경비 불산입 항목

③ 예술인 또는 노무제공자나 자영업자가 피보험자로서 부담하는 보험료

④ 노무제공자 또는 중·소기업 사업주가 피보험자로서 부담하는 보험료

(14) **단체보장성 보험료**

단체순수보장성 보험 및 단체환급부보장성 보험의 보험료

→ 해당 보험료는 종업원의 근로소득이며, 연 70만 원 이하의 금액은 비과세 근로소득임

(15) **지급이자**

① 총수입금액을 얻기 위하여 직접 사용된 부채에 대한 지급이자는 필요경비에 산입한다. 다만, 채권자가 불분명한 차입금에 대한 지급이자는 제외된다.

② 거주자가 공동사업에 출자하기 위하여 차입한 금액에 대한 지급이자는 당해 공동사업장의 총수입금액을 얻기 위하여 직접 사용된 부채에 대한 지급이자로 볼 수 없으므로 당해 공동사업장의 소득금액계산상 필요경비에 산입하지 아니한다.

(16) **감가상각비**

사업용 유형자산 및 무형자산의 감가상각비

(17) **자산의 평가차손**

구분	필요경비 산입
재고자산 평가차손	① 저가법에 의하여 평가방법을 신고하고 과세기간 종료일 현재의 시가가 원가보다 낮은 경우 ② 파손·부패 등으로 정상가격에 판매할 수 없는 재고자산을 과세기간 종료일 현재의 처분가능한 가액으로 감액하는 경우
유형자산	천재·지변, 화재, 채굴불능으로 인한 폐광, 법령에 의한 수용 등의 사유로 인하여 파손 또는 멸실된 유형자산의 장부가액을 그 사유가 발생한 과세기간의 종료일 현재의 처분가능한 가액으로 감액하는 경우

(18) 대손금

대손금(부가가치세 매출세액의 미수금으로서 회수할 수 없는 것 중 「부가가치세법」에 따른 대손세액공제를 받지 아니한 것 포함)은 필요경비에 산입한다.

(19) 장려금 등

거래수량 또는 거래금액에 따라 상대편에게 지급하는 장려금 기타 이와 유사한 성질의 금액

(20) 재해손실

매입한 상품·제품·부동산 및 산림 중 재해로 인하여 멸실된 것의 원가를 그 재해가 발생한 과세기간의 소득금액을 계산할 때 필요경비에 산입한 경우의 그 원가

(21) 직장체육비 등

종업원을 위하여 직장체육비·직장문화비·가족계획사업지원비·직원회식비 등으로 지출한 금액

(22) 무료 진료가액

보건복지부장관이 정하는 무료진료권에 의하여 행한 무료진료의 가액

(23) 해외시찰 훈련비

업무와 관련이 있는 해외시찰·훈련비

(24) 학교운영비

「초·중등교육법」에 의하여 설치된 근로청소년을 위한 특별학급 또는 산업체부설 중·고등학교의 운영비

(25) 직장어린이집 운영비

「영유아보육법」에 의하여 설치된 직장어린이집의 운영비

(26) 채광비

광물의 탐광을 위한 지질조사·시추 또는 갱도의 굴진을 위하여 지출한 비용과 그 개발비

(27) 광고선전물품

광고·선전을 목적으로 견본품·달력·수첩·컵·부채 기타 이와 유사한 물품을 불특정다수인에게 기증하기 위하여 지출한 비용. 이 경우 특정인에게 기증한 물품(개당 3만 원 이하의 물품은 제외)의 경우에는 연간 5만 원 이내의 금액으로 한정한다.

(28) 협회비

영업자가 조직한 단체로서 법인이거나 주무관청에 등록된 조합 또는 협회에 지급하는 회비. 필요경비에 산입하는 회비는 조합 또는 협회가 법령 또는 정관이 정하는 바에 따른 정상적인 회비징수 방식에 의하여 경상경비 충당 등을 목적으로 조합원 또는 회원에게 부과하는 회비를 말한다.

(29) 유가족 위로금

종업원의 사망 이후 유족에게 학자금 등 일시적으로 지급하는 금액으로서 종업원 사망 전에 결정되어 종업원에게 공통적으로 적용되는 지급기준에 따라 지급되는 것

(30) 잉여식품 기증액

「식품 등 기부 활성화에 관한 법률」에 따른 식품 및 생활용품의 제조업·도매업 또는 소매업을 경영하는 거주자가 해당 사업에서 발생한 잉여식품 등을 같은 법 제2조 제5호에 따른 사업자(푸드뱅크) 또는 그 사업자가 지정하는 자에게 무상으로 기증하는 경우 그 기증한 식품 등의 장부가액을 필요경비에 산입한다. 이 경우 그 금액은 기부금에 포함하지 아니한다.

(31) 외화자산·부채 상환차손

사업자가 상환받거나 상환하는 외화자산·부채의 취득 또는 차입 당시의 원화기장액과 상환받거나 상환하는 원화금액과의 차익 또는 차손은 상환받거나 상환한 날이 속하는 과세기간의 총수입금액 또는 필요경비에 산입한다.

(32) 기타 필요경비

위 경비와 유사한 성질의 것으로서 해당 총수입금액에 대응하는 경비

4. 필요경비 불산입

(1) 소득세 등

소득세(외국납부세액공제 및 간접투자회사 등으로부터 지급받은 소득에 대한 외국납부세액공제를 적용하는 경우의 외국소득세액 포함)와 개인지방소득세

→ 세액공제를 적용하지 않는 경우의 외국소득세액은 필요경비에 산입함

(2) 벌금 등

벌금·과료(통고처분에 따른 벌금 또는 과료에 해당하는 금액 포함)와 과태료

필요경비 불산입 (벌금 등)	① 사업자 또는 그 종업원이 「관세법」을 위반하고 지급한 벌과금
	② 업무와 관련하여 발생한 교통사고 벌과금
	③ 「고용보험 및 산업재해보상보험의 보험료징수 등에 관한 법률」 제24조의 규정에 의하여 징수하는 산업재해보상보험료의 가산금
	④ 「국민건강보험법」 제80조에 따른 국민건강보험료의 연체금

필요경비 산입	① 사계약상의 의무불이행으로 인하여 과하는 지체상금(정부와 납품계약으로 인한 지체상금을 포함하며 구상권행사가 가능한 지체상금 제외) ② 보세구역에 장치되어 있는 수출용 원자재가 「관세법」상의 장치기간경과로 국고귀속이 확정된 자산의 가액 ③ 철도화차 사용료의 미납액에 대하여 가산되는 연체이자 ④ 「고용보험 및 산업재해보상보험의 보험료징수 등에 관한 법률」에 의한 산업재해보상보험료의 연체금 및 보험급여액징수금 ⑤ 국유지사용료의 납부지연으로 인한 연체료 ⑥ 전기요금의 납부지연으로 인한 연체가산금

(3) 가산금 등

「국세징수법」이나 그 밖에 조세에 관한 법률에 따른 가산금과 강제징수비

(4) 가산세 등

조세에 관한 법률에 따른 징수의무의 불이행으로 인하여 납부하였거나 납부할 세액(가산세액 포함)

(5) 가사 관련경비

다음 중 어느 하나에 해당하는 가사의 경비와 이에 관련되는 경비는 필요경비에 산입하지 아니한다.

① 사업자가 가사와 관련하여 지출하였음이 확인되는 경비. 이 경우 직계존비속에게 주택을 무상으로 사용하게 하고 직계존비속이 실제 거주하는 경우 부당행위계산 부인대상에서 제외되지만, 주택에 관련된 경비는 가사와 관련하여 지출된 경비로 본다.

② 사업용 자산의 합계액이 부채의 합계액에 미달하는 경우에 그 미달하는 금액에 상당하는 부채의 지급이자로서 다음 산식에 따라 계산한 금액

$$\text{지급이자} \times \frac{\text{해당 과세기간 중 초과인출금의 적수}}{\text{해당 과세기간 중 차입금의 적수}}$$

㉠ 초과인출금: 당해 과세기간 중 부채의 합계액이 사업용 자산의 합계액을 초과하는 금액

㉡ 적수의 계산은 매월 말 현재의 초과인출금 또는 차입금의 잔액에 경과일수를 곱하여 계산할 수 있다.

㉢ 초과인출금의 적수가 차입금의 적수를 초과하는 경우에는 그 초과하는 부분은 없는 것으로 본다.

㉣ 부채에는 「소득세법」 및 「조세특례제한법」에 의하여 필요경비에 산입한 충당금 및 준비금은 포함하지 아니하는 것으로 한다.

(6) 감가상각비 한도초과액

각 과세기간에 계상한 감가상각자산의 감가상각비로서 대통령령으로 정하는 바에 따라 계산한 금액을 초과하는 금액

(7) 자산의 평가차손

아래의 필요경비 산입대상을 제외한 자산의 평가차손은 필요경비 불산입한다.

> 다음 중 어느 하나에 해당하는 자산은 자산의 장부가액을 그 감액사유가 발생한 과세기간 종료일 현재의 처분가능한 가액으로 감액하고, 그 감액한 금액을 해당 과세기간의 필요경비로 계상하는 방법에 따라 그 장부가액을 감액할 수 있다.
> ① 파손·부패 등으로 정상가격에 판매할 수 없는 재고자산
> ② 천재지변·화재·법령에 따른 수용·채굴 불능으로 인한 폐광으로 파손 또는 멸실된 유형자산

(8) 개별소비세 등

반출하였으나 판매하지 아니한 제품에 대한 개별소비세 또는 주세의 미납액. 다만, 제품가액에 그 세액 상당액을 더한 경우는 제외한다.

∵ 개별소비세 등은 제조장에서 반출 시 과세하므로 사업자가 아직 구매자로부터 징수하지 않은 세금을 먼저 납부하는 결과가 됨. 따라서 구매자에 대한 미실현채권인 자산으로 처리하여야 함

(9) 부가가치세 매입세액

부가가치세의 매입세액은 필요경비에 산입하지 아니한다(∵ 최종소비자가 부담할 성질의 세금을 대납한 것이므로 선급금 채권임). 다만, 매입세액불공제되는 부가가치세 매입세액 중 다음에 규정하는 것은 필요경비에 산입한다.

① 면세사업자가 부담하는 매입세액
② 간이과세자가 납부한 부가가치세액
③ 비영업용 소형승용자동차의 유지에 관한 매입세액(자본적 지출에 해당하는 것 제외)
④ 영수증을 교부받은 거래분에 포함된 매입세액으로서 공제대상이 아닌 금액
⑤ 기업업무추진비 및 이와 유사한 비용의 지출에 관련된 매입세액
⑥ 부동산임차인이 부담한 전세금 및 임차보증금에 대한 매입세액

(10) 건설자금이자

건설자금에 충당한 금액의 이자란 그 명목 여하에도 불구하고 해당 사업용 유형자산 및 무형자산의 매입·제작·건설에 소요된 차입금(자산의 건설에 소요되었는지의 여부가 분명하지 않은 차입금 제외)에 대한 지급이자 또는 이와 유사한 성질의 지출금

(11) 채권자가 불분명한 사채이자

채권자가 불분명한 차입금의 이자란 다음 중 어느 하나에 해당하는 차입금의 이자(알선수수료, 사례금 등 명목 여하에 불구하고 차입금을 차입하고 지급하는 금품 포함)를 말한다. 다만, 지급일 현재 주민등록표등본에 의하여 그 거주사실 등이 확인된 채권자가 차입금을 변제받은 후 소재불명이 된 경우에는 그러하지 아니하다.

① 채권자의 소재 및 성명을 확인할 수 없는 차입금
② 채권자의 능력 및 자산상태로 보아 금전을 대여한 것으로 인정할 수 없는 차입금
③ 채권자와의 금전거래사실 및 거래내용이 불분명한 차입금

(12) 공과금

법령에 따라 의무적으로 납부하는 것이 아닌 공과금이나 법령에 따른 의무의 불이행 또는 금지·제한 등의 위반에 대한 제재로서 부과되는 공과금

(13) 업무무관지출

각 과세기간에 지출한 경비 중 다음 중 어느 하나에 해당하는 직접 그 업무와 관련이 없다고 인정되는 금액

① 사업자가 그 업무와 관련없는 자산을 취득·관리함으로써 발생하는 취득비·유지비·수선비와 이와 관련되는 필요경비
② 사업자가 그 사업에 직접 사용하지 아니하고 타인(종업원 제외)이 주로 사용하는 토지·건물 등의 유지비·수선비·사용료와 이와 관련되는 지출금
③ 사업자가 그 업무와 관련 없는 자산을 취득하기 위하여 차입한 금액에 대한 지급이자
④ 사업자가 사업과 관련 없이 지출한 기업업무추진비
⑤ 사업자가 공여한 「형법」에 따른 뇌물 또는 「국제상거래에 있어서 외국공무원에 대한 뇌물방지법」상 뇌물에 해당하는 금전과 금전 외의 자산 및 경제적 이익의 합계액
⑥ 사업자가 「노동조합 및 노동관계 조정법」 제24조 제2항 및 제4항을 위반하여 지급하는 급여

(14) 선급비용

지급이자 등 당해연도에 지출한 비용 중 연도 말까지 그에 상응하는 용역 등을 제공받지 못하여 당해 과세기간의 필요경비로 계상할 수 없는 비용은 당기에 필요경비불산입이며, 차기 이후에 필요경비에 산입된다.
∵ 과세소득의 조작을 방지하여 사업소득금액을 적정하게 계산하기 위함

(15) 손해배상금

업무와 관련하여 고의 또는 중대한 과실로 타인의 권리를 침해한 경우에 지급되는 손해배상금

→ 경과실에 의한 손해배상금은 필요경비 산입

5. 2개 이상 사업장을 가진 사업자의 기업업무추진비 한도액 계산

(1) 개인사업자는 사업장별로 구분경리하여야 하므로 기업업무추진비도 각각 구분하여 계산하여야 한다. 이 경우 기본한도(1,200만 원·3,600만 원)는 사업장별로 적용하는 것이 아니라 거주자 전체에 대하여 적용하므로 사업장별로 안분하여 기업업무추진비 한도액을 계산하여야 한다.

(2) 기업업무추진비 한도액

2개 이상의 사업장이 있는 사업자가 사업장별 거래내용이 구분될 수 있도록 장부에 기록한 경우 당해 과세기간에 각 사업장별로 지출한 기업업무추진비로서 각 사업장별 소득금액 계산 시 필요경비에 산입할 수 있는 금액은 다음의 금액의 합계액을 한도로 한다.

① 기본한도

$$\frac{1,200만\ 원}{(중소기업\ 3,600만\ 원)} \times \frac{각\ 사업장의\ 당해\ 과세기간\ 수입금액}{각\ 사업장의\ 당해\ 과세기간\ 수입금액\ 합산액}$$

ㄱ 2개 이상의 사업장 중 당해 과세기간 중에 신규로 사업을 개시하거나 중도에 폐업하는 사업장이 있는 경우에는 당해 과세기간 중 영업월수가 가장 긴 사업장의 월수를 기준으로 기본금액을 계산하되, 중소기업의 해당 여부는 주업종(수입금액이 가장 큰 업종)에 의하여 판단한다.

ㄴ 2개 이상의 사업장 중 일부 사업장의 소득금액에 대하여 추계조사결정 또는 경정을 받은 경우에는 추계조사결정 또는 경정을 받은 사업장은 수입금액이 없는 것으로 한다.

② 각 사업장의 당해 과세기간 수입금액 × 적용률

ㄱ 적용률은 각 사업장의 당해 과세기간의 수입금액의 합산액에 의하여 결정한다.

ㄴ 각 사업장의 수입금액 합산액이 100억 원을 초과하는 경우에는 각 사업장별로 적용률의 우선순위를 임의로 선택할 수 있다.

(3) 사업장별 통산

2개 이상의 사업장에서 각 사업장별로 지출한 기업업무추진비가 기업업무추진비한도액에 미달하는 경우와 초과하는 경우가 각각 발생하는 때에는 그 미달하는 금액과 초과하는 금액은 이를 통산하지 아니한다.

사업장	수입금액		기장 유무	비고	기업업무추진비 지출액
	일반	특수			
A	40억 원	–	기장	4. 1. 개업	20,000,000
B	30억 원	–	추계	–	10,000,000
C	60억 원	20억 원	기장	중소기업	50,000,000

기업업무추진비 한도액(A사업장부터 수입금액 적용률 적용 가정함)

구분	기본한도	수입금액 한도	한도초과액 (한도미달액)
A	12,000,000[1]	40억 원 × 0.3% = 12,000,000	(4,000,000)
C	24,000,000[2]	60억 원 × 0.3% + 20억 × 0.2% ×10% = 18,400,000	7,600,000

6. 기부금의 필요경비 계산[3]

(1) 사업소득만 있는 자는 기부금세액공제를 적용할 수 없으며 필요경비로만 산입하여야 한다. 이 경우 기본공제대상자(나이의 제한을 받지 아니하며, 다른 거주자의 기본공제를 적용받은 사람 제외)가 지급한 기부금은 해당 사업자의 기부금에 포함한다.

(2) 기부금 범위

특례 기부금	① 「법인세법」 제24조 제2항 제1호에 따른 기부금 ② 「재난 및 안전관리 기본법」에 따른 특별재난지역을 복구하기 위하여 자원봉사를 한 경우 다음과 같이 계산한 그 용역의 가액 $$봉사일수(총봉사시간[4] ÷ 8시간) × 5만 원 + 직접비용[5]$$
일반 기부금	① 「법인세법 시행령」 제39조 제1항 각 호의 것 ② 노동조합, 교원단체, 공무원직장협의회, 공무원노동조합에 가입한 사람이 납부한 회비 ③ 법령에서 정한 사회환원기부신탁

[1] 36,000,000 × 40억 원/120억 원
[2] 36,000,000 × 80억 원/120억 원

[3] 기부금규정은 「법인세법」과 거의 유사하므로 차이나는 부분 위주로 서술하기로 한다.

[4] 개인사업자의 경우 본인의 봉사분에 한한다.
[5] **자원봉사용역에 부수되어 발생하는 유류비·재료비 등 직접비용:** 제공할 당시의 시가 또는 장부가액

(3) 기부금 한도액

특례 기부금	사업자가 해당 과세기간에 지출한 기부금 및 이월된 기부금 중 특례기부금은 다음의 한도액 내에서 해당 과세기간의 사업소득금액을 계산할 때 필요경비에 산입하고, 필요경비 산입한도액을 초과하는 금액은 필요경비에 산입하지 아니한다. 기준소득금액❶ − 이월결손금
일반 기부금	사업자가 해당 과세기간에 지출한 기부금 및 이월된 기부금 중 일반기부금은 다음의 한도액 내에서 해당 과세기간의 사업소득금액을 계산할 때 필요경비에 산입하고, 필요경비 산입한도액을 초과하는 금액은 필요경비에 산입하지 아니한다. ① 종교단체 기부금이 없는 경우 (기준소득금액 − 이월결손금 − 필요경비산입기부금) × 30% ② 종교단체 기부금이 있는 경우 (기준소득금액 − 이월결손금 − 필요경비산입기부금❷) × 10% +Min(㉠, ㉡) ㉠ 기준소득금액 − 이월결손금 − 필요경비산입기부금❷) × 20% ㉡ 종교단체 외 지급한 기부금

❶ 기부금을 필요경비에 산입하기 전의 해당 과세기간의 소득금액(다른 사업장의 사업소득 포함)

❷ 고향사랑 + 정치자금 + 특례기부금 + 우리사주조합 필요경비산입금액

(4) 이월공제

사업자가 해당 과세기간에 지출하는 기부금 중 필요경비 산입한도액을 초과하여 필요경비에 산입하지 아니한 특례기부금 및 일반기부금의 금액(종합소득세 신고 시 세액공제를 적용받은 기부금의 금액 제외)은 해당 과세기간의 다음 과세기간 개시일부터 10년 이내에 끝나는 각 과세기간에 이월하여 필요경비에 산입할 수 있다.

(5) 정치자금기부금

거주자가 정당(후원회 및 선거관리위원회 포함)에 기부한 정치자금은 이를 지출한 해당 과세연도의 소득금액에서 10만 원까지는 그 기부금액의 100/110을, 10만 원을 초과한 금액에 대해서는 해당 금액의 15%(해당 금액이 3천만 원을 초과하는 경우 그 초과분에 대해서는 25%)에 해당하는 금액을 종합소득산출세액에서 공제한다. 다만, 사업인 거주자가 정치자금을 기부한 경우 10만 원을 초과한 금액에 대해서는 이월결손금을 뺀 후의 소득금액의 범위에서 손금에 산입한다.

→ 특례기부금과 동일하게 취급함

(6) 우리사주조합기부금

거주자가 우리사주조합에 지출하는 기부금(우리사주조합원이 지출하는 기부금 제외)은 다음의 금액을 한도로 하여 필요경비에 산입한다.

(기준소득금액 − 이월결손금 − 정치자금기부금 − 필요경비산입특례기부금) × 30%

(7) 기부금 공제순서

사업자는 다음의 구분에 따른 범위에서 해당 기부금을 순서대로 필요경비에 산입한다.

① 고향사랑 기부금, 정치자금기부금 또는 특례기부금
② 우리사주조합기부금
③ 일반기부금

■ 사례

사업자 갑의 다음 자료를 이용하여 기부금 한도초과액은?

구분	금액
사립대학교 장학금	20,000,000
종교단체 기부금	12,000,000
불우이웃돕기 기부금(일반기부금)	8,000,000
기부금을 필요경비 산입 후의 소득금액	60,000,000

해설

구분	기부금	한도액	한도초과액
특례	20,000,000	100,000,000	–
일반	20,000,000	16,000,000	4,000,000

일반기부금 한도액
(60,000,000 + 40,000,000 − 20,000,000) × 10% + Min(80,0000,000 × 20%, 8,000,000)

7. 지급이자

지급이자는 원칙적으로 사업소득의 필요경비로 인정한다. 다만, 다음의 지급이자는 필요경비 불산입하며, 동시에 적용되는 경우 다음의 순서에 따라 부인한다.

(1) 채권자가 불분명한 차입금의 이자
(2) 건설자금에 충당한 차입금의 이자
(3) 초과인출금에 대한 지급이자
(4) 업무무관자산에 대한 지급이자

8. 업무용 승용차 관련비용❶

구분	「법인세법」	「소득세법」
적용대상	모든 법인	복식부기의무자
업무전용 자동차보험	의무가입	없음 (단, 성실신고확인대상사업자와 전문직은 1대를 제외하고 의무가입)
부동산임대업 주업인 특정법인 규제	있음	없음

업무전용 자동차보험에 가입하지 않은 경우로서 사업자별(공동사업장의 경우 1사업자로 봄) 업무용 승용차 수에 따른 다음의 금액은 해당 과세기간의 사업소득금액을 계산할 때 필요경비에 산입하지 아니한다.

(1) 1대

업무사용비율금액

(2) 1대 초과분

업무사용비율금액의 0%. 다만, 성실신고확인대상사업자와 전문직사업자를 제외한 사업자의 2024년 1월 1일부터 2025년 12월 31일까지 발생한 업무용 승용차 관련비용에 대해서는 업무사용비율금액의 50%로 한다.

4 부동산임대업

I 부동산임대업의 범위

1. 범위

(1) 부동산 또는 부동산상의 권리를 대여하는 사업
(2) 공장재단 또는 광업재단을 대여하는 사업
(3) 광업권자·조광권자·덕대가 채굴 시설과 함께 광산을 대여하는 사업

2. 특징

부동산임대업(주거용 건물 임대업 제외)에서 발생한 결손금은 종합소득 과세표준을 계산할 때 공제하지 아니한다.

Ⅱ 부동산임대업의 소득금액 계산

1. 사업소득금액 계산

(1) 계산

부동산임대업 소득금액 = 총수입금액 − 필요경비

(2) 총수입금액

임대료	① 원칙: 부동산 등을 대여하고 그 대가로 해당 연도에 수입하였거나 수입할 금액의 합계액으로 한다. ② 수입시기: 자산을 임대하거나 지역권·지상권을 설정하여 발생하는 소득의 경우에는 다음의 구분에 따른 날 　㉠ 계약 또는 관습에 따라 지급일이 정해진 것: 그 정해진 날 　㉡ 계약 또는 관습에 따라 지급일이 정해지지 아니한 것: 그 지급을 받은 날 ③ 선세금에 대한 총수입금액 계산 $$\text{총수입금액} = \text{선세금} \times \frac{\text{해당연도 임대기간 월수}❶}{\text{계약기간 월수}❶}$$
관리비	사업자가 부동산을 임대하고 전기료, 수도료 등의 공공요금을 제외한 청소비 난방비 등 임대료 외에 유지비나 관리비로 지급받는 금액은 총수입금액에 산입한다. 단, 공공요금의 명목으로 지급받은 금액이 공공요금의 납부액을 초과하는 경우 그 초과하는 금액은 총 수입금액에 산입한다.
간주 임대료	부동산을 임대하고 받은 임대보증금을 새로운 부동산 취득자금으로 운용하는 것을 방지하고 부동산 과다보유를 억제한다는 취지에서, 시장금리에 불구하고 누구든지 은행에 예금을 하면 틀림없이 얻을 수 있는 정기예금이자율 상당의 소득이 있었다고 보아 계산한 간주임대료를 총수입금액에 산입한다.

❶
월수계산: 초월산입·말월불산입

(3) 필요경비

해당 과세기간의 총수입금액에 대응하는 비용의 합계액으로 한다. 따라서 부동산임대업과 관련된 경비를 필요경비로 인정하며, 부동산 관리인의 인건비, 복리후생비, 재세공과금 등이 이에 해당한다.

2. 간주임대료 계산

(1) 주택 외의 부동산을 임대하는 경우

　① 대상: 거주자가 부동산 또는 그 부동산상의 권리 등을 대여하고 보증금·전세금 또는 이와 유사한 성질의 금액을 받은 경우
　　∵ 부동산임대업 주업과 차입금 여부 관계없음

② 계산

㉠ 기장신고

> (보증금 등 적수 − 건설비상당액 적수) × 1/365(366) × 정기예금이자율 − 보증금 등 운용수익

㉡ 추계신고

> 보증금 등의 적수 × 1/365(366) × 정기예금이자율

㉢ 추가 내용

ⓐ 보증금 등: 임대차계약서상의 전세금 또는 임대보증금을 의미하므로 실제 지급받았는지의 여부에 관계없이 임차인이 당해 부동산을 사용하거나 사용하기로 한 때를 기준으로 하여 계산한다.

ⓑ 건설비상당액: 당해 건축물의 취득가액(토지가액은 제외)은 자본적 지출액을 포함하고 재평가차액을 제외한 금액. 한편, 건설비상당액 적수계산 시 임대일수는 임대보증금 적수계산 시의 임대일수와 일치하여야 한다.

ⓒ 정기예금이자율: 2.9%

ⓓ 해당 과세기간의 보증금 등 운용수익: 장부·증빙서류에 의하여 당해 임대보증금 등으로 취득한 것이 확인되는 금융자산으로부터 발생한 수입이자·할인료 및 배당금의 합계액

운용수익 포함	운용수익 미포함
미수이자	선수이자
수입배당금	유가증권처분이익
저축성 보험차익	신주인수권처분이익

ⓔ 간주임대료가 '0'보다 적은 때에는 없는 것으로 보며, 적수의 계산은 매월 말 현재의 보증금 등의 잔액에 경과일수를 곱하여 계산할 수 있다.

사례

부동산임대업 甲의 총 수입금액을 계산하시오. 단, 정기예금이자율 3% 가정한다.

1. 상가임대현황(장부를 기장하고 있음)

임대보증금	월 임대료	임대기간	건물·토지 취득자료
200,000,000	1,000,000	1. 1. ~ 12. 31.	• 토지: 200,000,000 • 건물: 100,000,000

2. 임대보증금 운용 수입

미수이자	선수이자	배당금수익	주식처분이익
200,000	400,000	500,000	2,000,000

총수입금액
1. 임대료: 1,000,000 × 12월 = 12,000,000
2. 간주임대료: (2억 원 – 1억 원) × 3% – (200,000 + 500,000) = 2,300,000

(2) 주택(부수토지 포함)을 임대하는 경우

① 대상: 주택을 대여하고 보증금 등을 받은 경우에는 3주택(소형주택❶제외) 이상을 소유하고 해당 주택의 보증금 등의 합계액이 3억 원을 초과하는 경우

② 계산

㉠ 기장신고

> (보증금 등 – 3억 원)의 적수 × 60% × 1/365(366) × 정기예금이자율 – 보증금 등 운용수익

㉡ 추계신고

> (보증금 등 – 3억 원)의 적수 × 60% × 1/365(366) × 정기예금이자율

㉢ 추가 내용

ⓐ 보증금 등을 받은 주택이 2주택 이상인 경우에는 보증금 등의 적수가 가장 큰 주택의 보증금 등부터 순서대로 뺀다.

ⓑ 3억 원 차감 시에는 개인별로 각각 적용하며, 공동주택의 경우 공동사업장을 구성원 개인과는 별개로 1거주자로 보아 개인과 별도로 3억 원을 적용함

ⓒ 해당 과세기간의 보증금 등 운용수익: 장부·증빙서류에 의하여 당해 임대보증금 등으로 취득한 것이 확인되는 금융자산으로부터 발생한 수입이자·할인료 및 배당금의 합계액

운용수익 포함	운용수익 미포함
미수이자	선수이자
수입배당금	유가증권처분이익
저축성 보험차익	신주인수권처분이익

❶
소형주택: 주거의 용도로만 쓰이는 면적이 1호 또는 1세대당 40㎡ 이하인 주택이다.

사례

20×1년 간주임대료를 계산하시오. 단, 임대주택 3채 모두 주거전용면적 40㎡ 초과하여 간주임대료 계산 대상이며, 정기예금이자율은 3% 가정한다.

구분	보증금	임대기간	보증금 적수
A주택	2억 원	20×1. 1. 1. ~ 20×1. 12. 31.	73,000,000,000
B주택	5억 원	20×1. 11. 1. ~ 20×2. 10. 31.	30,500,000,000
C주택	1억 원	20×1. 1. 1. ~ 20×1. 12. 31.	36,500,000,000

해설 --

1. A주택: (2억 원 − 2억 원)
2. B주택: (5억 원 − 0원) × 61일 × 60% × 1/365 × 3% = 1,504,109
3. C주택: (1억 원 − 1억 원)

---

5 주택임대소득에 대한 세액 계산의 특례

I 개요

1. 해당 과세기간에 주거용 건물 임대업에서 발생한 수입금액의 합계액이 2천만 원 이하인 자의 주택임대소득은 종합과세 또는 분리과세 중 선택할 수 있다.

   ∵ 주택임대업 지원

2. 이 경우 사업자가 공동사업자인 경우에는 공동사업장에서 발생한 주택임대수입금액의 합계액을 손익분배비율에 의해 공동사업자에게 분배한 금액을 각 사업자의 주택임대수입금액에 합산한다.

II 분리과세 주택임대소득금액

1. 미등록임대주택

총수입금액에서 필요경비(총수입금액의 50%)를 차감한 금액으로 하되, 분리과세 주택임대소득을 제외한 해당 과세기간의 종합소득금액이 2천만 원 이하인 경우에는 추가로 200만 원을 차감한 금액으로 한다.

2. 등록임대주택

총수입금액에서 필요경비(총수입금액의 60%)를 차감한 금액으로 하되, 분리과세 주택임대소득을 제외한 해당 과세기간의 종합소득금액이 2천만 원 이하인 경우에는 추가로 400만 원을 차감한 금액으로 한다.

∵ 임대주택사업 등록을 활성화

Check 등록임대주택의 요건

1. 민간임대주택법에 따른 등록(지방자치단체, 시, 군, 구청)
2. 「소득세법」에 따른 사업자등록(세무서)
3. 임대료(임차보증금)의 연 증가율이 5%를 초과하지 않을 것

Ⅲ 종합소득결정세액 계산특례

분리과세 주택임대소득이 있는 거주자의 종합소득 결정세액은 다음의 세액 중 하나를 선택하여 적용한다. → Min[(1), (2)]

1. 종합과세

주택임대소득에 대하여 분리과세를 적용하기 전의 종합소득 결정세액

2. 분리과세

다음의 세액을 더한 금액

(1) 분리과세 주택임대소득에 대한 사업소득금액 × 14% − 세액감면
(2) 위 (1) 외의 종합소득 결정세액

▌사례

분리과세를 가정하며, 주택임대소득 외의 종합소득금액은 2천만 원 이하임

구분	등록임대주택	미등록임대주택
수입금액	2천만 원	2천만 원
필요경비	2천만 원 × 60%	2천만 원 × 50%
공제금액	400만 원	200만 원
소득금액	400만 원	800만 원
세율	14%	14%
산출세액	56만 원	112만 원

Ⅳ 임대주택유형에 따른 사업소득금액

1. 과세기간 중 일부 기간 동안 등록임대주택을 임대한 경우 등록임대주택의 임대사업에서 발생하는 수입금액은 월수로 계산한다. 이 경우 해당 임대기간의 개시일 또는 종료일이 속하는 달이 15일 이상인 경우에는 1개월로 본다.

2. 해당 과세기간 중에 임대주택을 등록한 경우 주택임대소득금액은 다음의 계산식에 따라 계산한다.

> 등록한 기간에 발생한 수입금액 × (1 − 60%)
> + 등록하지 않은 기간에 발생한 수입금액 × (1 − 50%)

3. 해당 과세기간 동안 등록임대주택과 등록임대주택이 아닌 주택에서 수입금액이 발생한 경우 해당 과세기간의 종합소득금액이 2천만 원 이하인 경우에 추가로 차감하는 금액은 다음의 계산식에 따라 계산한다.

$$\frac{\text{등록임대주택 수입금액}}{\text{총 주택임대수입금액}} \times 400만\ 원 + \frac{\text{미등록임대주택 수입금액}}{\text{총 주택임대수입금액}} \times 200만\ 원$$

사례

1. 월세 1,600,000원(매월 말 수령), 20×1. 1. 1. ~ 12. 31. 총수입금액 19,200,000
2. 20×1. 7. 10. 사업자등록 및 지방자치단체에 주택임대등록을 하였음

	미등록임대주택		등록임대주택	
수입금액	1,600,000 × 6月 =	9,600,000	1,600,000 × 6月 =	9,600,000
필요경비	9,600,000 × 50% =	4,800,000	9,600,000 × 60% =	5,760,000
추가공제	2,000,000 × 9.6/19.2 =	1,000,000	4,000,000 × 9.6/19.2 =	2,000,000
소득금액		3,800,000		1,840,000
결정세액	3,800,000 × 14% =	532,000	1,840,000 × 14% =	257,600

구분	분리과세	종합과세
총수입금액	연 2천만 원 이하인 경우로서 분리과세를 선택한 경우	① 연 2천만 원 초과자 ② 연 2천만 원 이하인 경우로서 종합과세를 선택한 경우
필요경비	① 등록임대주택: 60% ② 미등록임대주택: 50%	① 기장신고: 실제경비 ② 추계신고: 단순경비율 또는 기준경비율
소득공제	① 등록임대주택: 400만 원 ② 미등록임대주택: 200만 원	종합소득공제(인적 공제 등)
세율	14%	6 ~ 45%
세액감면	가능	가능
확정신고	있음	있음

Check 주택임대소득에 대한 종합과세와 분리과세 비교

6 사업소득의 수입시기

「소득세법」상 소득의 수입시기를 정하는 원칙인 '권리확정주의'란 과세상 소득이 실현된 때가 아닌, 권리가 발생한 때에 소득이 있는 것으로 보고 당해 연도의 소득을 산정하는 것으로 실질적으로는 불확실한 소득에 대하여 장래실현될 것을 전제로 하여 미리 과세하는 것을 허용하는 원칙이기는 하나, '확정'의 개념은 구체적인 사안에 관하여 소득에 대한 관리·지배와 발생소득의 객관화 정도, 납세자금의 확보시기 등까지도 함께 고려하여 그 소득의 실현 가능성이 상당히 높은 정도로 성숙·확정되었는지 여부를 기준으로 수입시기를 판단하여야 한다.

I 상품 등의 판매

1. 상품(건물건설업과 부동산 개발 및 공급업의 경우의 부동산 제외)·제품 또는 그 밖의 생산품의 판매는 그 상품 등을 인도한 날

2. 인도일은 다음에 규정된 날을 말한다.

(1) 납품계약 또는 수탁가공계약에 의하여 물품을 납품하거나 가공하는 경우에는 당해 물품을 계약상 인도하여야 할 장소에 보관한 날. 다만, 계약에 따라 검사를 거쳐 인수 및 인도가 확정되는 물품은 당해 검사가 완료된 날

(2) 물품을 수출하는 경우 당해 수출물품을 계약상 인도하여야 할 장소에 보관한 날

Ⅱ 상품 등의 시용판매

상대방이 구입의 의사를 표시한 날. 다만, 일정기간 내에 반송하거나 거절의 의사를 표시하지 아니하는 한 특약 또는 관습에 의하여 그 판매가 확정되는 경우에는 그 기간의 만료일로 한다.

Ⅲ 상품 등의 위탁판매

수탁자가 그 위탁품을 판매하는 날

Ⅳ 상품 등 장기할부조건

그 상품 등을 인도한 날. 다만, 그 장기할부조건에 따라 수입하였거나 수입하기로 약정한 날이 속하는 과세기간에 당해 수입금액과 이에 대응하는 필요경비를 계상한 경우에는 그 장기할부조건에 따라 수입하였거나 수입하기로 약정된 날. 이 경우 인도일 이전에 수입하였거나 수입할 금액은 인도일에 수입한 것으로 보며, 장기할부기간 중에 폐업한 경우 그 폐업일 현재 총수입금액에 산입하지 아니한 금액과 이에 상응하는 비용은 폐업일이 속하는 과세기간의 총수입금액과 필요경비에 이를 산입한다.

Ⅴ 건설 등의 제공

건설·제조 기타 용역(도급공사 및 예약매출 포함)의 제공에 있어서는 용역의 제공을 완료한 날(목적물을 인도하는 경우 목적물을 인도한 날). 다만, 계약기간이 1년 이상인 경우로서 작업진행률을 기준으로 하여야 하며, 계약기간이 1년 미만인 경우로서 사업자가 그 목적물의 착수일이 속하는 과세기간의 결산을 확정함에 있어서 작업진행률을 기준으로 총수입금액과 필요경비를 계상한 경우에는 작업진행률을 기준으로 할 수 있다.

Ⅵ 무인판매기판매

당해 사업자가 무인판매기에서 현금을 인출하는 때

Ⅶ 인적 용역의 제공

용역대가를 지급받기로 한 날 또는 용역의 제공을 완료한 날 중 빠른 날. 다만, 연예인 및 직업운동선수 등이 계약기간 1년을 초과하는 일신전속계약에 대한 대가를 일시에 받는 경우에는 계약기간에 따라 해당 대가를 균등하게 안분한 금액을 각 과세기간 종료일에 수입한 것으로 하며, 월수의 계산은 해당 계약기간의 개시일이 속하는 달이 1개월 미만인 경우에는 1개월로 하고 해당 계약기간의 종료일이 속하는 달이 1개월 미만인 경우에는 이를 산입하지 아니한다.

Ⅷ 어음의 할인

그 어음의 만기일. 다만, 만기 전에 그 어음을 양도하는 때에는 그 양도일로 한다.

Ⅸ 금융보험업의 이자 등

한국표준산업분류상의 금융보험업에서 발생하는 이자 및 할인액은 실제로 수입된 날

Ⅹ 기타의 자산

대금을 청산한 날. 다만, 대금을 청산하기 전에 소유권 등의 이전에 관한 등기 또는 등록을 하거나 해당 자산을 사용수익하는 경우에는 그 등기·등록일 또는 사용수익일로 한다.

Ⅺ 금전등록기 설치사업자

영수증을 작성·교부할 수 있는 사업자로서 금전등록기를 설치·사용한 경우에 총수입금액은 해당 과세기간에 수입한 금액의 합계액에 따라 계산할 수 있다.

∵ 금전등록기에 의한 감사테이프에 기록된 매출거래는 매출시점이 아니라 그 매출금액이 실제 입금되는 시점에서 기록되고, 그 거래의 성질이 대부분 소액거래며 거래횟수가 매우 빈번하다는 점을 감안하여 예외적으로 현금주의과세가 가능함

7 추계결정·경정방법

I 개요

1. 의의

소득금액의 추계결정 또는 경정을 하는 경우에는 다음의 방법에 따른다.

(1) 기준경비율법

(2) 단순경비율법(단순경비율자만 가능함)

(3) 연말정산사업소득

(4) 동업자권형에 의한 방법

(5) 기타 국세청장이 합리적이라고 인정하는 방법

2. 추계소득금액

추계 시 사업소득금액 + 충당금·준비금 총수입금액 산입액

3. 추계 시 총수입금액 가산항목

수입금액은 다음의 금액을 가산한 것으로 한다.

(1) 해당 사업과 관련하여 국가·지방자치단체로부터 지급받은 보조금 또는 장려금

(2) 해당 사업과 관련하여 동업자단체 또는 거래처로부터 지급받은 보조금 또는 장려금

(3) 「부가가치세법」에 따라 신용카드매출전표를 교부함으로써 공제받은 부가가치세액

(4) 복식부기의무자의 사업용 유형자산 양도가액

예 복식부기의무자가 장부가액 10,000,000원의 기계장치를 6,000,000원에 양도하여 처분손실 4,000,000원이 발생하였다. → 추계 시 수입금액은 6,000,000원

4. 추계 시 소득금액 가산항목

「소득세법」 또는 다른 법률에 따라 총수입금액에 산입할 충당금·준비금 등이 있는 자에 대한 소득금액을 추계결정 또는 경정하는 때에는 추계방법에 의하여 계산한 소득금액에 해당 과세기간의 총수입금액에 산입할 충당금·준비금 등을 가산한다.

Ⅱ 기준경비율법

1. 계산방법

수입금액에서 주요경비와 기준경비의 합계액(수입금액을 초과하는 경우에는 그 초과하는 금액은 제외)을 공제한 금액을 그 소득금액(기준소득금액)으로 결정 또는 경정하는 방법을 말한다. 다만, 기준소득금액이 단순경비율에 의한 소득금액에 국세청장이 정하는 배율을 곱하여 계산한 금액 이상인 경우 2024. 12. 31.이 속하는 과세기간의 소득금액을 결정 또는 경정할 때까지는 그 배율을 곱하여 계산한 금액을 소득금액으로 결정할 수 있다.

> 추계소득금액 = 아래 ①, ② 중 적은 금액
> ① 수입금액 - 주요경비 - 수입금액 × 기준경비율(복식부기의무자: 기준경비율의 1/2)
> ② {수입금액 - (수입금액 × 단순경비율)} × 2.8배(복식부기의무자: 3.4배)

2. 주요경비와 기준경비율

(1) 매입비용(사업용 유형자산 및 무형자산의 매입비용 제외)과 사업용 유형자산 및 무형자산에 대한 임차료로서 증빙서류에 의하여 지출하였거나 지출할 금액

(2) 종업원의 급여와 임금 및 퇴직급여로서 증빙서류에 의하여 지급하였거나 지급할 금액

(3) 수입금액에 기준경비율을 곱하여 계산한 금액. 다만, 복식부기의무자의 경우에는 수입금액에 기준경비율의 1/2을 곱하여 계산한 금액

3. 매입비용범위 등

(1) 매입비용은 다음의 재화의 매입(사업용 유형자산 및 무형자산의 매입 제외)과 외주가공비 및 운송업의 운반비로 한다.
  ① 재화의 매입은 재산적 가치가 있는 유체물(상품·제품·원료·소모품 등 유형적 물건)과 동력·열 등 관리할 수 있는 자연력의 매입(예 전기, 수도요금, 도시가스)으로 한다.
  ② 외주가공비는 사업자가 판매용 재화의 생산·건설·건축 또는 가공을 타인에게 위탁하거나 하도급하고 그 대가로 지출하였거나 지출할 금액으로 한다.
  ③ 운송업의 운반비는 육상·해상·항공 운송업 및 운수관련 서비스업을 영위하는 사업자가 사업과 관련하여 타인의 운송수단을 이용하고 그 대가로 지출하였거나 지출할 금액으로 한다.

(2) (1)의 외주가공비와 운송업의 운반비 이외의 용역을 제공받고 지출하였거나 지출할 금액은 매입비용에 포함하지 아니한다. 매입비용에 포함되지 않는 용역을 예시하면 다음과 같다.
① 음식료 및 숙박료
② 창고료(보관료), 통신비
③ 보험료, 수수료, 광고선전비(광고선전용 재화의 매입은 매입비용으로 함)
④ 수선비(수선용·수리용 재화의 매입은 매입비용으로 함)
⑤ 사업서비스, 교육서비스, 개인서비스, 보건서비스 및 기타 서비스(용역)를 제공받고 지급하는 금액 등
(3) 해당 과세연도 수입금액에서 공제하는 주요경비는 해당 과세연도에 지출하였거나 지출할 금액에 기초재고자산에 포함된 주요경비를 가산하고 기말재고자산에 포함된 주요경비를 공제하여 계산한 금액으로 한다.

Ⅲ 단순경비율법

1. 단순경비율 적용대상자

단순경비율 적용대상자란 다음 중 어느 하나에 해당하는 사업자로서 해당 과세기간의 수입금액이 복식부기의무자 해당 수입금액에 미달하는 사업자를 말한다.
(1) 해당 과세기간에 신규로 사업을 개시한 사업자
(2) 직전 과세기간의 수입금액(결정 또는 경정으로 증가된 수입금액 포함)의 합계액이 다음의 금액에 미달하는 사업자

업종	기준수입금액 (직전연도)
①농업·임업 및 어업, 광업, 도매 및 소매업(상품중개업 제외), 부동산매매업, 그 밖에 ② 및 ③에 해당되지 아니하는 사업	6,000만 원
②제조업, 숙박 및 음식점업, 전기·가스·증기 및 공기조절 공급업, 수도·하수·폐기물처리·원료재생업, 건설업(비주거용 건물 건설업은 제외하고, 주거용 건물 개발 및 공급업 포함), 운수업 및 창고업, 정보통신업, 금융 및 보험업, 상품중개업, 수리 및 기타 개인서비스업(「부가가치세법 시행령」에 따른 인적 용역만 해당함)	3,600만 원
③부동산 임대업, 부동산업(부동산매매업 제외), 전문·과학 및 기술서비스업, 사업시설관리·사업지원 및 임대서비스업, 교육서비스업, 보건업 및 사회복지서비스업, 예술·스포츠 및 여가 관련 서비스업, 협회 및 단체, 수리 및 기타 개인서비스업(「부가가치세법 시행령」 제42조 제1호에 따른 인적 용역 제외), 가구 내 고용활동	2,400만 원

2. 단순경비율 배제대상자

다음 중 어느 하나에 해당하는 사업자는 단순경비율 적용대상자에 포함되지 않는다.

(1) 의료업, 수의사업 및 약국업을 행하는 사업자

(2) 변호사업, 심판변론인업, 변리사업, 법무사업, 공인회계사업, 세무사업, 경영지도사업, 기술지도사업, 감정평가사업, 손해사정인업, 통관업, 기술사업, 건축사업, 도선사업, 측량사업, 공인노무사업, 의사업, 한의사업, 약사업, 한약사업, 수의사업과 그 밖에 이와 유사한 사업서비스업으로서 기획재정부령으로 정하는 것

(3) 현금영수증가맹점에 가입하여야 하는 사업자 중 현금영수증가맹점으로 가입하지 아니한 사업자(가입하지 아니한 해당 과세기간에 한함)

(4) 해당 과세기간에 신용카드매출전표 또는 현금영수증을 사실과 다르게 발급하거나 거부한 사업자로서 관할세무서장으로부터 해당 과세기간에 3회 이상 통보받고 그 금액의 합계액이 100만 원 이상이거나 5회 이상 통보받은 사업자(통보받은 내용이 발생한 날이 속하는 해당 과세기간에 한함)

3. 계산방법

수입금액(「고용정책 기본법」에 따라 고용노동부장관이 기업의 고용유지에 필요한 비용의 일부를 지원하기 위해 지급하는 일자리안정자금은 제외)에서 수입금액에 단순경비율을 곱한 금액을 공제한 금액을 그 소득금액으로 결정 또는 경정하는 방법을 말한다.

> 추계소득금액 = 수입금액 − (수입금액 × 단순경비율)

Ⅳ 과세방법

1. 원천징수대상 사업소득

(1) 내용

사업소득은 본래 원천징수대상이 아니나, 부가가치세가 면제되는 인적용역 및 봉사료 수입금액은 원천징수대상이다. 따라서 사업자 등 원천징수의무자(비사업자인 일반 개인 제외)가 원천징수대상 사업소득을 지급하는 경우 소득세를 원천징수하여 납부하여야 한다.

(2) 원천징수대상과 세율

원천징수대상	원천징수세율
부가가치세 면세대상인 의료보건용역과 인적 용역의 수입금액. 단, 다음의 소득은 원천징수대상에서 제외한다. ① 약사가 제공하는 의약품의 조제용역 중 의약품 가격이 차지하는 비율에 상당하는 소득 ② 접대부, 댄서와 이와 유사한 용역의 공급으로 발생하는 소득	3%
외국인 직업운동가가 스포츠클럽 운영업 중 프로스포츠구단과의 계약(계약기간이 3년 이하인 경우로 한정함)에 따라 용역을 제공하고 받는 소득 ∵ 외국인 직업운동가에 대한 조세채권 확보를 위함	20%
과세유흥장소에서 제공하는 용역 등을 제공하고 사업자가 지급하는 봉사료로서 공급가액과 구분하여 적은 봉사료금액이 공급가액의 20%을 초과하는 경우의 봉사료 수입금액	5%

(3) 납세조합의 원천징수

① 농·축·수산물 판매업자(복식부기의무자 제외) 및 노점상인은 납세조합을 조직할 수 있으며, 납세조합은 그 조합원의 매월분 사업소득(매월분 수입금액에 단순경비율)에 대한 소득세를 매월 징수하여야 한다.

② 사업자가 조직한 납세조합이 2024년 12월 31일 이전에 그 조합원에 대한 매월분의 소득세를 징수할 때에는 그 세액의 5%에 해당하는 금액(연 100만 원 한도)을 공제하고 징수한다.

2. 확정신고 및 연말정산

(1) 확정신고

사업소득이 있는 자는 원칙적으로 종합소득확정신고를 하여야 한다. 다만, 연말정산대상 사업소득만 있는 자는 확정신고를 하지 않을 수 있다.

→ 분리과세 주택임대소득도 원천징수대상이 아니며, 확정신고는 하여야 함

(2) 연말정산

대상자	간편장부대상자가 받는 보험모집인, 방문판매원, 음료품배달원의 사업소득은 연말정산대상소득이다. 단, 방문판매원과 음료품배달원은 해당 사업소득의 원천징수의무자가 연말정산을 신청한 것에 한하여 연말정산한다.

연말정산시기	연말정산 사업소득을 지급하는 원천징수의무자는 다음의 시기에 연말정산을 하여야 한다. ① 계속사업자: 해당 과세기간의 다음 연도 2월분의 사업소득을 지급할 때(2월분의 사업소득을 2월 말일까지 지급하지 아니하거나 2월분의 사업소득이 없는 경우 2월 말일) ② 연도 중 계약 해지하는 경우: 해당 사업자와의 거래계약을 해지하는 달의 사업소득을 지급할 때
확정신고면제	연말정산 사업소득 외 다른 종합소득이 없는 경우로서 원천징수의무자가 해당 사업소득에 대해 연말정산을 한 경우 종합소득확정신고를 하지 않을 수 있다.

V 법인의 각 사업연도 소득금액과 사업소득금액 비교

구분		각 사업연도 소득금액	사업소득
이자수익		각 사업연도 소득금액 포함	사업소득 제외(이자소득임)
배당금수익		각 사업연도 소득금액 포함	사업소득 제외(배당소득임)
유가증권 처분손익		각 사업연도 소득금액 포함	사업소득 제외(일부 양도소득)
자산의 평가이익		익금불산입 항목 (단, 법률에 따른 평가증은 익금)	총수입금액 불산입
화폐성 외화자산·부채		평가 관련 규정 있음	평가 관련 규정 없음 (사업 관련 외환차손익은 사업소득임)
자산수증이익 채무면제이익		익금항목 (단, 결손보전에 충당한 경우 익금 불산입)	① 사업 관련: 총수입금액 　(단, 결손보전에 충당한 경우 총수입금액 불산입) ② 사업 무관 총수입금액 불산입
유형자산 처분손익		각 사업연도 소득금액 포함	복식부기의무자는 사업소득 (단, 양도소득은 제외)
시설 개체 등 생산설비 폐기손실	폐기	(장부가액 - 1,000원) 결산조정 손금산입	필요경비 불산입
	처분	1,000원 손금산입	(장부가액 - 처분가액) 필요경비 산입
인건비	대표자 본인	원칙적으로 손금인정	전액 필요경비 불산입
	대표자 가족	원칙적으로 손금인정	사업에 직접 종사하는 경우 필요경비 산입
기업업무 추진비	한도액	사업장과 관계없이 한도액 계산	사업장별로 별도의 한도액 계산
	특정 법인	한도: 일반기업업무추진비의 50%	규정 없음

기부금	공제방법	한도 내 손금산입	한도 내 필요경비 산입. 필요경비에 산입한 기부금을 차감한 금액은 기부금세액공제 가능
	한도액	① 특례기부금: 소득금액의 50% ② 우리사주조합기부금: 소득금액의 30% ③ 일반기부금: 소득금액의 10% (사회적 기업 20%)	① 정치자금·고향사랑: 소득금액의 100% ② 특례기부금: 소득금액의 100% ③ 우리사주조합기부금: 소득금액의 30% ④ 일반기부금: 소득금액의 30%(10%)
	현물기부금	① 특례기부금과 일반기부금: 장부가액 ② 특수관계인 일반기부금·비지정기부금: Max[시가, 장부가액]	Max[시가, 장부가액]
지급이자		① 채권자불분명사채이자 ② 비실명 채권·증권의 이자 ③ 건설자금이자 ㉠ 특정차입금: 자본화 강제 ㉡ 일반차입금: 자본화 선택 (4)업무무관자산 등 관련이자	① 채권자불분명사채이자 ② 건설자금이자·특정차입금 ㉠ 자본화 강제 ㉡ 일반차입금: 자본화 불가 (필요경비) ③ 초과인출금 관련 이자 ④ 업무무관자산 관련이자
손익의 귀속시기	장기할부판매	중소기업은 회수기일 도래기준 신고조정 가능	결산상 회수기일 도래기준으로 계상한 경우에만 인정 (신고조정 불가)
	용역제공	① 원칙: 진행기준 ② 중소기업의 1년 미만 단기건설용역: 인도기준 선택 가능	① 단기: 인도기준. 단, 결산상 진행기준계상 시 인정 ② 장기: 진행기준
소액미술품		장식 등 목적의 1천만 원 이하 미술품은 비용계상 시 손금인정	규정 없음
추계 시 감가상각		모든 감가상각자산	건축물을 제외한 감가상각자산
기말퇴직급여추계액		Max[일시퇴직기준, 보험수리기준]	일시퇴직기준
대손충당금	한도	기말Tax채권 × Max[1%, 대손실적률]	기말Tax채권 × Max[1%, 대손실적률]
	설정대상채권	원칙적으로 모든 채권	사업소득 관련 채권 (복식부기의무자 기계 미수금 포함)
	설정제외채권	업무무관가지급금·채무보증구상채권	대여금(금융업 가능), 건물·토지 미수금

일시상각충당금	대상	국고보조금, 공사부담금, 보험차익	국고보조금, 보험차익
	손금방법	결산조정과 신고조정 모두 가능	결산조정만 인정
재고자산 가사용소비		규정 없음 (부당행위부인 적용될 수 있음)	① 시가: 총수입금액 산입 ② 원가: 필요경비 산입
가사 관련 경비		규정 없음	필요경비 불산입
소득처분	사외유출	배당, 상여, 기타사외유출, 기타	규정 없음
	유보	자적을표상 관리	자적을표상 관리
비과세소득		각 사업연도 소득금액에서 공제	총수입금액에서 제외함
결손금공제		–	근로 → 연금 → 기타 → 이자 → 배당
이월결손금 공제		① 중소기업·회생계획 등 법인: 100% 공제 ② 위 외 법인: 각 사업연도소득의 80%	사업소득금액에서 공제 후 근로 → 연금 → 기타 → 이자 → 배당 (한도는 별도로 없음)

04 근로소득·연금소득·기타소득

1 근로소득

Ⅰ 근로소득의 개념

1. 의의

근로소득이란 명칭 여하에 불구하고 근로계약(임원은 위임계약)에 의하여 근로를 제공하고 지급받는 모든 대가를 말하며, 실질적으로 급여를 받은 것과 동일한 경제적 이익도 근로소득에 포함한다.

2. 다른 소득과 구분

독립된 자격으로 근로를 제공하여 받는 사업소득과 다르며, 근로의 제공과 직접 관련이 없는 일시적인 기타소득과 구별되며, 퇴직 시 지급받는 퇴직소득과도 구분된다.

Ⅱ 근로소득의 범위

1. 근로소득에 포함되는 소득

(1) 근로제공에 따른 급여 등

근로를 제공함으로써 받는 봉급·급료·보수·세비·임금·상여·수당과 이와 유사한 성질의 급여

(2) 잉여금처분에 의한 상여

법인의 주주총회·사원총회 또는 이에 준하는 의결기관의 결의에 따라 상여로 받는 소득

→ 귀속시기는 잉여금처분결의일

(3) 인정상여

「법인세법」에 따라 상여로 처분된 금액이란 법인의 각 사업연도의 소득을 계산하는 과정에서 회사의 경제적 이익이 임직원에게 귀속될 때 처분된 금액이며 인정상여라 한다.

∵ 실질적으로 상여금을 받는 효과와 동일함

→ 귀속시기는 근로를 제공한 날

(4) **임원퇴직소득 한도초과액**

　　퇴직함으로써 받는 소득으로서 퇴직소득에 속하지 아니하는 소득은 근로소득으로 과세한다. 구체적으로는 다음과 같다.

　　① 법인이 임원에게 지급한 퇴직금 중 「법인세법 시행령」에 따라 손금에 산입되지 아니하고 지급받는 퇴직급여

　　② 법인이 임원에게 지급한 퇴직금 중 「소득세법」에 따른 퇴직소득한도를 초과하여 지급한 금액

(5) **직무발명보상금**

　　종업원 등 또는 대학의 교직원이 지급받는 직무발명보상금은 근로소득으로 구분한다.

　　→ 연 700만 원까지 비과세

　　→ 퇴직한 후에 지급받는 직무발명보상금은 기타소득

(6) **각종 수당**

　　① 근로수당·가족수당·전시수당·물가수당·출납수당·직무수당　기타 이와 유사한 성질의 급여

　　② 급식수당·주택수당·피복수당 기타 이와 유사한 성질의 급여

　　③ 기술수당·보건수당 및 연구수당, 그 밖에 이와 유사한 성질의 급여

　　④ 시간외근무수당·통근수당·개근수당·특별공로금 기타 이와 유사한 성질의 급여

　　⑤ 벽지수당·해외근무수당 기타 이와 유사한 성질의 급여

(7) **집금수당 등**

　　보험회사, 투자매매업자 또는 투자중개업자 등의 종업원이 받는 집금수당과 보험가입자의 모집, 증권매매의 권유 또는 저축을 권장하여 받는 대가, 그 밖에 이와 유사한 성질의 급여

(8) **기밀비 등**

　　기밀비(판공비 포함)·교제비 기타 이와 유사한 명목으로 받는 것으로서 업무를 위하여 사용된 것이 분명하지 아니한 급여

　　∵ 당해 지출이 사업수행 필요경비보다는 개인의 급여보전에 가까운 점

(9) **공로금 등**

　　종업원이 받는 공로금·위로금·개업축하금·학자금·장학금(종업원의 수학 중인 자녀가 사용자로부터 받는 학자금❶·장학금 포함) 기타 이와 유사한 성질의 급여

---

❶
1. 학자금 중 일정한 요건에 해당하는 업무관련 학자금: 비과세 근로소득
2. 사내근로복지기금에서 지급하는 학자금: 비과세(증여세)

🏛 기출 체크

판공비를 포함한 기밀비·교제비 기타 이와 유사한 명목으로 받는 것으로서 업무를 위하여 사용된 것이 분명하지 아니한 급여는 근로소득에 포함하지 아니한다. (×)

(10) 여비

여비의 명목으로 받는 연액 또는 월액의 급여

→ 실비변상적 여비는 비과세

(11) 사택제공이익

주택을 제공받음으로써 얻는 이익은 근로소득으로 본다.

→ 비출자임원, 소액주주임원(1% 미만), 임원이 아닌 종업원은 복리후생
  적 비과세이므로 대주주임원(1% 이상)만 과세됨

(12) 주택자금 대여이익

종업원이 주택(주택에 부수된 토지 포함)의 구입·임차에 소요되는 자금
을 저리 또는 무상으로 대여받음으로써 얻는 이익

→ 중소기업 종업원의 주택구입·임차자금은 복리후생적 비과세 근로소득

(13) 사용자 대납보험료

종업원이 계약자이거나 종업원 또는 그 배우자 및 그 밖의 가족을 수익자
로 하는 보험·신탁 또는 공제와 관련하여 사용자가 부담하는 보험료·신
탁부금 또는 공제부금

∵ 사용자가 종업원이 부담하여야 할 보험료를 대납하여 종업원이 동 보
  험계약에 의한 이익을 얻으므로 근로소득에 포함

→ 다음의 보험료 대납액은 복리후생적 비과세 근로소득

  • 연 70만 원 이하의 단체순수보장성·단체환급부보장성 보험료

  • 임직원의 고의(중과실 포함) 외의 업무상 행위로 인한 손해의 배상
    청구를 보험금의 지급사유로 하고 임직원을 피보험자로 하는 보험
    의 보험료

(14) 단체환급부 보장성 보험의 환급금

계약기간 만료 전 또는 만기에 종업원에게 귀속되는 단체환급부보장성
보험의 환급금

(15) 주식매수선택권 행사이익

법인의 임원 또는 종업원이 해당 법인 또는 해당 법인과 특수관계에 있
는 법인으로부터 부여받은 주식매수선택권을 해당 법인 등에서 근무하
는 기간 중 행사함으로써 얻은 이익(주식매수선택권 행사 당시의 시가와
실제 매수가액과의 차액며, 주식에는 신주인수권 포함)

∵ 고용관계를 전제로 한 장기 성과보수성격

→ 퇴직 후 또는 고용관계 없는 주식매수선택권 행사이익은 기타소득

(16) 공무원 직급수당

「공무원 수당 등에 관한 규정」, 「지방공무원 수당 등에 관한 규정」, 「검
사의 보수에 관한 법률 시행령」, 대법원규칙, 헌법재판소규칙 등에 따라
공무원에게 지급되는 직급보조비

(17) 공무원 포상금

공무원이 국가 또는 지방자치단체로부터 공무 수행과 관련하여 받는 상
금과 부상

→ 연 240만 원 이내의 금액은 비과세 근로소득

(18) 사내교육강사료

신규채용시험이나 사내교육을 위한 출제·감독·채점 또는 강의교재 등
을 작성하고 근로자가 지급받는 수당·강사료·원고료 명목의 금액은 근
무의 연장 또는 특별근로에 대한 대가는 근로소득으로 본다.

(19) 소득세 대납액

근로자가 부담할 소득세 등을 사용자가 부담한 경우 그 소득세액

2. 근로소득에 포함하지 않는 소득

(1) 퇴직급여적립액

퇴직급여로 지급되기 위하여 적립(근로자가 적립금액 등을 선택할 수 없
는 것으로서 기획재정부령으로 정하는 방법에 따라 적립되는 경우에 한
정함)되는 급여는 근로소득에 포함하지 아니한다.

∵ 퇴직급여로 적립되는 급여를 전액 인정해주는 경우 조세회피의 우려
가 있어 사업장 내의 모든 근로자에게 적용되는 퇴직연금 적립규칙에
따라 적립하는 경우에만 근로소득에서 포함하지 않음

(2) 사회통념상 경조사비

사업자가 그 종업원에게 지급한 경조금 중 사회통념상 타당하다고 인정
되는 범위 내의 금액은 이를 지급받은 자의 근로소득으로 보지 아니한다.

→ 비과세소득의 범위

Ⅲ 비과세 근로소득

1. 일반적인 비과세

(1) 사병의 급여

복무 중인 병이 받는 급여. 복무 중인 병이란 병역의무의 수행을 위하여
징집·소집되거나 지원하여 복무 중인 사람으로서 병장 이하의 현역병
(지원하지 않고 임용된 하사 포함), 의무경찰, 그 밖에 이에 준하는 사람
을 말한다.

(2) 동원직장급여

법률에 따라 동원된 사람이 그 동원 직장에서 받는 급여

(3) 요양급여 등

「산업재해보상보험법」에 따라 수급권자가 받는 요양급여, 휴업급여, 장해급여, 간병급여, 유족급여, 유족특별급여, 장해특별급여, 장의비 또는 근로의 제공으로 인한 부상·질병·사망과 관련하여 근로자나 그 유족이 받는 배상·보상 또는 위자(慰藉)의 성질이 있는 급여

(4) 요양보상금 등

「근로기준법」 또는 「선원법」에 따라 근로자·선원 및 그 유족이 받는 요양보상금, 휴업보상금, 상병보상금, 일시보상금, 장해보상금, 유족보상금, 행방불명보상금, 소지품 유실보상금, 장의비 및 장제비

(5) 실업급여, 육아휴직급여 등

「고용보험법」에 따라 받는 실업급여, 육아휴직 급여, 육아기 근로시간 단축 급여, 출산전후휴가 급여 등, 「제대군인 지원에 관한 법률」에 따라 받는 전직지원금, 「국가공무원법」·「지방공무원법」에 따른 공무원 또는 「사립학교교직원 연금법」·「별정우체국법」을 적용받는 사람이 관련 법령에 따라 받는 육아휴직수당(「사립학교법」 제70조의2에 따라 임명된 사무직원이 학교의 정관 또는 규칙에 따라 지급받는 육아휴직수당으로서 월 150만 원 이하의 것 포함)

(6) 사망일시금 등

「국민연금법」에 따라 받는 반환일시금(사망으로 받는 것만 해당함) 및 사망일시금

(7) 공무원 요양비

「공무원연금법」, 「공무원 재해보상법」, 「군인연금법」, 「군인 재해보상법」, 「사립학교교직원 연금법」 또는 「별정우체국법」에 따라 받는 공무상 요양비·요양급여·장해일시금·비공무상 장해일시금·비직무상 장해일시금·장애보상금·사망조위금·사망보상금·유족일시금·퇴직유족일시금·유족연금일시금·퇴직유족연금일시금·퇴역유족연금일시금·순직유족연금일시금·유족연금부가금·퇴직유족연금부가금·퇴역유족연금부가금·유족연금특별부가금·퇴직유족연금특별부가금·퇴역유족연금특별부가금·순직유족보상금·직무상유족보상금·위험직무순직유족보상금·재해부조금·재난부조금 또는 신체·정신상의 장해·질병으로 인한 휴직기간에 받는 급여

(8) 학자금

비과세 학자금이란 「초·중등교육법」 및 「고등교육법」에 따른 학교(외국에 있는 이와 유사한 교육기관 포함)와 「국민 평생 직업능력 개발법」에 따른 직업능력개발훈련시설의 입학금·수업료·수강료, 그 밖의 공납금 중 다음의 요건을 갖춘 학자금(한도: 해당 과세기간에 납입할 금액)을 말한다.

① 당해 근로자가 종사하는 사업체의 업무와 관련 있는 교육·훈련을 위하여 받는 것일 것

② 당해 근로자가 종사하는 사업체의 규칙 등에 의하여 정하여진 지급기준에 따라 받는 것일 것

③ 교육·훈련기간이 6월 이상인 경우 교육·훈련 후 당해 교육기간을 초과하여 근무하지 아니하는 때에는 지급받은 금액을 반납할 것을 조건으로 하여 받는 것일 것

(9) 외국공무원 근로소득

외국정부(외국의 지방자치단체와 연방국가인 외국의 지방정부 포함) 또는 국제기관에서 근무하는 사람으로서 법령으로 정하는 사람이 받는 급여. 다만, 그 외국정부가 그 나라에서 근무하는 우리나라 공무원의 급여에 대하여 소득세를 과세하지 아니하는 경우만 해당한다.

(10) 보훈급여 등

「국가유공자 등 예우 및 지원에 관한 법률」 또는 「보훈보상대상자 지원에 관한 법률」에 따라 받는 보훈급여금·학습보조비

(11) 전직대통령 연금

「전직대통령 예우에 관한 법률」에 따라 받는 연금

(12) 외국주둔군인급여

작전임무를 수행하기 위하여 외국에 주둔 중인 군인·군무원이 받는 급여

(13) 전사군인급여

종군한 군인·군무원이 전사(전상으로 인한 사망 포함)한 경우 그 전사한 날이 속하는 과세기간의 급여

(14) 국외근로소득

국외 또는 북한지역에서 근로를 제공하고 받는 다음의 급여

① 국외 등에서 근로를 제공(원양어업선박 또는 국외 등을 항행하는 선박이나 항공기에서 근로를 제공하는 것 포함)하고 받는 보수 중 월 100만 원[원양어업 선박, 국외 등을 항행하는 선박 또는 국외 등의 건설현장 등에서 근로(설계 및 감리 업무 포함)를 제공하고 받는 보수의 경우에는 월 500만 원] 이내의 금액

② 공무원(재외공관 행정직원 포함), 대한무역투자진흥공사, 한국관광공사, 한국국제협력단 및 한국국제보건의료재단의 종사자가 국외 등에서 근무하고 받는 수당 중 해당 근로자가 국내에서 근무할 경우에 지급받을 금액상당액을 초과하여 받는 금액 중 실비변상적 성격의 급여로서 외교부장관이 기획재정부장관과 협의하여 고시하는 금액

(15) 국가·사용자부담금

「국민건강보험법」, 「고용보험법」 또는 「노인장기요양보험법」에 따라 국가, 지방자치단체 또는 사용자가 부담하는 보험료

(16) 식사·식사대

근로자가 사내급식이나 이와 유사한 방법으로 제공받는 식사 기타 음식물 또는 근로자(식사 기타 음식물을 제공받지 아니하는 자에 한함)가 받는 월 20만 원 이하의 식사대

> 사용자가 기업 외부의 음식업자와 식사·기타 음식물 공급계약을 체결하고 그 사용자가 교부하는 식권에 의하여 제공받는 식사·기타 음식물로서 당해 식권이 현금으로 환금할 수 없고 다음의 요건에 해당되는 때는 비과세되는 식사·기타 음식물로 본다.
> ① 통상적으로 급여에 포함되지 아니하는 것
> ② 음식물의 제공 여부로 급여에 차등이 없는 것
> ③ 사용자가 추가부담으로 제공하는 것

(17) 출산수당, 보육수당

근로자 또는 그 배우자의 출산이나 6세 이하(해당 과세기간 개시일을 기준으로 판단함) 자녀의 보육과 관련하여 사용자로부터 받는 급여로서 월 20만 원 이내의 금액

∵ 출산율 급감현상에 대처하기 위한 세제지원제도

(18) 국군포로 퇴직일시금

「국군포로의 송환 및 대우 등에 관한 법률」에 따른 국군포로가 받는 보수 및 퇴직일시금

(19) 근로장학금

「교육기본법」에 따라 받는 장학금 중 대학생이 근로를 대가로 지급받는 장학금(「고등교육법」 제2조 제1호부터 제4호까지의 규정에 따른 대학에 재학하는 대학생에 한정함)

(20) 직무발명보상금

「발명진흥법」에 따른 직무발명보상금으로서 연 700만 원 이하의 금액
① 「발명진흥법」에 따른 종업원 등이 사용자 등으로부터 받는 보상금. 다만, 보상금을 지급한 사용자 등과 다음의 구분에 따른 특수관계에 있는 자가 받는 보상금은 제외한다.
    ㉠ 사용자 등이 개인인 경우: 「국세기본법 시행령」에 따른 친족관계
    ㉡ 사용자 등이 법인인 경우: 「법인세법 시행령」에 따른 지배주주 등(해당 지배주주 등과 친족관계 또는 경영지배관계에 있는 자를 포함)인 관계
② 대학의 교직원 또는 대학과 고용관계가 있는 학생이 소속 대학에 설치된 산학협력단으로부터 받는 보상금

(21) 경조사비

사업자가 그 종업원에게 지급한 경조금 중 사회통념상 타당하다고 인정되는 범위 내의 금액은 이를 지급받은 자의 근로소득으로 보지 아니한다.

2. 실비변상적 성질의 급여

(1) 「선원법」상 식료

「선원법」에 의하여 받는 식료

(2) 일직료 등

일직료·숙직료 또는 여비로서 실비변상 정도의 금액

(3) 자가운전보조금

종업원이 소유하거나 본인 명의로 임차한 차량을 종업원이 직접 운전하여 사용자의 업무수행에 이용하고 시내출장 등에 소요된 실제여비를 받는 대신에 그 소요경비를 해당 사업체의 규칙 등으로 정하여진 지급기준에 따라 받는 금액 중 월 20만 원 이내의 금액

(4) 제복 등

법령·조례에 의하여 제복을 착용하여야 하는 자가 받는 제복·제모 및 제화

(5) 작업복, 피복

병원·시험실·금융회사 등·공장·광산에서 근무하는 사람 또는 특수한 작업이나 역무에 종사하는 사람이 받는 작업복이나 그 직장에서만 착용하는 피복

(6) 위험수당 등

특수분야에 종사하는 군인이 받는 낙하산강하위험수당·수중파괴작업위험수당·잠수부위험수당·고전압위험수당·폭발물위험수당·항공수당(유지비행훈련수당 포함)·비무장지대근무수당·전방초소근무수당·함정근무수당(유지항해훈련수당 포함) 및 수륙양용궤도차량승무수당, 특수분야에 종사하는 경찰공무원이 받는 경찰특수전술업무수당과 경호공무원이 받는 경호수당

(7) 승선수당 등

「선원법」의 규정에 의한 선장 및 해원(국외근로소득 비과세 및 생산직근로자 비과세규정을 적용받는 자 제외)이 받는 월 20만 원 이내의 승선수당, 경찰공무원이 받는 함정근무수당·항공수당 및 소방공무원이 받는 함정근무수당·항공수당·화재진화수당

(8) 입갱수당·발파수당

광산근로자가 받는 입갱수당 및 발파수당

(9) 연구보조비

다음 중 어느 하나에 해당하는 자가 받는 연구보조비 또는 연구활동비 중 월 20만 원 이내의 금액

① 「유아교육법」, 「초·중등교육법」 및 「고등교육법」에 따른 학교 및 이에 준하는 학교(특별법에 따른 교육기관 포함)의 교원

② 「특정연구기관육성법」의 적용을 받는 연구기관, 특별법에 따라 설립된 정부출연연구기관, 「지방자치단체출연 연구원의 설립 및 운영에 관한 법률」에 따라 설립된 지방자치단체출연연구원에서 연구활동에 직접 종사하는 자(대학교원에 준하는 자격을 가진 자에 한함) 및 직접적으로 연구활동을 지원하는 자로서 기획재정부령으로 정하는 자

③ 중소기업 또는 벤처기업의 기업부설연구소와 법에 따라 설치한 연구개발전담부서(중소기업 또는 벤처기업에 설치하는 것으로 한함)에서 연구활동에 직접 종사하는 자

(10) 국가 등의 보조금

국가 또는 지방자치단체가 지급하는 다음 중 어느 하나에 해당하는 것

① 「영유아보육법 시행령」에 따른 비용 중 보육교사의 처우개선을 위하여 지급하는 근무환경개선비

② 「유아교육법 시행령」에 따른 사립유치원 수석교사·교사의 인건비

③ 전문과목별 전문의의 수급 균형을 유도하기 위하여 전공의에게 지급하는 수련보조수당

(11) 기자의 취재수당

방송, 뉴스통신, 신문(일반일간신문, 특수일간신문 및 인터넷신문, 정기간행물 포함)을 경영하는 언론기업 및 방송채널사용사업에 종사하는 기자(해당 언론기업 및 방송채널사용사업에 상시 고용되어 취재활동을 하는 논설위원 및 만화가 포함)가 취재활동과 관련하여 받는 취재수당 중 월 20만 원 이내의 금액. 이 경우 취재수당을 급여에 포함하여 받는 경우에는 월 20만 원에 상당하는 금액을 취재수당으로 본다.

(12) 벽지수당

근로자가 벽지에 근무함으로 인하여 받는 월 20만 원 이내의 벽지수당

(13) 천재지변급여

근로자가 천재·지변 기타 재해로 인하여 받는 급여

(14) 이전지원금

수도권 외의 지역으로 이전하는 「국가균형발전 특별법」 제2조 제10호에 따른 공공기관의 소속 공무원이나 직원에게 한시적으로 지급하는 월 20만 원 이내의 이전지원금

(15) 종교활동비

종교관련종사자가 소속 종교단체의 규약 또는 소속 종교단체의 의결기구의 의결·승인 등을 통하여 결정된 지급 기준에 따라 종교 활동을 위하여 통상적으로 사용할 목적으로 지급받은 금액 및 물품

3. 복리후생적 성질의 급여

(1) 사택제공이익

다음 중 어느 하나에 해당하는 사람이 사택을 제공받음으로써 얻는 이익
① 주주 또는 출자자가 아닌 임원
② 소액주주인 임원(1% 미만)
③ 임원이 아닌 종업원(비영리법인 또는 개인의 종업원 포함)
④ 국가 또는 지방자치단체로부터 근로소득을 지급받는 사람

(2) 주택구입자금대여이익

중소기업의 종업원이 주택(주택에 부수된 토지 포함)의 구입·임차에 소요되는 자금을 저리 또는 무상으로 대여 받음으로써 얻는 이익. 다만, 해당 종업원이 중소기업과 다음의 구분에 따른 관계에 있는 경우 그 종업원이 얻는 이익은 제외한다.
① 중소기업이 개인사업자인 경우: 「국세기본법 시행령」에 따른 친족관계
② 중소기업이 법인사업자인 경우: 「법인세법 시행령」에 따른 지배주주 등 (해당 지배주주 등과 친족관계 또는 경영지배관계에 있는 자를 포함) 인 관계

(3) 직장어린이집 사업주 부담액

직장어린이집을 설치·운영하거나 위탁보육을 하는 사업주가 그 비용을 부담함으로써 해당 사업장의 종업원이 얻는 이익

(4) 사용자보험료

종업원이 계약자이거나 종업원 또는 그 배우자 및 그 밖의 가족을 수익자로 하는 보험·신탁 또는 공제와 관련하여 사용자가 부담하는 보험료 등 중 다음의 보험료 등
① 종업원의 사망·상해 또는 질병을 보험금의 지급사유로 하고 종업원을 피보험자와 수익자로 하는 보험으로서 단체순수보장성 보험과 단체환급부 보장성 보험의 보험료 중 연 70만 원 이하의 금액
② 임직원의 고의(중과실 포함) 외의 업무상 행위로 인한 손해의 배상청구를 보험금의 지급사유로 하고 임직원을 피보험자로 하는 보험의 보험료

(5) 공무원포상금

공무원이 국가 또는 지방자치단체로부터 공무 수행과 관련하여 받는 상금과 부상 중 연 240만 원 이내의 금액

4. 생산직근로자의 초과근로수당

(1) 의의

월정액급여가 210만 원 이하이고 직전 과세기간의 총급여액이 3천만 원 이하인 생산직근로자(일용근로자 포함)가 연장·야간·휴일근로를 하여 받는 연 240만 원 이하의 급여는 비과세한다.

∵ 제조공장 또는 광산 등 주로 육체노동이 많은 근로자의 근로의욕을 높이고 생산성향상을 도모하기 위함

(2) 범위

① 공장 또는 광산에서 근로를 제공하는 자로서 통계청장이 고시하는 한국표준직업분류에 의한 생산 및 관련종사자 중 기획재정부령이 정하는 자

② 어업을 영위하는 자에게 고용되어 근로를 제공하는 자로서 어선에 근무하는 선원으로 하되, 「선원법」에서 규정하는 선장은 제외된다.

③ 통계청장이 고시하는 한국표준직업분류에 따른 운전 및 운송 관련직 종사자, 돌봄·미용·여가 및 관광·숙박시설·조리 및 음식 관련 서비스직 종사자, 매장 판매 종사자, 상품 대여 종사자, 통신 관련 판매직 종사자, 운송·청소·경비·가사·음식·판매·농림·어업·계기·자판기·주차관리 및 기타 서비스 관련 단순 노무직 종사자

(3) 월정액급여

① 매월 직급별로 받는 봉급·급료·보수·임금·수당, 그 밖에 이와 유사한 성질의 급여(해당 과세기간 중에 받는 상여 등 부정기적인 급여와 실비변상적 성질의 급여 및 복리후생적 성질의 급여 제외)의 총액에서 「근로기준법」에 따른 연장근로·야간근로 또는 휴일근로를 하여 통상임금에 더하여 받는 급여 및 「선원법」에 따라 받는 생산수당(비율급으로 받는 경우 월 고정급을 초과하는 비율급)을 뺀 급여

> 급여총액 - 부정기적 급여 - 실비변상적 급여
> - 복리후생적 급여 - 연장·야간·휴일수당

② 월정액급여 포함 여부

월정액급여에 포함되는 급여	월정액급여에 포함되지 않는 급여
㉠ 연간상여금을 매월 분할지급받는 경우 ㉡ 매월 정기적으로 받는 식사대 ㉢ 매월 사용자가 부담하는 근로자 부담분 보험료 대납액	㉠ 부정기적 수당 ㉡ 「국민건강보험법」, 「국민연금법」 등에 의하여 사용자가 부담하는 부담금

(4) 초과근로수당

연장근로·야간근로 또는 휴일근로를 하여 받는 급여란 다음 중 어느 하나에 해당하는 금액을 말한다.

① 「근로기준법」에 따른 연장근로·야간근로 또는 휴일근로를 하여 통상임금에 더하여 받는 급여 중 연 240만 원 이하의 금액(광산근로자 및 일용근로자의 경우 해당 급여총액)

② 어업을 영위하는 자에게 고용된 근로자(선장이 아닌 선원)가 「선원법」에 의하여 받는 생산수당(비율급으로 받는 경우 월 고정급을 초과하는 비율급) 중 연 240만 원 이내의 금액

사례

구분	월정액급여	총급여액
기본급여(1,200,000 × 12)	1,200,000	14,400,000
가족수당(100,000 × 12)	100,000	1,200,000
자가운전보조금(200,000 × 12)	–	–
식대(200,000 × 12)	200,000	–
연장근로수당 1,200,000	–	
야간근로수당 1,200,000	–	600,000
휴일근로수당 600,000	–	
합계	1,500,000	16,200,000

Ⅳ 일용근로자

1. 범위

일용근로자란 근로를 제공한 날 또는 시간에 따라 근로대가를 계산하거나 근로를 제공한 날 또는 시간의 근로성과에 따라 급여를 계산하여 받는 사람으로서 다음에 규정된 사람을 말한다.

(1) 건설공사에 종사하는 자로서 다음의 자를 제외한 자

① 동일한 고용주에게 계속하여 1년 이상 고용된 자

② 다음의 업무에 종사하기 위하여 통상 동일한 고용주에게 계속하여 고용되는 자

ㄱ 작업준비를 하고 노무에 종사하는 자를 직접 지휘·감독하는 업무

ㄴ 작업현장에서 필요한 기술적인 업무, 사무·타자·취사·경비 등의 업무

ㄷ 건설기계의 운전 또는 정비업무

(2) 하역작업에 종사하는 자(항만 근로자 포함)로서 다음의 자를 제외한 자

① 통상 근로를 제공한 날에 근로대가를 받지 않고 정기적으로 근로대가를 받는 자

② 다음의 업무에 종사하기 위하여 통상 동일한 고용주에게 계속하여 고용되는 자

ㄱ 작업준비를 하고 노무에 종사하는 자를 직접 지휘·감독하는 업무

ㄴ 주된 기계의 운전 또는 정비업무

(3) (1) 또는 (2) 외의 업무에 종사하는 자로서 근로계약에 따라 동일한 고용주에게 3개월 이상 계속하여 고용되어 있지 아니한 자

2. 납부세액

	과세표준	일용근로소득 – 근로소득공제(일 150,000)
–	산출세액	과세표준 × 6%
	납부세액	산출세액 – 근로소득세액공제(산출세액 × 55%)

3. 과세방법

원천징수의무자는 위 납부세액을 원천징수하며, 6%의 낮은 세율만 과세하기 위하여 무조건 분리과세로서 원천징수로 납세의무는 종결된다.

V 근로소득의 수입시기

1. 급여

근로를 제공한 날

2. 인정상여

해당 사업연도 중의 근로를 제공한 날

∵ 실질적으로 급여성격

3. 잉여금처분에 의한 상여

해당 법인의 잉여금처분결의일

4. 임원퇴직금 한도초과액

지급받거나 지급받기로 한 날

5. 주식매수선택권

주식매수선택권을 행사한 날

Ⅵ 근로소득금액의 계산

1. 계산

근로소득금액 = 총급여액(비과세금액 제외) - 근로소득공제

2. 근로소득공제

(1) 근로소득공제(단, 공제액이 2천만 원을 초과하는 경우 2천만 원 공제)

총급여액	공제액
500만 원 이하	총 급여액의 70%
500만 원 초과 1천 500만 원 이하	350만 원 + (500만 원 초과금액의 40%)
1천 500만 원 초과 4천 500만 원 이하	750만 원 + (1천 500만 원 초과금액의 15%)
4천 500만 원 초과 1억 원 이하	1천 200만 원 + (4천 500만 원 초과금액의 5%)
1억 원 초과	1천 475만 원 + (1억 원 초과금액의 2%)

(2) 2인 이상으로부터 근로소득을 받는 사람(일용근로자 제외)에 대하여는 그 근로소득의 합계액을 총급여액으로 하여 근로소득공제액을 총급여액에서 공제한다.

(3) 근로소득이 있는 거주자의 해당 과세기간의 총급여액이 근로소득공제액에 미달하는 경우에는 그 총급여액을 공제액으로 한다.

(4) 일용근로자에 대한 공제액은 1일 15만 원으로 한다.

Ⅶ 근로소득 과세방법

1. 원천징수

(1) 매월분 급여

① 원천징수의무자가 매월분의 근로소득을 지급할 때에는 근로소득 간이세액표에 따라 소득세를 원천싱수한다.

② 원천징수의무자가 소득세를 원천징수할 때에는 근로소득에 대하여 근로소득 간이세액표 해당 란의 세액을 기준으로 원천징수한다. 다만, 근로자가 근로소득 간이세액표 해당란 세액의 120% 또는 80%의 비율에 해당하는 금액의 원천징수를 신청하는 경우에는 그에 따라 원천징수할 수 있다.

(2) **다음연도 2월 또는 퇴직하는 달**

원천징수의무자는 다음 중 어느 하나에 해당할 때에는 연말정산방법에 의하여 소득세를 원천징수한다.

① 계속근로자: 해당 과세기간의 다음 연도 2월분 근로소득을 지급할 때 (2월분의 근로소득을 2월 말일까지 지급하지 아니하거나 2월분의 근로소득이 없는 경우 2월 말일)

② 중도퇴사자: 퇴직자가 퇴직하는 달의 근로소득을 지급할 때

(3) **국외근로소득**

① 국외근로소득은 원천징수대상이 아니므로 종합과세된다. 다만, 국외근로소득이 있는 자는 납세조합을 조직할 수 있으며, 납세조합은 그 조합원의 국외 근로소득에 대한 소득세를 매월 징수하여 다음 달 10일까지 정부에 납부하여야 한다.

② 납세조합이 2024년 12월 31일 이전에 그 조합원에 대한 매월분의 소득세를 징수할 때에는 그 세액의 5%에 해당하는 금액(연 100만 원 한도)을 공제하고 징수한다.

2. 연말정산

(1) **세액의 징수**

원천징수의무자는 해당 과세기간의 다음 연도 2월분의 근로소득 또는 퇴직자의 퇴직하는 달의 근로소득을 지급할 때에는 다음의 순서에 따라 계산한 소득세(추가 납부세액)를 원천징수한다.

① 근로소득자의 해당 과세기간(퇴직자의 경우 퇴직하는 날까지의 기간)의 근로소득금액에 그 근로소득자가 신고한 내용에 따라 종합소득공제를 적용하여 종합소득과세표준을 계산한다.

② 종합소득과세표준에 기본세율을 적용하여 종합소득산출세액을 계산한다.

③ 종합소득산출세액에서 해당 과세기간에 원천징수한 세액, 외국납부세액공제, 근로소득세액공제, 자녀세액공제, 연금계좌세액공제 및 특별세액공제에 따른 공제세액을 공제하여 소득세를 계산한다.

(2) 환급

해당 과세기간에 원천징수한 세액, 외국납부세액공제, 근로소득세액공제, 자녀세액공제, 연금계좌세액공제 및 특별세액공제에 따른 공제세액의 합계액이 종합소득산출세액을 초과하는 경우에는 그 초과액을 그 근로소득자에게 환급하여야 한다.

3. 종합소득과세표준 확정신고

(1) 예외

근로소득만 있는 자는 거주자는 해당 소득에 대하여 과세표준확정신고를 하지 아니할 수 있다.

∵ 연말정산으로 확정신고와 유사한 신고가 있어 편의를 위해 확정신고의무 배제시킴

(2) 2인 이상 지급받는 경우

2인 이상으로부터 지급받는 근로소득이 있는 자는 과세표준확정신고의무가 있다. 다만, 연말정산 등에 따라 소득세를 납부함으로써 확정신고납부를 할 세액이 없는 자에 대하여는 그러하지 아니하다.

2 연금소득

I 개요

1. 의의

우리나라 연금체계는 공적연금인 국민연금 등과 사적연금인 퇴직연금과 개인연금이 있다. 종전에는 연금소득에 대하여 소득에서 제외하였으며, 국민연금 등 각종 연금의 기여금불입액에 대하여 소득공제를 허용하지 않았다. 그러나 2002년부터 연금소득을 과세소득으로 전환하여 연금기여금을 전액 소득공제한다.

∵ 중산층의 세부담을 경감시키는 반면 노령화사회로 연금인구가 증가하고 연금소득비중도 커질 것으로 예상되므로 소득종류 간 과세형평을 제고시키고자 함

2. 과세체계(수령연도 과세방식)

→ 만약 불입단계에서 공제 받지 못하는 경우 수령단계에서 과세하지 않음

구분	불입단계	운용단계	수령단계
공적연금	소득공제	과세 제외	과세
사적연금	세액공제	과세 제외	과세

3. 수령연도 과세효과

수령연도에 과세하는 경우 은퇴시기이므로 상대적으로 소득이 적어 연금을 불입하는 경제활동시기에 과세하는 것보다 세금을 적게 납부하는 효과가 생긴다.

Ⅱ 연금소득의 범위

1. 공적연금

(1) 범위

① 공적연금 관련 법(「국민연금법」·「공무원연금법」 등)에 따라 받는 각종 연금을 말한다. 공적연금소득은 2002. 1. 1. 이후에 납입된 연금 기여금 및 사용자 부담금(국가·지방자치단체의 부담금 포함)을 기초로 하거나 2002. 1. 1. 이후 근로의 제공을 기초로 하여 받는 것만 과세한다.
   → 공적연금 관련법에 따라 연금소득을 일시금으로 받는 경우 퇴직소득

② 공적연금소득을 지급하는 자가 연금소득의 일부 또는 전부를 지연하여 지급하면서 지연지급에 따른 이자를 함께 지급하는 경우 해당 이자는 공적연금소득으로 본다.

(2) 계산

공적연금소득은 해당 과세기간에 수령한 공적연금에 대하여 공적연금의 지급자별로 과세기준일(2002. 1. 1.)을 기준으로 법령에 따라 계산한 과세기준금액에서 과세 제외 기여금을 뺀 금액으로 한다.

> 공적연금소득 = 과세기준금액 − 과세 제외 기여금

(3) 과세기준금액

① 국민연금소득과 「국민연금과 직역연금의 연계에 관한 법률」에 따른 연계노령연금

$$\text{과세기간 연금수령액} \times \frac{\text{과세기준일 이후 납입기간의 환산소득 누계액}}{\text{총 납입기간의 환산소득 누계액}}$$

② 그 밖의 공적연금소득

$$\text{과세기간 연금수령액} \times \frac{\text{과세기준일 이후 기여금 납입월수}}{\text{총 기여금 납입월수}}$$

(4) 과세 제외 기여금

과세기준일(2002. 1. 1.) 이후에 연금보험료공제를 받지 않고 납입한 기여금 또는 개인부담금(소득·세액공제확인서로 확인되는 금액)이 있는 경우 과세기준금액에서 과세 제외 기여금을 뺀다. 과세 제외 기여금 등이 해당 과세기간의 과세기준금액을 초과하는 경우 그 초과하는 금액은 그 다음 과세기간부터 과세기준금액에서 뺀다.

사례

갑은 2023년에 「국민연금법」에 따라 연금 45,000,000원(원천징수세액을 차감하기 전 금액)을 수령하였다. 국민연금보험료 납입 내역은 다음과 같다.

구분	연금보험료 납입 누계액	환산소득 누계액	연금보험료 납입월수
2001. 12. 31. 이전 납입기간	80,000,000원	100,000,000원	50개월
2002. 1. 1. 이후 납입기간	240,000,000원*	380,000,000원	200개월

* 이 중 소득공제를 받지 못한 금액은 5,000,000원이다.

해설
공적연금 총연금액: 45,000,000 × 380/480 − 5,000,000 = 30,625,000

2. 사적연금

(1) 범위

사적연금소득은 다음에 해당하는 금액을 그 소득의 성격에도 불구하고 연금저축계좌·퇴직연금계좌에서 연금형태 등으로 인출(연금수령)하는 경우의 그 연금을 말한다.

① 소득세가 원천징수되지 아니한 퇴직소득(이연퇴직소득)

② 연금계좌 세액공제를 받은 연금계좌 납입액

③ 연금계좌의 운용실적에 따라 증가된 금액(운용수익)

→ 연금수령 외의 인출은 연금외수령으로 보아 퇴직소득 또는 기타소득으로 과세

(2) 연금계좌

연금저축계좌	금융회사 등과 체결한 계약에 따라 "연금저축"이라는 명칭으로 설정하는 계좌
퇴직연금계좌	확정기여형퇴직연금계좌(DC), 개인형퇴직연금계좌(IRP), 중소기업퇴직연금기금에 따른 퇴직연금계좌, 「과학기술인공제회법」에 따른 퇴직연금급여를 지급받기 위하여 설정하는 계좌

(3) 과세방법

구분	인출순서	연금수령		연금외수령
		의료목적 등	요건충족	
세액공제받지 않은 금액	1	과세 제외	과세 제외	과세 제외
이연퇴직소득	2	연금소득 (분리과세)	연금소득 (분리과세)	퇴직소득 (분류과세)
세액공제받은 납입액과 운용수익	3	연금소득 (분리과세)	연금소득 (종합 or 분리)	기타소득 (분리과세)

(4) 연금계좌 인출순서

① 연금계좌에서 일부 금액이 인출되는 경우에는 다음의 금액이 순서에 따라 인출되는 것으로 보며, 인출된 금액이 연금수령한도를 초과하는 경우에는 연금수령분이 먼저 인출되고 그 다음으로 연금외수령분이 인출되는 것으로 본다.

∵ 인출 시 소득원천에 따라 차등 세율이 적용되며 과세이연효과가 큰 쪽으로 규정

> ㉠ 세액공제받지 않은 금액 → ㉡ 이연퇴직소득 → ㉢ 세액공제분과 운용수익

② 원금손실이 발생한 경우: 연금계좌의 운용에 따라 연금계좌에 있는 금액이 원금에 미달하는 경우 연금계좌에 있는 금액은 원금이 ①에 따른 인출순서와 반대의 순서로 차감된 후의 금액으로 본다.

∵ 가입자의 세부담을 완화

> ㉠ 세액공제분과 운용수익 → ㉡ 이연퇴직소득 → ㉢ 세액공제받지 않은 금액

③ 과세 제외 금액 인출순서
  ㉠ 인출일이 속하는 과세기간에 납입한 금액
    예 20. 3월 300만 원 납입 후 20. 4월 중도해지 인출
  ㉡ 인출일이 속하는 과세기간의 ISA 전환금액
    예 ISA 만기 금액을 60일 이내 연금계좌로 납입한 금액
  ㉢ 공제한도 초과 납입액 예 연금저축에 한도초과 납입한 금액
  ㉣ 공제한도 이내 납입액 중 세액공제받지 않은 금액
    예 납입한 금액 중 미공제 금액

(5) 연금수령

연금계좌에서 다음의 요건을 모두 갖추어 인출하거나 의료목적 등 부득이한 사유로 인출하는 것을 말한다. 다만, 이연퇴직소득을 해외이주에 해당하는 사유로 인출하는 경우에는 해당 퇴직소득을 연금계좌에 입금한 날부터 3년 이후 해외이주하는 경우에 한정하여 연금수령으로 본다.

🏛 **기출 체크**

연금계좌에서 인출된 금액이 연금수령한도를 초과하는 경우에는 연금 외 수령분이 먼저 인출되고 그 다음으로 연금수령분이 인출되는 것으로 본다. (✕)

2019년 국가직 7급

① 가입자가 55세 이후 연금계좌취급자에게 연금수령 개시를 신청한 후 인출할 것

② 연금계좌의 가입일부터 5년이 경과된 후에 인출할 것. 다만, 이연퇴직소득이 연금계좌에 있는 경우에는 그러하지 아니한다.

③ 과세기간 개시일(연금수령 개시를 신청한 날이 속하는 과세기간에는 연금수령 개시를 신청한 날) 현재 연금수령 한도 이내에서 인출할 것. 이 경우 의료목적, 부득이한 사유로 인출한 금액은 포함하지 아니한다.
  → 연금수령 한도초과 인출분은 연금외수령이며, 연금수령 순서는 인출순서에 따름

$$\frac{\text{연금계좌의 평가액}}{(11 - \text{연금수령연차})^{❶}} \times \frac{120}{100}$$

Check 기산연차 정리

구분	기산연차
2013. 3. 1. 부터 가입한 연금계좌의 경우	1년차
2013. 3. 1. 전에 가입한 연금계좌의 경우	6년차
배우자가 연금계좌를 승계한 경우	사망일 당시 피상속인의 연금수령연차

■ 사례

과세기간 개시일 현재 연금계좌의 평가액이 5천만 원, 연금수령연차는 6년차, 연간 연금수령액이 3천만 원(의료비 인출 5백만 원 포함)인 경우 연금외수령 금액은 얼마인가?

해설

1. 연금수령한도 = [5천만 원 ÷ (11 − 6)] × 120% = 12,000,000원
2. 연금외수령: 3천만 원 − 의료비(5백만 원) − 연금수령한도(1천 2백만 원) = 13,000,000원

❶ 연금수령연차: 최초로 연금수령할 수 있는 날이 속하는 과세기간(연금수령 개시 신청과 관계없이 연령 요건 및 가입기간 요건을 충족하는 과세기간)을 기산연차(1년차)로 하여 그 다음 과세기간을 누적 합산한 연차. 연금수령연차가 11년 이상인 경우 연금수령 한도를 적용하지 않으므로 연금계좌에서 인출하는 경우 연금수령으로 보아 연금소득으로 과세한다. → 2013. 3. 1. 가입자부터 1년차로 기산함

> **Check** 의료목적 또는 부득이한 사유 인출 요건
>
> 연금계좌에서 다음의 사유로 인출하는 연금소득에 대하여는 연금수령한도 적용을 배제하고 종합소득과세표준을 계산할 때 합산하지 아니한다.

의료목적 인출	연금수령 요건을 충족한 연금계좌 가입자가 의료비세액공제 대상 의료비(본인을 위한 의료비에 한정함)를 연금계좌에서 인출하기 위하여 해당 의료비를 지급한 날부터 6개월 이내에 증명서류를 연금계좌취급자에게 제출한다.
부득이한 사유 인출	다음에 해당하는 사유가 확인된 날부터 6개월 이내에 그 사유를 확인할 수 있는 서류를 갖추어 연금계좌를 취급하는 연금계좌취급자에게 제출한다. ① 천재지변 ② 연금계좌 가입자의 사망 또는 「해외이주법」에 따른 해외이주 ③ 연금계좌 가입자 또는 그 부양가족[기본공제대상이 되는 사람(소득 제한 없음)으로 한정함]이 질병·부상에 따라 3개월 이상의 요양이 필요한 경우 ④ 연금계좌 가입자가 「재난 및 안전관리 기본법」의 재난으로 15일 이상의 입원 치료가 필요한 피해를 입은 경우 ⑤ 연금계좌 가입자가 「채무자 회생 및 파산에 관한 법률」에 따른 파산의 선고 또는 개인회생절차개시의 결정을 받은 경우 ⑥ 연금계좌취급자의 영업정지, 영업 인·허가 취소, 해산결의 또는 파산선고

Ⅲ 연금소득금액의 계산

1. 계산

> 총연금액**❶**(과세 제외 금액과 비과세금액 제외) − 연금소득공제

❶
총연금액: 공적연금소득 + 사적연금소득

2. 연금소득공제

연금소득이 있는 거주자에 대해서는 해당 과세기간에 받은 총연금액(분리과세연금소득 제외)에서 다음에 규정된 연금소득공제액을 공제한다. 다만, 공제액이 900만 원을 초과하는 경우에는 900만 원을 공제한다.

총 연금액	공제액
350만 원 이하	총연금액
350만 원 초과 700만 원 이하	350만 원 + 350만 원을 초과하는 금액의 40%
700만 원 초과 1,400만 원 이하	490만 원 + 700만 원을 초과하는 금액의 20%
1,400만 원 초과	630만 원 + 1,400만 원을 초과하는 금액의 10%

→ 분리과세 연금소득은 연금소득공제를 적용하지 않음

Ⅳ 비과세 연금소득과 수입시기

1. 비과세

(1) 공적연금 관련법에 따라 받는 유족연금·퇴직유족연금·퇴역유족연금·장해유족연금·상이유족연금·순직유족연금·직무상유족연금·위험직무순직유족연금, 장애연금, 장해연금·비공무상 장해연금·비직무상 장해연금, 상이연금, 연계노령유족연금 또는 연계퇴직유족연금

(2) 「산업재해보상보험법」에 따라 받는 각종 연금

(3) 「국군포로의 송환 및 대우 등에 관한 법률」에 따른 국군포로가 받는 연금

2. 수입시기

공적연금소득	공적연금 관련 법에 따라 연금을 지급받기로 한 날❶
사적연금소득	연금수령한 날
그 밖의 연금소득	해당 연금을 지급받은 날

Ⅴ 연금소득에 대한 과세방법

1. 공적연금

(1) 원천징수

원천징수의무자가 공적연금소득을 지급할 때에는 연금소득 간이세액표의 세액을 기준으로 소득세를 원천징수한다.

(2) 연말정산

① 원천징수의무자가 해당 과세기간의 다음 연도 1월분 공적연금소득을 지급할 때에는 공적연금소득세액의 연말정산규정에 따라 소득세를 원천징수한다.

→ 다음연도 1월분 공적연금소득에 대해서는 연금소득간이세액표에 따라 원천징수

② 공적연금소득을 받는 사람이 해당 과세기간 중에 사망한 경우 원천징수의무자는 그 사망일이 속하는 달의 다음 다음 달 말일까지 그 사망자의 공적연금소득에 대한 연말정산을 하여야 한다.

(3) 확정신고

공적연금도 종합과세대상이므로 다른 종합소득금액이 있는 경우에는 종합소득확정신고를 하여야 한다. 단, 공적연금소득만 있는 경우로서 연말정산을 한 경우 확정신고는 하지 않을 수 있다.

❶ 국민연금 수급권자가 지연 청구하여 여러 연도에 해당하는 연금을 보류 후 일시에 지급받은 경우에도 당초에 받기로 한 날이 속하는 연도별로 구분하여 과세대상 소득을 귀속시키는 것이다.

🏛 **기출 체크**

01 공적연금소득의 수입시기는 해당 연금을 지급받은 날이다. (×)
02 공적연금소득만 있는 자는 다른 종합소득이 없는 경우라 하더라도 과세표준확정신고를 하여야 한다. (×)

PART 4 소득세법 해커스공무원 이훈엽 세법 기본서

2. 사적연금

(1) 원천징수

원천징수의무자가 사적연금소득을 지급할 때에는 그 지급금액에 다음의 원천징수세율을 적용하여 계산한 소득세를 원천징수한다.

① 연금계좌 납입액이나 운용실적에 따라 증가된 금액을 연금수령한 연금소득. 이 경우 각 항목의 요건을 동시에 충족하는 때에는 낮은 세율을 적용한다.

연금소득자의 나이	70세 미만	5%
	70세 이상 80세 미만	4%
	80세 이상	3%
사망할 때까지 수령하는 종신계약		4%

② 이연퇴직소득을 연금수령하는 경우

∵ 연금수령을 유도하기 위해 일시금 수령에 비해 세율을 30%(40%) 경감함

> 연금외수령 원천징수세율 × 70%(실제수령연차가 10년 초과하는 경우 60%)

(2) 종합과세(분리과세 선택)

세액공제받은 연금계좌 납입액과 운용수익을 연금수령하는 경우로서 인출금액이 연 1,500만 원 초과하는 경우 종합과세한다. 다만, 거주자의 종합소득 결정세액은 다음의 세액 중 하나를 선택하여 적용한다.

→ 15% 분리과세 선택 가능

① 종합소득 결정세액

② 다음의 세액을 더한 금액

ⓐ 연금소득에 15%를 곱하여 산출한 금액

ⓑ ⓐ 외의 종합소득 결정세액

(3) 무조건 분리과세

① 연금계좌에 입금한 이연퇴직소득을 연금수령하는 경우

② 세액공제받은 연금계좌 납입액 및 운용수익을 의료목적 등 부득이한 사유로 인출하는 경우

(4) 선택적 분리과세

무조건 분리과세 외의 세액공제받은 연금계좌 납입액 및 운용수익을 연금수령하는 경우로서 동 금액의 합계액이 연 1,500만 원 이하인 경우 종합소득과세표준을 계산할 때 합산하지 아니한다. 단, 해당 소득이 있는 거주자가 종합소득과세표준을 계산할 때 합산하려는 경우는 종합과세한다.

❶ 이연퇴직소득을 연금수령 시 원천징수 세액은 다음과 같이 계산할 수 있다.

3 기타소득

I 의의

1. 개념

기타소득은 이자소득·배당소득·사업소득·근로소득·연금소득·퇴직소득 및 양도소득 외의 소득으로서 「소득세법」에 열거된 소득을 말한다. 어떤 소득이 기타소득에도 해당하고 다른 소득(예 사업소득)에도 해당하는 경우 우선적으로 다른 소득으로 구분한다. 기타소득은 대체적으로 일시적·우발적으로 발생하는 소득이다.

2. 사업소득과 기타소득의 구분(집행기준 21-0-10)

구분	사업소득	기타소득
판단 기준	① 독립성: 다른 사업자에게 종속·고용되지 않고 자기책임과 계산하에 사업을 경영하는 것 ② 계속·반복성: 동종의 활동을 계속적·반복적으로 행하는 것 ③ 영리목적성: 사업을 경제적 이익을 얻기 위한 의도를 가지고 행하는 것	사업 활동으로 볼 수 있을 정도의 계속성·반복성 없이 일시적·우발적으로 발생하는 소득
적용 사례	교수 등이 연구주체가 되어 연구계약을 체결하고 직접 대가로 수령하는 연구비	교수 등이 근로제공과 관계없이 대학으로부터 받는 연구비
	문필·미술·음악 등 예술을 전문으로 하는 사람이 창작활동을 하고 얻는 소득	신인발굴을 위한 문예창작 현상모집에 응하고 받는 상금
	전문직사업자가 독립적인 지위에서 사업목적으로 자문용역을 제공하고 얻는 소득	전문직 사업자가 아닌 자가 고용관계 없이 일시적으로 용역을 제공하고 얻는 소득

3. 강의료·원고료 소득 구분

강의료	고용 관계	근로소득
	프리랜서	사업소득
	일시·우발적 소득	기타소득
원고료	회사 사보 게재	근로소득
	프리랜서	사업소득
	일시·우발적 소득	기타소득

Ⅱ 기타소득의 범위

1. 상금, 현상금, 포상금, 보로금 또는 이에 준하는 금품
→ 공익법인 상금과 다수순위 경쟁대회 상금은 최소 필요경비 80%
→ 국가·지방자치단체로부터 상금은 비과세 기타소득
2. 복권, 경품권, 그 밖의 추첨권에 당첨되어 받는 금품(무조건 분리과세)
3. 사행행위(적법 또는 불법 여부는 고려하지 아니함)에 참가하여 얻은 재산상의 이익

4. 「한국마사회법」에 따른 승마투표권, 「경륜·경정법」에 따른 승자투표권, 「전통소싸움경기에 관한 법률」에 따른 소싸움경기투표권 및 「국민체육진흥법」에 따른 체육진흥투표권의 구매자가 받는 환급금(발생 원인이 되는 행위의 적법 또는 불법 여부는 고려하지 아니함)

   → 무조건 분리과세

5. 저작자 또는 실연자·음반제작자·방송사업자 외의 자가 저작권 또는 저작인접권의 양도 또는 사용의 대가로 받는 금품

   예 저작권 또는 저작인접권을 상속·증여 또는 양도받은 자가 그 저작권 또는 저작인접권을 타인에게 양도하거나 사용하게 하고 받는 대가

   → 최소필요경비 적용 안 됨

   → 저작자가 양도 또는 사용의 대가로 받는 금품: 사업소득

6. 영화필름, 라디오·텔레비전방송용 테이프 또는 필름의 양도·대여 또는 사용의 대가로 받는 금품

7. 광업권·어업권·양식업권·산업재산권·산업정보, 산업상 비밀, 상표권·영업권(사업소득이 발생하는 점포를 임차하여 점포인차인으로서의 지위를 양도함으로써 얻는 경제적 이익인 점포 임차권 포함), 토사석의 채취허가에 따른 권리, 지하수의 개발·이용권, 그 밖에 이와 유사한 자산이나 권리를 양도하거나 대여하고 그 대가로 받는 금품

   → 최소 필요경비 60%

(1) 양도소득세 과세대상인 토지나 건물 등과 함께 양도하는 영업권

   양도소득

(2) 위 외 영업권의 양도

   기타소득

(3) 토지·건물과 함께 양도하는 이축권

   양도소득

   → 단, 이축권에 대해 감정가액이 있는 경우로서 구분신고하는 경우 기타소득임

8. 물품(유가증권 포함) 또는 장소를 일시적으로 대여하고 사용료로서 받는 금품

   → 지급받는 채권·주식에서 발생한 이자 또는 배당: 이자소득 또는 배당소득

9. 통신판매중개를 하는 자를 통하여 물품 또는 장소를 대여하고 연간 수입금액 500만 원 이하의 사용료로서 받은 금품 → 최소 필요경비 60%

10. 공익사업과 관련하여 지역권·지상권(지하 또는 공중에 설정된 권리를 포함)을 설정하거나 대여함으로써 발생하는 소득 → 최소 필요경비 60%

(1) 전세권, 임차권, 공익사업과 관련 없는 지역권·지상권 설정 또는 대여소득

    사업소득

(2) 지상권, 전세권, 등기된 부동산임차권 양도

    양도소득

11. 계약의 위약 또는 해약으로 인하여 받는 소득으로서 위약금, 배상금 및 부당이득 반환 시 지급받는 이자

범위	위약금과 배상금이란 재산권에 관한 계약의 위약 또는 해약으로 받는 손해배상으로서 그 명목여하에 불구하고 본래의 계약의 내용이 되는 지급 자체에 대한 손해를 넘는 손해에 대하여 배상하는 금전 또는 그 밖의 물품의 가액을 말한다. 이 경우 계약의 위약 또는 해약으로 반환받은 금전 등의 가액이 계약에 따라 당초 지급한 총금액을 넘지 아니하는 경우에는 지급 자체에 대한 손해를 넘는 금전 등의 가액으로 보지 아니한다.
과세 제외	계약의 위약 또는 해약으로 인하여 타인의 신체의 자유 또는 명예를 해하거나 정신상의 고통 등 재산권 외의 손해에 대한 배상 또는 위자료로서 받는 금액은 과세하지 아니한다.
관련 집행기준	① 주택을 분양함에 있어 사업주체가 승인기한 내에 입주를 시키지 못하여 입주자가 받는 지체상금 ② 채권자가 채무자의 금전채무 불이행에 대하여 손해배상금청구의 소를 제기하고 그 손해를 배상받게 되는 경우의 지연배상금 ③ 부동산 매매계약 후 계약 불이행으로 인하여 일방 당사자가 받은 위약금 또는 해약금 ④ 퇴직금 지급청구소송을 제기하여 퇴직금과 지급지연 손해배상금을 받는 경우에 있어서 당해 지급지연 손해배상금 ⑤ 임기가 정하여진 법인의 임원이 임기만료 전에 정당한 이유 없이 해임됨으로써 손해배상을 청구하여 퇴직금과 별도로 손해배상을 지급받는 경우 동 손해배상금. 다만, 신분 및 인격에 대한 손해배상금은 제외한다. ⑥ 상행위에서 발생한 크레임(Claim)에 대한 배상으로서 현실적으로 발생한 손해의 보전 또는 원상회복을 초과하는 배상금

비교정리	① 매수인의 해약(계약금이 위약금 등으로 대체된 경우)
	   ㉠ 수입시기: 계약의 위약이 확정된 날
	   ㉡ 원천징수: 배제대상
	② 매도인의 해약
	   ㉠ 수입시기: 그 지급을 받은 날
	   ㉡ 원천징수: 대상임(20%)

12. 실물의 습득 또는 매장물의 발견으로 인하여 보상금을 받거나 새로 소유권을 취득하는 경우 그 보상금 또는 자산

13. 소유자가 없는 물건의 점유로 소유권을 취득하는 자산

14. 거주자·비거주자 또는 법인의 특수관계인이 그 특수관계로 인하여 그 거주자·비거주자 또는 법인으로부터 받는 다음 중 어느 하나에 해당하는 경제적 이익으로서 급여·배당 또는 증여로 보지 아니하는 금품

(1) 「법인세법」에 따라 법인의 소득금액을 법인이 신고하거나 세무서장이 결정·경정할 때 처분되는 배당·상여 외에 법인의 사업용 자산을 무상 또는 저가로 이용함으로 인하여 개인이 받는 이익으로서 그 자산의 이용으로 인하여 통상 지급하여야 할 사용료 또는 그 밖에 이용의 대가(통상 지급하여야 할 금액보다 저가로 그 대가를 지급한 금액이 있는 경우에는 이를 공제한 금액)

(2) 「노동조합 및 노동관계 조정법」을 위반하여 지급받는 급여

15. 슬롯머신(비디오게임 포함) 및 투전기, 그 밖에 이와 유사한 기구를 이용하는 행위에 참가하여 받는 당첨금품·배당금품 또는 이에 준하는 금품(무조건 분리과세)

16. 문예·학술·미술·음악 또는 사진에 속하는 창작품(「신문 등의 자유와 기능보장에 관한 법률」에 따른 정기간행물에 게재하는 삽화 및 만화와 우리나라의 창작품 또는 고전을 외국어로 번역하거나 국역하는 것 포함)에 대한 원작자로서 받는 소득으로서 원고료, 저작권사용료의 인세 및 미술·음악 또는 사진에 속하는 창작품에 대하여 받는 대가
    → 작가 등 저작자로서 받는 경우 사업소득(최소 필요경비 60% 의제)

17. 재산권에 관한 알선 수수료 → 중개업은 사업소득

18. 사례금

사례금은 사무처리 또는 역무의 제공 등과 관련하여 사례의 뜻으로 지급되는 금품을 의미하며 언행이나 선물 따위로 상대에게 고마운 뜻을 나타내는 것이다. 여기에 해당하는지는 해당 금품 수수의 동기·목적, 상대방과의 관계, 금액 등을 종합적으로 고려하여 판단하여야 한다.

> 집행기준 21-0-5 【사례금의 범위】
> ① 의무 없는 자가 타인을 위하여 사무를 관리하고 그 대가로 지급받는 금품. 다만, 그 의무 없는 자가 타인을 위하여 실지로 지급한 비용의 청구액은 제외한다.
> ② 근로자가 자기의 직무와 관련하여 사용자의 거래선 등으로부터 지급받는 금품. 단, 「상속세 및 증여세법」에 따라 증여세가 과세되는 것은 제외한다.
> ③ 재산권에 관한 알선수수료 외의 계약 또는 혼인을 알선하고 지급받는 금품

19. 소기업·소상공인 공제부금의 해지일시금

(1) 기타소득

폐업 등 법정사유가 발생하기 전에 계약이 해지된 경우 다음의 금액을 기타소득으로 과세한다.

> 해지로 인하여 받은 환급금
> – 실제 소득공제받은 금액을 초과하여 납입한 금액 누계액

예 甲은 임의해지로 인해 소기업·소상공인 공제에서 공제금 20,000,000원을 지급받았으며, 소기업·소상공인공제부금에 총 18,000,000원(소득공제받은 금액은 16,000,000원)을 납입하였다.
→ 기타소득금액: 20,000,000 – (18,000,000 – 16,000,000) = 18,000,000

(2) 비교정리

해외이주, 폐업, 해산, 공제 가입자의 사망 등 법정사유로 수령한 경우
① 2015. 12. 31. 이전 가입자: 이자소득
② 2016. 1. 1. 이후 가입자: 퇴직소득

20. 일시적인 인적 용역

다음 중 어느 하나에 해당하는 인적 용역(일시적인 문예창작소득, 재산권알선수수료, 사례금 제외)을 일시적으로 제공하고 받는 대가
→ 최소필요경비 60%

(1) 고용관계 없이 다수인에게 강연을 하고 강연료 등 대가를 받는 용역

(2) 라디오·텔레비전방송 등을 통하여 해설·계몽 또는 연기의 심사 등을 하고 보수 또는 이와 유사한 성질의 대가를 받는 용역

(3) 변호사, 공인회계사, 세무사, 건축사, 측량사, 변리사, 그 밖에 전문적 지식 또는 특별한 기능을 가진 자가 그 지식 또는 기능을 활용하여 보수 또는 그 밖의 대가를 받고 제공하는 용역

(4) 그 밖에 고용관계 없이 수당 또는 이와 유사한 성질의 대가를 받고 제공하는 용역

21. 「법인세법」에 따라 기타소득으로 처분된 소득(인정기타소득)

→ 수입시기는 결산확정일

22. 연금계좌세액공제를 받은 금액 및 연금계좌의 운용실적에 따라 증가된 금액을 그 소득의 성격에도 불구하고 연금외수령한 소득

→ 무조건 분리과세(15%)

23. 퇴직 전에 부여받은 주식매수선택권을 퇴직 후에 행사하거나 고용관계 없이 주식매수선택권을 부여받아 이를 행사함으로써 얻는 이익

→ 재직 중인 임직원이 근무기간 중 행사함으로써 얻는 이익은 근로소득

24. 종업원 등 또는 대학의 교직원이 퇴직한 후에 지급받는 직무발명보상금

→ 재직 중인 임직원이 근무기간 중 지급받은 경우: 근로소득

→ 연 700만 원까지 비과세

25. 뇌물 또는 알선수재 및 배임수재에 의하여 받는 금품

→ 무조건 종합과세(원천징수대상 아님)

→ 법원 판결에 따라 몰수 또는 추징된 경우 소득세를 과세하지 않음

26. 종교인소득

종교관련종사자가 종교의식을 집행하는 등 종교관련종사자로서의 활동과 관련하여 종교단체로부터 받은 소득

→ 종교인소득을 근로소득으로 원천징수하거나 확정신고한 경우: 근로소득

→ 현실적 퇴직을 원인으로 종교단체로부터 지급받는 소득: 퇴직소득

27. 가상자산소득

가상자산을 양도하거나 대여함으로써 발생하는 소득 → 2025. 1. 1. 이후 과세

28. 서화·골동품의 양도로 발생하는 소득

→ 기타소득으로 과세

과세대상	다음 중 어느 하나에 해당하는 것으로서 개당 양도가액이 6,000만 원 이상인 서화·골동품의 양도로 발생하는 소득. 단, 양도일 현재 생존해 있는 국내 원작자의 작품은 제외한다. ① 회화, 데생, 파스텔(손으로 그린 것에 한정하며, 도안과 장식한 가공품 제외) 및 콜라주와 이와 유사한 장식판 ② 오리지널 판화·인쇄화 및 석판화 ③ 골동품(제작 후 100년을 넘은 것에 한정)
필요경비	최소 필요경비 80% 또는 90%
과세방법	무조건분리과세(원천징수세율 20%)
비과세	①「문화재보호법」에 따라 국가지정문화유산으로 지정된 서화·골 동품의 양도로 발생하는 소득 ② 서화·골동품을 박물관 또는 미술관에 양도함으로써 발생하는 소득
사업소득 과세	다음 중 어느 하나에 해당하는 경우 서화 등의 양도로 발생하는 소득은 사업소득으로 본다. ① 서화·골동품의 거래를 위하여 사업장 등 물적 시설(인터넷 등 정보통신망을 이용하여 서화·골동품을 거래할 수 있도록 설정된 가상의 사업장 포함)을 갖춘 경우 ② 서화·골동품을 거래하기 위한 목적으로 사업자등록을 한 경우

Ⅲ 비과세 기타소득

1. 보훈급여금, 정착금

(1) 국가유공자 또는 보훈보상대상자가 법률에 따라 받는 보훈급여금·학습보조비
(2) 「북한이탈주민의 보호 및 정착지원에 관한 법률」에 따라 받는 정착금·보로금 등

2. 상금 등

(1) 「국가보안법」에 의하여 받는 상금과 보로금
(2) 「상훈법」에 따른 훈장과 관련하여 받는 부상(副賞)
(3) 「대한민국학술원법」에 의한 학술원상 또는 「대한민국예술원법」에 의한 예술원상의 수상자가 받는 상금과 부상
(4) 노벨상 또는 외국정부·국제기관·국제단체 및 기타 외국의 단체나 기금으로부터 받는 상의 수상자가 받는 상금과 부상
(5) 「문화예술진흥법」에 따른 대한민국 문화예술상과 한국문화예술위원회가 문화예술진흥기금으로 수여하는 상의 수상자가 받는 상금과 부상
(6) 대한민국 미술대전의 수상자가 받는 상금과 부상
(7) 「국민체육진흥법」에 의한 체육상 수상자가 받는 상금과 부상
(8) 미래창조과학부가 개최하는 과학전람회의 수상작품에 대하여 수상자가 받는 상금과 부상
(9) 특별법에 의하여 설립된 법인이 관계중앙행정기관의 장의 승인을 얻어 수여하는 상의 수상자가 받는 상금과 부상
(10) 품질경영 및 공산품안전관리법에 의하여 품질명장으로 선정된 자(분임 포함)가 받는 상금과 부상
(11) 정부시책의 추진실적에 따라 중앙행정기관장 이상의 표창을 받거나 일정 요건의 국내외 기능경기대회에 입상한 종업원이 사용자로부터 받는 상금(1인당 15만 원 이내)
(12) 모범공무원규정에 따라 모범공무원으로 선발된 사람이 받는 모범 공무원수당
(13) 법규의 준수 및 사회질서의 유지를 위하여 신고 또는 고발한 사람이 관련 법령에서 정하는 바에 따라 국가 또는 지방자치단체로부터 받는 포상금 또는 보상금
(14) 경찰청장이 정하는 바에 따라 범죄 신고자가 받는 보상금
(15) 그 외 국가 또는 지방자치단체로부터 받는 상금과 부상

3. 직무발명 보상금

종업원 등 또는 대학의 교직원이 퇴직한 후에 지급받거나 대학의 학생이 소속 대학에 설치된 산학협력단으로부터 받는 직무발명보상금으로 연 700만 원 이하의 금액(해당 과세기간에 근로소득에서 차감한 비과세금액이 있는 경우 700만 원에서 해당 금액을 차감한 금액). 다만, 직무발명보상금을 지급한 사용자 등 또는 산학협력단과 대통령령으로 정하는 특수관계에 있는 자가 받는 직무발명보상금은 제외한다.

4. 위로지원금

국군포로가 받는 위로지원금과 그 밖의 금품

5. 서화·골동품 양도소득

(1) 국가지정문화재로 지정된 서화·골동품의 양도로 발생하는 소득
(2) 서화·골동품을 박물관 또는 미술관에 양도함으로써 발생하는 소득

6. 무보수 위원수당

법령·조례에 따른 위원회 등의 보수를 받지 아니하는 위원(학술원 및 예술원의 회원 포함) 등이 받는 수당

Ⅳ 기타소득의 수입시기

1. 원칙

그 지급을 받은 날

2. 광업권 등 무형자산 대여

그 지급을 받은 날

3. 양도

그 대금을 청산한 날, 자산을 인도한 날 또는 사용·수익일 중 빠른 날. 다만, 대금을 청산하기 전에 자산을 인도 또는 사용·수익하였으나 대금이 확정되지 아니한 경우에는 그 대금 지급일로 한다.

4. 계약금이 위약금·배상금으로 대체되는 경우

계약의 위약 또는 해약이 확정된 날

5. 인정기타소득

그 법인의 해당 사업연도의 결산 확정일

6. 연금외수령한 기타소득

연금외수령한 날

V 기타소득금액의 계산

1. 계산

기타소득금액은 해당 과세기간의 총수입금액에서 이에 사용된 필요경비를 공제한 금액으로 한다.

> 기타소득금액 = 총수입금액(비과세 및 과세최저한 제외) − 필요경비

2. 총수입금액

수입시기에 해당하는 날이 속하는 사업연도의 총 수입금액을 말한다.

3. 필요경비

필요경비는 총수입금액에 대응하는 금액으로서 일반적으로 용인되는 통상적인 실제필요경비(법정증빙까지 갖춘 것)를 말한다. 그러나 기타소득 특성상 증빙을 갖추고 정확한 계산도 어려운 점을 고려하여 총수입금액의 일정 부분을 필요경비로 인정하는 제도를 두고 있다.

승마투표권·승자투표권·소싸움경기투표권·체육진흥투표권의 환급금	그 구매자가 구입한 적중된 투표권의 단위투표금액
슬롯머신(비디오게임 포함) 및 투전기 등을 이용하는 행위에 참가하여 받는 당첨금품 등	그 당첨금품 등의 당첨 당시에 슬롯머신 등에 투입한 금액
① 공익법인이 주무관청의 승인을 받아 시상하는 상금 및 부상 ② 다수순위경쟁대회에서 입상자가 받는 상금 및 부상 ③ 계약의 위약 또는 해약으로 인하여 받는 위약금과 배상금 중 주택입주지체상금 → 주택 외의 경우는 실제경비	거주자가 받은 금액의 80%에 상당하는 금액. 단, 실제 소요된 필요경비가 80%에 상당하는 금액을 초과하면 실제 소요된 비용 → Max[총 수입금액 × 80%, 실제필요경비]
① 무형자산의 양도 및 대여소득 ② 통신판매중개를 하는 자를 통하여 물품 또는 장소를 대여하고 500만 원 이하의 사용료로서 받는 금품 ③ 공익사업과 관련하여 지역권·지상권을 설정·대여함으로써 발생하는 소득 ④ 일시적인 문예창작소득(예 원고료) ⑤ 일시적인 인적 용역(예 강연료)	거주자가 받은 금액의 60%에 상당하는 금액. 단, 실제 소요된 필요경비가 60%에 상당하는 금액을 초과하면 실제 소요된 비용 → Max[총 수입금액 × 60%, 실제필요경비]

	다음의 구분에 따라 계산한 금액. 다만, 실제 소요된 필요경비가 다음에 따라 계산한 금액을 초과하면 그 초과하는 금액도 필요경비에 산입함
서화·골동품 양도소득	㉠ 거주자가 받은 금액이 1억 원 이하인 경우: 받은 금액의 90% ㉡ 거주자가 받은 금액이 1억 원을 초과하는 경우: 9천만 원 + 거주자가 받은 금액에서 1억 원을 뺀 금액의 80%(보유기간 10년 이상 90%)
위 외의 기타소득	해당 과세기간의 총수입금액에 대응하는 비용으로서 일반적으로 용인되는 통상적인 것의 합계액

→ 불특정다수인이 아닌 직원 및 직원가족을 대상으로 "직원가족의 밤"을 개최하고 수상자에게 상금을 지급하는 경우 해당 상금은 80%에 상당하는 금액을 기타소득의 필요경비로 할 수 없는 것임(법규소득2009-0317)

Ⅵ 기타소득의 과세최저한

1. 의의

과세최저한이란 과세소득이 영세하여 조세행정의 편의와 사회정책적인 고려에서 소득세를 부과하지 않는 소득금액을 말한다. 일정한 기타소득은 과세최저한에 해당하여 해당 소득에 대한 소득세를 과세하지 않으며, 원천징수도 하지 않는다.

→ 과세최저한으로 소득세가 과세되지 않은 기타소득은 지급명세서 제출의무가 면제되나, 일시적 문예창작 및 일시적 인적 용역 기타소득은 지급명세서를 제출하여야 한다.

2. 내용

구분	과세하지 않는 금액
승마투표권 등 구매자가 받는 환급금	건별로 승마투표권, 승자투표권, 소싸움경기투표권, 체육진흥투표권의 권면에 표시된 금액의 합계액이 10만 원 이하이고 다음 중 어느 하나에 해당하는 경우 ① 적중한 개별투표당 환급금이 10만 원 이하 ② 단위투표금액당 환급금이 단위투표금액의 100배 이하이면서 적중한 개별투표당 환급금이 200만 원 이하
슬롯머신 등 당첨금품	건별로 200만 원 이하인 경우
복권당첨금❶	건별로 200만 원 이하인 경우

❶ 복권당첨금을 법령에 따라 분할하여 지급받는 경우 분할하여 지급받는 금액의 합계액이다.

가상자산소득	해당 과세기간의 가상자산소득금액이 250만 원 이하 → 2025. 1. 1. 이후 시행
그 밖의 기타소득금액 (연금외수령하는 기타소득금액 제외)	건별로 5만 원 이하인 경우 [예] 일시적인 인적 용역 125,000원 지급 시 과세 최저한 125,000 × (1 − 60%) = 50,000

VII 과세방법

1. 원천징수

(1) 대상 및 세율

원천징수의무자가 다음의 기타소득을 지급할 때 기타소득금액(= 지급금액 − 필요경비)에 원천징수세율을 적용하여 계산한 소득세를 원천징수하여야 한다.

대상	원천징수세율
복권당첨금, 슬롯머신 당첨금품 및 승자투표권 등의 환급금의 소득금액	20% (3억 원 초과분: 30%❶)
소기업·소상공인 공제부금의 해지일시금	15%
연금외수령하는 기타소득	15%
종교인소득	종교인소득 간이세액표
위 외 기타소득금액	20%

(2) 배제대상

① 계약금이 위약금·배상금으로 대체되는 경우의 위약금과 배상금

∵ 매수인의 납세협력부담 완화

② 뇌물 또는 알선수재 및 배임수재에 의하여 받는 금품

(3) 서화 등 양도소득의 원천징수 특례

서화·골동품의 양도로 발생하는 소득에 대하여 양수자인 원천징수의무자가 국내사업장이 없는 비거주자 또는 외국법인인 경우로서 원천징수를 하기 곤란하여 원천징수를 하지 못하는 경우에는 서화·골동품의 양도로 발생하는 소득을 지급받는 자를 원천징수의무자로 본다.

❶ 「사행행위 등 규제 및 처벌 특례법」에서 규정하는 행위에 참가하여 얻은 재산상의 이익은 3억 원을 초과하는 경우에도 20%를 적용한다.

2. 종합과세와 분리과세

구분	대상	과세방법
무조건 분리과세	① 연금외수령한 기타소득 ② 복권당첨금, 승마투표권 등의 구매자가 받는 환급금 ③ 슬롯머신 등을 이용하는 행위에 참가하여 받는 당첨금품 ④ 서화·골동품의 양도소득	원천징수에 의해 납세의무 종결
무조건 종합과세	뇌물 또는 알선수재 및 배임수재에 의하여 받는 금품 (∵ 원천징수대상이 아니므로)	종합소득금액에 합산
선택적 분리과세	무조건 분리과세·무조건 종합과세를 제외한 모든 기타소득금액으로서 다음의 소득을 포함한다. ① 계약금이 위약금·배상금으로 대체된 경우 위약금과 배상금 ② 소기업·소상공인 공제부금의 해지일시금 ③ 직무발명보상금	300만 원 이하이면서 원천징수된 경우 종합과세와 분리과세 중 선택 가능 → 300만 원 초과 시 무조건 종합과세

3. 분리과세기타소득에 대한 세액 계산의 특례

종합소득과세표준을 계산할 때 계약금이 위약금·배상금으로 대체되는 경우에 해당소득을 종합소득에 합산하지 아니하는 경우 그 합산하지 아니하는 기타소득에 대한 결정세액은 해당 기타소득금액에 20%의 세율을 적용하여 계산한 금액으로 한다.

> **사례**
>
> 사업소득금액 50,000,000원, 계약금이 위약금으로 대체된 금액 3,000,000원, 종합소득공제 2,000,000원
>
> | 종합과세 선택 | | 분리과세 선택 | |
> |---|---|---|---|
> | 종합소득금액 | 53,000,000 | 종합소득금액 | 50,000,000 |
> | 종합소득공제 | 2,000,000 | 종합소득공제 | 2,000,000 |
> | 과세표준 | 51,000,000 | 과세표준 | 48,000,000 |
> | 기본세율 | 24% | 기본세율 | 15% |
> | 산출세액 | 6,480,000 | 산출세액 | 5,940,000 |
> | 세액공제 | 1,000,000 | 세액공제 | 1,000,000 |
> | 결정세액 | 5,480,000 | 결정세액 | 4,940,000 |
> | | | 분리과세 결정세액 | 600,000 |

> **Check** 종교인소득

1. 개요
종교인소득이란 종교관련종사자가 종교의식을 집행하는 등 종교관련종사자로서의 활동과 관련하여 종교단체로부터 받은 소득을 말한다.

2. 소득구분
① 원칙: 기타소득(최대 80%까지 필요경비로 인정)
② 근로소득: 종교인소득에 대하여 근로소득으로 원천징수하거나 확정신고한 경우
　→ 근로소득 과세체계 적용
③ 퇴직소득: 종교관련종사자가 현실적인 퇴직을 원인으로 종교단체로부터 지급받는 소득은 퇴직소득으로 본다. 단, 종교관련종사자가 그 활동과 관련하여 현실적인 퇴직 이후에 종교단체로부터 정기적 또는 부정기적으로 지급받는 소득으로서 현실적인 퇴직을 원인으로 종교단체로부터 지급받는 소득에 해당하지 아니하는 소득은 종교인소득에 포함한다.

3. 비과세소득
① 종교관련종사자가 소속된 종교단체의 종교관련종사자로서의 활동과 관련 있는 교육·훈련을 위하여 받는 「초·중등교육법」에 따른 학교(외국에 있는 교육기관 포함), 「고등교육법」에 따른 학교(외국에 있는 교육기관 포함), 평생교육시설의 입학금·수업료·수강료, 그 밖의 공납금
② 소속 종교단체가 종교관련종사자에게 제공하는 식사나 그 밖의 음식물(단, 식사나 그 밖의 음식물을 제공받지 아니하는 종교관련종사자가 소속 종교단체로부터 받는 월 20만 원 이하의 식사대)
③ 종교관련종사자가 받는 다음의 실비변상적 성질의 지급액
　㉠ 일직료·숙직료 및 그 밖에 이와 유사한 성격의 급여
　㉡ 여비로서 실비변상 정도의 금액(종교관련종사자가 본인 소유의 차량을 직접 운전하여 소속 종교단체의 종교관련종사자로서의 활동에 이용하고 소요된 실제 여비 대신에 해당 종교단체의 규칙 등에 정하여진 지급기준에 따라 받는 금액 중 월 20만 원 이내의 금액 포함)
　㉢ 종교관련종사자가 소속 종교단체의 규약 또는 소속 종교단체의 의결기구의 의결·승인 등을 통하여 결정된 지급 기준에 따라 종교 활동을 위하여 통상적으로 사용할 목적으로 지급받은 금액 및 물품
　㉣ 종교관련종사자가 천재·지변이나 그 밖의 재해로 인하여 받는 지급액
④ 종교관련종사자 또는 그 배우자의 출산이나 6세 이하(해당 과세기간 개시일을 기준으로 판단함) 자녀의 보육과 관련하여 종교단체로부터 받는 금액으로서 월 20만 원 이내의 금액
⑤ 종교관련종사자가 사택을 제공받아 얻는 이익

4. 기타소득금액
종교인소득에 대해서는 종교관련종사자가 해당 과세기간에 받은 금액(비과세소득 제외) 중 다음 표에 따른 금액을 필요경비로 한다. 다만, 실제 소요된 필요경비가 다음 표에 따른 금액을 초과하면 그 초과하는 금액도 필요경비에 산입한다.

종교관련종사자가 받은 금액	필요경비
2,000만 원 이하	종교관련종사자가 받은 금액의 80%
2,000만 원 초과 4,000만 원 이하	1,600만 원 + (2,000만 원 초과금액의 50%)
4,000만 원 초과 6,000만 원 이하	2,600만 원 + (4,000만 원 초과금액의 30%)
6,000만 원 초과	3,200만 원 + (6,000만 원 초과금액의 20%)

5. 원천징수 연말정산

원천징수	원천징수의무자가 매월 분 종교인소득 지급 시 [종교인소득 간이세액표]에 따른 원천징수세액을 원천징수하여 다음 달 10일까지 정부에 납부하여야 한다. 단, 종교단체가 반기별 납부를 신청한 경우 원천징수세액을 그 징수일이 속하는 반기의 마지막 달의 다음 달 10일까지 납부할 수 있다.
연말정산	종교인소득을 지급하고 그 소득세를 원천징수하는 자는 해당 과세기간의 다음 연도 2월분의 종교인소득을 지급할 때(2월분의 종교인소득을 2월 말일까지 지급하지 아니하거나 2월분의 종교인소득이 없는 경우에는 2월 말일) 또는 해당 종교관련종사자와의 소속관계가 종료되는 달의 종교인소득을 지급할 때 해당 과세기간의 종교인소득에 대하여 법령에 따라 계산한 금액을 원천징수한다.
확정신고	① 종교인 소득을 지급한 종교단체에서 원천징수와 연말정산을 하지 않은 경우 종교인은 다음 해 5월 말까지 직전 연도에 지급받은 소득에 대해 종합소득세 과세표준확정신고를 하여야 한다. ② 종교인소득 외에 다른 종합소득금액이 있는 경우에는 종교인소득과 합산하여 종합소득 과세표준 확정신고를 하여야 한다.

6. 질문조사

종교단체가 소속 종교관련종사자에게 지급한 금액 및 물품과 그 밖에 종교활동과 관련하여 지출한 비용을 정당하게 구분하여 기록·관리하는 경우 세무에 종사하는 공무원은 질문·조사할 때 종교단체가 소속 종교관련종사자에게 지급한 금액 및 물품 외에 그 밖에 종교 활동과 관련하여 지출한 비용을 구분하여 기록·관리한 장부 또는 서류에 대해서는 조사하거나 그 제출을 명할 수 없다.

05 소득금액계산의 특례

1 부당행위계산의 부인

I 의의

납세지 관할 세무서장 또는 지방국세청장은 출자공동사업자의 배당소득, 사업소득 또는 기타소득이 있는 거주자의 행위 또는 계산이 그 거주자와 특수관계인과의 거래로 인하여 그 소득에 대한 조세 부담을 부당하게 감소시킨 것으로 인정되는 경우에는 그 거주자의 행위 또는 계산과 관계없이 해당 과세기간의 소득금액을 계산할 수 있다.

→ 양도소득 관련 부당행위계산 부인규정은 별도로 규정되어 있음

II 요건

1. 적용대상

출자공동사업자의 배당소득, 사업소득, 기타소득, 양도소득

→ 이자소득·배당소득(출자공동사업자의 배당소득 제외)·근로소득·연금소득 또는 퇴직소득처럼 필요경비가 공제되지 않는 소득에 대하여는 부당행위계산규정이 적용되지 아니함

⎘ 호텔업을 영위하는 거주자가 사업에서 발생한 이익금을 인출하여 특수관계인에게 무상으로 대여한 경우 이자소득으로서 부당행위계산 대상 아님

2. 특수관계인

「국세기본법 시행령」 제1조의2 제1항, 제2항 및 같은 조 제3항 제1호에 따른 특수관계인을 말한다.

3. 유형

조세 부담을 부당하게 감소시킨 것으로 인정되는 경우는 다음 중 어느 하나에 해당하는 경우로 한다. 다만, 다음 (4)를 제외하고는 시가와 거래가액의 차액이 3억 원 이상이거나 시가의 5%에 상당하는 금액 이상인 경우만 해당한다.

(1) 특수관계인으로부터 시가보다 높은 가격으로 자산을 매입하거나 특수관계인에게 시가보다 낮은 가격으로 자산을 양도한 경우

(2) 특수관계인에게 금전이나 그 밖의 자산 또는 용역을 무상 또는 낮은 이율 등으로 대부하거나 제공한 경우. 다만, 직계존비속에게 주택을 무상으로 사용하게 하고 직계존비속이 그 주택에 실제 거주하는 경우는 국민정서를 고려하여 부당행위로 보지 않는다.

(3) 특수관계인으로부터 금전이나 그 밖의 자산 또는 용역을 높은 이율 등으로 차용하거나 제공받는 경우

(4) 특수관계인으로부터 무수익자산을 매입하여 그 자산에 대한 비용을 부담하는 경우

(5) 그 밖에 특수관계인과의 거래에 따라 해당 과세기간의 총수입금액 또는 필요경비를 계산할 때 조세의 부담을 부당하게 감소시킨 것으로 인정되는 경우

Ⅲ 효과

1. 납세지 관할세무서장 등은 부당행위계산 거래에 대하여 합리적인 경제인의 행위 또는 계산의 기준이 시가로 소득금액을 재계산한다. 시가의 산정에 관하여는 「법인세법 시행령」의 규정을 준용한다.

2. 당사자 간에 약정한 법률행위를 무효로 만들거나 회계처리 내용을 변경시키지 아니하며, 단지 과세소득계산을 다시 계산하는 것이다.

3. 상대방의 대응조정을 하지 않는다.

예 甲(부동산임대업)이 특수관계인 乙에게 무상으로 부동산을 임대하여 과세관청이 적정 시가 1,200만 원의 임대수입을 甲에게 과세하더라도 乙에게 필요경비산입을 허용하지 않는다.

2 공동사업에 대한 소득금액 계산의 특례

Ⅰ 공동사업장 소득금액의 계산과 분배

1. 계산

(1) 사업소득이 발생하는 사업을 공동으로 경영하고 그 손익을 분배하는 공동사업(출자공동사업자가 있는 공동사업 포함)의 경우에는 해당 사업을 경영하는 장소(공동사업장)를 1거주자로 보아 공동사업장별로 그 소득금액을 계산한다.
∵ 납세의무자의 중복계산에 따른 불편이 크며 세무행정 또한 낭비임

(2) 기장의무도 공동사업장 단위로 하며, 기업업무추진비 및 기부금 계산도 각 공동사업장별로 계산하여야 한다.

2. 분배

(1) 공동사업에서 발생한 소득금액은 해당 공동사업을 경영하는 각 거주자(출자공동사업자 포함) 간에 약정된 손익분배비율(약정된 손익분배비율이 없는 경우에는 지분비율, 이하 "손익분배비율")에 의하여 분배되었거나 분배될 소득금액에 따라 각 공동사업자별로 분배한다.

∵ 공동사업자들 간의 사적 자치를 존중하여 약정된 손익분배비율을 우선적용하며, 실제 분배하였는지 여부와는 관계없이 분배될 소득금액을 과세함

(2) 공동사업장에서 발생한 결손금은 각 공동사업자별로 분배되어 그들의 다른 소득금액과 통산하여 산정하며, 해당 과세기간에 공제하지 못한 결손금은 각자 이월되어 이후 소득금액에서 공제된다.

Ⅱ 공동사업합산과세

1. 개요

거주자 1인과 그의 특수관계인이 공동사업자에 포함되어 있는 경우로서 손익분배비율을 거짓으로 정하는 등 다음의 사유가 있는 경우에는 그 특수관계인의 소득금액은 그 손익분배비율이 큰 공동사업자(주된 공동사업자)의 소득금액으로 본다.

∵ 공동사업으로 위장하여 높은 누진세율을 회피하는 것을 방지함

(1) 공동사업자가 제출한 신고서와 첨부서류에 기재한 사업의 종류, 소득금액내역, 지분비율, 약정된 손익분배비율 및 공동사업자간의 관계 등이 사실과 현저하게 다른 경우

(2) 공동사업자의 경영참가, 거래관계, 손익분배비율 및 자산·부채 등의 재무상태 등을 고려할 때 조세를 회피하기 위하여 공동으로 사업을 경영하는 것이 확인되는 경우

2. 특수관계인

특수관계인이란 거주자 1인과 생계를 같이하는 자로서 다음에 해당하는 자를 말한다. 특수관계인에 해당하는지 여부는 해당 과세기간종료일 현재의 상황에 의한다.

(1) 4촌 이내의 혈족

(2) 3촌 이내의 인척

(3) 배우자(사실상의 혼인관계에 있는 자 포함)

(4) 친생자로서 다른 사람에게 친양자·입양된 자 및 그 배우자·직계비속

(5) 본인이 「민법」에 따라 인지한 혼인 외 출생자의 생부나 생모(본인의 금전이나 그 밖의 재산으로 생계를 유지하는 사람 또는 생계를 함께하는 사람으로 한정함)

(6) 임원과 그 밖의 사용인

(7) 본인의 금전이나 그 밖의 재산으로 생계를 유지하는 자

(8) (6) 및 (7)의 자와 생계를 함께하는 친족

3. 주된 공동사업자

주된 공동사업자는 손익분배비율 또는 지분비율이 가장 큰 공동사업자이다. 다만, 손익분배비율이 같은 경우에는 다음의 순서에 따른다.

(1) 공동사업소득 외의 종합소득금액이 많은 자

(2) 공동사업소득 외의 종합소득금액이 같은 경우에는 직전 과세기간의 종합소득금액이 많은 자

(3) 직전 과세기간의 종합소득금액이 같은 경우에는 해당 사업에 대한 종합소득과세표준을 신고한 자. 다만, 공동사업자 모두가 해당 사업에 대한 종합소득과세표준을 신고하였거나 신고하지 아니한 경우에는 납세지 관할세무서장이 정하는 자로 한다.

4. 연대납세의무

본래 공동사업에 관한 소득금액을 계산하는 경우에는 해당 공동사업자별로 납세의무를 진다. 다만, 공동사업 합산규정에 따라 주된 공동사업자에게 합산과세되는 경우 그 합산과세되는 소득금액에 대해서는 주된 공동사업자의 특수관계인은 손익분배비율에 해당하는 그의 소득금액을 한도로 주된 공동사업자와 연대하여 납세의무를 진다.

5. 공동사업 소득공제 등 특례

연금보험료공제 또는 「조세특례제한법」에 따른 소득공제를 적용하거나 연금계좌세액공제를 적용하는 경우 소득금액이 주된 공동사업자의 소득금액에 합산과세되는 특수관계인이 지출·납입·투자·출자 등을 한 금액이 있으면 주된 공동사업자의 소득에 합산과세되는 소득금액의 한도에서 주된 공동사업자가 지출·납입·투자·출자 등을 한 금액으로 보아 주된 공동사업자의 합산과세되는 종합소득금액 또는 종합소득산출세액을 계산할 때에 소득공제 또는 세액공제를 받을 수 있다.

🏛 기출 체크

공동사업에 관한 소득금액을 계산할 때에는 당해 공동사업장별로 납세의무를 지는 것이 원칙이다. (×)

2008년 국가직 9급

Ⅲ 공동사업장에 대한 특례

1. 원천징수세액 배분

공동사업장에서 발생한 소득금액에 대하여 원천징수된 세액은 각 공동사업자의 손익분배비율에 따라 배분한다.

2. 가산세의 배분

다음의 가산세로서 공동사업장에 관련되는 세액은 각 공동사업자의 손익분배비율에 따라 배분한다.
(1) 영수증수취명세서 제출·작성불성실가산세
(2) 사업장현황신고 불성실가산세
(3) 공동사업장등록·신고 불성실가산세
(4) 증명서류 수취 불성실가산세
(5) 사업용 계좌 신고·사용 불성실가산세
(6) 신용카드 및 현금영수증 발급 불성실가산세
(7) 계산서 등 제출 불성실가산세
(8) 지급명세서 제출 불성실가산세
(9) 원천징수 등 납부지연가산세
→ 공동사업장 자체로 신고 및 납부의무가 없기 때문에 신고불성실가산세와 납부지연가산세는 배분대상 가산세에서 제외함

3. 기장의무 사업자등록

공동사업장에 대해서는 그 공동사업장을 1사업자로 보아 공동사업장의 장부를 비치·기록하여야 하며, 1사업자로 사업자등록을 하여야 한다.

4. 사업자등록신고

공동사업자가 그 공동사업장에 관한 사업자등록을 할 때에는 공동사업자(출자공동사업자 해당 여부에 관한 사항 포함), 약정한 손익분배비율, 대표공동사업자, 지분·출자명세, 그 밖에 필요한 사항을 사업장 소재지 관할 세무서장에게 신고하여야 한다.

5. 과세표준확정신고

공동사업자가 과세표준확정신고를 하는 때에는 과세표준확정신고서와 함께 당해 공동사업장에서 발생한 소득과 그 외의 소득을 구분한 계산서를 제출하여야 한다. 이 경우 대표공동사업자는 당해 공동사업장에서 발생한 소득금액과 가산세액 및 원천징수된 세액의 각 공동사업자별 분배명세서를 제출하여야 한다.

6. 소득금액 결정·경정

공동사업에서 발생하는 소득금액의 결정 또는 경정은 대표공동사업자의 주소지 관할세무서장이 한다. 다만, 국세청장이 특히 중요하다고 인정하는 것에 대하여는 사업장 관할세무서장 또는 주소지 관할 지방국세청장이 한다.

7. 공동사업자 중 경영참가자 보수처리

공동사업자 중 1인에게 경영에 참가한 대가로 급료명목의 보수를 지급한 때에는 당해 공동사업자의 소득분배로 보고 그 공동사업자의 분배소득에 가산한다.

3 | 결손금 및 이월결손금의 공제

I 사업소득 결손금 공제

1. 의의

결손금이란 총수입금액을 필요경비가 초과할 때 그 초과하는 금액이다. 소득별 소득금액을 계산할 때 결손금 발생소득은 사업소득·양도소득·기타소득이나 결손금 통산의 적용을 받는 결손금은 사업소득이 있는 사업자가 비치·기록한 장부에 의하여 소득별 소득금액을 계산함에 있어서 발생하는 사업소득 결손금이다.

2. 일반사업소득 결손금

사업자가 비치·기록한 장부에 의하여 해당 과세기간의 사업소득금액을 계산할 때 발생한 결손금은 그 과세기간의 종합소득과세표준을 계산할 때 근로소득금액·연금소득금액·기타소득금액·이자소득금액·배당소득금액에서 순서대로 공제한다.

3. 부동산임대업 결손금

부동산임대업에서 발생한 결손금은 종합소득 과세표준을 계산할 때 공제하지 아니한다. 다만, 주거용 건물 임대업의 경우에는 그러하지 아니하다.

🏛 **기출 체크**
부동산임대업(주거용 건물임대업 포함)에서 발생한 이월결손금은 해당 과세기간의 부동산임대업의 소득금액에서만 공제한다. (✕) 2020년 국가직 7급

Ⅱ 이월결손금 공제

1. 개요

부동산임대업에서 발생한 결손금과 이월결손금은 해당 이월결손금이 발생한 과세기간의 종료일부터 15년(2019. 12. 31. 이전에 개시한 과세기간에서 발생한 결손금은 10년) 이내에 끝나는 과세기간의 소득금액을 계산할 때 먼저 발생한 과세기간의 이월결손금부터 순서대로 다음의 구분에 따라 공제한다. 다만, 「국세기본법」에 따른 국세부과의 제척기간이 지난 후에 그 제척기간 이전 과세기간의 이월결손금이 확인된 경우 그 이월결손금은 공제하지 아니한다.

(1) 부동산임대업 외의 사업소득 및 주거용 건물임대업의 이월결손금은 사업소득금액, 근로소득금액, 연금소득금액, 기타소득금액, 이자소득금액 및 배당소득금액에서 순서대로 공제한다.

(2) 부동산임대업(주거용 건물 임대업 제외)에서 발생한 이월결손금은 부동산임대업의 소득금액에서 공제한다.

2. 추계 시 적용배제

(1) 해당 과세기간의 소득금액에 대해서 추계신고(비치·기록한 장부와 증명서류에 의하지 아니한 신고)를 하거나 추계조사결정하는 경우에는 적용하지 아니한다. 다만, 천재지변이나 그 밖의 불가항력으로 장부나 그 밖의 증명서류가 멸실되어 추계신고를 하거나 추계조사결정을 하는 경우에는 그러하지 아니하다.

(2) 소득세과세표준을 추계결정 또는 경정함으로 인하여 공제되지 아니한 이월결손금은 그 후의 공제가능 과세기간에 공제할 수 있다.

3. 자산수증익 등에 충당

자산수증이익 또는 채무면제이익에 충당된 이월결손금은 소득금액에서 공제하는 이월결손금에서 제외한다.

4. 결손금과 이월결손금 동시 존재

결손금 및 이월결손금을 공제할 때 해당 과세기간에 결손금이 발생하고 이월결손금이 있는 경우에는 그 과세기간의 결손금을 먼저 소득금액에서 공제한다.

Ⅲ 금융소득에 대한 결손금 및 이월결손금 공제

1. 공제배제

결손금 및 이월결손금을 공제할 때 금융소득에 대한 세액계산의 특례규정(비교과세)을 적용하는 경우 종합과세되는 금융소득이 있으면 그 금융소득 중 원천징수세율을 적용받는 부분은 결손금 또는 이월결손금의 공제대상에서 제외한다.

㉠ 사업소득 △50,000,000, 종합과세 이자소득 20,000,000인 경우 결손금 공제 시 이자소득은 줄어드나, 비교과세로 2,800,000원(20,000,000 × 14%)이 과세됨

2. 선택공제

종합과세되는 배당소득 또는 이자소득 중 기본세율을 적용받는 부분에 대해서는 사업자가 그 소득금액의 범위에서 공제 여부 및 공제금액을 결정할 수 있다.
∵ 비교과세로 인하여 결손금만 없어지는 경우가 발생할 수 있음

Ⅳ 중소기업의 결손금 소급공제에 따른 환급

1. 개요

중소기업을 경영하는 거주자가 그 중소기업의 사업소득금액을 계산할 때 해당 과세기간의 이월결손금(부동산임대업에서 발생한 이월결손금 제외)이 발생한 경우에는 직전 과세기간의 그 중소기업의 사업소득에 부과된 종합소득 결정세액을 한도로 하여 결손금 소급공제세액을 환급신청할 수 있다. 이 경우 소급공제한 이월결손금에 대해서 그 이월결손금을 공제받은 금액으로 본다.

2. 결손금 소급공제 세액계산

다음 (1)의 금액에서 (2)의 금액을 뺀 것을 말한다.
(1) 직전 과세기간의 당해 중소기업에 대한 종합소득산출세액
(2) 직전 과세기간의 종합소득과세표준에서 이월결손금으로서 소급공제를 받으려는 금액(직전 과세기간의 종합소득과세표준을 한도로 함)을 뺀 금액에 직전 과세기간의 세율을 적용하여 계산한 해당 중소기업에 대한 종합소득산출세액

3. 적용요건

(1) 환급신청

결손금 소급공제세액을 환급받으려는 자는 과세표준확정신고기한까지 납세지 관할 세무서장에게 환급을 신청하여야 한다.
→ 따라서 경정청구로 환급은 불가능

(2) 성실기업

해당 거주자가 과세표준확정신고기한까지 결손금이 발생한 과세기간과 그 직전 과세기간의 소득에 대한 소득세의 과세표준 및 세액을 각각 신고한 경우에만 결손금 소급공제세액을 환급한다.

4. 환급절차

납세지 관할 세무서장이 소득세의 환급신청을 받은 경우에는 지체 없이 환급세액을 결정하여 「국세기본법」에 따라 환급하여야 한다.

4 채권 등에 대한 소득금액의 계산 특례

1. 개요

거주자가 채권 등의 발행법인으로부터 해당 채권 등에서 발생하는 이자 등을 지급받거나 해당 채권 등을 매도하는 경우 거주자에게 그 보유기간별로 귀속되는 이자 등 상당액을 해당 거주자의 이자소득으로 보아 소득금액을 계산한다.
∵ 금융소득종합과세의 시행으로 소득귀속을 정확하게 하기 위함

2. 원천징수 특례

(1) 거주자 또는 비거주자가 채권 등의 발행법인으로부터 이자 등을 지급받거나 해당 채권 등을 발행법인 등에게 매도하는 경우 그 채권 등의 발행일 또는 직전 원천징수일을 시기로 하고, 이자 등의 지급일 등 또는 채권 등의 매도일 등을 종기로 하여 법령이 정한 기간계산방법에 따른 원천징수기간의 이자 등 상당액을 이자소득으로 보고, 채권 등의 발행법인 등을 원천징수의무자로 하며 원천징수에 관한 규정을 적용한다.

(2) 거주자가 법인으로부터 채권 등의 이자 등을 지급받거나 채권 등의 이자 등을 받기 전에 법인에게 매도하는 경우 보유기간이자 등 상당액에 대하여 이자 등의 지급일 등에 매수하는 법인이 원천징수하여야 한다.

3. 보유기간 이자상당액 원천징수

매도인	매수인	원천징수의무자	원천징수대상
개인	개인	−	−
개인	법인	매수법인	개인의 보유기간 이자상당액
법인	개인	매도법인(대리)	매도법인의 보유기간 이자상당액
법인	법인	매도법인(대리)	매도법인의 보유기간 이자상당액

5 상속의 경우의 소득금액의 구분 계산

1. 개요

피상속인의 소득금액에 대한 소득세로서 상속인에게 과세할 것과 상속인의 소득금액에 대한 소득세는 구분하여 계산하여야 한다.

∵ 피상속인과 상속인 소득을 합산할 경우 누진세율로 과다 세액됨

2. 연금계좌 상속 시 과세특례

(1) 연금계좌의 가입자가 사망하였으나 그 배우자가 연금외수령 없이 해당 연금계좌를 상속으로 승계하는 경우에는 해당 연금계좌에 있는 피상속인의 소득금액은 상속인의 소득금액으로 보아 소득세를 계산한다.

　∵ 배우자 사망 시 안정적 노후소득 보장과 상속인의 연금수령 지원

(2) 상속인이 연금계좌를 승계하는 경우 해당 연금계좌의 소득금액을 승계하는 날에 그 연금계좌에 가입한 것으로 본다. 다만, 최소 납입요건(5년) 해당 여부를 판단함에 있어 연금계좌의 가입일은 피상속인의 가입일로 하여 적용한다.

6 기타특례

1. 중도해지로 인한 이자소득 계산특례

종합소득과세표준 확정신고 후 예금 또는 신탁계약의 중도 해지로 이미 지난 과세기간에 속하는 이자소득금액이 감액된 경우 그 중도 해지일이 속하는 과세기간의 종합소득금액에 포함된 이자소득금액에서 그 감액된 이자소득금액을 뺄 수 있다. 다만, 「국세기본법」에 따라 과세표준 및 세액의 경정을 청구한 경우에는 그러하지 아니하다.

∵ 경정청구 절차가 번거로워 중도해지일이 속한 과세기간의 감액된 이자를 차감함

2. 비거주자 거래의 소득금액 조정

우리나라가 조세의 이중과세 방지를 위하여 체결한 조약(조세조약)의 상대국과 그 조세조약의 상호 합의규정에 따라 거주자가 국외에 있는 비거주자 또는 외국법인과 거래한 그 금액에 대하여 권한 있는 당국 간에 합의를 하는 경우 그 합의에 따라 납세지 관할 세무서장 또는 지방국세청장은 그 거주자의 각 과세기간의 소득금액을 조정하여 계산할 수 있다.

06 종합소득과세표준의 계산

1 개요

> **☑ 핵심정리**
>
> | | |
> |---|---|
> | 종합소득금액 | 이자소득금액, 배당소득금액, 사업소득금액, 근로소득금액, 연금소득금액 및 기타소득금액의 합계액에서 사업소득 결손금·이월결손금 공제 후의 금액 |
>
>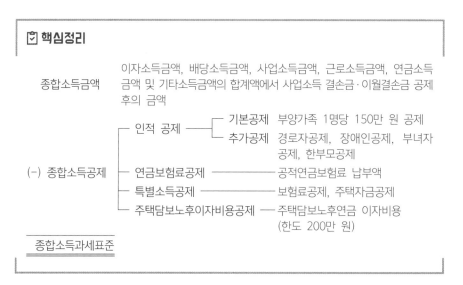
>
> 종합소득과세표준

2 인적 공제

최저생계비에 해당하는 소득을 과세 제외시키고 부양가족이 많은 납세자에게 유리한 소득세제 구조를 만들기 위하여 종합소득금액에서 공제하는 금액이다.

> 인적 공제 = 기본공제 + 추가공제

→ 인적 공제의 합계액이 종합소득금액을 초과하는 경우 그 초과하는 공제액은 없는 것으로 함

I 기본공제

1. 개요

종합소득이 있는 거주자(자연인만 해당함)에 대해서는 다음 중 어느 하나에 해당하는 사람의 수에 1명당 연 150만 원을 곱하여 계산한 금액을 그 거주자의 해당 과세기간의 종합소득금액에서 공제한다.

→ 과세기간 또는 부양기간이 1년 미만인 경우에도 월할 계산하지 아니함

구분	기본공제대상자 요건		
	나이요건	소득요건	생계요건
본인	-	-	-
본인의 배우자	-	연간소득금액 100만 원 이하 (근로소득만 있는 경우 총급여액 500만 원 이하)	주거 형편상 별거 인정
직계존속	60세 이상		
직계비속	20세 이하		-
형제자매	60세 이상 또는 20세 이하		생계 요건 필요
기초생활 수급자	-		
위탁아동	-		

2. 기본공제 적용 시 유의사항

장애인 특례	① 장애인의 경우 나이 제한을 적용받지 않는다. 단, 연간 소득금액 합계액이 100만 원(근로소득만 있는 자는 총급여 500만 원)을 초과하는 경우에는 기본공제대상에 해당하지 않는다. ② 직계비속의 배우자(예 며느리 등)는 기본공제대상에 해당하지 아니하나 장애인인 직계비속의 배우자는 기본공제대상이 될 수 있다.
위탁아동 판정	해당 과세기간에 6개월 이상 직접 양육한 위탁아동(「아동복지법」에 따라 보호기간이 연장된 경우로서 20세 이하인 위탁아동 포함)을 말한다. 다만, 직전 과세기간에 소득공제를 받지 못한 경우에는 해당 위탁아동에 대한 직전 과세기간의 위탁기간을 포함하여 계산한다.
입양자 판정	동거입양자는 「민법」 또는 「입양특례법」에 따라 입양한 양자, 사실상 입양상태에 있는 자로서 거주자와 생계를 같이하는 자를 말한다.
직계존속 판정	직계존속에는 배우자의 직계존속(예 장인, 장모 등)뿐만 아니라 직계존속이 재혼한 경우 직계존속의 배우자로서 혼인(사실혼 제외)중임이 증명되는 자를 포함한다.

🏛 기출 체크

거주자의 직계존속은 나이와 소득에 관계없이 기본공제대상자가 된다. (×)

2021년 국가직 7급

기타 유의사항	① 근로자 및 배우자의 형제자매는 기본공제대상에 포함될 수 있으나, 형제자매의 배우자(例 제수, 형수 등)는 기본공제대상에 포함하지 않는다. ② 거주자와 이혼한 부인은 거주자와 생계를 같이하더라도 공제대상 배우자의 범위에 포함되지 않는다.
부양가족 범위	① 생계를 같이하는 부양가족은 주민등록표의 동거가족으로서 해당 거주자의 주소 또는 거소에서 현실적으로 생계를 같이하는 사람으로 한다. 다만, 배우자 및 직계비속·입양자는 생계 여부와 관계없다. ② 거주자 또는 동거가족(직계비속·입양자 제외)이 취학·질병의 요양, 근무상 또는 사업상의 형편 등으로 본래의 주소 또는 거소에서 일시 퇴거한 경우에도 생계를 같이하는 사람으로 본다. ③ 거주자의 부양가족 중 거주자(그 배우자 포함)의 직계존속이 주거 형편에 따라 별거하고 있는 경우에도 생계를 같이하는 사람으로 본다.
공제대상 판정	① 공제대상 배우자, 공제대상 부양가족, 공제대상 장애인 또는 공제대상 경로우대자에 해당하는지 여부의 판정은 해당 과세기간의 과세기간 종료일 현재의 상황에 따른다. 다만, 과세기간 종료일 전에 사망한 사람 또는 장애가 치유된 사람에 대해서는 사망일 전날 또는 치유일 전날의 상황에 따른다. ② 적용대상 나이가 정해진 경우에는 해당 과세기간의 과세기간 중에 해당 나이에 해당되는 날이 있는 경우에 공제대상자로 본다.

3. 연간 소득금액

(1) 연간 소득금액의 합계액이란 종합소득·퇴직소득·양도소득금액의 합계액을 말한다.

(2) 거주자와 생계를 같이하는 부양가족이 해당 거주자의 기본공제대상자가 되기 위해서는 해당 부양가족의 연간 소득금액의 합계액이 100만 원 이하인 자 또는 총급여액 500만 원 이하의 근로소득만 있는 부양가족에 해당되어야 하는 것이며, 이때의 연간 소득금액은 종합소득과세표준 계산 시 합산되지 아니하는 비과세 및 분리과세소득금액을 제외한 것을 말한다.

(3) 근로소득이 있는 거주자의 배우자에게 사업소득과 부동산임대소득이 있는 경우 해당 배우자의 연간 소득금액의 합계액은 부동산임대소득에서 발생한 해당연도 결손금은 합산하고 사업소득에서 발생한 이월결손금은 합산하지 않는다.

배우자의 소득이 다음과 같은 경우 배우자의 연간소득금액은?

해설

구분	연간 소득금액	비고
근로소득 400만 원	120만 원	400만 원 − 280만 원
국내은행 이자소득	200만 원	분리과세
퇴직소득 100만 원	100만 원	
합계	220만 원	

Ⅱ 추가공제

1. 개요

기본공제대상자가 다음 중 어느 하나에 해당하는 경우에는 거주자의 해당 과세기간 종합소득금액에서 기본공제 외에 각 구분별로 정해진 금액을 추가로 공제한다.

구분	요건	추가공제
경로자공제	70세 이상의 사람인 경우	1인당 100만 원
장애인공제	장애인(항시 치료를 요하는 중증환자 포함)인 경우	1인당 200만 원
부녀자공제	해당 거주자(해당 과세기간에 종합소득과세표준을 계산할 때 합산하는 종합소득금액이 3천만 원 이하인 거주자로 한함)가 배우자가 없는 여성으로서 부양가족이 있는 세대주이거나 배우자가 있는 여성인 경우	50만 원
한부모공제	해당 거주자가 배우자가 없는 사람으로서 기본공제대상자인 직계비속 또는 입양자가 있는 경우	100만 원

2. 중복공제 여부

추가공제는 공제대상 중 중복공제가 가능하나, 부녀자공제와 한부모공제가 중복되는 경우에는 한부모공제만 적용한다.

예 소득 없는 71세 장인(장애인)에 대한 인적 공제: 1,500,000원(기본공제) + 3,000,000원 (경로자 + 장애인) = 4,500,000원

Ⅲ 인적 공제대상자가 중복되는 경우 처리

1. 공제대상자 결정

거주자의 공제대상가족이 동시에 다른 거주자의 공제대상가족에 해당되는 경우에는 해당 과세기간의 소득·세액 공제신고서에 기재된 바에 따라 그 중 1인의 공제대상가족으로 한다.

2. 중복신고 또는 불분명

둘 이상의 거주자가 공제대상가족을 서로 자기의 공제대상가족으로 하여 신고서에 적은 경우 또는 누구의 공제대상가족으로 할 것인가를 알 수 없는 경우에는 다음의 기준에 따른다.

(1) 거주자의 공제대상배우자가 다른 거주자의 공제대상부양가족에 해당하는 때에는 공제대상배우자로 한다.

(2) 거주자의 공제대상부양가족이 다른 거주자의 공제대상부양가족에 해당하는 때에는 직전 과세기간에 부양가족으로 인적 공제를 받은 거주자의 공제대상부양가족으로 한다. 다만, 직전 과세기간에 부양가족으로 인적 공제를 받은 사실이 없는 때에는 해당 과세기간의 종합소득금액이 가장 많은 거주자의 공제대상부양가족으로 한다.

(3) 거주자의 추가공제대상자가 다른 거주자의 추가공제대상자에 해당하는 때에는 기본공제를 하는 거주자의 추가공제대상자로 한다.

3. 피상속인 · 출국자 공제

(1) 해당 과세기간의 중도에 사망하였거나 외국에서 영주하기 위하여 출국한 거주자의 공제대상가족으로서 상속인 등 다른 거주자의 공제대상가족에 해당하는 사람에 대해서는 피상속인 또는 출국한 거주자의 공제대상가족으로 한다.

(2) 이 경우 피상속인 또는 출국한 거주자에 대한 인적 공제액이 소득금액을 초과하는 경우에는 그 초과하는 부분은 상속인 또는 다른 거주자의 해당 과세기간의 소득금액에서 공제할 수 있다.

Ⅳ 인적 공제의 기타사항

1. 비거주자

비거주자의 경우 인적 공제 중 비거주자 본인 외의 자에 대한 공제와 특별소득공제를 하지 않는다.
→ 본인에 대한 기본공제 및 추가공제만 적용

2. 수시부과

수시부과 결정의 경우에는 기본공제 중 거주자 본인에 대한 분만을 공제한다.

3. 공동사업 소득공제

연금보험료공제 또는 「조세특례제한법」에 따른 소득공제를 적용하거나 연금계좌세액공제를 적용하는 경우 공동사업 합산과세규정에 따라 소득금액이 주된 공동사업자의 소득금액에 합산과세되는 특수관계인이 지출·납입·투자·출자 등을 한 금액이 있으면 주된 공동사업자의 소득에 합산과세되는 소득금액의 한도에서 주된 공동사업자가 지출·납입·투자·출자 등을 한 금액으로 보아 주된 공동사업자의 합산과세되는 종합소득금액 또는 종합소득산출세액을 계산할 때에 소득공제 또는 세액공제를 받을 수 있다.

3 연금보험료공제

I 공제대상

종합소득이 있는 거주자가 공적연금 관련법에 따른 기여금 또는 개인부담금(연금보험료)을 납입한 경우에는 해당 과세기간의 종합소득금액에서 그 과세기간에 납입한 연금보험료 전액을 공제한다.

II 공제순서

다음에 해당하는 공제를 모두 합한 금액이 종합소득금액을 초과하는 경우 그 초과하는 금액을 한도로 연금보험료공제를 받지 아니한 것으로 본다.
1. 인적 공제
2. 연금보험료공제
3. 주택담보노후연금 이자비용공제
4. 특별소득공제
5. 「조세특례제한법」에 따른 소득공제

4 주택담보노후연금 이자비용공제

I 공제대상

1. 연금소득이 있는 거주자가 다음의 요건을 모두 갖춘 주택담보노후연금을 받은 경우에는 그 받은 연금에 대해서 해당 과세기간에 발생한 이자비용 상당액을 해당 과세기간 연금소득금액에서 공제한다.

2. 「한국주택금융공사법」에 따른 주택담보노후연금보증을 받아 지급받거나 금융기관의 주택담보노후연금일 것정대상이 되는 주택(연금소득이 있는 거주자의 배우자 명의의 주택 포함)의 기준시가가 12억 원 이하일 것

II 공제한도

주택담보 노후연금 이자비용공제는 연금소득에서만 공제가 가능하며, 공제할 이자 상당액이 200만 원을 초과하는 경우에는 200만 원을 공제하고, 연금소득금액을 초과하는 경우 그 초과금액은 없는 것으로 한다.

5 특별소득공제

I 보험료공제

1. 공제대상

근로소득이 있는 거주자(일용근로자 제외)가 해당 과세기간에 「국민건강보험법」, 「고용보험법」 또는 「노인장기요양보험법」에 따라 근로자가 부담하는 보험료를 지급한 경우 그 금액을 해당 과세기간의 근로소득금액에서 공제한다.

2. 사용자부담분

사용자가 부담한 국민건강보험료는 급여에서 지급한 날이 속하는 과세기간의 소득에서 공제한다.

기출 체크

주택담보노후연금에 대해서 발생한 이자비용 상당액은 연금소득금액을 초과하지 않는 범위에서 300만 원을 연금소득금액에서 공제한다. (×)

2021년 국가직 7급

Ⅱ 주택자금공제

1. 공제대상

(1) 주택청약 종합저축

근로소득이 있는 거주자(일용근로자 제외)로서 해당 과세기간의 총급여액이 7천만 원 이하이며 해당 과세기간 중 주택을 소유하지 않은 세대의 세대주가 2025. 12. 31.까지 해당 과세기간에 「주택법」에 따른 주택청약 종합저축에 납입한 금액(연 300만 원을 납입한도로 하며, 소득공제 적용 과세기간 이후에 납입한 금액만 해당)의 40%에 상당하는 금액을 해당 과세기간의 근로소득금액에서 공제한다. 다만, 과세기간 중에 주택 당첨 및 주택청약종합저축 가입자가 청년우대형저축에 가입하여 중도해지한 경우에는 해당 과세기간에 납입한 금액은 공제하지 아니한다.

(2) 주택임차자금 차입금 원리금상환액

과세기간 종료일 현재 주택을 소유하지 아니한 세대의 세대주(세대주가 주택자금공제를 받지 아니하는 경우에는 세대의 구성원을 말하며, 일정한 요건을 갖춘 외국인 포함)로서 근로소득이 있는 거주자가 국민주택규모의 주택을 임차하기 위하여 차입금 원리금 상환액을 지급하는 경우

(3) 장기주택 저당차입금 이자상환액

근로소득이 있는 거주자로서 주택을 소유하지 아니하거나 1주택을 보유한 세대의 세대주(세대주가 주택자금공제를 받지 아니하는 경우에는 세대의 구성원 중 근로소득이 있는 자를 말하며, 일정한 요건을 갖춘 외국인 포함)가 취득 당시 주택의 기준시가가 6억 원 이하인 주택을 취득하기 위하여 그 주택에 저당권을 설정하고 금융회사 등 또는 「주택도시기금법」에 따른 주택도시기금으로부터 차입한 장기주택저당차입금의 이자를 지급하였을 때 해당 과세기간에 지급한 이자 상환액

2. 소득공제 한도액 계산

공제종류	공제금액(한도액)		장기주택저당 차입금의 한도액			
주택청약저축 등에 대한 소득공제	저축 납입액 × 40%	400만 원			(단위: 만 원)	
			상환기간 15년 이상			10년 이상
주택임차 차입금 원리금상환액	원리금상환액 × 40%		고정 + 비거치	고정 or 비거치	기타	고정 or 비거치
장기주택저당 차입금 이자상환액	이자상환액 전액		2,000	1,800	800	600

6 신용카드 등 사용금액 소득공제

I 개요

1. 의의

근로소득이 있는 거주자가 국내에서 사업자(외국법인의 국내사업장 포함)로부터 재화나 용역을 제공받은 것에 대해 사용한 신용카드 등 사용금액이 연간 총급여액의 25%를 초과하는 경우 그 초과금액에 대하여 법정 산식에 따라 계산된 금액을 해당 과세연도의 근로소득금액에서 공제한다.

∵ 과세표준 양성화

2. 신용카드 등 사용범위

(1) 신용카드를 사용하여 그 대가로 지급하는 금액

(2) 현금영수증(현금거래사실을 확인받은 것 포함)에 기재된 금액

(3) 직불카드 또는 기명식선불카드, 직불전자지급수단, 기명식선불전자지급수단 또는 기명식전자화폐를 사용하여 그 대가로 지급하는 금액

3. 공제배제액

다음의 어느 하나에 해당하는 경우에는 신용카드 등 사용금액에 포함하지 아니한다.

과세표준 양성화와 무관	① 건강보험료, 노인장기요양보험료 또는 고용보험료, 「국민연금법」에 의한 연금보험료, 각종 보험계약의 보험료 또는 공제료 ② 「유아교육법」, 「초·중등교육법」, 「고등교육법」 또는 특별법에 의한 학교(대학원 포함) 및 「영유아보육법」에 의한 어린이집에 납부하는 수업료·입학금·보육비용 기타 공납금 ③ 정부 또는 지방자치단체에 납부하는 국세·지방세, 전기료·수도료·가스료·전화료(정보사용료·인터넷이용료 등 포함)·아파트관리비·텔레비전시청료(종합유선방송 이용료 포함) 및 도로통행료 ④ 상품권 등 유가증권 구입비 ⑤ 리스료(자동차대여사업의 자동차대여료 포함) ⑥ 취득세 또는 등록에 대한 등록면허세가 부과되는 재산의 구입비용 → 단, 중고자동차 구입금액의 10%는 공제가능금액임 ⑦ 부가가치세 과세 외의 업무를 수행하는 국가·지방자치단체 또는 지방자치단체조합(의료기관, 보건소 및 문화체육관광부장관이 지정하는 법인 또는 사업자 제외)에 지급하는 사용료·수수료 등의 대가 ⑧ 차입금 이자상환액, 증권거래수수료 등 금융·보험용역과 관련한 지급액, 수수료, 보증료 및 이와 비슷한 대가

	⑨ 「관세법」에 따른 보세판매장, 지정면세점, 선박 및 항공기에서 판매하는 면세물품의 구입비용
이중공제 배제	① 사업소득과 관련된 비용 또는 법인의 비용에 해당하는 경우 ② 정당(후원회 및 선거관리위원회 포함)에 신용카드 등으로 결제하여 기부하는 정치자금(정치자금세액공제를 적용받은 경우에 한함) ③ 월세세액공제를 적용받은 월세액
범법행위	① 물품 또는 용역의 거래 없이 이를 가장하거나 실제 매출금액을 초과하여 신용카드 등으로 거래를 하는 행위 ② 신용카드 등을 사용하여 대가를 지급하는 자가 다른 신용카드 등 가맹점 명의로 거래가 이루어지는 것을 알고도 신용카드 등에 의한 거래를 하는 행위. 이 경우 상호가 실제와 달리 기재된 매출전표 등을 교부받은 때에는 그 사실을 알고 거래한 것으로 본다.

집행기준 126의 2-0-3 【신용카드 등 사용금액 소득공제와 특별공제의 중복적용】

구분	특별세액공제	신용카드소득공제
의료비	의료비세액공제 ○	○
보장성 보험료	보험료세액공제 ○	–
학원비	취학 전 아동❶	교육비세액공제 ○
그 외	–	○
교복구입비	교육비세액공제 ○	○
기부금	기부금세액공제 ○	–

❶ **취학 전 아동:** 주 1회 이상 월단위로 교습받는 학원, 체육시설 등의 수강료에 대하여 교육비공제가 가능하다.

Ⅱ 계산

1. 대상자

(1) 근로소득이 있는 거주자(일용근로자 제외)

(2) 거주자의 배우자로서 연간소득금액의 합계액이 100만 원 이하인 자(총급여액 500만 원 이하의 근로소득만 있는 배우자 포함)

(3) 거주자와 생계를 같이하는 직계존비속(배우자의 직계존속과 동거입양자를 포함하되, 다른 거주자의 기본공제를 적용받은 자 제외)으로서 연간소득금액의 합계액이 100만 원 이하인 자(총급여액 500만 원 이하의 근로소득만 있는 직계존비속 포함)

→ 형제자매, 위탁아동, 수급자는 공제대상자에서 제외함

2. 계산

(1) 신용카드 등 소득공제금액

	사용액 - 최저사용금액	초과사용액 × 공제율	공제액
전통시장		× 40%	㉠
대중교통		× 40%	㉡
도서·문화	- 총급여액 × 25%	× 30%	㉢
직불카드 등		× 30%	
신용카드		× 15%	
합계			기본공제

① 도서·문화 사용분은 해당 과세연도의 총급여액이 7천만 원 이하인 경우에만 적용한다.
② 최저사용금액은 신용카드 → 직불카드 등 → 도서문화 → 대중교통 → 전통시장 순으로 차감한다.
③ 직불카드 등과 신용카드사용액이 다른 지출액과 중복해당하는 경우 높은 공제율 사용액으로 본다.
　(예 직불카드로 대중교통수단을 지출한 경우 대중교통 사용액으로 봄)

(2) 한도액

구분	기본한도	추가한도
총급여액 7,000만 원 이하	연 300만 원	Min(①, ②) ① 기본한도 초과금액 ② Min[(㉠+㉡+㉢), 연 300만 원]
총급여액 7,000만 원 초과	연 250만 원	Min(①, ②) ① 기본한도 초과금액 ② Min[(㉠+㉡), 연 200만 원]

3. 도서 등 사용분

도서 등 사용분이란 다음의 금액을 말한다.

(1) 도서·신문·공연사용분

간행물(유해간행물 제외)을 구입하거나 신문을 구독하거나 공연을 관람하기 위하여 문화체육관광부장관이 지정하는 법인 또는 사업자에게 지급한 금액

(2) 박물관·미술관·영화상영관사용분

박물관 및 미술관이나 영화상영관에 입장하기 위하여 문화체육관광부장관이 지정하는 법인 또는 사업자에게 지급한 금액

7 종합소득공제 배제와 공제한도

1. 종합소득공제 배제

(1) 분리과세소득만 있는 자

분리과세이자소득, 분리과세배당소득, 분리과세연금소득과 분리과세기타소득만이 있는 자에 대해서는 종합소득공제를 적용하지 아니한다.

(2) 증명서류 미제출

과세표준확정신고를 하여야 할 자가 소득공제 증명서류를 제출하지 아니한 경우에는 기본공제 중 거주자 본인에 대한 분(分)과 표준세액공제만을 공제한다. 다만, 과세표준확정신고 여부와 관계없이 그 서류를 나중에 제출한 경우에는 그러하지 아니하다.

2. 소득공제 종합한도

거주자의 종합소득에 대한 소득세를 계산할 때 다음의 어느 하나에 해당하는 공제금액 합계액이 2,500만 원을 초과하는 경우에는 그 초과하는 금액은 없는 것으로 한다.

∵ 고소득자의 과도한 소득공제 혜택 배제

(1) 「소득세법」에 따른 특별소득공제 중 주택자금공제

(2) 주택청약종합저축 소득공제

(3) 벤처투자조합 출자 등에 대한 소득공제[(4), (5), (6)에 따른 출자·투자 제외]

(4) 소기업·소상공인 공제부금에 대한 소득공제

(5) 우리사주조합 출자에 대한 소득공제

(6) 장기집합투자증권저축 소득공제

(7) 신용카드 등 사용금액에 대한 소득공제

07 세액의 계산 및 세액공제

1 세액계산의 특례

I 산출세액 계산구조

1. 계산구조

	종합소득과세표준	
(×)	기본세율	각종 세액계산의 특례규정 존재함
	종합소득산출세액	
(−)	세액감면 · 세액공제	
	종합소득결정세액	
(+)	가산세	
	종합소득총결정세액	
(−)	기납부세액	원천징수세액, 중간예납세액, 수시부과세액
	차가감납부세액	

2. 기본세율

과세표준	세율
1,400만 원 이하	과세표준의 6%
1,400만 원 초과 5,000만 원 이하	84만 원 + (1,400만 원을 초과하는 금액의 15%)
5,000만 원 초과 8,800만 원 이하	624만 원 + (5,000만 원을 초과하는 금액의 24%)
8,800만 원 초과 1억 5천만 원 이하	1,536만 원 + (8,800만 원을 초과하는 금액의 35%)
1억 5천만 원 초과 3억 원 이하	3,706만 원 + (1억 5천만 원을 초과하는 금액의 38%)
3억 원 초과 5억 원 이하	9,406만 원 + (3억 원을 초과하는 금액의 40%)
5억 원 초과 10억 원 이하	1억 7,406만 원 + (5억 원을 초과하는 금액의 42%)
10억 원 초과	3억 8,406만 원 + (10억 원을 초과하는 금액의 45%)

Ⅱ 세액계산의 특례

금융소득 종합과세 시 세액 계산의 특례	금융소득 부분 참조
직장공제회 초과반환금에 대한 세액 계산의 특례	금융소득 부분 참조
주택임대소득에 대한 세액 계산의 특례	사업소득 부분 참조
분리과세기타소득에 대한 세액 계산의 특례	기타소득 부분 참조
연금소득에 대한 세액 계산의 특례	연금소득 부분 참조

Ⅲ 부동산 매매업자 세액 계산의 특례

1. 개요

부동산 매매업자로서 주택 등 매매차익이 있는 자는 (1) 주택 등 매매차익을 포함하여 산출한 종합소득산출세액과 (2) 주택 등 매매차익에 대하여는 양도소득세율을, 그 외의 종합소득산출세액의 합계액 중 큰 금액[(1)과 (2)] 표현을 종합소득산출세액으로 한다.

∵ 부동산매매업자로 등록하여 양도소득세율보다 낮은 종합소득세율을 적용받아 양도소득세의 중과제도를 회피하는 사례를 방지하고, 부동산매매업자와 양도소득세율을 적용받는 거주자간 과세형평을 도모하기 위함

2. 부동산매매업자

부동산매매업이란 한국표준산업분류에 따른 비주거용 건물건설업(건물을 자영건설하여 판매하는 경우만 해당함)과 부동산 개발 및 공급업을 말한다. 다만, 한국표준산업분류에 따른 주거용 건물 개발 및 공급업(구입한 주거용 건물을 재판매하는 경우는 부동산매매업에 포함)은 제외한다.

→ 주택신축판매업을 경영하는 거주자가 판매목적으로 신축한 주택의 매매차익에 대해서는 부동산매매업자에 대한 세액계산의 특례가 적용되지 않음

3. 적용 대상

부동산매매업자에 대한 세액계산특례 적용대상은 부동산매매업을 경영하는 거주자로서 다음에 해당하는 부동산의 매매차익이 있는 자를 말한다.

(1) 분양권
(2) 비사업용 토지
(3) 미등기양도자산
(4) 2주택자 또는 3주택 이상자가 양도하는 조정지역대상 내 주택

4. 세액 계산 특례

종합소득산출세액은 다음의 (1)과 (2)의 세액 중 많은 것으로 한다.

(1) 종합소득과세표준 × 기본세율

(2) [(부동산매매차익 − 장기보유특별공제 − 양도소득기본공제) × 양도소득세율]
   + [(종합소득과세표준 − 부동산매매차익) × 기본세율]

   ① 부동산매매차익 = 매매가액 − 양도자산의 필요경비(실지취득가액, 자본적 지출액 및 양도비용)

   ② 양도소득기본공제: 연 250만 원을 공제하되, 미등기자산은 공제하지 않는다.

사례

구분	금액	비고
근로소득금액	16,000,000원	총급여액 25,000,000원
사업소득금액 (부동산매매업)	14,000,000원	비사업용 토지(미등기, 보유기간 10년)의 양도소득으로 양도가액 2억 원, 취득가액 1억 8천만 원, 양도비용 6백만 원임
종합소득금액	30,000,000원	종합소득공제는 3,000,000원

1. (30,000,000 − 3,000,000) × 기본세율 = 2,790,000
2. 14,000,000 × 70% + (16,000,000 − 3,000,000) × 기본세율 = 10,580,000

2 세액공제

I 자녀세액공제

종합소득이 있는 거주자의 기본공제대상자에 해당하는 자녀(입양자 및 위탁아동 포함) 및 손자녀로서 8세 이상의 사람(∵ 아동수당과 중복혜택 배제)에 대해서는 다음의 구분에 따른 금액을 종합소득산출세액에서 공제한다.

구분		세액공제액
기본공제 대상 자녀	1명인 경우	연 15만 원
	2명인 경우	연 35만 원
	3명 이상인 경우	연 35만 원 + 2명을 초과하는 1명당 연 30만 원

출산·입양 자녀❶	첫째인 경우	연 30만 원
	둘째인 경우	연 50만 원
	셋째 이상인 경우	연 70만 원

❶ 해당 과세기간에 출산하거나 입양 신고한 공제대상자녀

※ 자녀장려금은 자녀세액공제와 중복하여 적용할 수 없다.

■ 사례

Case 1			Case 2		
딸	17세	소득 없음	아들	9세	소득 없음
아들	0세	출생, 소득 없음	딸	5세	소득 없음
위탁아동	10세	7개월 양육, 소득 없음	입양자	3세	당해연도 입양, 소득 없음
① 350,000원(2명: 딸 + 위탁아동) ② 500,000원(둘째아들)			① 150,000원(1명: 아들) ② 700,000원(셋째 입양자)		

Ⅱ 연금계좌세액공제

1. 세액공제액

종합소득이 있는 거주자가 연금계좌에 납입한 금액의 다음에 따라 계산한 금액을 해당 과세기간의 종합소득산출세액에서 공제한다.

> 세액공제액 = [Min(연금계좌 납입액, 한도액) + ISA 전환금액] × 12%(15%)

(1) 한도액

구분	한도액
연금저축계좌 납입액	연 600만 원
퇴직연금계좌 납입액 (연금저축계좌 납입액 포함)	Min(①, ②) ① Min(연금저축계좌납입액, 연 600만 원) + 퇴직연금계좌 납입액 ② 연 900만 원
ISA 만기 후 전환금액	Min(전환금액 × 10%, 300만 원)

(2) 세액공제율

구분		세액공제율
근로소득만 있는 거주자	총급여액 5,500만 원 이하	15%
	총급여액 5,500만 원 초과	12%
종합소득이 있는 거주자	종합소득금액 4,500만 원 이하	15%
	종합소득금액 4,500만 원 초과	12%

🏛 **기출 체크**

01 해당 과세기간에 총급여액 5,000만 원의 근로소득만 있는 거주자가 같은 과세기간에 연금저축 계좌에 400만 원을 납입한 경우, 연금저축계좌 납입액의 100분의 12에 해당하는 48만 원을 해당 과세기간의 종합소득산출세액에서 공제한다. (×) 2017년 국가직 7급

02 종합소득이 있는 거주자의 기본공제 대상자에 해당하는 자녀가 3명(8세인 장녀, 4세인 장남, 해당 사업연도 출생인 차녀)인 경우 자녀세액공제로 85만 원을 종합소득산출세액에서 공제한다. (×)

2. 연금계좌납입액

(1) 다음에 해당하는 금액은 연금계좌에 납입한 금액에서 제외한다.
→ 공제 배제
① 소득세가 원천징수되지 아니한 퇴직소득 등 과세가 이연된 소득
② 연금계좌에서 다른 연금계좌로 계약을 이전함으로써 납입되는 금액

(2) 개인종합자산관리계좌(ISA)의 계약기간이 만료되고 해당 계좌 잔액의 전부 또는 일부를 연금계좌로 납입한 경우 그 납입한 금액(전환금액)을 납입한 날이 속하는 과세기간의 연금계좌 납입액에 포함한다.

Ⅲ 특별세액공제

1. 의의

특별세액공제란 거주자(일용근로자 제외)가 해당 과세기간에 지급한 금액 중 보험료 세액공제액, 의료비 세액공제액, 교육비 세액공제액, 기부금 세액공제액, 표준세액공제액을 해당 과세기간의 종합소득산출세액에서 공제하는 것을 말한다.

2. 적용

(1) 특별세액공제는 해당 거주자가 신청한 경우에 적용한다.

(2) 보험료 · 의료비 · 교육비 특별세액공제를 적용할 때 과세기간 종료일 이전에 혼인 · 이혼 · 별거 · 취업 등의 사유로 기본공제대상자에 해당되지 아니하게 되는 종전의 배우자 · 부양가족 · 장애인 또는 과세기간 종료일 현재 65세 이상인 사람을 위하여 이미 지급한 금액이 있는 경우에는 그 사유가 발생한 날까지 지급한 금액에 각각의 세액공제율을 적용한 금액을 해당 과세기간의 종합소득산출세액에서 공제한다.

3. 표준세액공제

구분		표준세액공제
근로소득이 있는 거주자로서 특별세액공제, 특별소득공제, 월세세액공제를 신청하지 않은 경우		연 13만 원
종합소득이 있는 거주자(근로소득이 있는 자 제외)로서 의료비세액공제, 교육비세액공제 및 월세세액공제를 신청하지 않은 경우	성실사업자	연 12만 원
	위 외의 경우	연 7만 원

4. 보험료세액공제

(1) 공제대상

근로소득이 있는 거주자(일용근로자는 제외)가 해당 과세기간의 만기에 환급되는 금액이 납입보험료를 초과하지 아니하는 보험의 보험계약에 따라 지급하는 다음의 보험료를 지급한 경우 보험료세액공제액을 해당 과세기간에 종합소득산출세액에서 공제한다.

(2) 공제대상

일반 보장성 보험	기본공제대상자를 피보험자로 하는 생명보험 및 상해보험, 화재·도난이나 그 밖의 손해를 담보하는 가계에 관한 손해보험, 「수산업협동조합법」, 「신용협동조합법」 또는 「새마을금고법」에 따른 공제, 「군인공제회법」, 「한국교직원공제회법」, 「대한지방행정공제회법」, 「경찰공제회법」 및 「대한소방공제회법」에 따른 공제, 주택임차보증금의 반환을 보증하는 것을 목적으로 하는 보험·보증(단, 보증대상 임차보증금이 3억 원을 초과하는 경우 제외)의 보험료
장애인 보장성 보험	기본공제대상자 중 장애인을 피보험자 또는 수익자로 하는 일반 보장성 보험료 공제대상 보험·공제로서 보험·공제 계약 또는 보험료·공제료 납입영수증에 장애인전용 보험·공제로 표시된 보험·공제의 보험료·공제료

(3) 세액공제액

보험료 세액공제액 = ① + ②
① 일반 보장성 보험료: Min(Σ공제대상 보험료, 100만 원) × 12%
② 장애인 보장성 보험료: Min(Σ공제대상 보험료, 100만 원) × 15%

사례

근로자 甲이 납부한 보험료는 다음과 같다. 보험료 세액공제액은?

1. 국민건강보험료 24만 원, 국민연금보험료 60만 원, 고용보험료 12만 원

2. 본인 명의로 계약한 자동차 보장성 보험료: 90만 원

3. 자녀(장애인)를 피보험자로 하는 장애인전용 보장성 보험료: 120만 원

해설

90만 원 × 12% + 100만 원 × 15% = 258,000

5. 의료비세액공제

(1) 공제대상

근로소득이 있는 거주자가 기본공제대상자(나이 및 소득의 제한을 받지 아니함)를 위하여 해당 과세기간에 해당 근로자가 직접 부담하는 다음에 해당하는 의료비(보험회사로부터 지급받은 실손의료보험금은 제외)를 지급한 경우 의료비세액공제액을 해당 과세기간의 종합소득산출세액에서 공제할 수 있다.

① 진찰·치료·질병예방을 위하여 「의료법」에 따른 의료기관에 지급한 비용

② 치료·요양을 위하여 약사법에 따른 의약품(한약 포함)을 구입하고 지급하는 비용

③ 장애인 보장구 및 의사·치과의사·한의사 등의 처방에 따라 의료기기를 직접 구입하거나 임차하기 위하여 지출한 비용

④ 시력보정용 안경 또는 콘택트렌즈를 구입하기 위하여 지출한 비용으로서 기본공제대상자(연령 및 소득금액의 제한을 받지 아니함) 1명당 연 50만 원 이내의 금액

⑤ 보청기를 구입하기 위하여 지출한 비용

⑥ 「노인장기요양보험법」에 따른 장기요양급여에 대한 비용으로서 실제 지출한 본인일부부담금

⑦ 「장애인활동 지원에 관한 법률」에 따른 활동지원급여에 대한 비용으로서 실제 지출한 본인부담금

⑧ 산후조리원에 산후조리 및 요양의 대가로 지급하는 비용으로서 출산 1회당 200만 원 이내의 금액 → 소득요건 폐지됨

(2) 의료비 구분

① 일반의료비	②, ③, ④를 제외한 공제대상 의료비
② 특정의료비	본인, 과세기간 개시일 현재 6세 이하인 사람, 과세기간 종료일 현재 65세 이상인 사람, 장애인, 중증질환자, 희귀난치성 질환자, 결핵환자를 위하여 지급한 의료비
③ 미숙아·선천성 이상아 의료비	보건소장·의료기관의 장이 미숙아 출생을 원인으로 미숙아가 아닌 영유아와는 다른 특별한 의료적 관리와 보호가 필요하다고 인정하는 치료를 위하여 지급한 의료비와 해당 선천성 이상 질환을 치료하기 위하여 지급한 의료비
④ 난임시술비	난임시술(보조생식술)을 위하여 지출한 비용(난임시술과 관련하여 처방을 받은 의약품 구입비용 포함)

(3) 세액공제액

구분	공제대상 의료비	공제율
① 일반의료비	Min(의료비 – 총급여액 × 3%, 연 700만 원)	15%
② 특정의료비	의료비❶	15%
③ 미숙아·선천성 이상아 의료비	의료비❶	20%
④ 난임시술비	의료비❶	30%

❶ 의료비가 총급여액의 3% 미달하는 경우 그 미달하는 금액을 뺀다.

6. 교육비세액공제

(1) 공제대상

근로소득이 있는 거주자가 그 거주자와 기본공제대상자(나이의 제한을 받지 아니하되, 소득의 제한은 받음)를 위하여 해당 과세기간에 다음의 교육비를 지급한 경우 교육비세액공제액을 해당 과세기간의 종합소득산출세액에서 공제한다.

근로자 본인	① 학교 등에 지급한 교육비 ② 대학(전공대학, 원격대학 및 학위취득과정 포함) 또는 대학원의 1학기 이상에 해당하는 교육과정과 시간제 과정에 지급하는 교육비 ③ 직업능력개발훈련시설에서 실시하는 직업능력개발훈련을 위하여 지급한 수강료(근로자수강지원금을 뺀 금액으로 함) ④ 학자금 대출의 원리금 상환에 지출한 교육비(단, 대출금의 상환 연체로 인하여 추가로 지급하는 금액, 원리금 중 감면받거나 면제받은 금액, 공공기관 등으로부터 지원받아 상환한 금액 제외) → 직계비속 등이 학자금 대출을 받아 지급하는 교육비 제외
배우자, 직계비속, 형제자매, 입양자 (직계존속 제외)	① 수업료·입학금·보육비용·수강료 및 그 밖의 공납금 ② 「학교급식법」, 「유아교육법」, 「영유아보육법」 등에 따라 급식을 실시하는 학교, 유치원, 어린이집, 교육비 세액공제대상 학원 및 체육시설(초등학교 취학 전 아동의 경우만 해당함)에 지급한 급식비 ③ 「초·중등교육법」에 따른 학교에서 구입한 교과서대금 ④ 교복구입비용(중·고등학교의 학생만 해당하며, 학생 1명당 연 50만 원 한도) ⑤ 학교 등에서 실시하는 방과 후 학교나 방과 후 과정 등의 수업료 및 특별활동비(학교 등에서 구입한 도서의 구입비와 학교 외에서 구입한 초·중·고등학교의 방과 후 학교 수업용 도서의 구입비 포함)

	⑥ 「초·중등교육법」에 따른 학교에서 교육과정으로 실시하는 현장체험학습에 지출한 비용(학생 1명당 연 30만 원 한도) ⑦ 「고등교육법」에 따른 시험의 응시수수료 및 입학전형료 ⑧ 일정한 국외교육기관(유치원, 「초·중등교육법」에 의한 학교)의 수업료
장애인 (소득제한 받지 않음)	사회복지시설 및 비영리법인, 장애인의 기능향상과 행동발달을 위한 발달재활서비스를 제공하는 기관 및 이와 유사한 것으로서 외국에 있는 시설 또는 법인에 지급하는 장애인특수교육비(국가 및 지방자치단체로부터 지원받는 금액 제외)

Check 공제배제 교육비

1. 초·중·고등학생 및 대학생의 사설학원 교육비
2. 학생회비, 기숙사비

(2) 세액공제액

교육비세액공제액 = Min(공제대상 교육비 – 비과세장학금 등, 한도액) × 15%

① 소득세 또는 증여세가 비과세되는 교육비 사례
  ㉠ 「근로복지기본법」에 따른 사내근로복지기금으로부터 받은 장학금 등
  ㉡ 재학 중인 학교로부터 받은 장학금 등
  ㉢ 근로자인 학생이 직장으로부터 받은 장학금 등
② 한도액

근로자 본인	전액(한도 없음)
배우자, 직계비속, 형제자매, 입양자 (직계존속 제외)	㉠ 초등학교 취학 전 아동, 초·중·고등학교: 1인당 연 300만 원 ㉡ 대학교: 1인당 연 900만 원 ※ 대학원: 공제대상 아님
장애인 특수교육비 (직계존속 포함)	전액(한도 없음)

Check 학자금 또는 장학금 등 교육비 공제 여부

학자금 또는 장학금	총 급여액	교육비 세액공제
비과세	–	–
과세	포함	○

7. 기부금세액공제

(1) 공제대상

거주자(사업소득만 있는 자는 제외하되, 연말정산 대상 사업소득자 포함) 또는 기본공제대상자(나이의 제한을 받지 아니하며, 다른 거주자의 기본공제를 적용받은 사람 제외)가 해당 과세기간에 지급한 기부금이 있는 경우 기부금 세액공제액을 해당 과세기간의 종합소득산출세액에서 공제한다.

→ 사업소득만 있는 자는 필요경비에만 산입하되, 추계신고하는 보험모집인, 방문판매원, 음료품 배달원으로서 간편장부대상자는 기부금 세액공제 가능

(2) 세액공제액

① 한도 내의 공제가능 기부금 계산 → 기부금 범위는 사업소득 부문 참조

정치자금, 고향사랑 특례기부금	기준소득금액❶
우리사주조합기부금	(기준소득금액❶ – 특례기부금 등) × 30%
일반기부금	㉠ 종교단체기부금이 없는 경우: (기준소득금액❶ – 한도 내의 특례기부금 등) × 30% ㉡ 종교단체기부금이 있는 경우: (기준소득금액❶ – 한도 내의 특례기부금 등) × 10% + Min[(기준소득금액❶ – 한도 내의 특례기부금 등) × 20%, 종교단체 외 기부금]

❶ 기준소득금액: 종합소득금액 + 필요경비에 산입한 기부금 – 원천징수세율 적용 금융소득금액

② 세액공제대상 기부금

> Σ(특례기부금 등 + 우리사주조합기부금 + 일반기부금)
> – 사업소득금액을 계산할 때 필요경비에 산입한 기부금

③ 기부금 세액공제액: 다음의 금액을 종합소득산출세액[아래 계산식❷에 따른 사업소득에 대한 산출세액(필요경비에 산입한 기부금이 있는 경우)과 원천징수세율 적용분 금융소득에 대한 산출세액 제외]에서 공제한다. 이 경우 특례기부금과 일반기부금이 함께 있으면 특례기부금을 먼저 공제한다.

> 세액공제대상 기부금 × 15%(1천만 원 초과분 30%)

❷ $$종합소득산출세액 \times \frac{사업소득금액, 원천징수세율 적용대상 금융소득}{종합소득금액}$$

Check 부양가족 소득공제·세액공제 적용 여부			
구분	연령요건	소득요건	비고
신용카드 등 소득공제	×	○	
자녀세액공제	○	○	8세 이상만 해당
보험료세액공제	○	○	
의료비세액공제	×	×	
교육비세액공제	×	○	장애인특수교육비는 소득요건 X
기부금세액공제	×	○	정치 및 우리사주조합 기부금 제외
연금계좌세액공제	본인만 가능		
정치·우리사주조합기부금	본인만 가능		

Ⅳ 배당세액공제·외국납부세액공제

1. 배당세액공제

거주자의 종합소득금액에 이중과세 조정대상 배당소득금액이 합산되어 있는 경우에는 다음의 금액을 종합소득 산출세액에서 공제한다.

> Min(①, ②)
> ① Gross-up금액
> ② 한도: 종합소득산출세액 – 비교산출세액

2. 외국납부세액공제

(1) 내용

거주자의 종합소득금액 또는 퇴직소득금액에 국외원천소득이 합산되어 있는 경우로서 그 국외원천소득에 대하여 외국소득세액을 납부하였거나 납부할 것이 있을 때에는 공제한도금액 내에서 외국소득세액을 해당 과세기간의 종합소득산출세액 또는 퇴직소득 산출세액에서 공제할 수 있다.

(2) 외국납부세액공제액

Min(①, ②)

① 외국소득세액: 직접외국납부세액(가산세 제외) + 의제외국납부세액

② 공제한도 → 국외사업장이 둘 이상인 경우 국가별로 구분하여 계산함

$$\text{종합소득산출세액} \times \frac{\text{국외원천소득금액}}{\text{종합소득금액}}$$

3. 이월공제

외국납부세액공제(외국소득세액을 종합소득산출세액에서 공제하는 경우만 해당함)를 적용할 때 외국정부에 납부하였거나 납부할 외국소득세액이 해당 과세기간의 공제한도금액을 초과하는 경우 그 초과하는 금액은 해당 과세기간의 다음 과세기간 개시일부터 10년 이내에 끝나는 과세기간(이월공제기간)으로 이월하여 그 이월된 과세기간의 공제한도금액 내에서 공제받을 수 있다. 다만, 외국정부에 납부하였거나 납부할 외국소득세액을 이월공제기간 내에 공제받지 못한 경우 그 공제받지 못한 외국소득세액은 이월공제기간의 종료일 다음 날이 속하는 과세기간의 소득금액을 계산할 때 필요경비에 산입할 수 있다.

→ 퇴직소득에 대한 외국납부세액공제는 이월공제 불가

V 근로소득세액공제

1. 상용근로자

근로소득이 있는 거주자에 대해서는 그 근로소득에 대한 종합소득산출세액에서 다음의 금액을 공제한다.

(1) 공제액

근로소득 종합소득 산출세액❶	공제액
130만 원 이하	산출세액 × 55%
130만 원 초과	715,000 + (산출세액 − 130만 원) × 30%

❶
$$\text{근로소득 종합소득 산출세액} = \text{종합소득 산출세액} \times \frac{\text{근로소득금액}}{\text{종합소득금액}}$$

(2) 공제한도

총급여액	세액공제 한도액
3,300만 원 이하	74만 원
3,300만 원 초과 7,000만 원 이하	$\text{MAX} \begin{bmatrix} 74\text{만 원} − [(총급여액 − 3,300\text{만 원}) × 8/1,000] \\ 66\text{만 원} \end{bmatrix}$
7,000만 원 초과 1억 2천만 원 이하	$\text{MAX} \begin{bmatrix} 66\text{만 원} − [(총급여액 − 7,000\text{만 원}) × 1/2] \\ 50\text{만 원} \end{bmatrix}$
1억 2천만 원 초과	$\text{MAX} \begin{bmatrix} [(총급여액 − 1억\ 2,000\text{만 원}) × 1/2] \\ 20\text{만 원} \end{bmatrix}$

2. 일용근로자

일용근로자의 근로소득에 대해서 원천징수를 하는 경우에는 해당 근로소득에 대한 산출세액의 55%에 해당하는 금액을 그 산출세액에서 공제한다.

Ⅵ 기장세액공제·재해손실세액공제·전자계산서 발급 전송에 대한 세액공제

1. 기장세액공제

(1) 공제대상

간편장부대상자가 과세표준확정신고를 할 때 복식부기에 따라 기장하여 소득금액을 계산하고 재무상태표·손익계산서·합계잔액시산표 및 조정 계산서를 제출하는 경우에는 다음의 금액을 종합소득 산출세액에서 공제한다.

> Min(①, ②)
> ① 종합소득 산출세액 × 기장된 사업소득금액/종합소득금액 × 20%
> ② 공제한도: 100만 원

(2) 공제 배제

다음 중 어느 하나에 해당하는 경우에는 기장세액공제를 적용하지 아니한다.

① 비치·기록한 장부에 의하여 신고하여야 할 소득금액의 20% 이상을 누락하여 신고한 경우

② 기장세액공제와 관련된 장부 및 증명서류를 해당 과세표준확정신고 기간 종료일부터 5년간 보관하지 아니한 경우. 다만, 천재지변 등 부득이한 사유에 해당하는 경우에는 그러하지 아니하다.

2. 재해손실세액공제

(1) 공제대상

사업자가 해당 과세기간에 재해로 자산총액의 20% 이상에 해당하는 자산을 상실하여 납세가 곤란하다고 인정되는 경우에는 다음의 재해손실세액공제액(상실된 자산의 가액 한도)을 산출세액에서 공제할 수 있다.

구분	재해손실세액공제액
재해발생일 현재 미납부 소득세	재해 발생일 현재 부과되지 아니한 소득세와 부과된 소득세로서 미납된 소득세액 × 자산상실비율❶
재해발생일이 속하는 과세기간 소득세	[(산출세액 − 배당·기장·외국납부세액공제 + 가산세) × 사업소득금액/종합소득금액] × 자산상실비율❶

❶
자산상실비율: 상실된 자산가액 ÷ 상실 전 자산총액

① 자산상실비율 계산 시 자산의 범위

자산	㉠ 사업용 자산(토지 제외) ㉡ 상실한 타인소유의 자산으로서 그 상실에 대한 변상책임이 당해 사업자에게 있는 것 ㉢ 재해손실세액공제를 하는 소득세의 과세표준금액에 이자소득금액 또는 배당소득금액이 포함되어 있는 경우에는 그 소득금액과 관련되는 예금·주식 기타의 자산
재해 자산	㉠ 재해로 인하여 수탁받은 자산을 상실하고, 그 자산가액의 상당액을 보상하여 주는 경우에는 이를 재해자산가액 및 상실 전의 사업용 총자산가액에 포함한다. ㉡ 예금, 받을어음, 외상매출금 등은 당해 채권추심에 관한 증서가 소실된 경우에도 이를 재해상실가액에 포함하지 아니한다. ㉢ 재해자산이 보험에 가입되어 있음으로써 보험금을 수령할 때에도 재해자산가액은 동 보험금을 차감하여 계산하지 아니한다.

② 재해발생의 비율은 재해발생일 현재의 장부가액에 의하여 계산하되, 장부가 소실 또는 분실되어 장부가액을 알 수 없는 경우에는 납세지 관할 세무서장이 조사확인한 재해발생일 현재의 가액에 의하여 이를 계산한다.

(2) 공제 절차

재해손실세액공제를 받으려는 자는 다음의 기한까지 재해손실세액공제 신청서를 납세지 관할 세무서장에게 제출(국세정보통신망에 의한 제출 포함)해야 한다.

① 재해발생일 현재 과세표준확정신고기한이 경과되지 않은 소득세: 그 신고기한. 다만, 재해발생일부터 신고기한까지의 기간이 3개월 미만인 경우는 재해발생일부터 3개월

② 재해발생일 현재 미납부된 소득세와 납부해야 할 소득세: 재해발생일부터 3개월

→ 신청이 없는 경우에도 적용 가능

3. 전자계산서 발급 전송세액공제

해당 과세기간에 신규로 사업을 개시한 사업자 또는 직전 과세기간의 사업장별 총수입금액이 3억 원 미만인 사업자가 전자계산서를 발급(전자계산서 발급명세를 국세청장에게 전송하는 경우로 한정)하는 경우 다음의 금액을 해당 과세기간의 사업소득에 대한 종합소득산출세액에서 공제할 수 있다.

Min(①, ②)
① 전자계산서 발급 건수 × 200원
② 공제한도: 연간 100만 원

VII 「조세특례제한법」상 세액공제

1. 월세세액공제

과세기간 종료일 현재 주택을 소유하지 아니한 세대의 세대주(세대주가 월세세액공제, 주택자금공제를 받지 아니한 경우 세대의 구성원을 말하며, 법령으로 정하는 외국인 포함)로서 해당 과세기간의 총급여액이 8,000만 원 이하인 근로소득이 있는 근로자(해당 과세기간에 종합소득과세표준을 계산할 때 합산하는 종합소득금액이 7,000만 원을 초과하는 사람 제외)가 월세액을 지급하는 경우 다음의 금액을 종합소득산출세액에서 공제한다.

> 월세세액공제 = Min(월세액, 1,000만 원) × 15%(17%[1])

2. 성실사업자 세액공제

(1) 의료비·교육비세액공제

① 「소득세법」에 따른 성실사업자(사업소득이 있는 자만 해당함)로서 일정한 요건을 모두 갖춘 자 또는 성실신고확인대상사업자로서 성실신고확인서를 제출한 자가 의료비 및 교육비(직업능력개발훈련을 위하여 지급한 수강료 제외)를 지출한 경우 그 지출한 금액의 15%(미숙아 및 선천성 이상아 20%, 난임시술비 30%)에 해당하는 금액을 해당 과세연도의 소득세(사업소득에 대한 소득세만 해당)에서 공제한다.

② 의료비 공제금액은 「소득세법」을 준용하여 계산한 금액으로 한다. 이 경우 「소득세법」 총급여액은 사업소득금액으로 본다.

③ 의료비 공제금액을 계산할 때 산후조리원에 산후조리 및 요양의 대가로 지급하는 비용으로서 출산 1회당 200만 원 이내의 대상자 판정요건의 총급여액 7,000만 원은 사업소득금액 6,000만 원으로 본다.

(2) 월세세액공제

해당 과세연도의 종합소득과세표준에 합산되는 종합소득금액이 7,000만 원 이하인 성실사업자 또는 성실신고확인대상사업자로서 성실신고확인서를 제출한 자가 월세액을 지급하는 경우 그 지급한 금액의 15%(해당 과세연도의 종합소득과세표준에 합산되는 종합소득금액이 4,500만 원 이하인 성실사업자 또는 성실신고확인대상사업자로서 성실신고확인서를 제출한 자의 경우에는 17%)에 해당하는 금액을 해당 과세연도의 소득세에서 공제한다. 다만, 해당 월세액이 1,000만 원을 초과하는 경우 그 초과하는 금액은 없는 것으로 한다.

> 월세세액공제액 =
> Min(월세액, 1,000만 원) × 15%(종합소득금액 4,500만 원 이하 17%)

3. 정치자금세액공제

거주자가 정당(후원회 및 선거관리위원회 포함)에 기부한 정치자금은 이를 지출한 해당 과세연도의 소득금액에서 10만 원까지는 그 기부금액의 100/110을, 10만 원을 초과한 금액에 대해서는 해당 금액의 15%(해당 금액이 3,000만 원을 초과하는 경우 그 초과분에 대해서는 25%)에 해당하는 금액을 종합소득산출세액에서 공제한다. 다만, 사업자인 거주자가 정치자금을 기부한 경우 10만 원을 초과한 금액에 대해서는 이월결손금을 뺀 후의 소득금액의 범위에서 손금에 산입한다.

4. 전자신고세액공제

납세자가 직접 전자신고의 방법으로 소득세, 양도소득세 또는 법인세과세표준신고를 하는 경우에는 해당 납부세액에서 2만 원(과세표준확정신고의 예외에 해당하는 자가 과세표준확정신고를 한 경우에는 추가로 납부하거나 환급받은 결정세액과 1만 원 중 적은 금액)을 공제한다. 이 경우 납부할 세액이 음수인 경우에는 이를 없는 것으로 한다.

5. 성실신고확인비용

성실신고확인대상사업자가 성실신고확인서를 제출하는 경우에는 성실신고확인에 직접 사용한 비용의 60%에 해당하는 금액을 해당 과세연도의 소득세[사업소득(부동산임대업에서 발생하는 소득 포함)에 대한 소득세만 해당한다]에서 공제한다. 다만, 공제세액의 한도는 120만 원으로 한다.

→ 5년간 이월공제

VIII 세액감면과 세액공제의 적용순서 등

1. 세액감면 · 세액공제 적용순서

세액감면과 세액공제에 규정이 동시에 적용되는 경우 그 적용순위는 다음과 같다.

> ① 세액감면 → ② 이월공제되지 않는 세액공제 → ③ 이월공제되는 세액공제❶

2. 보험료 · 의료비 · 교육비 · 월세세액공제

보험료 · 의료비 · 교육비 · 월세세액공제액의 합계액이 그 거주자의 해당 과세기간의 근로소득에 대한 종합소득산출세액을 초과하는 경우 그 초과하는 금액은 없는 것으로 한다.

❶ 해당 과세기간 중에 발생한 세액공제액과 이전 과세기간에서 이월된 미공제액이 함께 있을 때에는 이월된 미공제액을 먼저 공제한다.

$$\text{근로소득 종합소득산출세액} = \text{종합소득산출세액} \times \frac{\text{근로소득금액}}{\text{종합소득금액}}$$

3. 자녀·연금계좌·특별세액·정치자금세액공제

자녀세액공제액, 연금계좌세액공제액, 특별세액공제액, 정치자금세액공제, 우리사주조합 기부금세액공제액의 합계액이 그 거주자의 해당 과세기간의 합산과세되는 종합소득산출세액(원천징수세율을 적용받는 이자소득 및 배당소득에 대한 산출세액 제외)을 초과하는 경우 그 초과하는 금액은 없는 것으로 한다. 다만, 그 초과한 금액에 기부금 세액공제액이 포함되어 있는 경우 해당 기부금과 일반 기부금 한도액을 초과하여 공제받지 못한 일반기부금은 해당 과세기간의 다음 과세기간의 개시일부터 10년 이내에 끝나는 각 과세기간에 이월하여 공제율을 적용한 기부금 세액공제액을 계산하여 그 금액을 공제기준산출세액에서 공제한다.

$$\text{공제기준산출세액} = \text{종합소득산출세액} - (\text{종합소득산출세액} \times \frac{\text{원천징수세율 적용 금융소득금액}}{\text{종합소득금액}})$$

4. 세액감면·세액공제합계액

세액감면액 및 세액공제액의 합계액이 해당 과세기간의 합산과세되는 종합소득산출세액을 초과하는 경우 그 초과하는 금액은 없는 것으로 보고, 그 초과하는 금액을 한도로 연금계좌세액공제를 받지 아니한 것으로 본다. 다만, 재해손실세액공제액이 종합소득산출세액에서 다른 세액감면액 및 세액공제액을 뺀 후 가산세를 더한 금액을 초과하는 경우 그 초과하는 금액은 없는 것으로 본다.

> **Check** 세액감면
>
> 특정소득에 대해 세금을 완전히 면제해주거나 일정한 비율만큼 경감해 주는 것을 말한다. 「조세특례제한법」상 여러가지 세액감면제도를 두고 있으며, 세액감면은 다음과 같이 계산한다.
>
> $$\text{세액감면} = \text{종합소득산출세액} \times \frac{\text{감면대상 소득금액}}{\text{종합소득금액}} \times \text{감면비율}$$

08 퇴직소득

1 개요

Ⅰ 의의

퇴직소득은 사용자의 근로자가 근무기간 중에 적립한 임금을 현실적으로 퇴직함으로써 지급받는 금액을 말한다. 퇴직소득은 장기간에 걸쳐 형성된 소득이 일시에 실현되어 종합소득에 합산될 경우 세부담이 과중되는 것을 방지하기 위해 분류과세하며, 근로자의 퇴직 후 생활자금인 점을 고려하여 퇴직소득공제, 연분연승법으로 세부담을 낮춰준다.

Ⅱ 퇴직소득 범위

퇴직소득은 해당 과세기간에 발생한 다음의 소득으로 한다.
→ 명예퇴직금, 해고예고수당 등 명칭에 관계없이 현실적 퇴직에 따라 지급받으면 퇴직소득임

1. 공적연금 관련법에 따라 받는 일시금(2002. 1. 1. 이후에 납입된 연금 기여금 및 사용자 부담금을 기초로 하거나 2002. 1. 1. 이후 근로의 제공을 기초로 하여 받은 금액)

2. 공적연금 일시금을 지급하는 자가 퇴직소득의 일부 또는 전부를 지연하여 지급하면서 지연지급에 대한 이자를 함께 지급하는 경우 해당 이자

3. 사용자 부담금을 기초로 하여 현실적인 퇴직을 원인으로 지급받는 소득

4. 「과학기술인공제회법」에 따라 지급받는 과학기술발전장려금

5. 「건설근로자의 고용개선 등에 관한 법률」에 따라 지급받는 퇴직공제금

6. 종교관련종사자가 현실적인 퇴직을 원인으로 종교단체로부터 지급받는 소득

7. 법정사유로 수령한 소기업·소상공인 공제부금의 해지일시금(2016. 1. 1. 이후 가입분)

> 퇴직소득 = 일시금 − 실제 소득공제받은 금액을 초과하여 납입한 금액의 누계액

Ⅲ 공적연금 일시금

공적연금 일시금 = 과세기준금액 − 과세 제외 기여금

1. 과세기준금액

국민연금
(반환일시금
포함)
	Min(①, ②)
	① 과세기준일(2002. 1. 1.) 이후 납입한 기여금 또는 개인부담금
	  (사용자부담분 포함)의 누계액과 이에 대한 이자 및 가산이자
	② 실제 지급받은 일시금 − 과세기준일 이전에 납입한 기여금 또
	  는 개인부담금

위 외 일시금	과세기간 일시금 수령액 × $\dfrac{\text{과세기준일 이후 기여금 납입월수}}{\text{총 기여금 납입월수}}$

2. 과세 제외 기여금

과세기준일(2002. 1. 1.) 이후에 연금보험료공제를 받지 않고 납입한 기여금 또는 개인부담금으로 세무서장이 발급한 '연금보험료 등 소득·세액공제확인서'에 따라 확인되는 금액

> **사례**
>
> 甲은 2000. 1. 1. 국민연금에 가입하여 2018. 12. 31.까지 1,500만 원(2002. 1. 1. 이후 1,300만 원)을 납입하였으며, 2019. 1. 1. 반환일시금으로 2,000만 원을 수령하였다. 반환일시금 이자 500만 원 중 2002. 1. 1. 이후 납입분에 대한 이자는 400만 원이다. 과세기준금액은?
>
> 해설
>
> 과세기준금액 = Min(17,000,000, 20,000,000 − 2,000,000) = 17,000,000

Ⅳ 퇴직판정특례

1. 퇴직으로 보지 않음

다음의 어느 하나에 해당하는 사유가 발생했으나 퇴직급여를 실제로 받지 않은 경우는 퇴직으로 보지 않을 수 있다.
(1) 종업원이 임원이 된 경우
(2) 합병·분할 등 조직변경, 사업양도, 직·간접으로 출자관계에 있는 법인으로의 전출 또는 동일한 사업자가 경영하는 다른 사업장으로의 전출이 이루어진 경우

(3) 법인의 상근임원이 비상근임원이 된 경우

(4) 비정규직 근로자가 정규직 근로자로 전환된 경우

2. 퇴직으로 봄

계속근로기간 중에 다음의 어느 하나에 해당하는 사유로 퇴직급여를 미리 지급받은 경우(임원 포함)에는 그 지급받은 날에 퇴직한 것으로 본다.

(1) 「근로자퇴직급여 보장법 시행령」 중간정산 사유에 해당하는 경우

(2) 「근로자퇴직급여 보장법」에 따라 퇴직연금제도가 폐지되는 경우

V 퇴직소득 수입시기

1. 원칙은 퇴직한 날로 한다.

2. 「국민연금법」에 따른 일시금과 건설근로자가 지급받는 퇴직공제금의 경우에는 소득을 지급받는 날(분할하여 지급받는 경우 최초로 지급받는 날)로 한다.

2 임원 퇴직소득금액 한도액

I 의의

임원의 과다한 퇴직금 적립·지급에 따른 조세회피 행위를 방지하기 위하여 임원의 퇴직소득금액 중 세법상 한도액을 초과하는 경우 그 초과액은 근로소득으로 본다.

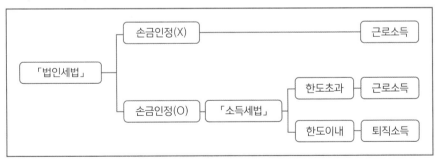

Ⅱ 「법인세법」 한도액

「법인세법」상 임원 퇴직급여 중 다음 중 어느 하나에 해당하는 금액은 손금에 산입하지 않으며, 그 한도초과액은 근로소득에 포함한다.

1. 정관에 퇴직급여(퇴직위로금 등 포함)로 지급액이 정해진 경우
정관에 정해진 금액

2. 1. 외의 경우

> 한도액 = 퇴직 전 1년간 총급여액 × 10% × 근속연수

(1) 총급여액

「소득세법」 제20조 제1항 제1호 및 제2호에 따른 금액(비과세소득 제외)으로 하되, 「법인세법 시행령」 제43조에 따라 손금에 산입하지 아니하는 금액은 제외한다.

(2) 근속연수

역년에 의해 계산하며 1년 미만은 월수로 계산하되, 1개월 미만은 산입하지 아니한다. 이 경우 직원에서 임원으로 된 때에 퇴직금을 지급하지 아니한 경우 직원으로 근무한 기간을 근속연수에 합산할 수 있다.

Ⅲ 「소득세법」 한도액

임원의 퇴직소득금액(공적연금 일시금 제외)이 다음 계산식에 따라 계산한 금액을 초과하는 경우에는 그 초과하는 금액은 근로소득으로 본다.

1. 「소득세법」상 한도적용 대상 임원퇴직소득

> 퇴직소득금액 − 2011. 12. 31.에 퇴직하였다고 가정할 때 지급받을 금액

> **Check**
> 2011. 12. 31.에 퇴직하였다고 가정할 때 지급받을 금액이란 아래의 1.과 2. 중 선택한 금액을 말한다. → 퇴직소득금액을 크게 만드려면 큰 금액
> 1. 퇴직소득금액에 2011. 12. 31. 이전 근무기간(개월 수로 계산하며, 1개월 미만의 기간이 있는 경우 1개월로 봄)을 전체 근무기간으로 나눈 비율을 곱한 금액
> 2. 2011. 12. 31.에 정관 또는 정관의 위임에 따른 임원 퇴직급여지급규정이 있는 법인의 임원이 2011. 12. 31.에 퇴직한다고 가정할 때 해당 규정에 따라 지급받을 퇴직소득금액

2. 임원퇴직소득 한도액

$$\left[\begin{array}{l} \text{2019. 12. 31.부터 소급하여 3년}^{❶} \\ \text{동안 지급받은 총급여의 연평균환산액} \end{array}\right] \times 10\% \times \dfrac{\underset{\text{근무기간}}{\overset{\text{2012. 1. 1. ~ 2019. 12. 31.}}{}}}{12} \times 3$$

$$+ \left[\begin{array}{l} \text{퇴직한 날부터 소급하여 3년}^{❷} \\ \text{동안 지급받은 총급여의 연평균환산액} \end{array}\right] \times 10\% \times \dfrac{\underset{\text{이후 근무기간}}{\overset{\text{2020. 1. 1.}}{}}}{12} \times 2$$

❶
2012. 1. 1.부터 2019. 12. 31.까지의 근무기간이 3년 미만인 경우 해당 근무기간이다.

❷
2020. 1. 1.부터 퇴직한 날까지의 근무기간이 3년 미만인 경우 해당 근무기간이다.

(1) 근무기간

개월 수로 계산하며, 1개월 미만의 기간이 있는 경우 1개월로 본다.

(2) 총급여

제20조 제1항 제1호 및 제2호에 따른 근로소득(비과세소득 제외)을 합산한다. 한편, 총급여에는 근무기간 중 해외현지법인에 파견되어 국외에서 지급받는 급여를 포함하되, 정관 또는 정관의 위임에 따른 임원의 급여 지급규정이 있는 법인의 주거보조비, 교육비수당, 특수지수당, 의료보험료, 해외체재비, 자동차임차료 및 실의료비 및 이와 유사한 급여로서 해당 임원이 국내에서 근무할 경우 국내에서 지급받는 금액을 초과해 받는 금액은 제외한다.

「소득세법」 제20조 근로소득	퇴직소득 한도액 계산 시 총급여
근로를 제공함으로써 받는 급여	○
잉여금 처분에 의한 상여	○
인정상여	−
퇴직금으로서 퇴직소득에 속하지 않는 소득	−
직무발명보상금	−

❶
근속연수 계산 시 1년 미만의 기간이 있
는 경우에는 이를 1년으로 본다.

I 계산구조❶

	환산급여	[퇴직소득금액(비과세소득 제외) − 근속연수공제] ÷ 근속연수 × 12
(−)	환산급여공제	
	퇴직소득과세표준	
	퇴직소득산출세액	퇴직소득과세표준 × 기본세율 ÷ 12 × 근속연수
(−)	외국납부세액공제	다음의 금액을 한도로 공제하며, 한도초과액은 이월공제되지 않음
		퇴직소득산출세액 × $\dfrac{\text{국외원천소득}}{\text{퇴직소득금액}}$
	퇴직소득결정세액	

II 퇴직소득공제

1. 근속연수공제

근속연수	공제액
5년 이하	100만 원 × 근속연수
5년 초과 10년 이하	500만 원 + 200만 원 × (근속연수 − 5년)
10년 초과 20년 이하	1,500만 원 + 250만 원 × (근속연수 − 10년)
20년 초과	4,000만 원 + 300만 원 × (근속연수 − 20년)

근속연수는 근로를 제공하기 시작한 날 또는 퇴직소득중간지급일의 다음 날
부터 퇴직한 날까지로 한다. 다만, 퇴직급여를 산정할 때 근로기간에 포함되
지 아니한 기간은 근속연수에서 제외한다.

2. 환산급여공제

환산급여	공제액
800만 원 이하	환산급여의 100%
800만 원 초과 7,000만 원 이하	800만 원 + 800만 원 초과분의 60%
7,000만 원 초과 1억 원 이하	4,520만 원 + 7,000만 원 초과분의 55%
1억 원 초과 3억 원 이하	6,170만 원 + 1억 원 초과분의 45%
3억 원 초과	1억 5,170만 원 + 3억 원 초과분의 35%

4 퇴직소득 과세방법

I 원천징수

1. 원칙

원천징수의무자가 퇴직소득을 지급할 때에는 그 퇴직소득과세표준에 원천징수세율을 적용하여 계산한 소득세를 징수하여 징수일이 속한 달의 다음 달 10일까지 관할세무서 등에 납부하여야 한다.

2. 과세이연

(1) 거주자의 퇴직소득이 다음의 어느 하나에 해당하는 경우에는 해당 퇴직소득에 대한 소득세를 연금외수령하기 전까지 원천징수하지 아니한다. 이 경우 소득세가 이미 원천징수된 경우 해당 거주자는 원천징수세액에 대한 환급을 신청할 수 있다.

∵ 퇴직금에 대해 연금 수령을 유도하기 위함

① 퇴직일 현재 연금계좌에 있거나 연금계좌로 지급되는 경우

② 퇴직하여 지급받은 날부터 60일 이내에 연금계좌에 입금되는 경우

(2) 이연퇴직소득세

원천징수하지 아니하거나 환급하는 퇴직소득세는 다음의 계산식(환급하는 경우의 퇴직소득금액은 이미 원천징수한 세액을 뺀 금액)에 따라 계산한 금액으로 한다.

$$\text{이연퇴직소득세} = \text{퇴직소득산출세액} \times \frac{\text{연금계좌로 지급·이체된 금액}}{\text{퇴직소득금액}}$$

(3) 이연퇴직소득을 연금외수령하는 경우 퇴직소득세 원천징수

이연퇴직소득을 연금외수령하는 경우 원천징수의무자는 다음의 계산식에 따라 계산한 이연퇴직소득세를 원천징수하여야 한다.

$$\text{연금외수령 당시 이연퇴직소득세}❶ \times \frac{\text{연금외수령한 이연퇴직소득}}{\text{연금외수령 당시 이연퇴직소득}}$$

❶ 연금외수령 당시 이연퇴직소득세란 해당 연금외수령 전까지의 이연퇴직소득세 누계액에서 인출한 이연퇴직소득의 누계액에 대한 세액을 뺀 금액을 말하며, 인출퇴직소득누계액에 대한 세액은 다음의 계산식에 따라 계산한 금액이다.

$$\text{이연퇴직소득세 누계액} \times \frac{\text{인출퇴직소득 누계액}}{\text{이연퇴직소득 누계액}}$$

퇴사 시 지급받은 퇴직급여 50,000,000원 중 20,000,000원만 IRP계좌로 이체하였으며, 퇴직소득산출세액은 5,000,000원이라고 가정하며, 추후 이연퇴직소득 20,000,000원 중 12,000,000원 인출하였다.

1. 이연퇴직소득세 = 5,000,000 × 20,000,000/50,000,000 = 2,000,000
2. 인출금액에 대한 원천징수세액
① 연금외수령 가정: 2,000,000 × 12,000,000/20,000,000 = 1,200,000
② 연금수령 가정: 2,000,000 × 12,000,000/20,000,000 × 70% = 840,000

Ⅱ 세액정산

퇴직자가 퇴직소득을 지급받을 때 해당 과세기간에 이미 지급받은 퇴직소득 등에 대한 원천징수영수증을 원천징수의무자에게 제출하는 경우 원천징수의무자는 퇴직자에게 이미 지급된 퇴직소득과 자기가 지급할 퇴직소득을 합계한 금액에 대하여 정산한 소득세를 원천징수하여야 한다.

Ⅲ 확정신고

해당 과세기간의 퇴직소득금액이 있는 거주자는 그 퇴직소득과세표준을 그 과세기간의 다음 연도 5월 1일부터 5월 31일까지 납세지 관할 세무서장에게 신고하여야 한다. 이 경우 해당 과세기간의 퇴직소득 과세표준이 없을 때에도 적용한다. 다만, 퇴직소득에 대한 원천징수규정에 따라 소득세를 납부한 자는 확정신고를 하지 않을 수 있다.

09 납세절차

1 중간예납

I 개요

1. 의의

납세지 관할 세무서장은 종합소득이 있는 거주자에 대하여 1월 1일부터 6월 30일까지의 기간을 중간예납기간으로 하여 중간예납세액을 납부하여야 할 세액으로 결정하여 11월 30일까지 그 세액을 징수하여야 한다.

∵ 일시 납부 부담을 줄여주고, 정부는 조세의 조기징수로 세액면탈을 방지하기 위하여 과세기간 중에 소득세 일부를 미리 납부하도록 함

2. 중간예납의무자

종합소득이 있는 거주자라도 다음에 해당하는 자는 중간예납의무가 없다.

(1) 해당 과세기간의 개시일 현재 사업자가 아닌 자로서 그 과세기간 중 신규로 사업을 시작한 자

(2) 이자소득·배당소득·근로소득·연금소득 또는 기타소득

(3) 사업소득 중 속기·타자 등 한국표준산업분류에 따른 사무지원 서비스업에서 발생하는 소득

(4) 사업소득 중 수시 부과하는 소득

(5) 분리과세 주택임대소득

(6) 사업소득 중 예술, 스포츠 여가관련 중 자영예술가와 직업선수 등

(7) 보험모집원, 방문판매원(직전 과세기간 연말정산한 경우에 한정함)

(8) 전환정비사업조합 또는 주택조합의 조합원이 하는 공동사업

(9) 납세조합이 중간예납기간 중 그 조합원의 소득세를 매월 징수하여 납부한 경우

Ⅱ 중간예납세액의 계산

1. 원칙

(1) 중간예납세액은 직전 과세기간의 종합소득에 대한 소득세로서 납부하였거나 납부하여야 할 세액(중간예납기준액)의 1/2에 해당하는 금액으로 한다.

(2) 중간예납기준액은 다음의 세액의 합계액에서 환급세액(경정청구에 의한 결정이 있는 경우에는 그 내용이 반영된 금액 포함)을 공제한 금액으로 한다.
   ① 직전 과세기간의 중간예납세액
   ② 확정신고납부세액
   ③ 추가납부세액(가산세 포함)
   ④ 기한후신고납부세액(가산세 포함) 및 추가자진납부세액(가산세 포함)

(3) 부동산매매업자가 중간예납기간 중에 매도한 토지 또는 건물에 대하여 토지 등 매매차익 예정신고 · 납부를 한 경우에는 중간예납기준액의 1/2에 해당하는 금액에서 그 신고 · 납부한 금액을 뺀 금액을 중간예납세액으로 한다. 이 경우 토지 등 매매차익예정신고 · 납부세액이 중간예납기준액의 2분의 1을 초과하는 경우에는 중간예납세액이 없는 것으로 한다.

2. 예외 - 중간예납 추계액 신고

(1) 종합소득이 있는 거주자가 중간예납기간의 종료일 현재 그 중간예납기간 종료일까지의 종합소득금액에 대한 소득세액(중간예납추계액)이 중간예납기준액의 30%에 미달하는 경우에는 11월 1일부터 11월 30일까지의 기간에 중간예납추계액을 중간예납세액으로 하여 납세지 관할 세무서장에게 신고할 수 있다. 종합소득이 있는 거주자가 신고를 한 경우에는 중간예납세액의 결정은 없었던 것으로 본다.

(2) 중간예납기준액이 없는 거주자 중 복식부기의무자가 해당 과세기간의 중간예납기간 중 사업소득이 있는 경우에는 11월 1일부터 11월 30일까지의 기간에 중간예납추계액을 중간예납세액으로 하여 납세지 관할 세무서장에게 신고하여야 한다.

3. 중간예납추계액 조사결정

납세지 관할 세무서장은 중간예납 추계액의 신고를 한 자의 신고 내용에 탈루 또는 오류가 있거나, 신고를 하여야 할 자가 신고를 하지 아니한 경우에는 중간예납세액을 경정하거나 결정할 수 있다. 이 경우 경정하거나 결정할 세액은 중간예납추계액의 계산방법을 준용하여 산출한 금액으로 한다.

Ⅲ 중간예납세액의 납부 등

1. 고지서 발급

(1) 납세지 관할 세무서장은 중간예납세액을 납부하여야 할 거주자에게 11월 1일부터 11월 15일까지의 기간에 중간예납세액의 납부고지서를 발급하여야 한다.

(2) 고지된 중간예납세액을 납부하여야 할 거주자가 11월 30일까지 그 세액의 전부 또는 일부를 납부하지 아니한 경우에는 납부하지 아니한 세액 중 분할납부할 수 있는 세액에 대해서는 납부의 고지가 없었던 것으로 보며, 납세지 관할 세무서장은 해당 과세기간의 다음 연도 1월 1일부터 1월 15일까지의 기간에 그 분할납부할 수 있는 세액을 납부할 세액으로 하는 납부고지서를 발급하여야 한다.

2. 징수

(1) 세지 관할 세무서장은 중간예납세액을 결정하여 11월 30일까지 그 세액을 징수하여야 한다.

(2) 소액부징수: 중간예납세액이 50만 원 미만인 때 중간예납세액을 징수하지 않는다.

3. 납부

(1) 중간예납추계액을 신고한 거주자는 신고와 함께 그 중간예납세액을 11월 30일까지 납세지 관할 세무서, 한국은행 등에 납부하여야 한다.

(2) 납부하여야 할 중간예납세액이 1,000만 원을 초과하는 자는 그 납부할 세액의 일부를 납부기한이 지난 후 2개월 이내에 분할납부할 수 있다.

2 부동산매매업자의 토지 등 매매차익 예정신고와 납부

Ⅰ 신고의무 신고기한

다음에 해당하는 부동산매매업자는 토지 또는 건물의 매매차익과 그 세액을 매매일이 속하는 달의 말일부터 2개월이 되는 날까지 납세지 관할 세무서장에게 신고하여야 한다. 토지 등의 매매차익이 없거나 매매차손이 발생하였을 때에도 또한 같다. → 확정신고의무가 면제되지 않음

1. 비주거용 건물 건설업자로서 건물을 건설하여 판매하는 경우

2. 부동산 개발 및 공급업

주거용 건물 개발 및 공급업(구입한 주거용 건물을 재판매하는 경우는 예정신고의무 대상자에 포함함)은 제외한다.

Ⅱ 토지 등 매매차익 계산

	매매가액	
(−)	취득원가	현재가치할인차금 포함, 부당행위계산에 의한 시가초과액 제외
(−)	건설자금이자	당해 토지 등의 건설자금에 충당한 금액의 이자
(−)	공과금	토지 등의 매도로 인하여 법률에 의하여 지급하는 공과금
(−)	장기보유특별공제	
	매매차익	

1. 양도소득기본공제는 적용되지 않으며, 토지 등을 평가증하여 장부가액을 수정한 때에는 그 평가증을 하지 아니한 장부가액으로 매매차익을 계산한다.

2. 부동산매매업자는 토지 등과 기타의 자산을 함께 매매하는 경우에는 이를 구분하여 기장하고 공통되는 필요경비가 있는 경우에는 당해 자산의 가액에 따라 안분계산하여야 한다.

Ⅲ 세액의 계산·납부

1. 부동산매매업자의 토지 등의 매매차익에 대한 산출세액은 그 매매가액에서 필요경비를 공제한 금액에 양도소득세율을 곱하여 계산한 금액으로 한다. 다만, 토지등의 보유기간이 2년 미만인 경우에는 중과세율에도 불구하고 기본세율을 곱하여 계산한 금액으로 한다.

2. 부동산매매업자는 산출세액을 매매차익 예정신고기한까지 납세지 관할 세무서, 한국은행 또는 체신관서에 납부하여야 한다.

3. 토지 등의 매매차익예정신고에 대하여 확정신고와 동일하게 무신고가산세, 과소신고가산세와 납부지연가산세가 적용된다.

3 원천징수

I 개요

1. 의의
국내에서 거주자나 비거주자에게 원천징수대상소득을 지급하는 자는 그 거주자나 비거주자에 대한 소득세를 원천징수하여야 한다.

2. 원천징수 배제 등
(1) 원천징수의무자가 원천징수대상소득으로서 소득세가 과세되지 아니하거나 면제되는 소득을 지급할 때에는 소득세를 원천징수하지 아니한다.

(2) 원천징수대상소득으로서 발생 후 지급되지 아니함으로써 소득세가 원천징수되지 아니한 소득이 종합소득에 합산되어 종합소득에 대한 소득세가 과세된 경우에 그 소득을 지급할 때에는 소득세를 원천징수하지 아니한다.

3. 원천징수세액 납부
(1) 원칙

원천징수의무자는 원천징수한 소득세를 그 징수일이 속하는 달의 다음 달 10일까지 원천징수 관할 세무서, 한국은행 등에 납부하여야 한다.

(2) 특례

직전 연도(신규로 사업을 개시한 사업자의 경우 신청일이 속하는 반기)의 상시고용인원이 20명 이하인 원천징수의무자(금융 및 보험업을 경영하는 자 제외) 또는 종교단체로서 관할 세무서장으로부터 원천징수세액을 매 반기별로 납부할 수 있도록 승인 또는 국세청장이 정하는 바에 따라 지정을 받은 경우 다음의 원천징수세액 외의 원천징수세액을 그 징수일이 속하는 반기의 마지막 달의 다음 달 10일까지 납부할 수 있다.

① 「법인세법」에 따라 처분된 상여·배당 및 기타소득에 대한 원천징수세액

② 「국제조세조정에 관한 법률」에 따라 처분된 배당소득에 대한 원천징수세액

③ 비거주 연예인 등의 용역 제공과 관련된 원천징수 원천징수세액

4. 원천징수의 승계
(1) 법인이 해산한 경우에 원천징수를 하여야 할 소득세를 징수하지 아니하였거나 징수한 소득세를 납부하지 아니하고 잔여재산을 분배하였을 때에는 청산인은 그 분배액을 한도로 하여 분배를 받은 자와 연대하여 납세의무를 진다.

(2) 법인이 합병한 경우에 합병 후 존속하는 법인이나 합병으로 설립된 법인은, 합병으로 소멸된 법인이 원천징수를 하여야 할 소득세를 납부하지 아니하면 그 소득세에 대한 납세의무를 진다.

Ⅱ 원천징수시기 특례

1. 직장공제회 반환금을 분할하여 지급 시 납입금 초과이익

납입금 초과이익을 원본에 전입하는 뜻의 특약에 따라 원본에 전입된 날에 그 소득을 지급한 것으로 보아 소득세를 원천징수한다.

2. 의제배당

의제배당 수입시기(예 합병등기일)에 그 소득을 지급한 것으로 보아 소득세를 원천징수한다.

3. 일반적인 배당소득

배당금 수입시기에 그 소득을 지급한 것으로 보아 소득세를 원천징수한다.

4. 출자공동사업자의 미지급 배당소득

출자공동사업자의 배당소득으로서 과세기간 종료 후 3개월이 되는 날까지 지급하지 아니한 소득은 과세기간 종료 후 3개월이 되는 날에 그 배당소득을 지급한 것으로 보아 소득세를 원천징수한다.

5. 동업기업 배분 소득 중 미지급분

해당 동업기업의 과세기간 종료 후 3개월이 되는 날까지 지급하지 아니한 소득 해당 동업기업의 과세기간 종료 후 3개월이 되는 날에 지급한 것으로 보아 소득세를 원천징수한다.

6. 연말정산대상 사업·근로·퇴직소득 중 미지급소득

(1) 소득을 지급하여야 할 원천징수의무자가 1월부터 11월까지의 근로소득을 해당 과세기간의 12월 31일까지 지급하지 아니한 경우에는 그 근로소득을 12월 31일에 지급한 것으로 보아 소득세를 원천징수한다.

(2) 원천징수의무자가 12월분의 근로소득을 다음 연도 2월 말일까지 지급하지 아니한 경우에는 그 근로소득을 다음 연도 2월 말일에 지급한 것으로 보아 소득세를 원천징수한다.

7. 잉여금처분에 의한 배당·상여 미지급분

(1) 법인이 이익 또는 잉여금의 처분에 따른 배당 또는 상여금을 그 처분을 결정한 날부터 3개월이 되는 날까지 지급하지 아니한 경우에는 그 3개월이 되는 날에 그 배당소득 등을 지급한 것으로 보아 소득세를 원천징수한다.

(2) 다만, 11월 1일부터 12월 31일까지의 사이에 결정된 처분에 따라 다음 연도 2월 말일까지 배당소득 등을 지급하지 아니한 경우 그 처분을 결정한 날이 속하는 과세기간의 다음 연도 2월 말일에 그 배당소득 등을 지급한 것으로 보아 소득세를 원천징수한다.

8. 인정배당·인정상여·인정기타소득

「법인세법」에 따라 처분되는 인정소득에 대하여는 다음의 어느 하나에 해당하는 날에 해당소득을 지급한 것으로 보아 소득세를 원천징수한다.

법인세 과세표준을 결정 또는 경정하는 경우	소득금액변동통지서를 받은 날
법인세 과세표준을 신고하는 경우	그 신고일 또는 수정신고일

Check 소득금액변동통지서	
소득처분에 따른 통지	① 「법인세법」에 의하여 세무서장 또는 지방국세청장이 법인소득금액을 결정 또는 경정할 때에 처분(「국제조세조정에 관한 법률 시행령」에 따라 처분된 것으로 보는 경우 포함)되는 배당·상여 및 기타소득은 법인소득금액을 결정 또는 경정하는 세무서장 또는 지방국세청장이 그 결정일 또는 경정일부터 15일 내에 소득금액변동통지서에 따라 해당 법인에 통지해야 한다. 다만, 해당 법인의 소재지가 분명하지 않거나 그 통지서를 송달할 수 없는 경우에는 해당 주주 및 해당 상여나 기타소득의 처분을 받은 거주자에게 통지해야 한다. ② 세무서장 또는 지방국세청장이 해당 법인에게 소득금액변동통지서를 통지한 경우 통지하였다는 사실(해당 법인과 거주자 간의 법적 다툼 등을 방지하기 위하여 소득금액 변동내용은 포함하지 않음)을 해당 주주 및 해당 상여나 기타소득의 처분을 받은 거주자에게 알려야 한다.
소득귀속자 추가신고	종합소득 과세표준확정신고기한이 지난 후에 「법인세법」에 따라 법인이 법인세 과세표준을 신고하거나 세무서장이 법인세 과세표준을 결정 또는 경정하여 익금에 산입한 금액이 배당·상여 또는 기타소득으로 처분됨으로써 소득금액에 변동이 발생함에 따라 종합소득 과세표준확정신고 의무가 없었던 자, 세법에 따라 과세표준확정신고를 하지 아니하여도 되는 자 및 과세표준확정신고를 한 자가 소득세를 추가 납부하여야 하는 경우 해당 법인(거주자가 통지를 받은 경우에는 그 거주자)이 소득금액변동통지서를 받은 날(「법인세법」에 따라 법인이 신고함으로써 소득금액이 변동된 경우 그 법인의 법인세 신고기일)이 속하는 달의 다음 다음 달 말일까지 추가신고한 때에는 확정신고기한까지 신고한 것으로 본다.
주의사항	「법인세법」에 의하여 처분되는 상여(인정상여)의 원천징수 지급시기가 과세표준신고일 또는 소득금액변동통지서를 받은 날이지만 인정상여의 귀속시기는 해당 근로를 제공한 날이 되므로 재연말정산을 하여야 한다.

4 사업장 현황신고

Ⅰ 의의

사업장 현황신고란 주로 부가가치세 면세사업자(개인사업자)의 1년간 수입금액 및 사업장 현황을 신고하여 소득세 신고 전 「부가가치세법」에 의하여 선행결정되는 수입금액의 자료를 파악하기 위함이다.

Ⅱ 신고대상

사업자(해당 과세기간 중 사업을 폐업 또는 휴업한 사업자 포함)는 해당 사업장의 현황을 해당 과세기간의 다음 연도 2월 10일까지 사업장 소재지 관할 세무서장에게 신고하여야 한다. 다만, 다음의 어느 하나에 해당하는 경우에는 사업장 현황신고를 한 것으로 본다.

1. 사업자가 사망하거나 출국함에 따라 과세표준확정신고의 특례가 적용되는 경우
2. 부가가치세 과세사업자(간이과세자 포함)가 과세표준을 신고한 경우. 다만, 사업자가 부가가치세 과세사업과 면세사업 등을 겸영하여 면세사업 수입금액 등을 신고하는 경우에는 그 면세사업 등에 대하여 사업장 현황신고를 한 것으로 본다.

Ⅲ 현황신고 면제

다음의 어느 하나에 해당하는 사업자는 사업장 현황신고를 하지 아니할 수 있다.

1. 납세조합에 가입해 수입금액을 신고한 자
2. 독립된 자격으로 보험가입자의 모집 및 이에 부수되는 용역을 제공하고 그 실적에 따라 모집수당 등을 받는 자
3. 독립된 자격으로 일반 소비자를 대상으로 사업장을 개설하지 않고 음료품을 배달하는 계약배달 판매용역을 제공하고 판매실적에 따라 판매수당 등을 받는 자
4. 그 밖에 위와 유사한 자로서 기획재정부령으로 정하는 자

5 수시부과

Ⅰ 의의

조세포탈 우려가 있어 다음 연도 5월까지 기다려서는 조세채권의 확보가 어렵다고 인정되는 경우 그 사유가 발생한 때에 수시로 그 과세표준과 세액을 결정할 수 있다.

Ⅱ 수시부과사유

납세지 관할 세무서장 또는 지방국세청장은 거주자가 과세기간 중에 다음의 어느 하나에 해당하면 수시로 그 거주자에 대한 소득세를 부과할 수 있다.

1. 사업부진이나 그 밖의 사유로 장기간 휴업 또는 폐업 상태에 있는 때로서 소득세를 포탈할 우려가 있다고 인정되는 경우
2. 그 밖에 조세를 포탈할 우려가 있다고 인정되는 상당한 이유가 있는 경우
3. 주소·거소 또는 사업장의 이동이 빈번하다고 인정되는 지역의 납세의무가 있는 자
4. 주한국제연합군 또는 외국기관으로부터 수입금액을 외국환은행을 통하여 외환증서 또는 원화로 영수하는 경우
∵ 지급명세서 제출의무가 없어 거래자료 파악 곤란

Ⅲ 수시부과기간

수시부과기간은 해당 과세기간의 사업개시일로부터 수시부과 사유가 발생한 날까지로 한다. 이 경우 수시부과사유가 직전 과세연도 소득에 대한 확정신고기한 이전에 발생한 경우로서 납세자가 직전 과세기간에 대하여 과세표준확정신고를 하지 아니한 경우에는 직전 과세기간을 수시부과기간에 포함한다.

Ⅳ 수시부과 절차

1. 수시부과에 의한 과세표준 및 세액의 결정은 사업장 관할 세무서장(사업자 외의 자에 대하여는 납세지 관할 세무서장)이 한다.
2. 수시부과지역에 대한 수시부과를 하려는 세무서장은 관할 지방국세청장의 승인을 받아 지체 없이 해당 거주자에게 그 뜻을 통지하여야 한다.

Ⅴ 수시부과세액

1. 원칙

(종합소득금액 − 본인 기본공제) × 기본세율

2. 국제연합군 등 영수하는 경우

총수입금액 × (1 − 단순경비율) × 기본세율

Ⅵ 가산세

수시부과는 해당연도의 과세표준확정결정에 방해하지 아니하므로 거주자의 관할 세무서장이 수시부과한 경우 해당 세액 및 수입금액에 대하여는 무신고가산세 및 과소신고가산세의 규정을 적용하지 아니한다.

6 종합소득 과세표준확정신고

Ⅰ 종합소득과세표준 확정신고와 납부

1. 확정신고

(1) 해당 과세기간의 종합소득금액이 있는 거주자(종합소득과세표준이 없거나 결손금이 있는 거주자 포함)는 그 종합소득 과세표준을 그 과세기간의 다음 연도 5월 1일부터 5월 31일까지 납세지 관할 세무서장에게 신고하여야 한다.

(2) 해당 과세기간에 분리과세 주택임대소득, 가상자산소득 및 기타소득 중 위약금과 배상금(계약금이 위약금 등으로 대체되는 경우에 한함)이 있는 자도 확정신고의무가 있다.

2. 확정신고 예외

다음 중 어느 하나에 해당하는 거주자는 해당 소득에 대하여 과세표준확정신고를 하지 아니할 수 있다.

(1) 근로소득만 있는 자

(2) 퇴직소득만 있는 자

(3) 공적연금소득만 있는 자

(4) 연말정산대상 사업소득만 있는 자

(5) 원천징수되는 기타소득으로서 종교인소득만 있는 자

(6) 근로소득과 퇴직소득만 있는 자

(7) 퇴직소득 및 공적연금소득만 있는 자

(8) 퇴직소득 및 연말정산대상 사업소득만 있는 자

(9) 퇴직소득과 원천징수되는 기타소득으로서 종교인소득만 있는 자

(10) 분리과세이자소득, 분리과세배당소득, 분리과세연금소득 및 분리과세 기타소득(원천징수되지 아니하는 소득 제외)만 있는 자

(11) (1) ~ (9)에 해당하는 사람으로서 분리과세이자소득, 분리과세배당소 득, 분리과세연금소득 및 분리과세기타소득이 있는 자

(12) 수시부과 후 추가로 발생한 소득이 없을 경우

※ 2인 이상으로부터 지급받는 근로소득 등: 2명 이상으로부터 받는 근로소 득·공적연금소득·퇴직소득·종교인소득 또는 연말정산대상사업소득이 있는 자(일용근로자 제외)에 대해서는 확정신고를 하여야 함. 다만, 2인 이상으로부터 지급받는 소득을 합산하여 연말정산시 소득세를 납부함으 로써 확정신고납부를 할 세액이 없는 자에 대하여는 그러하지 아니함

3. 확정신고기한 · 납부기한

(1) 원칙

해당 과세기간의 다음 연도 5월 1일부터 5월 31일까지

(2) 특례

① 거주자가 사망한 경우 그 상속인은 그 상속 개시일이 속하는 달의 말 일부터 6개월이 되는 날(이 기간 중 상속인이 출국하는 경우 출국일 전날)까지 사망일이 속하는 과세기간에 대한 그 거주자의 과세표준을 신고하여야 한다. 다만, 상속인인 배우자가 승계한 연금계좌의 소득금 액에 대해서는 그러하지 아니하다.

② 과세표준확정신고를 하여야 할 거주자가 출국하는 경우에는 출국일 이 속하는 과세기간의 과세표준을 출국일 전날까지 신고하여야 한다.

4. 분할납부

거주자로서 납부할 세액이 각각 1천만 원을 초과하는 자는 다음의 세액을 그 납부할 납부기한이 지난 후 2개월 이내에 분할납부할 수 있다.

(1) 납부할 세액이 2천만 원 이하인 때에는 1천만 원을 초과하는 금액

(2) 납부할 세액이 2천만 원을 초과하는 때에는 그 세액의 50% 이하의 금액

5. 추가신고

종합소득 과세표준확정신고기한이 지난 후에 「법인세법」에 따라 법인이 법인세 과세표준을 신고하거나 세무서장이 법인세 과세표준을 결정 또는 경정하여 익금에 산입한 금액이 배당·상여 또는 기타소득으로 처분됨으로써 소득금액에 변동이 발생함에 따라 종합소득 과세표준확정신고 의무가 없었던 자, 세법에 따라 과세표준확정신고를 하지 아니하여도 되는 자 및 과세표준확정신고를 한 자가 소득세를 추가 납부하여야 하는 경우 해당 법인(거주자가 통지를 받은 경우에는 그 거주자)이 소득금액변동통지서를 받은 날(「법인세법」에 따라 법인이 신고함으로써 소득금액이 변동된 경우에는 그 법인의 법인세 신고기일)이 속하는 달의 다음다음 달 말일까지 추가신고한 때에는 과세표준 확정신고기한까지 신고한 것으로 본다.

→ 추가신고 후 납부하지 않은 경우에도 기한 내 확정신고로 인정

> **Check** 소액 부징수
>
> 다음의 경우 소득세를 징수하지 아니한다.
> 1. 원천징수세액(이자소득과 부가가치세법에 따른 인적 용역을 계속적·반복적으로 공급하고 그 대가로 받은 소득은 제외)이 1천 원 미만인 경우
> 2. 납세조합 징수세액이 1천 원 미만인 경우
> 3. 중간예납세액이 50만 원 미만인 경우

Ⅱ 성실신고확인서의 제출

1. 의의

성실신고확인대상사업자는 종합소득과세표준 확정신고를 할 때에 비치·기록된 장부와 증명서류에 의하여 계산한 사업소득금액의 적정성을 세무사 등이 확인하고 작성한 확인서(이하 성실신고확인서)를 납세지 관할 세무서장에게 제출하여야 한다.
∵ 개인사업자의 소득세 성실신고를 유도하고자 함

2. 성실신고 확인대상자

해당 과세기간의 수입금액(사업용 유형자산을 양도함으로써 발생한 수입금액 제외)의 합계액이 다음의 구분에 따른 금액 이상인 사업자를 말한다.

업종	복식부기의무 (직전 과세기간)	성실신고확인 (해당 과세기간)
① 농업·임업 및 어업, 광업, 도매 및 소매업(상품중개업 제외), 부동산매매업, 그 밖에 ② 및 ③에 해당하지 아니하는 사업	3억 원 이상	15억 원 이상

② 제조업, 숙박 및 음식점업, 전기·가스·증기 및 공기조절 공급업, 수도·하수·폐기물 처리·원료재생업, 건설업(비주거용 건물 건설업은 제외, 주거용 건물 개발 및 공급업 포함), 운수업 및 창고업, 정보통신업, 금융 및 보험업, 상품중개업	1억 5,000만 원 이상 (욕탕업 포함)	7억 5,000만 원 이상
③ 부동산임대업, 부동산업(제122조 제1항에 따른 부동산매매업 제외), 전문·과학 및 기술 서비스업, 사업시설관리·사업지원 및 임대서비스업, 교육 서비스업, 보건업 및 사회복지 서비스업, 예술·스포츠 및 여가관련 서비스업, 협회 및 단체, 수리 및 기타 개인 서비스업, 가구 내 고용활동	7,500만 원 이상 (욕탕업 제외)	5억 원 이상

3. 자기확인 금지

세무사가 성실신고확인대상사업자에 해당하는 경우에는 자신의 사업소득금액의 적정성에 대해 해당 세무사가 성실신고확인서를 작성·제출해서는 안 된다.

4. 보정요구

납세지 관할 세무서장은 제출된 성실신고확인서에 미비한 사항 또는 오류가 있을 때에는 그 보정을 요구할 수 있다.

5. 성실신고확인 혜택

(1) 확정신고기한의 연장

성실신고확인대상사업자가 성실신고확인서를 제출하는 경우에는 종합소득과세표준 확정신고를 그 과세기간의 다음 연도 5월 1일부터 6월 30일까지 하여야 한다.

(2) 성실신고확인비용 세액공제

Min(성실신고확인비용 × 60%, 연 120만 원)

(3) 의료비세액공제, 교육비세액공제 및 월세세엑공제 직용

6. 성실신고확인서 미제출 제재

(1) 성실신고확인서 미제출가산세: 성실신고확인대상사업자가 해당 과세기간의 다음 연도 6월 30일까지 성실신고확인서를 제출하지 아니한 경우 다음의 금액 중 큰 금액을 가산세로 납부하여야 한다.

→ 종합소득산출세액이 없는 경우에도 적용함

① 종합소득산출세액 × 사업소득금액/종합소득금액 × 5%

② 해당 과세기간의 사업소득 총수입금액 × 2/10,000

(2) 납세협력의무를 이행하지 않은 경우로 보아 수시선정 세무조사대상이 된다.

10 양도소득세

1 양도소득

Ⅰ 양도소득의 범위

1. 1그룹

(1) 부동산

토지 또는 건물(건물에 부속된 시설물과 구축물 포함)

(2) 부동산에 관한 권리

① 부동산을 취득할 수 있는 권리(건물이 완성되는 때에 그 건물과 이에 딸린 토지를 취득할 수 있는 권리 포함)

예 아파트 당첨권, 토지상환채권, 주택상환채권, 부동산매매계약을 체결한 자가 계약금만 지급한 상태에서 양도하는 권리

② 전세권과 등기된 부동산임차권

③ 지상권 → 지역권은 과세대상 제외

(3) 기타자산

① 사업에 사용하는 토지·건물 및 부동산에 관한 권리와 함께 양도하는 영업권

② 특정시설물이용권·회원권❶

∵ 고소득층의 투기대상인 점과 조세형평

예 골프 회원권, 종합체육시설 회원권, 콘도미니엄회원권

③ 토지 또는 건물과 함께 양도하는 이축권. 단, 해당 이축권 가액에 대하여 감정평가법인 등이 감정한 가액이 있는 경우 그 가액(둘 이상인 경우 평균액)을 구분하여 신고하는 경우 기타소득으로 과세함

④ 다음의 요건을 모두 갖춘 과점주주의 부동산주식

∵ 실질이 부동산 양도효과이며, 법인의 부동산투기방지 목적

법인의 부동산비율	법인의 자산총액 중 부동산 등의 자산가액과 해당 법인이 직접 또는 간접으로 보유한 다른 부동산과다보유법인의 주식가액의 합계액이 차지하는 비율이 50% 이상인 법인
과점주주 요건	법인의 주주 1인과 기타주주(주주 1인과 특수관계인)의 소유하고 있는 주식 등의 합계액이 해당 법인의 주식의 합계액의 50%를 초과하는 경우 그 주주 1인과 기타주주

❶
법인의 주식을 소유하는 것만으로 시설물을 배타적으로 이용하거나 일반이용자보다 유리한 조건으로 시설물 이용권을 부여받게 되는 경우 그 주식을 포함한다.

주식 양도비율	과점주주가 그 법인의 주식의 합계액의 50% 이상을 해당 과점주주 외의 자에게 양도하는 경우. 과점주주가 주식 등을 과점주주 외의 자에게 여러 번에 걸쳐 양도하는 경우로서 과점주주 중 1인이 주식을 양도하는 날부터 소급해 3년 내에 과점주주가 양도한 주식을 합산해 해당 법인의 주식의 50% 이상을 양도하는 경우에도 적용함

⑤ 다음의 요건을 모두 갖춘 특정법인주식

→ 양도비율과 관계없이 과세

∵ 해당 법인의 주식이 투기대상화되는 것을 방지함

법인의 부동산비율	법인의 자산총액 중 부동산 등과 해당 법인이 직접 또는 간접으로 보유한 다른 부동산과다보유법인의 주식가액의 합계액이 차지하는 비율이 80% 이상인 법인
업종기준	골프장업·스키장업 등 체육시설업, 「관광진흥법」에 의한 관광사업 중 휴양시설관련업과 부동산업·부동산개발업으로서 골프장, 스키장, 휴양콘도미니엄 또는 전문휴양시설 중 어느 하나에 해당하는 시설을 건설 또는 취득하여 직접 경영하거나 분양 또는 임대하는 사업을 영위하는 법인

2. 2그룹

(1) 상장주식

① 대주주가 양도하는 주권상장법인의 주식 등

② 대주주가 아닌 자가 증권시장에서의 거래에 의하지 아니하고 양도하는 장외거래주식(단, 「상법」상 주식의 포괄적 교환·이전 또는 주식의 포괄적 교환·이전에 대한 주식매수청구권 행사로 양도하는 주식 제외)

(2) 비상장주식

원칙적으로 비상장주식의 양도를 과세하되, 비상장법인의 대주주에 해당하지 아니하는 자가 한국금융투자협회가 행하는 장외매매거래에 의하여 양도하는 중소기업 및 중견기업의 주식 등은 제외한다.

(3) 해외주식

외국법인이 발행하였거나 외국에 있는 시장에 상장된 주식으로서 다음의 어느 하나에 해당하는 주식

① 외국법인이 발행한 주식(우리나라 증권시장에 상장된 주식과 기타자산에 해당하는 주식 제외)

② 내국법인이 발행한 주식(국외 예탁기관이 발행한 증권예탁증권 포함)으로서 해외 증권시장에 상장된 것

∵ 국내·국외주식 양도소득 간의 손익통산 허용

예 국내 비상장주식 A 양도손실 △400, 국외주식 B 양도이익 300 실현

구분	개정 전	개정 후
양도소득금액	300	△100
양도소득세액	60	0

3. 3그룹 - 파생상품

(1) 국내·외 주가지수를 기초자산으로 하는 파생상품(예 코스피 200선물)

(2) 차액결제거래 파생상품(CFD)

(3) 주식워런트증권(ELW)

(4) 국외 장내 파생상품

(5) 경제적 실질이 주가지수를 기초자산으로 하는 장내파생상품과 동일한 장외파생상품

※ 「소득세법」에 따라 이자소득 또는 배당소득으로 과세되는 경우의 파생상품의 거래 또는 행위로부터의 이익은 양도소득으로 과세하지 아니함

4. 4그룹 - 신탁수익권

신탁의 이익을 받을 권리(「자본시장과 금융투자업에 관한 법률」에 따른 수익증권 및 투자신탁의 수익권 등 법령으로 정하는 수익권은 제외)의 양도로 발생하는 소득. 단, 신탁 수익권의 양도를 통하여 신탁재산에 대한 지배·통제권이 사실상 이전되는 경우는 신탁재산 자체의 양도로 본다.

Check 대주주의 범위

주주 1인이 주식 등의 양도일이 속하는 사업연도의 직전 사업연도 종료일(주식 등의 양도일이 속하는 사업연도에 새로 설립된 법인의 경우에는 해당 법인의 설립등기일) 현재 주주 1인과 특수관계인의 소유주식의 비율 또는 시가총액이 다음에 해당하는 자를 말한다.

구분		대주주(지분율 또는 시가총액)	
		소유주식비율	시가총액
상장법인	유가증권시장	1% 이상	
	코스닥시장	2% 이상	50억 원 이상
	코넥스시장	4% 이상	
비상장주식		4% 이상	10억 원 이상

Ⅱ 양도의 정의

1. 양도의 개념

양도란 자산에 대한 등기 또는 등록과 관계없이 매도, 교환, 법인에 대한 현물출자 등을 통하여 그 자산을 유상(사회통념상 대금의 거의 전부가 지급되었다고 볼만한 정도의 대금지급이 이행되어야 함)으로 사실상 이전하는 것을 말한다. 이 경우 부담부 증여 시 수증자가 부담하는 채무액에 해당하는 부분은 양도로 본다.

2. 양도로 보지 않는 경우

다음 중 어느 하나에 해당하는 경우에는 양도로 보지 아니한다.

(1) 「도시개발법」이나 그 밖의 법률에 따른 환지처분으로 지목 또는 지번이 변경되거나 보류지로 충당되는 경우(행정처분에 의하여 종전토지를 환지로 변환함으로써 국가등의 재정 부담이 없이 토지의 사적 소유권을 침해하지 아니하면서 대규모의 공익사업을 종합적으로 수행함과 아울러 공공용지를 확보하여 효율적인 토지이용으로 유도하는 공익사업의 원활한 수행을 지원하기 위함)

(2) 토지의 경계를 변경하기 위하여 다음의 요건을 모두 충족하는 토지 교환
   ① 토지 이용상 불합리한 지상 경계를 합리적으로 바꾸기 위하여 「공간정보의 구축 및 관리 등에 관한 법률」이나 그 밖의 법률에 따라 토지를 분할하여 교환할 것
   ② 분할된 토지의 전체 면적이 분할 전 토지의 전체 면적의 20%를 초과하지 아니할 것

(3) 위탁자와 수탁자 간 신임관계에 기하여 위탁자의 자산에 신탁이 설정되고 그 신탁재산의 소유권이 수탁자에게 이전된 경우로서 위탁자가 신탁 설정을 해지하거나 신탁의 수익자를 변경할 수 있는 등 신탁재산을 실질적으로 지배하고 소유하는 것으로 볼 수 있는 경우

(4) 양도담보

채무자가 채무의 변제를 담보하기 위하여 자산을 양도하는 계약을 체결한 경우에 다음의 요건을 모두 갖춘 계약서의 사본을 양도소득 과세표준 확정신고서에 첨부하여 신고하는 때에는 이를 양도로 보지 아니한다.
   ① 당사자 간에 채무의 변제를 담보하기 위하여 양도한다는 의사표시가 있을 것
   ② 당해 자산을 채무자가 원래대로 사용·수익한다는 의사표시가 있을 것
   ③ 원금·이율·변제기한·변제방법 등에 관한 약정이 있을 것

Ⅲ 비과세 양도소득

다음의 소득에 대해서는 양도소득세를 과세하지 아니한다.
1. 파산선고에 의한 처분으로 발생하는 소득
2. 법령으로 정하는 경우에 해당하는 농지의 교환 또는 분합으로 발생하는 소득
3. 비과세되는 1세대 1주택의 양도로 발생하는 소득
4. 조합원입주권을 1개 보유한 1세대가 조합원입주권을 양도하여 발생한 소득
5. 「지적재조사에 관한 특별법」에 따른 경계의 확정으로 지적공부상의 면적이 감소되어 지급받는 조정금

1. 1세대 1주택의 양도로 발생하는 소득

(1) 개요

양도소득세를 비과세하는 1세대 1주택이란 1세대가 양도일 현재 국내에 1주택(고가주택 제외)을 보유하고 있는 경우로서 해당 주택의 보유기간이 2년❶ 이상인 것(취득 당시에 조정대상지역에 있는 주택의 경우에는 해당 주택의 보유기간이 2년❶ 이상이고 그 보유기간 중 거주기간이 2년❶ 이상인 것)을 말한다.

(2) 주택의 범위

① 주택: 주택이란 허가 여부나 공부(公簿)상의 용도구분과 관계없이 세대의 구성원이 독립된 주거생활을 할 수 있는 구조로서 세대별로 구분된 각각의 공간마다 별도의 출입문, 화장실, 취사시설이 설치되어 있는 구조를 갖추어 사실상 주거용으로 사용하는 건물을 말한다. 이 경우 그 용도가 분명하지 아니하면 공부상의 용도에 따른다. 주택에는 다음의 면적 이내의 주택부수토지(= 주택정착면적 × 배율)를 포함한다.

도시지역 내 토지	수도권 내	㉠ 주거지역·상업지역·공업지역 내: 3배 ㉡ 녹지지역 내: 5배
	수도권 밖	5배
도시지역 밖		10배

② 다가구주택: 다가구주택은 한 가구가 독립하여 거주할 수 있도록 구획된 부분을 각각 하나의 주택으로 본다. 다만, 해당 다가구주택을 구획된 부분별로 양도하지 아니하고 하나의 매매단위로 하여 양도하는 경우 그 전체를 하나의 주택으로 본다.

❶ 비거주자가 주택을 3년 이상 계속 보유하고 거주한 상태로 거주자로 전환된 경우 3년이다.

③ 겸용주택

구분	건물	부수토지[1]
주택면적 > 주택 외의 건물면적	전부 주택	전부 부수토지
주택면적 ≤ 주택 외의 건물면적	주택만 주택	건물 연면적으로 안분계산

④ 고가주택

ⓐ 고가주택은 주택 및 주택부수토지의 양도 당시 실지거래가액의 합계액이 12억 원을 초과하는 주택을 말한다.

ⓑ 겸용주택의 경우 주택 외의 부분이 주택으로 간주되어 1세대 1주택 비과세규정이 적용되는 경우 고가주택의 여부를 판정할 때 그 주택 외의 부분의 가액이 포함된 전체 건물의 실지거래가액을 기준으로 고가주택을 판정한다.

→ 22. 1. 1. 이후 양도 시 고가주택 양도차익을 계산할 때 하나의 건물이 주택과 주택 외의 부분으로 복합되어 있는 경우와 주택부수토지에 주택 외의 건물이 있는 경우 주택 부분의 면적과 주택 외 부분의 면적을 비교하지 않고 주택 외의 부분은 주택으로 보지 않음

ⓒ 단독주택으로 보는 다가구주택의 경우에는 그 주택 전체의 양도 당시 실지거래가액의 합계액을 기준으로 고가주택 해당 여부를 판정한다.

(3) 1세대

① 원칙: 1세대란 거주자 및 그 배우자(법률상 이혼을 하였으나 생계를 같이하는 등 사실상 이혼한 것으로 보기 어려운 관계에 있는 사람 포함)가 그들과 같은 주소 또는 거소에서 생계를 같이하는 자[2]와 함께 구성하는 가족단위를 말한다.

② 예외: 다음의 경우 배우자가 없어도 1세대로 본다.

ⓐ 해당 거주자의 나이가 30세 이상인 경우

ⓑ 배우자가 사망하거나 이혼한 경우

ⓒ 「소득세법」 제4조에 따른 소득이 「국민기초생활 보장법」에 따른 기준 중위소득의 40% 수준 이상으로서 소유하고 있는 주택 또는 토지를 관리·유지하면서 독립된 생계를 유지할 수 있는 경우. 다만, 미성년자의 경우를 제외하되, 미성년자의 결혼, 가족의 사망 등 사유로 1세대의 구성이 불가피한 경우에는 그러하지 아니하다.

[1]
주택부수토지 외 토지부분은 양도소득세가 과세된다.

[2]
생계를 같이하는 자란 거주자 및 그 배우자의 직계존비속(그 배우자를 포함) 및 형제자매를 말하며, 취학, 질병의 요양, 근무상 또는 사업상의 형편으로 본래의 주소 또는 거소에서 일시 퇴거한 사람을 포함한다.

(4) 1주택 요건

① 원칙: 1세대가 양도일 현재 국내에 1주택만을 보유해야 한다. 이 경우 2개 이상의 주택을 같은 날에 양도하는 경우에는 당해 거주자가 선택하는 순서에 따라 주택을 양도한 것으로 본다.

② 특례

㉠ 일시적 2주택: 국내에 1주택을 소유한 1세대가 그 주택(종전주택)을 양도하기 전에 다른 주택(신규 주택)을 취득(자기가 건설하여 취득한 경우 포함)함으로써 일시적으로 2주택이 된 경우 종전의 주택을 취득한 날부터 1년 이상이 지난 후 신규 주택을 취득하고 신규 주택을 취득한 날부터 3년 이내에 종전의 주택을 양도하는 경우에는 이를 1세대 1주택으로 보아 1세대 1주택 비과세규정을 적용한다.

㉡ 상속주택: 상속 개시 당시 피상속인으로부터 상속받은 주택과 그 밖의 일반주택을 국내에 각각 1개씩 소유하고 있는 1세대가 일반주택을 양도하는 경우에는 국내에 1개의 주택을 소유하고 있는 것으로 보아 1세대 1주택의 비과세규정을 적용한다. 즉, 상속주택과 일반주택을 각각 1개씩 소유하고 있는 1세대가 일반주택을 먼저 양도하는 경우에는 1세대 1주택에 해당하나, 상속주택을 먼저 양도하는 경우에는 1세대 2주택에 해당한다.

㉢ 동거봉양 2주택: 1세대 1주택자가 1주택을 보유하고 있는 60세 이상의 직계존속(다음의 사람 포함)을 동거봉양하기 위하여 세대를 합침으로써 1세대가 2주택을 보유하게 되는 경우 세대를 합친 날부터 10년 이내에 먼저 양도하는 주택은 이를 1세대 1주택으로 보아 양도소득세 비과세규정을 적용한다.

ⓐ 배우자의 직계존속으로서 60세 이상인 사람

ⓑ 직계존속(배우자의 직계존속 포함) 중 어느 한 사람이 60세 미만인 경우

ⓒ 60세 미만의 직계존속(배우자의 직계존속 포함)으로서 중증질환자, 희귀난치성질환자 또는 결핵환자 산정특례대상자로 등록되거나 재등록된 자

㉣ 혼인 2주택: 1주택을 보유하는 자가 1주택을 보유하는 자 또는 1주택을 보유하고 있는 60세 이상의 직계존속을 동거봉양하는 무주택자와 혼인함으로써 1세대가 2주택을 보유하게 되는 경우, 그 혼인한 날부터 5년 이내에 먼저 양도하는 주택은 이를 1세대 1주택으로 보아 비과세규정을 적용한다.

ⓜ 문화재주택: 지정문화재 및 국가등록문화재에 해당하는 주택과 그 밖의 일반주택을 국내에 각각 1개씩 소유하고 있는 1세대가 일반주택을 양도하는 경우에는 국내에 1개의 주택을 소유하고 있는 것으로 보아 1세대 1주택의 비과세규정을 적용한다.

ⓗ 농어촌주택: 농어촌주택과 그 밖의 일반주택을 국내에 각각 1개씩 소유하고 있는 1세대가 일반주택을 양도하는 경우에는 국내에 1개의 주택을 소유하고 있는 것으로 보아 1세대 1주택의 비과세규정을 적용한다.

ⓢ 수도권 밖 주택: 취학, 직장의 변경이나 전근 등 근무상의 형편, 1년 이상의 치료나 요양을 필요로 하는 질병의 치료 또는 요양, 「학교폭력예방 및 대책에 관한 법률」에 따른 학교폭력으로 인한 전학(같은 법에 따른 학교폭력대책자치위원회가 피해학생에게 전학이 필요하다고 인정하는 경우에 한함) 사유로 세대전원이 다른 시·군으로 주거를 이전하였음이 재학·재직·요양증명서 등 해당 사실을 증명하는 서류에 의해 확인되는 경우로서 그 사유에 따라 취득한 수도권 밖에 소재하는 주택과 그 밖의 일반주택을 국내에 각각 1개씩 소유하고 있는 1세대가 부득이한 사유가 해소된 날부터 3년 이내에 일반주택을 양도하는 경우 국내에 1개의 주택을 소유하고 있는 것으로 보아 1세대 1주택의 비과세규정을 적용한다.

ⓞ 지방이전: 수도권에 소재한 법인 또는 국가균형발전 공공기관이 수도권 밖의 지역으로 이전함에 따라 법인의 임원과 사용인 및 공공기관의 종사자가 구성하는 1세대 1주택자(수도권에 1주택을 소유한 경우에 한정함)가 당해 공공기관 또는 법인이 이전한 시·군 또는 이와 연접한 시·군의 지역에 소재하는 주택을 취득하여 1세대 2주택자가 되는 경우에는 그 주택 취득일로부터 5년 이내에 종전 주택을 양도하는 경우에는 국내에 1주택을 소유하고 있는 것으로 보아 1세대 1주택의 비과세규정을 적용한다. 이 경우 해당 1세대에 대해서는 종전의 주택을 취득한 날부터 1년 이상이 지난 후 다른 주택을 취득하는 요건을 적용하지 않는다.

ⓩ 장기임대주택 등: 장기임대주택 또는 장기어린이집과 그 밖의 1주택을 국내에 소유하고 있는 1세대가 각각 법령 요건을 충족하고 해당 1주택(거주주택)을 양도하는 경우에는 국내에 1개의 주택을 소유하고 있는 것으로 보아 1세대 1주택 비과세규정을 적용한다. 다만, 장기임대주택을 보유하고 있는 경우에는 생애 한 차례만 거주주택을 최초로 양도하는 경우에 한정하여 1세대 1주택 비과세규정을 적용한다.

ⓧ 장기저당담보주택: 1주택을 소유하고 1세대를 구성하는 자가 장기저당담보주택을 소유하고 있는 직계존속(배우자의 직계존속 포함)을 동거봉양하기 위하여 세대를 합침으로써 1세대가 2주택을 소유하게 되는 경우 먼저 양도하는 주택에 대하여는 국내에 1개의 주택을 소유하고 있는 것으로 보아 1세대 1주택 비과세규정을 적용하되, 장기저당담보주택은 거주기간의 제한을 받지 아니한다.

(5) 보유기간 및 거주기간 요건

① 원칙: 양도일 현재 국내에 1주택을 보유하고 있는 경우로서 해당 주택의 보유기간이 2년❶ 이상인 것을 말한다. 다만, 취득 당시에 조정대상지역에 있는 주택은 해당 주택의 보유기간이 2년 이상이고 그 보유기간 중 거주기간이 2년 이상인 1세대 1주택에 대하여 양도소득세를 비과세한다. 주택의 보유기간은 당해 주택의 취득일부터 양도일까지로 하며, 주택의 거주기간은 주민등록표 등본에 따른 전입일부터 전출일까지의 기간으로 한다.

② 보유기간·거주기간 제한 없음

㉠ 민간건설임대주택이나 공공건설임대주택 또는 공공매입임대주택을 취득하여 양도하는 경우로서 해당 임대주택의 임차일부터 양도일까지의 기간 중 세대전원이 거주(취학, 근무상의 형편, 질병의 요양, 그 밖에 부득이한 사유로 세대의 구성원 중 일부가 거주하지 못하는 경우 포함)한 기간이 5년 이상인 경우에는 보유기간 및 거주기간에 제한을 받지 아니하고 1세대 1주택 비과세규정을 적용한다.

㉡ 사업인정고시일 전에 취득한 주택 및 그 부수토지의 전부 또는 일부가 협의매수·수용 및 법률에 의하여 수용되는 경우, 당해 협의매수·수용되는 주택 및 부수토지와 그 양도일 또는 수용일부터 5년 이내에 양도하는 그 잔존주택 및 그 부수토지에 대하여는 보유기간 및 거주기간에 관계없이 1세대 1주택의 비과세규정을 적용한다.

㉢ 「해외이주법」에 의한 해외이주로 세대전원이 출국하는 경우 또는 1년 이상 계속하여 국외거주를 필요로 하는 취학 또는 근무상의 형편으로 세대전원이 출국하는 경우로서 출국일 및 양도일 현재 1주택을 보유하고 그 출국일로부터 2년 이내 양도하는 주택에 한하여 보유기간 및 거주기간에 관계없이 비과세되는 1세대 1주택으로 본다.

㉣ 1년 이상 거주한 주택을 취학 등 부득이한 사유로 양도하는 경우에는 2년 이상 보유·거주하지 않더라도 이를 비과세되는 1세대 1주택으로 본다.

❶ 비거주자가 주택을 3년 이상 계속 보유하고 거주한 상태로 거주자로 전환된 경우 3년이다.

③ 거주기간 제한 없음: 거주자가 조정대상지역의 공고가 있은 날 이전에 매매계약을 체결하고 계약금을 지급한 사실이 증빙서류에 의하여 확인되는 경우로서 해당 거주자가 속한 1세대가 계약금 지급일 현재 주택을 보유하지 아니하는 경우에는 거주기간의 제한을 받지 않는다.

2. 조합원입주권을 1개 보유한 1세대가 조합원입주권을 양도하여 발생하는 소득

(1) 비과세대상

조합원입주권을 1개 보유한 1세대가 다음의 어느 하나의 요건을 충족하여 양도하는 경우 해당 조합원입주권을 양도하여 발생하는 소득에 대하여는 양도소득세를 비과세한다. 이 경우 조합원입주권에 대한 양도소득세 비과세 특례가 적용되는 1세대는 관리처분계획의 인가일 및 빈집 및 사업시행계획인가일(인가일 전에 기존주택이 철거되는 때에는 기존주택의 철거일) 세대 1주택의 비과세 요건을 충족하는 기존주택을 소유하는 세대에 한정한다.

① 양도일 현재 다른 주택 또는 분양권을 보유하지 아니할 것
② 양도일 현재 1조합원입주권 외에 1주택을 보유한 경우(분양권을 보유하지 아니하는 경우로 한정함)로서 해당 1주택을 취득한 날부터 3년 이내에 해당 조합원입주권을 양도할 것. 다만, 3년 이내에 양도하지 못하는 경우로서 주택을 취득한 날부터 3년이 되는 날 현재 법령이 정하는 경우를 포함한다.

(2) 과세대상

해당 조합원입주권의 양도 당시 실지거래가액이 12억 원을 초과하는 경우에는 양도소득세를 과세한다.

Ⅳ 양도시기 및 취득시기[❶]

1. 유상양도

(1) 대금청산일 분명한 경우

① 해당 자산의 대금을 청산한 날로 한다. 이 경우 자산의 대금에는 해당 자산의 양도에 대한 양도소득세 등을 양수자가 부담하기로 약정한 경우에는 해당 양도소득세 및 양도소득세의 부가세액은 제외한다.
② 대금 청산 전에 소유권이전등기(등록 및 명의의 개서 포함)를 한 경우에는 등기부·등록부 또는 명부 등에 기재된 등기접수일

(2) 대금청산일 불분명

등기부·등록부 또는 명부 등에 기재된 등기·등록접수일 또는 명의개서일

❶ 세율적용 또는 장기보유특별공제 적용 시 판단기준

2. 장기할부조건

소유권이전등기(등록 및 명의개서 포함) 접수일·인도일 또는 사용수익일 중 빠른 날

3. 자가건설 건축물

사용승인서 교부일. 단, 사용승인서 교부일 전에 사실상 사용하거나 임시사용승인을 받은 경우 그 사실상의 사용일 또는 임시사용승인을 받은 날 중 빠른 날로 하고 건축 허가를 받지 아니하고 건축하는 건축물에 있어서는 그 사실상의 사용일로 한다.

4. 상속·증여로 취득

그 상속이 개시된 날 또는 증여를 받은 날

5. 점유 취득

당해 부동산의 점유를 개시한 날

6. 공익사업 수용

대금을 청산한 날, 수용의 개시일 또는 소유권이전등기접수일 중 빠른 날. 다만, 소유권에 관한 소송으로 보상금이 공탁된 경우에는 소유권 관련 소송 판결 확정일로 한다.

2 양도소득세 계산구조

핵심정리

	원칙	추계	
양도가액	① 실지거래가액	② 매매사례가액 → ③ 감정가액	기준시가
(−) 취득가액	① 실지거래가액	② 매매사례가액 → ③ 감정가액 → ④ 환산취득가액	기준시가
(−) 기타필요경비	자본적 지출액 + 양도비용	필요경비개산공제(예) 기준시가의 3%)	
양도차익			
(−) 장기보유특별공제	토지·건물, 조합원입주권(승계취득한 경우 제외)의 양도차익 × 공제율		
양도소득금액	그룹별로 구분하여 양도차손 공제		
(−) 양도소득기본공제	그룹별로 구분하여 연 250만 원 공제		
양도소득과세표준			
양도소득세율	자산별·보유기간에 따라 상이함		
양도소득산출세액			
(±) 세액공제·감면세액	전자신고세액공제, 외국납부세액공제와 「조세특례제한법」상 감면세액		
자진납부할 세액			

I 양도가액과 취득가액의 산정

1. 내용

양도가액 또는 취득가액은 그 자산의 양도 또는 취득 당시의 양도자와 양수자 간에 실지거래가액에 따른다. 실지거래가액이란 자산의 양도 또는 취득 당시에 양도자와 양수자가 실제로 거래한 가액으로서 해당 자산의 양도 또는 는 취득과 대가관계에 있는 금전과 그 밖의 재산가액을 말한다. 단, 다음의 경우에는 양도가액 또는 취득가액을 추계에 의해 조사하여 결정 또는 경정할 수 있다.

(1) 양도 또는 취득 당시의 실지거래가액의 확인을 위하여 필요한 장부·매매계약서·영수증 기타 증빙서류가 없거나 그 중요한 부분이 미비된 경우
(2) 장부·매매계약서·영수증 기타 증빙서류의 내용이 매매사례가액, 감정평가법인 등이 평가한 감정가액 등에 비추어 거짓임이 명백한 경우

2. 매매사례가액

양도일 또는 취득일 전후 각 3개월 이내에 해당 자산(주권상장법인의 주식 제외)과 동일성 또는 유사성이 있는 자산의 매매사례가 있는 경우 그 가액

3. 감정가액

양도일 또는 취득일 전후 각 3개월 이내에 해당 자산(주식 등을 제외)에 대하여 둘 이상의 감정평가법인 등이 평가한 것으로서 신빙성이 있는 것으로 인정되는 감정가액(감정평가기준일이 양도일 또는 취득일 전후 각 3개월 이내인 것에 한정함)이 있는 경우에는 그 감정가액의 평균액 다만, 납세협력비용을 완화하기 위해 기준시가가 10억 원 이하인 자산(주식 등 제외)의 경우 하나의 감정가액도 인정한다.

4. 환산취득가액

(1) 계산방법

$$양도 당시의 실지거래가액 \cdot 매매사례가액 \cdot 감정가액 \times \frac{취득\ 당시\ 기준시가}{양도\ 당시\ 기준시가}$$

→ 신주인수권의 경우에는 환산취득가액을 적용하지 않음

예 상가건물을 15억 원에 양도하였으며, 매매계약서 분실로 취득가액은 확인할 수 없다. 양도 당시 기준시가는 10억 원, 취득 당시 기준시가는 2억 원이다.
   → 환산취득가액 = 15억 원 × 2억 원/10억 원 = 3억 원
   → 기타필요경비 = 2억 원 × 3% = 6백만 원

(2) 특례

환산취득가액을 적용하는 경우 다음의 금액 중 큰 금액을 필요경비로 한다.
① 환산취득가액 + 필요경비개산공제액
② 자본적 지출액 + 양도비용(법적 증빙에 의해 객관적으로 확인 가능한 경우)

5. 기준시가

구분		기준시가
토지		① 일반지역: 개별공시지가 ② 지정지역: 개별공시지가 × 배율
건물		양도일 현재 국세청장이 고시한 가액
주택		양도일 또는 취득일 현재 국토교통장관이 공시한 개별주택가격 예 양도일 2020. 8. 5. 기준시가 고시: 2020. 4. 29.자 고시가액 200,000,000원
주식	상장주식	양도일 또는 취득일 이전 1개월 공표된 매일의 종가 평균액
	비상장주식	「상속세 및 증여세법」의 보충적 평가방법 준용함

6. 기타 필요경비

(1) 취득가액을 실지취득가액으로 하는 경우
자본적 지출액과 양도비용

(2) 취득가액을 매매사례가액, 감정가액, 환산취득가액, 기준시가로 하는 경우

구분		개산공제액
토지와 건물		취득 당시의 기준시가 × 3% (미등기양도자산 0.3%)
부동산에 관한 권리	지상권·전세권·등기된 부동산임차권	취득 당시의 기준시가 × 7%
	부동산을 취득할 수 있는 권리	취득 당시의 기준시가 × 1%
기타자산, 주식·출자지분		

Ⅱ 양도차익의 산정

1. 원칙

양도차익을 계산할 때 양도가액을 실지거래가액(매매사례가액·감정가액 포함)에 따를 때에는 취득가액도 실지거래가액(매매사례가액·감정가액·환산취득가액 등 포함)에 따르고, 양도가액을 기준시가에 따를 때에는 취득가액도 기준시가에 따른다.

2. 일괄취득·일괄양도

(1) 양도가액 또는 취득가액을 실지거래가액에 따라 산정하는 경우로서 토지와 건물 등을 함께 취득하거나 양도한 경우에는 이를 각각 구분하여 기장하되 토지와 건물 등의 가액 구분이 불분명할 때에는 취득 또는 양도 당시의 기준시가 등을 고려하여 「부가가치세법 시행령」(감정가액 → 기준시가 등)과 동일하게 안분계산한다. 이 경우 공통되는 취득가액과 양도비용은 해당 자산의 가액에 비례하여 안분계산한다.

(2) 토지와 건물 등을 함께 취득하거나 양도한 경우로서 그 토지와 건물 등을 구분 기장한 가액이 같은 항에 따라 안분계산한 가액과 30% 이상 차이가 있는 경우에는 토지와 건물 등의 가액 구분이 불분명한 때로 본다.

Ⅲ 양도가액과 취득가액 특례

1. 양도가액 특례

(1) 고가양도
① 소득세와 이중과세 조정: 특수관계법인 양도한 경우로서 해당 거주자의 상여·배당 등으로 처분된 금액이 있는 경우 시가를 양도가액으로 한다.

② 증여세와 이중과세 조정: 특수관계법인 외의 자에게 자산을 시가보다 높은 가격으로 양도한 경우로서 「상속세 및 증여세법」 제35조에 따라 해당 거주자의 증여재산가액으로 하는 금액이 있는 경우에는 그 양도가액에서 증여재산가액을 뺀 금액을 양도가액으로 한다.

③ 고가양도의 계산

거래상대방	과세요건	증여재산가액
특수관계인	(대가 − 시가) ≥ Min(시가 × 30%, 3억 원)	(대가 − 시가) − Min(시가 × 30%, 3억 원)
특수관계 아닌 자	(대가 − 시가) ≥ 시가 × 30%	(대가 − 시가) − 3억 원

사례

거주자 甲이 시가 20억 원인 자산을 다음의 자에게 30억 원에게 양도하는 경우

양수인	양도가액	계산근거
특수관계인	20억 원	30억 원 − 10억 원(인정소득으로 처분된 금액)
특수관계 아닌 자	23억 원	30억 원 − 7억 원(증여재산가액)

(2) 저가양도

특수관계인에게 시가보다 낮은 가격으로 자산을 양도한 경우 시가를 양도가액으로 본다. 다만, 시가와 거래가액의 차액이 3억 원 이상이거나 시가의 5%에 상당하는 금액 이상인 경우만 해당한다.

∵ 부당행위계산의 부인

→ 특수관계인 외의 자에게 양도하는 경우 실지거래가액을 양도가액으로 봄

사례

거주자 甲이 시가 30억 원인 자산을 다음의 자에게 20억 원에게 양도하는 경우

양수인	양도가액	계산근거
특수관계인	30억 원	30억 원 − 20억 원 ≥ Min(30억 원 × 5%, 3억 원)
특수관계 아닌 자	20억 원	실지양도가액

(3) 기타 규정

양도자와 매수자가 매매계약을 체결함에 있어 매수자가 양도소득세를 부담하기로 약정하고 이를 실지로 지급하였을 경우 동 양도소득세를 포함한 가액을 양도가액으로 본다.

→ 이 경우 매수자는 지급한 양도소득세를 취득원가로서 필요경비에 산입함

2. 취득가액 특례

(1) 저가양수

① 소득세와 이중과세 조정: 특수관계인(외국법인 포함)으로부터 취득한 경우로서 거주자의 상여·배당 등으로 처분된 금액이 있으면 그 상여·배당 등으로 처분된 금액을 취득가액에 더한다.

② 증여세와 이중과세 조정: 「상속세 및 증여세법」의 규정에 따라 상속세나 증여세를 과세받은 경우에는 해당 상속재산가액이나 증여재산가액을 취득가액에 더한다.

③ 저가양수의 계산

거래상대방	과세요건	증여재산가액
특수관계인	(시가 – 대가) ≥ Min(시가 × 30%, 3억 원)	(시가 – 대가) – Min(시가 × 30%, 3억 원)
특수관계 아닌 자	(시가 – 대가) ≥ 시가 × 30%	(시가 – 대가) – 3억 원

사례

거주자 甲이 시가 20억 원인 자산을 다음의 자로부터 10억 원에 취득하는 경우

상대방	취득가액	계산근거
특수관계인	20억 원	10억 원 + 10억 원(인정소득으로 처분된 금액)
특수관계 아닌 자	17억 원	10억 원 + 7억 원(증여재산가액)

(2) 고가양수

특수관계인으로부터 시가보다 높은 가격으로 자산을 매입한 경우 시가를 취득가액으로 본다. 다만, 시가와 거래가액의 차액이 3억 원 이상이거나 시가의 5%에 상당하는 금액 이상인 경우만 해당한다.

사례

거주자 甲이 시가 20억 원인 자산을 다음의 자로부터 30억 원에 취득한 경우

양수인	양도가액	계산근거
특수관계인	20억 원	30억 원 – 20억 원 ≥ Min(20억 원 × 5%, 3억 원)
특수관계 아닌 자	30억 원	실지취득가액

(3) 기타 규정

주식매수선택권을 행사하여 취득한 주식을 양도하는 때에는 주식매수선택권을 행사하는 당시의 시가를 취득가액으로 한다.

甲의 약정한 매수가격(행사가격) = 100,000

구분	행사시점	양도시점
시가	400,000	800,000

1. 행사시점 근로소득 또는 기타소득 과세: 400,000 - 100,000 = 300,000
2. 양도시점 양도소득 과세: 800,000 - 400,000 = 400,000

Ⅳ 실지취득가액, 자본적 지출액과 양도비용

1. 실지취득가액

(1) 취득세 등

취득 시 납부한 취득세·등록세 이에 부가되는 농어촌특별세 및 지방교육세와 인지세 등 기타 부대비용은 취득가액에 산입하고, 취득세·등록세는 납부영수증이 없는 때에도 취득가액에 포함하며, 「지방세법」에 따라 감면되는 경우에는 취득가액에 포함되지 않는다.

(2) 부가가치세

① 자산을 취득할 때 부담한 부가가치세액은 취득원가에 포함한다. 단, 취득자가 일반과세사업자로서 사업용으로 취득한 경우에는 취득원가 및 기타 필요경비로 산입할 수 없다.

② 사업자가 면세전용과 폐업 시 잔존재화에 대해 납부하였거나 납부할 부가가치세는 실지취득가액에 포함한다.

(3) 현재가치할인차금

자산을 장기할부조건으로 매입하는 경우에 발생한 채무를 기업회계기준에 따라 현재가치로 평가하여 현재가치할인차금으로 계상한 경우 당해 현재가치할인차금을 포함한다. 단, 양도자산의 보유기간 중에 동 현재가치할인차금의 상각액을 각 연도의 사업소득금액 계산 시 필요경비로 산입하였거나 산입할 금액이 있는 때에는 당해 금액을 취득가액에서 공제한다.

∵ 자산의 취득가액의 일부에 대해 사업소득과 양도소득에 이중공제 방지

(4) 감가상각비

양도자산 보유기간에 그 자산에 대한 감가상각비로서 각 과세기간의 사업소득금액을 계산하는 경우 필요경비에 산입하였거나 산입할 금액이 있을 때에는 이를 취득가액에서 공제한다.

∵ 이중공제 방지

(5) 소송비용 등

취득에 관한 쟁송이 있는 자산에 대하여 그 소유권 등을 확보하기 위하여 직접 소요된 소송비용·화해비용 등의 금액으로서 그 지출한 연도의 각 소득금액의 계산에 있어서 필요경비에 산입된 것을 제외한 금액은 취득가액에 가산한다.

(6) 연체이자

당사자 약정에 의한 대금지급방법에 따라 취득원가에 이자상당액을 가산하여 거래가액을 확정하는 경우 당해 이자상당액은 취득원가에 포함한다. 다만, 당초 약정에 의한 거래가액의 지급기일의 지연으로 인하여 추가로 발생하는 이자상당액은 취득원가에 포함하지 아니한다.

(7) 상속·증여

상속이나 증여로 자산을 취득한 경우의 취득가액는 「상속세 및 증여세법」의 규정에 따라 평가한 금액(세무서장 등이 결정·경정한 가액이 있는 경우 그 결정·경정한 가액)으로 적용한다.

∵ 의제취득가액

(8) 합병

합병으로 취득한 주식의 취득가액은 다음과 같이 계산한다.

$$\frac{\text{피합병법인의 주식취득가액 + 합병 시 의제배당}}{\text{합병 시 교부받은 주식 수}} - \text{합병대가 중 금전이나 그 밖의 재산가액}$$

2. 자본적 지출액

다음의 어느 하나에 해당하는 것으로서 그 지출에 관한 계산서, 세금계산서, 신용카드매출전표, 현금영수증 등 증명서류를 수취·보관하거나 실제 지출사실이 금융거래 증명서류에 의하여 확인되는 경우를 말한다.

(1) 자본적 지출액(엘리베이터 설치, 냉·난방장치의 설치, 빌딩의 피난시설 설치 등)

(2) 양도자산을 취득한 후 쟁송이 있는 경우에 그 소유권을 확보하기 위하여 직접 소요된 소송비용 등의 금액으로서 그 지출한 연도의 각 소득금액의 계산에 있어서 필요경비에 산입된 것을 제외한 금액

(3) 협의 매수 또는 수용되는 경우로서 그 보상금의 증액과 관련하여 직접 소요된 소송비용 등의 금액으로서 그 지출한 연도의 각 소득금액의 계산에 있어서 필요경비에 산입된 것을 제외한 금액. 이 경우 증액보상금을 한도로 한다.

(4) 양도자산의 용도변경·개량 또는 이용편의를 위하여 지출한 비용(재해·노후화 등 부득이한 사유로 인하여 건물을 재건축한 경우 그 철거비용 포함)

(5) 개발부담금과 재건축부담금(납부의무자와 양도자가 서로 다른 경우 양도자에게 사실상 배분될 상당액)

3. 양도비용

자산을 양도하기 위하여 직접 지출한 비용으로서 다음 중 어느 하나에 해당하는 것으로서 그 지출에 관한 증명서류를 수취·보관하거나 실제 지출사실이 금융거래 증명서류에 의하여 확인되는 경우를 말한다.

(1) 「증권거래세법」에 따라 납부한 증권거래세

(2) 주식 등을 양도하기 위해 직접 지출한 비용으로서 위탁매매수수료, 투자일임수수료 중 일정 요건을 갖춘 위탁매매수수료 성격의 비용, 농어촌특별세

(3) 양도소득세과세표준 신고서 작성비용 및 계약서 작성비용

(4) 공증비용, 인지대 및 소개비

(5) 매매계약에 따른 인도의무를 이행하기 위하여 양도자가 지출하는 명도비용

　예 매수인 거주조건에 따라 양도건물에 거주하던 기존 임차인에게 지급한 퇴거합의금

(6) 자산 취득 시 법령의 규정에 따라 매입한 국민주택채권 및 토지개발채권을 만기 전에 양도함으로써 발생하는 매각차손. 이 경우 금융기관 외의 자에게 양도한 경우에는 동일한 날에 금융기관에 양도하였을 경우 발생하는 매각차손을 한도로 한다.

　→ 취득자금으로 활용된 은행대출이자 등은 필요경비에 해당하지 않음

구분	취득가액	
	실지거래가액 적용 시	추계하는 경우
감가상각비	취득가액에서 공제	취득가액에서 공제
현재가치할인차금	취득가액에서 공제	−

Check 감가상각비와 현재가치할인차금

V 장기보유특별공제

1. 의의

장기간에 걸쳐 형성된 양도소득을 누진세율로 과세하여 높은 세율로 적용되는 효과를 완화하여 장·단기 보유에 따른 세부담의 균형을 유지하고, 장기보유를 유도하여 부동산 투기 억제효과를 달성하기 위한 제도이다.

2. 공제대상

보유기간이 3년 이상인 토지(비사업용 토지 포함) 및 건물과 조합원입주권
(조합원으로부터 취득한 것 제외)

3. 배제대상

부동산이 아닌 자산(예 주식 등), 보유기간 3년 미만의 부동산, 미등기 양도자
산, 국외부동산

4. 공제액

일반	양도차익 × 보유기간별 공제율
1세대 1주택	양도차익 × (보유기간별 공제율 + 거주기간별 공제율)

5. 공제율

보유기간	일반적인 경우	1세대 1주택	
		보유기간	거주기간
2년 이상	–	–	8%
3년 이상	6%	12%	12%
4년 이상	8%	16%	16%
5년 이상	10%	20%	20%
6년 이상	12%	24%	24%
7년 이상	14%	28%	28%
8년 이상	16%	32%	32%
9년 이상	18%	36%	36%
10년 이상	20%	40%	40%
11년 이상	22%		
12년 이상	24%		
13년 이상	26%		
14년 이상	28%		
15년 이상	30%		

Check 보유기간의 계산

일반적인 경우		그 자산의 취득일부터 양도일
상속받은 자산		상속개시일부터 양도일
증여받은 자산	원칙	증여등기접수일부터 양도일
	이월과세	증여한 배우자 또는 직계존비속이 해당 자산을 취득한 날부터 양도일
	가업상속	가업상속공제가 적용된 비율에 해당하는 자산의 경우에는 피상속인이 해당 자산을 취득한 날부터 양도일

6. 주택이 아닌 건물을 사실상 주거용으로 사용하거나 공부상의 용도를 주택으로 변경하는 경우로서 그 자산이 대통령령으로 정하는 1세대 1주택(이에 딸린 토지를 포함한다)에 해당하는 자산인 경우 장기보유 특별공제액은 그 자산의 양도차익에 (1) 보유기간별 공제율을 곱하여 계산한 금액과 (2)에 따른 거주기간별 공제율을 곱하여 계산한 금액을 합산한 것을 말한다.

(1) 보유기간별 공제율

다음 계산식에 따라 계산한 공제율. 다만, 다음 계산식에 따라 계산한 공제율이 100분의 40보다 큰 경우에는 100분의 40으로 한다.

> 주택이 아닌 건물로 보유한 기간에 해당하는 보유기간별 공제율
> + 주택으로 보유한 기간에 해당하는 보유기간별 공제율

(2) 거주기간별 공제율

다음 계산식에 따라 계산한 공제율

> 주택으로 보유한 기간❶ 중 거주한 기간에 해당하는 거주기간별 공제율

❶
주택으로 보유한 기간은 해당 자산을 사실상 주거용으로 사용한 날부터 기산한다. 다만, 사실상 주거용으로 사용한 날이 분명하지 아니한 경우에는 그 자산의 공부상 용도를 주택으로 변경한 날부터 기산한다.

Ⅵ 양도소득 기본공제

1. 내용

양도소득이 있는 거주자가 다음의 양도소득별로 해당 과세기간의 양도소득금액에서 각각 연 250만 원을 공제하며, 미등기양도자산에 대하여 그러하지 아니한다.

(1) 토지·건물, 부동산에 관한 권리 및 기타자산
(2) 주식 등의 양도소득(2024. 12. 31. 이전에 양도한 분에 한함)
(3) 파생상품 등의 양도소득(2024. 12. 31. 이전에 양도한 분에 한함)
(4) 신탁 수익권의 양도소득

2. 공제순서

양도소득 기본공제를 적용함에 있어 양도소득금액에 「소득세법」, 「조세특례제한법」 및 그 밖의 법률에 따른 감면소득금액이 있는 경우에는 그 감면소득금액 외의 양도소득금액에서 먼저 공제하고, 감면소득금액 외의 양도소득금액 중에서는 해당 과세기간에 먼저 양도한 자산의 양도소득금액에서부터 순서대로 공제한다.

→ 둘 이상의 양도자산 중 어느 자산을 먼저 양도하였는지 불분명한 경우 납세자에게 유리한 양도소득금액에서부터 공제함

3. 공제금액

구분	국내	국외
부동산, 부동산을 취득할 수 있는 권리, 기타자산	2,500,000원	2,500,000원
주식	2,500,000원	
파생상품	2,500,000원	
신탁의 이익을 받을 권리	2,500,000원	

※ 국외전출세도 별도로 2,500,000원 적용함

Ⅶ 양도소득세율[1]

❶
세율이 둘 이상에 해당하는 경우 높은 세율을 적용한다.

1. 1호

(1) 토지·건물·부동산에 관한 권리

1년 미만 보유	50%(주택, 분양권, 조합원입주권 70%)
1년 이상 보유	40%(주택, 분양권, 조합원입주권 60%)
2년 이상 보유	기본세율(분양권 60%)
비사업용 토지	16 ~ 55%(지정지역 10%p 추가)
미등기자산	70%

(2) 기타자산

기본세율

2. 2호 - 주식 또는 출자지분

구분	상장·코스닥(코넥스 포함)법인				비상장법인		
	대주주		대주주 외		대주주		대주주 외
	1년 미만	1년 이상	장외	장내	1년 미만	1년 이상	
중소 외	30%	20(25)%	20%	비과세	30%	20(25)%	20%
중소	20(25)%		10%		20(25)%		10%

→ 대주주가 양도하는 중소기업 주식('19. 1. 1. 이후 양도분) 및 중소기업 외 주식('18. 1. 1. 이후 양도분)은 과세표준 3억 원 초과 시 세율 25% 적용

3. 3호 - 파생상품

기본세율은 20%이나 탄력세율 10%가 적용된다.

4. 4호 - 신탁수익권

(1) 양도소득과세표준 3억 원 이하

20%

(2) 양도소득과세표준 3억 원 초과

6천만 원 + (3억 원 초과액 × 25%)

Check 보유기간 기산일 비교			
구분		세율 적용	장기보유특별공제 적용
상속		피상속인이 취득한 날	상속개시일
증여	원칙	증여받은 날	증여받은 날
	이월과세	증여자가 그 자산을 취득한 날	증여자가 그 자산을 취득한 날

Check 비과세 및 감면의 배제	
미등기자산	미등기 양도자산은 비과세 및 양도소득세의 감면을 배제한다.
허위계약서	자산을 매매하는 거래당사자가 매매계약서의 거래가액을 실지거래가액과 다르게 적은 경우에는 해당 자산에 대하여 양도소득세의 비과세 또는 감면에 관한 규정을 적용할 때 비과세 또는 감면받았거나 받을 세액에서 다음 중 적은 금액을 뺀다. ① 비과세에 관한 규정을 적용받을 경우: 비과세에 관한 규정을 적용하지 아니하였을 경우의 양도소득 산출세액과 매매계약서의 거래가액과 실지거래가액과의 차액 ② 감면에 관한 규정을 적용받을 경우: 감면에 관한 규정을 적용받았거나 받을 경우의 해당 감면세액과 매매계약서의 거래가액과 실지거래가액과의 차액

3 양도소득 특수주제

I 양도차손공제

1. 양도소득금액 구분계산

양도소득금액은 다음의 그룹별 자산 양도로 발생한 소득금액으로 구분하고, 양도차손과 양도차익의 통산, 양도소득기본공제, 세율 등은 그룹별로 적용한다.

1그룹	부동산, 부동산에 관한 권리, 기타자산
2그룹	주식 또는 출자지분
3그룹	파생상품
4그룹	신탁수익권

2. 양도차손공제

양도소득금액을 계산할 때 양도차손이 발생한 자산이 있는 경우에는 그룹별로 해당 자산 외의 다른 자산에서 발생한 양도소득금액에서 순차로 그 양도차손을 공제한다.

1순위	양도차손이 발생한 자산과 같은 세율을 적용받는 자산의 양도소득금액
2순위	양도차손이 발생한 자산과 다른 세율을 적용받는 자산의 양도소득금액. 이 경우 다른 세율을 적용받는 자산의 양도소득금액이 둘 이상인 경우에는 각 세율별 양도소득금액의 합계액에서 당해 양도소득금액이 차지하는 비율로 안분하여 공제한다. → 미공제된 양도차손(결손금)은 다른 소득금액에서 공제하지 않고 소멸함

> **Check** 감면대상소득이 포함되어 있는 경우
>
> 감면소득금액을 계산함에 있어서 양도소득금액에 감면소득금액이 포함되어 있는 경우에는 순양도소득금액(감면소득금액을 제외한 부분)과 감면소득금액이 차지하는 비율로 안분하여 당해 양도차손을 공제한 것으로 보아 감면소득금액에서 당해 양도차손 해당분을 공제한 금액을 감면소득금액으로 본다.

사례

구분	토지 A	토지 B	토지 C	토지 D
적용세율	기본세율	기본세율	40% 세율	50% 세율
양도차익	△200	120	200	300
장특공제	–	20	–	–
양도소득금액	△200	100	200	300
1차 통산	└→	△100		
2차 통산			△40(△100 × 200/500)	△60(△100 × 300/500)
양도소득금액	–	–	160	240

Ⅱ 1세대 1주택 고가주택의 양도소득금액

1. 고가주택 양도차익

$$\text{고가주택 양도차익} \times \frac{\text{양도가액} - 12\text{억 원}}{\text{양도가액}}$$

2. 고가주택 장기보유특별공제

$$\text{장기보유특별공제액} \times \frac{\text{양도가액} - 12억\ \text{원}}{\text{양도가액}}$$

→ 간편법: **1.**의 계산식에 따른 고가주택 양도차익 × 공제율(보유기간 + 거주기간)

사례

1. 보유기간 10년 이상(보유기간 중 거주기간 8년)
2. 양도실가: 15억 원, 취득실가: 8억 원, 기타 필요경비: 3천만 원

	양도가액	1,500,000,000	
(−)	취득가액	800,000,000	
(−)	기타필요경비	30,000,000	
	양도차익	670,000,000	
	과세대상양도차익	134,000,000	670,000,000 × (15억 원 − 12억 원)/15억 원
(−)	장기보유특별공제	96,480,000	134,000,000 × (40% + 32%)
	양도소득금액	37,520,000	

Ⅲ 부담부 증여에 대한 양도차익의 계산

1. 의의

부담부 증여 시 증여자의 채무를 수증자가 인수하는 경우 증여가액 중 그 채무액에 해당하는 부분은 그 자산이 유상으로 이전되는 것으로 보아 양도소득세를 과세한다. 다만, 배우자 간 또는 직계존비속 간의 부담부 증여(「상속세 및 증여세법」 제44조에 따라 증여로 추정되는 경우 포함)에 대해서는 수증자가 증여자의 채무를 인수한 경우에도 수증자에게 인수되지 아니한 것으로 추정되므로 전부 증여세를 과세한다.

2. 내용

부담부 증여의 경우 양도로 보는 부분에 대한 양도차익을 계산할 때 그 취득가액 및 양도가액은 다음에 따른다.

양도가액	「상속세 및 증여세법」에 따라 평가액 ❶× $\dfrac{\text{채무액}}{\text{증여가액}}$
취득가액	실지거래가액(매매사례가액·감정가액·환산취득가액)❷× $\dfrac{\text{채무액}}{\text{증여가액}}$

취지
거액의 부동산을 담보로 제공하여 부채를 발생한 뒤 동 부동산을 증여함으로써 양도소득세를 면탈함과 동시에 담보채무를 수증자가 인수하는 방법을 통하여 증여세도 회피하는 수법이 악용되어 이를 규제하기 위한 제도이다.

❶
증여 당시의 시가로 하되, 시가가 확인되지 않는 경우 기준시가이다.

❷
양도가액을 기준시가로 산정한 경우에는 취득가액도 기준시가이다.

| Check | 양도가액과 취득가액 · 기타필요경비 정리 |

양도가액		증여 당시의 시가	기준시가
취득가액	실지거래가액	If 실지거래가액이 없다면 매매사례가액 → 감정가액 → 환산가액 적용	기준시가
기타경비	자본적 지출 + 양도비	필요경비 개산공제	

| Check | 양도소득세 과세대상에 해당하지 않는 자산을 함께 부담부 증여한 경우 채무액 |

$$\text{채무액} = \text{총채무액} \times \frac{\text{양도소득세 과세대상 자산가액}}{\text{총증여자산가액}}$$

사례

구분	취득 당시	증여 당시
금액	실지거래가액 50,000,000	시가 100,000,000
기준시가	30,000,000	80,000,000

1. 수증자가 인수한 증여자산에 담보된 증여자의 채무: 60,000,000
2. 자본적 지출액: 5,000,000

구분	증여 당시 시가 ○	증여 당시 시가 ×
양도가액	100 × 60/100 = 60	80 × 60/80 = 60
취득가액	50 × 60/100 = 30	30 × 60/80 = 22.5
기타필요경비	5	30 × 3% × 60/80 = 0.675
양도차익	25	36.825

Ⅳ 이월과세

1. 배우자 또는 직계존비속으로부터 증여받은 자산의 이월과세

(1) 의의

거주자가 양도일부터 소급하여 등기부에 기재된 소유기간을 기준으로 10년(2022. 12. 31. 이전 5년) 이내에 그 배우자(양도 당시 혼인관계가 소멸된 경우 포함, 사망으로 혼인관계가 소멸된 경우 제외) 또는 직계존비속으로부터 증여받은 토지 · 건물, 부동산을 취득할 수 있는 권리 및 특정물시설물이용권의 양도차익을 계산할 때 양도가액에서 공제할 취득가액은 당초 증여한 그 배우자 등의 취득 당시를 기준으로 한다.

(2) 이월과세 적용배제

다음의 어느 하나에 해당하는 경우에는 이월과세를 적용하지 아니한다.

① 사업인정고시일부터 소급하여 2년 이전에 증여받은 경우로서 「공익사업을 위한 토지 등의 취득 및 보상에 관한 법률」이나 그 밖의 법률에 따라 협의매수 또는 수용된 경우

② 이월과세를 적용할 경우 1세대 1주택(비과세대상에서 제외되는 고가주택 포함)의 양도에 해당하게 되는 경우

③ 이월과세를 적용하여 계산한 양도소득 결정세액이 이월과세를 적용하지 아니하고 계산한 양도소득 결정세액보다 적은 경우 → 비교과세

(3) 이월과세 적용효과

① 납세의무자: 수증자(증여자와 연대납세의무 없음)

② 필요경비: 취득가액은 당초 증여자의 취득 당시의 가액으로 하되, 자본적지출액은 거주자의 배우자 또는 직계존비속이 해당 자산에 대하여 지출한 금액을 포함한다.

③ 증여세 처리: 이월과세 적용 시 증여받은 수증자가 부담한 증여세상당액은 해당 자산에 대한 양도차익을 한도로 필요경비에 산입된다.

$$증여받은\ 자산에\ 대한\ 증여세\ 산출세액 \times \frac{이월과세대상\ 증여세\ 과세가액}{증여세\ 과세가액의\ 합계액}$$

예 甲은 배우자로부터 부동산(5억 원)과 주식(3억 원)을 증여받았으며, 증여세 산출세액은 90,000,000원이다. 그 후 증여받은 부동산을 양도(양도차익 4억 원)하였다.

→ 필요경비 증여세 산출세액: 56,250,000(= 9천만 원 × 5억 원/8억 원)

④ 보유기간 판정: 1세대 1주택 비과세 요건 판정 및 장기보유특별공제 시 보유기간은 증여한 배우자 등이 해당 자산을 취득한 날부터 기산한다.

2. 가업상속공제가 적용된 자산의 이월과세

가업상속공제가 적용된 자산부분에 대한 자산의 양도 시 취득가액은 다음의 금액을 합한 금액으로 한다.

(1) 피상속인의 취득가액 × 가업상속공제적용률

(2) 상속개시일 현재 해당 자산가액 × (1 - 가업상속공제적용률)

∵ 가업상속공제는 상속 단계에서 과도한 상속세의 부담을 경감하려는 취지의 제도이나 상속인이 양도할 경우 피상속인의 보유기간 동안의 자본이득에 대한 양도소득세까지 과세되지 아니하여 과세형평성을 저해하는 문제점 해소

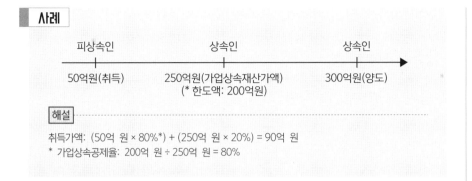

사례

피상속인	상속인	상속인
50억원(취득)	250억원(가업상속재산가액) (* 한도액: 200억원)	300억원(양도)

해설

취득가액: (50억 원 × 80%*) + (250억 원 × 20%) = 90억 원
* 가업상속공제율: 200억 원 ÷ 250억 원 = 80%

V 양도소득의 부당행위계산

1. 일반적인 경우

(1) 의의

납세지 관할 세무서장 또는 지방국세청장은 양도소득이 있는 거주자의 행위 또는 계산이 그 거주자의 특수관계인과의 거래로 인하여 그 소득에 대한 조세 부담을 부당하게 감소시킨 것으로 인정되는 경우에는 그 거주자의 행위 또는 계산과 관계없이 해당 과세기간의 소득금액을 계산할 수 있다. 조세의 부담을 부당하게 감소시킨 것으로 인정되는 경우란 다음의 어느 하나에 해당하는 때를 말한다. 다만, 시가와 거래가액의 차액이 3억 원 이상이거나 시가의 5%에 상당하는 금액 이상인 경우로 한정한다.

① 특수관계인으로부터 시가보다 높은 가격으로 자산을 매입하거나 특수관계인에게 시가보다 낮은 가격으로 자산을 양도한 때

② 그 밖에 특수관계인과의 거래로 해당 연도의 양도가액 또는 필요경비의 계산 시 조세의 부담을 부당하게 감소시킨 것으로 인정되는 때

(2) 적용효과

특수관계인과의 거래에 있어서 토지 등을 시가를 초과하여 취득하거나 시가에 미달하게 양도함으로써 조세의 부담을 부당히 감소시킨 것으로 인정되는 때에는 그 취득가액 또는 양도가액을 시가에 의하여 계산한다. 시가는 「상속세 및 증여세법」규정을 준용하여 평가한 가액으로 하되, 주권상장법인이 발행한 주식의 시가는 「법인세법」상 시가로 한다.

(3) 적용배제

개인과 법인 간에 재산을 양수 또는 양도하는 경우로서 그 대가가 「법인세법」의 규정에 의한 가액에 해당되어 당해 법인의 거래에 대하여 「법인세법」 부당행위계산 부인규정이 적용되지 아니하는 경우에는 양도소득 부당행위계산 부인규정을 적용하지 아니한다. 다만, 거짓 그 밖의 부정한 방법으로 양도소득세를 감소시킨 것으로 인정되는 경우에는 그러하지 아니하다.

∵ 「상속세 및 증여세법」을 준용하는 「소득세법」상 시가 산정방법과 「법인세법」상 시가산정방법이 상이함에 따라 야기되는 혼란을 해소하기 위함

2. 증여 후 양도행위의 부인

(1) 의의

거주자가 특수관계인(이월과세를 적용하는 배우자 및 직계존비속 제외)에게 자산을 증여한 후 그 자산을 증여받은 자가 그 증여일부터 10년(2022. 12. 31. 이전 5년) 이내에 다시 타인에게 양도한 경우로서 ①에 따른 세액이 ②에 따른 세액보다 적은 경우에는 증여자가 그 자산을 직접 양도한 것으로 본다.

① 증여받은 자의 증여세(산출세액에서 공제·감면세액을 뺀 세액)와 양도소득세(산출세액에서 공제·감면세액을 뺀 결정세액)를 합한 세액

② 증여자가 직접 양도하는 경우로 보아 계산한 양도소득세

∵ 증여자가 외관상으로 수증자의 명의를 사용하여 자산을 양도함으로써 양도소득세를 회피하는 경우 실질적인 소득의 귀속자인 증여자에게 양도소득세를 부과하기 위함

(2) 적용배제

양도소득이 해당 수증자에게 실질적으로 귀속된 경우

(3) 적용효과

① 납세의무자: 증여자(수증자에게 연대납세의무 있음)

② 필요경비: 모두 증여자를 기준으로 계산한다.

③ 증여세 처리: 증여자에게 양도소득세가 과세되는 경우 당초 증여받은 자산에 대해서는 증여세를 부과하지 아니한다. 이미 수증자에게 증여세가 부과된 경우에는 그 부과를 취소하고 수증자에게 환급하여야 한다.

④ 보유기간 판정: 1세대 1주택 비과세 요건 판정 및 장기보유특별공제 시 보유기간은 증여자가 해당 자산을 취득한 날부터 기산한다.

4 양도소득세 납세절차

Ⅰ 예정신고납부

거주자는 양도소득과세표준을 다음의 구분에 따른 기간에 납세지 관할 세무서장에게 예정신고를 하여야 하며, 양도차익이 없거나 양도차손이 발생한 경우에도 적용한다.

구분	신고기간
토지·건물·부동산에 관한 권리, 기타자산, 신탁수익권	양도일이 속하는 달의 말일부터 2개월. 다만, 토지거래계약에 관한 허가구역에 있는 토지를 양도할 때 토지거래계약허가를 받기 전에 대금을 청산한 경우에는 그 허가일(토지거래계약허가를 받기 전에 허가구역의 지정이 해제된 경우에는 그 해제일)이 속하는 달의 말일부터 2개월
국내주식	양도일이 속하는 반기의 말일부터 2개월(2024. 12. 31. 이전에 양도분에 한함)
부담부 증여	그 양도일이 속하는 달의 말일부터 3개월

→ 파생상품과 해외주식은 예정신고 면제

Ⅱ 확정신고납부

해당 과세기간의 양도소득금액이 있는 거주자는 그 양도소득 과세표준을 그 과세기간의 다음 연도 5월 1일부터 5월 31일까지 납세지 관할 세무서장에게 신고하여야 한다. 해당 과세기간의 과세표준이 없거나 결손금액이 있는 경우에도 확정신고를 하여야 하나, 예정신고를 한 자는 확정신고를 하지 아니할 수 있다. → 분납 가능

Ⅲ 확정신고 의무자

다음의 경우에는 예정신고를 했다 하더라도 반드시 확정신고를 해야 한다.
1. 당해연도에 누진세율의 적용대상 자산에 대한 예정신고를 2회 이상 한 자가 2회 이후 양도 시 이미 신고한 양도소득금액과 합산하여 신고하지 아니한 경우
2. 토지, 건물, 부동산에 관한 권리, 기타자산 및 신탁 수익권을 2회 이상 양도한 경우로서 양도소득기본공제를 감면소득금액 외의 양도소득금액에서 먼저 공제하고 감면소득금액 외의 양도소득금액 중에서는 먼저 양도한 자산의 양도소득금액에서부터 공제함에 따라 당초 신고한 양도소득산출세액이 달라지는 경우

3. 국내주식을 2회 이상 양도한 경우로서 양도소득기본공제 순서를 적용함에 따라 당초 신고한 양도소득산출세액이 달라지는 경우

4. 토지, 건물, 부동산에 관한 권리 및 기타자산을 둘 이상 양도한 경우로서 비교과세규정을 적용할 경우 당초 신고한 양도소득산출세액이 달라지는 경우

Ⅳ 결정·경정

1. 납세지 관할 세무서장 또는 지방국세청장은 예정신고를 하여야 할 자 또는 확정신고를 하여야 할 자가 그 신고를 하지 아니한 경우에는 해당 거주자의 양도소득과세표준과 세액을 결정한다.

2. 납세지 관할 세무서장 또는 지방국세청장은 예정신고를 한 자 또는 확정신고를 한 자의 신고 내용에 탈루 또는 오류가 있는 경우에는 양도소득과세표준과 세액을 경정한다.

Ⅴ 가산세

거주자가 건물을 신축 또는 증축(증축의 경우 바닥면적 합계가 85㎡를 초과하는 경우에 한함)하고 그 건물의 취득일 또는 증축일부터 5년 이내에 해당 건물을 양도하는 경우로서 감정가액 또는 환산취득가액을 그 취득가액으로 하는 경우에는 해당 건물의 감정가액(증축의 경우 증축한 부분에 한정함) 또는 환산취득가액(증축의 경우 증축한 부분에 한정함)의 5%에 해당하는 금액을 양도소득 결정세액에 더한다.

→ 양도소득 산출세액이 없는 경우에도 적용

5 국외자산 양도소득세

Ⅰ 의의

해당 자산의 양도일까지 계속 5년 이상 국내에 주소 또는 거소를 둔 거주자는 법령이 정한 국외자산에 대한 양도소득에 대하여 납세의무를 진다.

∵ 국외자산 양도소득에 대해 과세를 하지 않는다면 국내자산의 투자보다 국외자산의 투자가 유리한 경우가 발생하여 국내자본의 국외 유출이 발생하므로 이를 방지하고, 국내자산의 양도소득과 국외자산의 양도소득에 대해 과세상 균형을 유지하기 위함

Ⅱ 과세대상

다음의 자산을 양도함으로써 발생하는 소득. 다만, 양도소득이 국외에서 외화를 차입하여 취득한 자산을 양도하여 발생하는 소득으로서 환율변동으로 인하여 외화차입금으로부터 발생하는 환차익을 포함하고 있는 경우에는 해당 환차익을 양도소득의 범위에서 제외한다.

1. 토지 또는 건물

2. 부동산을 취득할 수 있는 권리, 지상권, 전세권과 부동산임차권(등기 여부 불문)

3. 기타자산

국내 기타자산 범위와 동일함

Ⅲ 계산

양도가액·취득가액	실지거래가액으로 한다. 다만, 실지거래가액을 확인할 수 없는 경우에는 양도자산이 소재하는 국가의 양도 당시 현황을 반영한 시가에 따르되, 시가를 산정하기 어려울 때에는 그 자산의 종류, 규모, 거래상황 등을 고려하여 상속세 및 증여세법상의 평가규정을 준용한다.
외화환산	양도차익을 계산함에 있어서는 양도가액 및 필요경비를 수령하거나 지출한 날 현재 「외국환거래법」에 의한 기준환율 또는 재정환율에 의하여 계산한다.
장기보유특별공제	보유기간에 관계없이 적용하지 않는다.
기본공제	국외자산의 양도에 대한 양도소득이 있는 거주자에 대해서는 해당 과세기간의 양도소득금액에서 연 250만 원을 공제한다.
세율	기본세율 적용(미등기 자산 불문)
외국납부세액공제	외국에서 그 양도소득에 대하여 국외자산 양도소득세액을 납부하였거나 납부할 것이 있을 때에는 외국납부세액공제방법 또는 필요경비산입방법 중 하나를 선택하여 적용할 수 있다. → 이월공제 불가

Ⅳ 국내자산 미준용규정

1. 미등기 양도자산에 대한 비과세, 감면 배제

2. 장기보유 특별공제

3. 이월과세

4. 기준시가 산정 등

6 국외전출세

Ⅰ 의의

국외전출자는 출국 당시 소유한 주식 등을 출국일에 양도한 것으로 보아 양도소득에 대하여 소득세를 납부할 의무가 있다. ∵ 역외 조세회피를 방지하고 국내 재산에 대한 과세권을 확보하기 위함

Ⅱ 납세의무자

다음의 요건을 모두 갖춘 국외전출자는 국외전출세에 대해 납부할 의무가 있다.

1. 출국일 10년 전부터 출국일까지의 기간 중 국내에 주소나 거소를 둔 기간의 합계가 5년 이상일 것
2. 출국일이 속하는 연도의 직전 연도 종료일 현재 소유하고 있는 주식 등의 비율·시가총액 등을 고려하여 법령에서 정한 대주주에 해당할 것

Ⅲ 과세대상

국내주식, 기타자산 중 부동산주식 A와 부동산주식 B

Ⅳ 과세표준 계산

국외전출자의 양도소득에 대한 과세표준은 다음 계산식에 따르며, 종합소득, 퇴직소득 및 거주자의 양도소득 과세표준과 구분하여 계산한다.

> 양도소득 과세표준 = (양도가액 – 취득가액 – 기타필요경비) – 연 250만 원

1. 양도가액은 출국일 당시의 시가로 한다. 이때 시가는 국외전출자의 출국일 당시의 해당 주식 등의 거래가액으로 하며, 시가를 산정하기 어려울 때에는 그 규모 및 거래상황 등을 고려하여 다음의 구분에 따른 방법에 따른다.

(1) 상장법인 주식
    기준시가

(2) 비상장법인 주식

다음의 방법을 순차로 적용하여 계산한 가액

1순위	출국일 전후 각 3개월 이내에 해당 주식 등의 매매사례가 있는 경우 그 가액
2순위	「소득세법」상 기준시가

2. 취득가액과 기타필요경비

거주자의 계산규정을 준용한다.

Ⅴ 세율

양도소득과세표준	세율
3억 원 이하	20%
3억 원 초과	6천만 원 + (3억 원 초과액 × 25%)

Ⅵ 세액공제

1. 조정공제

국외전출자가 출국 후 국내주식 등을 실제 양도한 경우로서 실제 양도가액이 출국일 당시의 시가보다 낮은 경우 조정공제액을 산출세액에서 공제한다.

$$조정공제액 = (출국일\ 당시의\ 시가 - 실제\ 양도가액) \times 세율$$

2. 외국납부세액공제

국외전출자가 출국 후 국내주식을 실제로 양도하여 해당 자산의 양도소득에 대해 외국정부에 세액을 납부하였거나 납부할 것이 있는 때에는 산출세액에서 조정공제액을 공제한 금액을 한도로 외국납부세액을 산출세액에서 공제한다.

$$Min \begin{cases} (1)\ 외국납부세액 \times \dfrac{Min(출국\ 당시의\ 시가,\ 실제양도가액) - 필요경비}{실제\ 양도가액 - 필요경비} \\ (2)\ 한도:\ 산출세액 - 조정공제액 \end{cases}$$

3. 비거주자 세액공제

국외전출자가 출국한 후 국외전출자 국내주식 등을 실제로 양도하여 비거주자의 국내원천소득으로 국내에서 과세되는 경우에는 산출세액에서 조정공제액을 공제한 금액을 한도로 국내원천소득에 대한 원천징수세액을 산출세액에서 공제한다. 동 규정이 적용되는 경우 외국납부세액의 공제를 적용하지 아니한다.

Ⅶ 납세절차

1. 보유현황

국외전출자는 국외전출자 국내주식 등의 양도소득에 대한 납세관리인과 국외전출자 국내주식 등의 보유현황을 출국일 전날까지 납세지 관할 세무서장에게 신고하여야 한다. 이 경우 국외전출자 국내주식 등의 보유현황은 신고일의 전날을 기준으로 작성한다.

2. 신고납부

국외전출자는 양도소득과세표준을 출국일이 속하는 달의 말일부터 3개월 이내(납세관리인을 신고한 경우에는 양도소득과세표준 확정신고 기간 내)에 납세지 관할 세무서장에게 신고하여야 한다.

Ⅷ 경정청구

조정공제, 외국납부세액공제 및 비거주자의 국내원천소득 세액공제를 적용받으려는 자는 국외전출자 국내주식 등을 실제 양도한 날부터 2년 이내에 납세지 관할 세무서장에게 경정을 청구할 수 있다.

Ⅸ 납부유예

1. 국외전출자는 납세담보를 제공하거나 납세관리인을 두는 경우에는 출국일부터 국외전출자 국내주식 등을 실제로 양도할 때까지 납세지 관할 세무서장에게 양도소득세 납부의 유예를 신청하여 납부를 유예받을 수 있다.

2. 납부를 유예받은 국외전출자는 출국일부터 5년(국외전출자의 국외유학 등 사유에 해당하는 경우에는 10년) 이내에 국외전출자 국내주식 등을 양도하지 아니한 경우에는 출국일부터 5년이 되는 날이 속하는 달의 말일부터 3개월 이내에 국외전출자 국내주식 등에 대한 양도소득세를 납부하여야 한다.

3. 납부유예를 받은 국외전출자는 국외전출자 국내주식 등을 실제 양도한 경우 양도일이 속하는 달의 말일부터 3개월 이내에 국외전출자 국내주식 등에 대한 양도소득세를 납부하여야 한다.

4. 납부를 유예받은 국외전출자는 국외전출자 국내주식 등에 대한 양도소득세를 납부할 때 납부유예를 받은 기간에 대한 이자상당액을 가산하여 납부하여야 한다.

Ⅹ 재전입 등 환급

1. 신청

국외전출자[(3)의 경우 상속인]는 다음의 어느 하나에 해당하는 사유가 발생한 경우 그 사유가 발생한 날부터 1년 이내에 납세지 관할 세무서장에게 납부한 세액의 환급을 신청하거나 납부유예 중인 세액의 취소를 신청하여야 한다.

(1) 국외전출자가 출국일부터 5년 이내에 국외전출자 국내주식 등을 양도하지 아니하고 국내에 다시 입국하여 거주자가 되는 경우

(2) 국외전출자가 출국일부터 5년 이내에 국외전출자 국내주식 등을 거주자에게 증여한 경우

(3) 국외전출자의 상속인이 국외전출자의 출국일부터 5년 이내에 국외전출자 국내주식 등을 상속받은 경우

2. 환급

납세지 관할 세무서장은 신청을 받은 경우 지체 없이 국외전출자가 납부한 세액을 환급하거나 납부유예 중인 세액을 취소하여야 한다.

3. 가산세 환급

국외전출자가 납부한 세액을 환급하는 경우 산출세액에 더하여진 가산세는 환급하지 아니한다.

4. 이자 배제

국외전출자가 납부한 세액을 환급하는 경우에는 국세환급금에 국세환급가산금을 가산하지 아니한다.

사례

거주자 丙(대한민국에서 40년간 계속 거주)은 국외 거주를 필요로 하는 근무상 형편으로 인하여 세대 전원이 2023. 11. 1.에 출국하였다. 이에 따라 주식을 제외한 보유 중인 자산을 출국 전에 전부 양도하였다.

1. 주식은 상장법인의 주식으로서 1주당 시가 5,000원의 주식을 100,000주 취득하였다. 丙은 대주주에 해당한다. 상장주식에 출국일 당시의 시가는 1주당 8,000원이다.

2. 출국 후 2024년 12월 1일에 丙은 사업자금 마련을 위해 보유하던 상장주식 전부를 1주당 7,000원에 유가증권시장에서 양도하였다. 丙은 외국세법에 따라 원화환산액 기준으로 외국소득세 40,000,000원을 해당 국가 과세관청에 납부하였다.

양도소득과세표준	297,500,000원
양도소득산출세액	59,500,000원
조정공제액	20,000,000원
외국납부세액공제액	39,500,000원

	양도가액	800,000,000	= 100,000주 × 8,000원(출국일 당시 시가)
(−)	취득가액	500,000,000	= 100,000주 × 5,000원
	기타필요경비	−	
	양도차익	300,000,000	
(−)	기본공제	2,500,000	
	양도소득과세표준	297,500,000	
(×)	세율	20%	
	산출세액	59,500,000	

① 조정공제액: [8억 원(출국 당시의 시가) − 7억 원(실제 양도가)] × 20% = 20,000,000

② 외국납부세액공제액: Min(㉠, ㉡)

   ㉠ 40,000,000 × 2억 원/2억 원* = 40,000,000

   ㉡ 한도: 59,500,000 − 20,000,000 = 39,500,000

* Min(7억 원, 8억 원) − 5억 원 = 2억 원

> **Check** 비거주자에 대한 과세

1. 과세방법

비거주자에 대하여 과세하는 소득세는 해당 국내원천소득을 종합하여 과세하는 경우와 분류하여 과세하는 경우 및 그 국내원천소득을 분리하여 과세하는 경우로 다음과 같이 구분하여 계산한다.

국내원천소득	과세방법	
	국내사업장 O	국내사업장 X
부동산소득	종합과세	
이자소득, 배당소득, 선박 등 임대소득, 사업소득, 인적 용역소득, 사용료소득, 유가증권 양도소득, 기타소득	종합과세	분리과세
근로소득, 연금소득		분리과세
퇴직소득, 부동산 등 양도소득	분류과세	

→ 분리과세되는 경우로서 원천징수되는 소득 중 국내원천 인적 용역소득이 있는 비거주자가 종합소득과세표준 확정신고를 하는 경우에는 국내원천소득(퇴직소득 및 양도소득은 제외)의 소득에 대하여 종합하여 과세할 수 있음

2. 세액계산

비거주자의 소득에 대한 소득세의 과세표준과 세액의 계산에 관하여는 거주자에 대한 소득세의 과세표준과 세액의 계산에 관한 규정을 준용한다. 다만, 인적 공제 중 비거주자 본인 외의 자에 대한 공제와 특별소득공제, 자녀세액공제 및 특별세액공제는 하지 아니한다.

3. 신고납부

소득세의 과세표준과 세액을 계산하는 비거주자의 신고와 납부(중간예납 포함)에 관하여는 거주자의 신고와 납부에 관한 규정을 준용한다. 단, 비거주자가 국내사업장이 없는 경우에는 완납적으로 원천징수 분리과세되며, 비거주자의 종합과세 과세표준에 동 원천징수된 소득이 포함된 경우에는 동 원천징수세액은 납부세액에서 공제된다.

4. 유가증권 양도소득 특례

국내사업장이 없는 비거주자가 동일한 내국법인의 주식 또는 출자지분을 같은 사업과세기간(해당 주식 또는 출자지분을 발행한 내국법인의 사업과세기간)에 2회 이상 양도함으로써 조세조약에서 정한 과세기준을 충족하게 된 경우에는 양도 당시 원천징수되지 아니한 소득에 대한 원천징수세액 상당액을 양도일이 속하는 사업연도의 종료일부터 3개월 이내에 납세지 관할 세무서장에게 신고·납부하여야 한다.

01 다음 소득세법과 관련된 내용 중 옳은 것으로만 묶어진 것은?

2008년 국가직 9급

ㄱ. 대한민국 국적을 가진 자는 모두 우리나라에서 소득세를 납부할 의무가 있다.
ㄴ. 소득세는 원칙적으로 순자산증가설을 기초로 과세소득의 범위를 규정하고 있다.
ㄷ. 거주자에 대한 소득세의 납세지는 원칙적으로 소득이 발생한 장소를 관할하는 세무서이다.
ㄹ. 배당세액공제는 이중과세를 방지하기 위한 제도이다.
ㅁ. 퇴직소득과 양도소득은 종합소득에 포함되지 않으며, 분류과세된다.
ㅂ. 외국에서 납부한 세금은 원칙적으로 우리나라에서 공제가 허용되지 아니한다.

① ㄱ, ㄴ, ㅁ, ㅂ
② ㄴ, ㄷ, ㄹ, ㅁ
③ ㄷ, ㄹ, ㅂ
④ ㄹ, ㅁ

정답 및 해설

옳은 것은 ㄹ, ㅁ이다.

선지분석

ㄱ. 소득세 납세의무를 지는 자는 거주자 또는 비거주자로서 국적과는 무관하다.
ㄴ. 소득세는 원칙적으로 소득원천설을 기초로 과세소득의 범위를 규정하고 있으며, 예외적으로 금융소득 및 사업소득은 유형별 포괄주의를 채택하고 있다. **참고** 법인세는 순자산증가설에 해당됨
ㄷ. 거주자에 대한 소득세의 납세지는 원칙적으로 거주자의 주소지이다.
ㅂ. 외국에서 납부한 세금은 원칙적으로 우리나라에서 외국납부세액공제가 허용된다. ∵ 국제적 이중과세 해결

답 ④

02 소득세법상 주소와 거주자 여부 판정에 대한 설명으로 옳지 않은 것은? 2015년 국가직 7급

① 내국법인의 국외사업장에 파견된 직원은 비거주자로 본다.

② 국외에 근무하는 자가 외국국적을 가진 자로서 국내에 생계를 같이하는 가족이 없고 그 직업 및 자산 상태에 비추어 다시 입국하여 주로 국내에 거주하리라고 인정되지 아니하는 때에는 국내에 주소가 없는 것으로 본다.

③ 국내에 거주하는 개인이 계속하여 183일 이상 국내에 거주할 것을 통상 필요로 하는 직업을 가진 때에는 국내에 주소를 가진 것으로 본다.

④ 외국을 항행하는 선박 또는 항공기의 승무원의 경우 그 승무원과 생계를 같이하는 가족이 거주하는 장소 또는 그 승무원이 근무기간 외의 기간 중 통상 체재하는 장소가 국내에 있는 때에는 당해 승무원의 주소는 국내에 있는 것으로 본다.

정답 및 해설

거주자나 내국법인의 국외사업장 또는 해외현지법인(내국법인이 발행주식총수 또는 출자지분의 100%를 직접 또는 간접 출자한 경우에 한정) 등에 파견된 임원 또는 직원이나 국외에서 근무하는 공무원은 거주자로 본다.

📄 **국내에 주소가 있는 것으로 보는 경우(소득세법 시행령 제2조 제3항·제5항 참조)**

1. 계속하여 183일 이상 국내에 거주할 것을 통상 필요로 하는 직업을 가진 때
2. 국내에 생계를 같이하는 가족이 있고, 그 직업 및 자산상태에 비추어 계속하여 183일 이상 국내에 거주할 것으로 인정되는 때
3. 외국을 항행하는 선박 또는 항공기의 승무원의 경우 그 승무원과 생계를 같이하는 가족이 거주하는 장소 또는 그 승무원이 근무기간 외의 기간 중 통상 체재하는 장소가 국내에 있는 때

답 ①

03 소득세법 제4조 소득의 구분에서 종합소득을 구성하는 것만을 모두 고른 것은? 2013년 국가직 9급

ㄱ. 이자소득	ㄴ. 양도소득
ㄷ. 근로소득	ㄹ. 기타소득
ㅁ. 퇴직소득	ㅂ. 연금소득

① ㄱ, ㄴ
② ㄴ, ㄷ, ㄹ
③ ㄷ, ㅁ, ㅂ
④ ㄱ, ㄷ, ㄹ, ㅂ

정답 및 해설

거주자의 종합소득 및 퇴직소득에 대한 과세표준은 각각 구분하여 계산한다.

종합소득		분류과세소득	
ⓐ 이자소득	ⓓ 근로소득	ⓐ 퇴직소득	ⓑ 양도소득
ⓑ 배당소득	ⓔ 연금소득		
ⓒ 사업소득	ⓕ 기타소득		

답 ④

04 거주자의 소득세법상 퇴직소득, 양도소득을 종합소득과 달리 구분하여 과세하는 것에 대한 설명으로 옳지 않은 것은?

2019년 국가직 9급

① 양도소득은 다른 종합소득과 합산하지 않고 별도의 과세표준을 계산하고 별도의 세율을 적용한다.
② 양도소득은 기간별로 합산하지 않고 그 소득이 지급될 때 소득세를 원천징수함으로써 과세가 종결된다.
③ 퇴직소득, 양도소득은 장기간에 걸쳐 발생한 소득이 일시에 실현되는 특징을 갖고 있다.
④ 퇴직소득, 양도소득을 다른 종합소득과 합산하여 과세한다면 그 실현시점에 지나치게 높은 세율이 적용되는 현상이 발생한다.

정답 및 해설

거주자의 양도소득에 대한 과세표준은 종합소득 및 퇴직소득에 대한 과세표준과 구분하여 계산하는 분류과세이며, 원천징수대상 소득에 해당하지 아니한다. ②는 완납적 원천징수로서 무조건 분리과세대상 소득에 대한 내용이다.

답 ②

05 소득세법상 소득금액에 대한 설명으로 옳지 않은 것은?

2012년 국가직 9급

① 이자소득금액은 해당 과세기간의 총이자수입금액에서 필요경비를 공제한 금액으로 한다.
② 근로소득금액은 해당 과세기간의 총급여액에서 근로소득공제를 적용한 금액으로 한다.
③ 연금소득금액은 해당 과세기간의 총연금액에서 연금소득공제를 적용한 금액으로 한다.
④ 기타소득금액은 해당 과세기간의 총수입금액에서 이에 사용된 필요경비를 공제한 금액으로 한다.

정답 및 해설

이자소득금액은 해당 과세기간의 총수입금액으로 하며 필요경비는 인정되지 않는다.

종합소득금액 계산구조

이자소득	배당소득	사업소득	근로소득	연금소득	기타소득
총수입금액	총수입금액	총수입금액	총급여액	총연금액	총수입금액
–	+ Gross – up	– 필요경비	– 근로소득공제	– 연금소득공제	– 필요경비
이자소득금액	배당소득금액	사업소득금액	근로소득금액	연금소득금액	기타소득금액

답 ①

06 납세의무와 그 범위에 대한 설명으로 옳지 않은 것은?

2020년 국가직 9급

① 국세기본법은 공유물(共有物) 또는 공동사업에 관계되는 국세 및 강제징수비는 공유자 또는 공동사업자가 연대하여 납부할 의무를 지도록 규정하고 있다.

② 공동으로 소유한 자산에 대한 양도소득금액을 계산하는 경우에는 해당 자산을 공동으로 소유하는 각 거주자가 납세의무를 진다.

③ 국세기본법 제13조 제1항에 따른 법인 아닌 단체 중 같은 조 제4항에 따른 법인으로 보는 단체 외의 법인 아닌 단체의 일부 구성원에게만 이익이 분배되는 것으로 확인되는 경우에는 해당 단체는 납세의무를 지지 않는다.

④ 소득세법 제127조에 따라 원천징수 되는 소득으로서 같은 법 제14조 제3항 또는 다른 법률에 따라 같은 법 제14조 제2항에 따른 종합소득과세표준에 합산되지 아니하는 소득이 있는 자는 그 원천징수되는 소득세에 대해서 납세의무를 진다.

정답 및 해설

소득세법 제2조 【납세의무】 ④ 제3항에도·불구하고 해당 단체의 전체 구성원 중 일부 구성원의 분배비율만 확인되거나 일부 구성원에게만 이익이 분배되는 것으로 확인되는 경우에는 다음 각 호의 구분에 따라 소득세 또는 법인세를 납부할 의무를 진다.
1. 확인되는 부분: 해당 구성원별로 소득세 또는 법인세에 대한 납세의무 부담
2. 확인되지 아니하는 부분: 해당 단체를 1거주자 또는 1비거주자로 보아 소득세에 대한 납세의무 부담

답 ③

07 소득세법상 이자소득에 해당하지 않는 것은?

2014년 국가직 9급 변형

① 내국법인이 발행한 채권 또는 증권의 이자와 할인액

② 대금업을 영위하는 자가 영리를 목적으로 금전을 대여하고 받은 이자

③ 상호저축은행법에 따른 신용계 또는 신용부금으로 인한 이익

④ 비영업대금의 이익

정답 및 해설

대금업을 영위하는 자가 영리를 목적으로 금전을 대여하고 받는 이자는 사업소득에 해당한다. 비영업대금의 이익은 금전의 대여를 사업목적으로 하지 아니하는 자가 일시적·우발적으로 금전을 대여함에 따라 지급받는 이자 또는 수수료 등으로 한다.

📄 비영업대금의 이익과 대금업의 이익 비교

구분	비영업대금의 이익	대금업의 이익
소득구분	이자소득	사업소득
필요경비	인정 안됨	인정됨
부당행위계산부인	적용 안함	적용함
결손금	없음	있을 수 있음
원천징수	원천징수세율(25%)	안함

답 ②

08 소득세법상 배당소득에 관한 설명으로 옳지 않은 것은?

① 국제조세조정에 관한 법률상 특정외국법인의 배당 가능한 유보소득 중 거주자에게 귀속될 금액은 배당소득으로 본다.

② 공동사업에서 발생하는 소득금액 중 공동사업에 성명 또는 상호를 사용하게 한 자에 대한 손익분배비율에 상당하는 금액은 배당소득으로 보고 종합과세한다.

③ 주식의 소각이나 자본의 감소로 인하여 주주가 취득하는 금전 기타 재산의 가액이 주주가 당해 주식을 취득하기 위하여 소요된 금액을 초과하는 금액은 배당소득에 해당된다.

④ 법인이 이익 또는 잉여금의 처분에 의한 배당소득을 그 처분을 결정한 날부터 3개월이 되는 날까지 지급하지 아니한 때에는 그 3개월이 되는 날에 배당소득을 지급한 것으로 본다.

정답 및 해설

공동사업에서 발생하는 소득금액 중 공동사업에 성명 또는 상호를 사용하게 한 자에 대한 손익분배비율에 상당하는 금액은 사업소득으로 본다. **참고** 출자공동사업자인 경우 배당소득으로 봄

> **소득세법 시행령 제100조【공동사업합산과세 등】** ① 법 제43조 제1항에서 "대통령령으로 정하는 출자공동사업자"란 다음 각 호의 어느 하나에 해당하지 아니하는 자로서 공동사업의 경영에 참여하지 아니하고 출자만 하는 자를 말한다.
> 1. 공동사업에 성명 또는 상호를 사용하게 한 자
> 2. 공동사업에서 발생한 채무에 대하여 무한책임을 부담하기로 약정한 자

선지분석

④
> 📄 **배당소득 원천징수시기에 대한 특례(소득세법 제131조 제1항 참조)**
> 1. 개념: 본래 원천징수는 소득을 지급할 때 행하지만 소득을 지급하지 않았더라도 그 소득을 지급한 것으로 보아 원천징수하는 것
> 2. 법인이 이익 또는 잉여금의 처분에 따른 배당 또는 분배금을 그 처분을 결정한 날부터 3개월이 되는 날까지 지급하지 아니한 경우에는 그 3개월이 되는 날에 그 배당소득을 지급한 것으로 보아 소득세를 원천징수 함. 다만, 11월 1일부터 12월 31일까지의 사이에 결정된 처분에 따라 다음 연도 2월 말까지 배당소득을 지급하지 아니한 경우에는 그 처분을 결정한 날이 속하는 과세기간의 다음 연도 2월 말일에 그 배당소득을 지급한 것으로 보아 소득세를 원천징수함

답 ②

09 소득세법령상 출자공동사업자에 대한 설명으로 옳지 않은 것은?

① 출자공동사업자가 있는 공동사업의 경우에는 공동사업장을 1거주자로 보아 공동사업장별로 그 소득금액을 계산한다.

② 출자공동사업자의 배당소득 수입시기는 그 지급을 받은 날로 한다.

③ 출자공동사업자의 배당소득은 부당행위계산부인의 규정이 적용되는 소득이다.

④ 출자공동사업자의 배당소득에 대해서는 100분의 25의 원천징수세율을 적용한다.

정답 및 해설

출자공동사업자의 배당소득 수입시기는 과세기간 종료일로 한다.

답 ②

10 소득세법령상 이자소득의 수입시기에 대한 설명으로 옳지 않은 것은?

2021년 국가직 9급

① 채권 등으로서 무기명인 것의 이자는 그 지급을 받은 날로 한다.

② 비영업대금의 이익으로서 약정에 의한 이자지급일 전에 이자를 지급받는 경우에는 그 이자지급일로 한다.

③ 이자소득이 발생하는 상속재산이 상속되는 경우에는 실제 지급일로 한다.

④ 저축성보험의 보험차익(기일 전에 해지하는 경우 제외)은 보험금 또는 환급금의 지급일로 한다.

정답 및 해설

이자소득이 발생하는 상속재산이 상속되거나 증여되는 경우의 수입시기는 상속개시일 또는 증여일로 한다.

답 ③

11 소득세법상 사업소득으로 과세되는 소득유형으로 옳지 않은 것은?

2015년 국가직 9급

① 가구 내 고용활동에서 발생하는 소득

② 연예인이 사업활동과 관련하여 받는 전속계약금

③ 공익사업과 관련하여 부동산에 대한 지역권을 대여함으로써 발생하는 소득

④ 계약에 따라 그 대가를 받고 연구 또는 개발용역을 제공하는 연구개발업에서 발생하는 소득

정답 및 해설

공익사업을 위한 토지 등의 취득 및 보상에 관한 법률에 따른 공익사업과 관련하여 지역권·지상권(지하 또는 공중에 설정된 권리를 포함)을 설정하거나 대여함으로써 발생하는 소득은 기타소득으로 과세한다.

📄 전세권과 지상권·지역권 관련 소득

구분	설정 및 대여	양도
전세권	사업소득	양도소득
지상권	• 공익사업 관련 ○: 기타소득	양도소득
지역권	• 공익사업 관련 ✕: 사업소득	과세 제외

답 ③

12 소득세법상 거주자가 과세기간에 지급하였거나 지급할 금액 중 사업소득금액을 계산할 때 필요경비에 산입하지 않는 것은 모두 몇 개인가?

2013년 국가직 9급

> ㄱ. 업무와 관련하여 중대한 과실로 타인의 권리를 침해한 경우에 지급되는 손해배상금
> ㄴ. 조세에 관한 법률에 따른 징수의무의 불이행으로 인하여 납부하였거나 납부할 세액
> ㄷ. 부가가치세 간이과세자가 납부한 부가가치세액
> ㄹ. 선급비용
> ㅁ. 법령에 따른 의무의 불이행에 대한 제재로서 부과되는 공과금

① 2개   ② 3개
③ 4개   ④ 5개

정답 및 해설

필요경비에 산입하지 않는 것은 총 4개(ㄱ, ㄴ, ㄹ, ㅁ)이다.

선지분석

ㄷ. 간이과세자는 매출세액을 따로 징수하지 않으며 매입세액은 일부만 공제받을 수 있을 뿐이다. 따라서 간이과세자가 거래징수당한 부가가치세는 당해 재화의 매입부대비용으로 보고, 부가가치세법의 규정에 따라 공급대가의 일정률을 납부하는 부가가치세는 필요경비로 산입한다. 그 외 지문은 모두 필요경비 불산입 항목이다.

답 ③

13 소득세법령상 거주자가 해당 과세기간에 지급하였거나 지급할 금액 중 사업소득금액을 계산할 때 필요경비에 산입하지 않는 것만을 모두 고르면? (단, 다음 항목은 거주자에게 모두 해당됨)

2019년 국가직 7급

> ㄱ. 통고처분에 따른 벌금 또는 과료에 해당하는 금액
> ㄴ. 사업용 자산의 합계액이 부채의 합계액에 미달하는 경우에 그 미달하는 금액에 상당하는 부채의 지급이자로서 법령에 따라 계산한 금액
> ㄷ. 선급비용
> ㄹ. 부가가치세법에 따른 간이과세자가 납부한 부가가치세액

① ㄷ, ㄹ   ② ㄱ, ㄴ, ㄷ
③ ㄱ, ㄴ, ㄹ   ④ ㄱ, ㄴ, ㄷ, ㄹ

정답 및 해설

필요경비에 산입하지 않는 것은 ㄱ, ㄴ, ㄷ이다.
ㄱ. 벌금·과료·과태료는 모두 공법관계에 의한 제재수단이다.
ㄴ. 초과인출금 이자는 가사 관련 경비로 본다.
ㄷ. 선급비용은 지급이자·임차료 등 당해 연도에 지출한 비용 중 연도 말까지 그에 상응하는 용역 등을 제공받지 못하여 당해 과세기간의 필요경비로 계상할 수 없는 비용으로서 차기 후의 필요경비로 계상하기 위해 이연처리되는 것이며, 각 과세기간의 적정소득을 계산하기 위한 규정이다.

답 ②

14 소득세법령상 총수입금액의 계산에 대한 내용으로 옳지 않은 것은?

① 거주자가 재고자산 또는 임목을 가사용으로 소비하거나 종업원 또는 타인에게 지급한 경우에도 이를 소비하거나 지급하였을 때의 가액에 해당하는 금액은 그 소비하거나 지급한 날이 속하는 과세기간의 사업소득금액 또는 기타소득금액을 계산할 때 총수입금액에 산입한다.

② 복식부기의무자가 업무용 승용차를 매각하는 경우 그 매각가액을 매각일이 속하는 과세기간의 사업소득금액을 계산할 때에 총수입금액에 산입한다.

③ 건설업을 경영하는 거주자가 자기가 생산한 물품을 자기가 도급받은 건설공사의 자재로 사용한 경우 그 사용된 부분에 상당하는 금액은 해당 과세기간의 소득금액을 계산할 때 총수입금액에 산입한다.

④ 해당 과세기간에 2개의 주택을 임대하여 받은 임대료의 합계액이 2,500만 원(전액 해당 과세기간의 귀속 임대료임)인 거주자의 주택임대소득은 주거용 건물임대업의 소득금액 계산 시 총수입금액에 산입한다.

정답 및 해설

건설업을 경영하는 거주자가 자기가 생산한 물품을 자기가 도급받은 건설공사의 자재로 사용한 경우 그 사용된 부분에 상당하는 금액은 해당 과세기간의 소득금액을 계산할 때 총수입금액에 산입하지 아니한다.
∵ 자기가 생산한 물품을 자기가 생산하는 다른 제품의 생산을 위해 투입한 경우로서 다른 물품 생산을 위한 경비로 보기 때문이다.

> **참고** 거주자가 재고자산 또는 임목을 가사용으로 소비하거나 종업원 또는 타인에게 지급한 경우에도 이를 소비하거나 지급하였을 때의 가액에 해당하는 금액은 그 소비하거나 지급한 날이 속하는 과세기간의 사업소득금액 또는 기타소득금액을 계산할 때 총수입금액에 산입함

답 ③

15 소득세법상 근로소득에 대한 설명으로 옳지 않은 것은?

① 판공비 명목으로 받는 것으로서 업무를 위하여 사용된 것이 분명하지 아니한 급여는 근로소득으로 과세한다.

② 주주인 임원이 법령으로 정하는 사택을 제공받음으로서 얻는 이익이지만 근로소득으로 과세하지 않는 경우도 있다.

③ 근로자가 사내급식의 방법으로 제공받는 식사는 월 10만 원 한도로 근로소득에서 비과세한다.

④ 법령으로 정하는 일용근로자의 근로소득은 원천징수는 하지만 종합소득과세표준을 계산할 때 합산하지는 않는다.

정답 및 해설

📄 **비과세되는 식사 또는 식사대(소득세법 시행령 제17조의2 참조)**
근로자가 사내급식의 방법으로 제공받는 식사는 전액 비과세한다. 비과세되는 식사 또는 식사대란 다음의 어느 하나에 해당하는 것을 말함
1. 근로자가 사내급식 또는 이와 유사한 방법으로 제공받는 식사 기타 음식물
2. 1.에 규정하는 식사 기타 음식물을 제공받지 아니하는 근로자가 받는 월 20만 원 이하의 식사대

답 ③

16 소득세법상 근로소득에 포함되는 것을 모두 고르면?

2013년 국가직 7급

ㄱ. 식사 기타 음식물을 사내급식 또는 이와 유사한 방법으로 제공받지 아니하는 근로자가 받는 월 20만 원 이하의 식사대

ㄴ. 판공비를 포함한 기밀비·교제비 기타 이와 유사한 명목으로 받는 것으로서 업무를 위하여 사용된 것이 분명하지 아니한 급여

ㄷ. 계약기간 만료전 또는 만기에 종업원에게 귀속되는 단체환급부보장성보험의 환급금

ㄹ. 임직원의 고의(중과실 포함) 외의 업무상 행위로 인한 손해의 배상청구를 보험금의 지급사유로 하고 임직원을 피보험자로 하는 보험의 보험료를 사용자가 부담하는 경우

ㅁ. 퇴직 전에 부여받은 주식매수선택권을 퇴직 후에 행사하거나 고용관계 없이 주식매수선택권을 부여받아 이를 행사함으로써 얻는 이익

① ㄱ, ㄴ   ② ㄴ, ㄷ

③ ㄷ, ㄹ   ④ ㄹ, ㅁ

정답 및 해설

근로소득에 포함하는 항목은 ㄴ, ㄷ이다.

선지분석

ㄱ. 비과세 근로소득에 해당한다.

ㄹ. 복리후생적 성질의 비과세 근로소득에 해당한다.

ㅁ. 기타소득에 해당한다.

답 ②

17 소득세법상 일용근로자인 거주자 갑의 일당이 200,000원인 경우에 원천징수의무자 A가 징수해야 하는 갑의 근로소득 원천징수세액으로 옳은 것은?

2018년 국가직 9급

① 1,080원   ② 1,350원

③ 2,160원   ④ 2,400원

정답 및 해설

일용근로자의 원천징수세액 = (일급여액 − 15만 원) × 6% × (1 − 55%)

= (200,000원 − 150,000원) × 6% × (1 − 55%) = 1,350원

답 ②

18 내국법인(중소기업 아님)의 영업사원으로 근무하고 있는 거주자 甲의 2023년도 자료이다. 소득세법령에 따른 2023년도 총급여액은?

2019년 국가직 7급 변형

- 근로의 제공으로 받은 봉급: 36,000,000원(비과세소득이 포함되지 아니함)
- 법인세법에 따라 상여로 처분된 금액: 5,000,000원
  - 근로를 제공한 날이 속하는 사업연도는 2022년이며, 결산확정일은 2023년 3월 15일임
- 식사대: 2,400,000원(월 200,000원 × 12개월)
  - 식사대 외 사내급식을 별도로 제공받음
- 자기차량운전보조금: 3,600,000원(월 300,000원 × 12개월)
  - 甲의 소유차량을 직접 운전하여 법인의 업무수행에 이용하고 소요된 실제여비를 지급받는 대신에 법인의 규칙 등에 의하여 정하여진 지급기준에 따라 받은 금액임
- 甲의 자녀(5세) 보육과 관련하여 받은 수당: 3,600,000원(월 300,000원 × 12개월)
- 시간 외 근무수당: 2,000,000원
- 주택구입자금을 무상으로 대여받음으로써 얻은 이익: 1,000,000원

① 42,600,000원   ② 43,800,000원
③ 45,000,000원   ④ 50,000,000원

정답 및 해설

구분	금액	비고
근로의 제공으로 받은 봉급	36,000,000원	–
인정상여	–	수입시기: 근로를 제공한 날
식사대	2,400,000원	식사를 제공받는 경우 식사대는 전액과세
자가운전보조금(월 200,000원 비과세)	1,200,000원	3,600,000원 – 2,400,000원
자녀보육수당(월 100,000원 비과세)	2,400,000원	3,600,000원 – 1,200,000원
시간 외 근무수당	2,000,000원	–
주택구입자금 대여이익	1,000,000원	중소기업이 아닌 경우 근로소득으로 과세함
총 급여액	45,000,000원	–

답 ③

19 소득세법령상 거주자의 연금소득에 대한 설명으로 옳지 않은 것은? (단, 소득세법령에 따른 해당 요건과 공제요건을 충족하는 것으로 봄)

2019년 국가직 7급

① 연금계좌에서 인출된 금액이 연금수령한도를 초과하는 경우에는 연금 외 수령분이 먼저 인출되고 그 다음으로 연금수령분이 인출되는 것으로 본다.

② 종합소득이 있는 거주자가 공적연금 관련 법에 따른 기여금 또는 개인부담금을 납입한 경우에는 해당 과세기간의 종합소득금액에서 그 과세기간에 납입한 연금보험료를 공제한다.

③ 공적연금소득을 지급하는 자가 연금소득의 일부 또는 전부를 지연하여 지급하면서 지연지급에 따른 이자를 함께 지급하는 경우 해당 이자는 공적연금소득으로 본다.

④ 소득세법 제59조의3 제1항에 따라 세액공제를 받은 연금계좌 납입액 및 연금계좌의 운용실적에 따라 증가된 금액을 그 소득의 성격에도 불구하고 연금 외 수령한 소득은 기타소득으로 본다.

정답 및 해설

연금계좌에서 인출된 금액이 연금수령한도를 초과하는 경우에는 연금수령분이 먼저 인출되고 그 다음으로 연금 외 수령분이 인출되는 것으로 본다. ∵ 일부 인출 시 소득원천에 따라 차등 세율이 적용될 수 있도록 정한다.

답 ①

20 소득세법상 기타소득에 포함되지 않는 것은?

2018년 국가직 9급

① 지상권을 설정함으로써 발생하는 소득(공익사업을 위한 토지 등의 취득 및 보상에 관한 법률 제4조에 따른 공익사업과 관련하여 지상권을 설정하는 경우는 제외)

② 비거주자의 대통령령으로 정하는 특수관계인이 그 특수관계로 인하여 그 비거주자로부터 받는 경제적 이익으로서 급여·배당 또는 증여로 보지 아니하는 금품

③ 유가증권을 일시적으로 대여하고 사용료로서 받는 금품

④ 종교 관련 종사자가 종교의식을 집행하는 등 종교 관련 종사자로서의 활동과 관련하여 대통령령으로 정하는 종교단체로부터 받은 소득(근로소득으로 원천징수하거나 과세표준확정신고를 한 경우는 제외)

정답 및 해설

공익사업을 위한 토지 등의 취득 및 보상에 관한 법률 제4조에 따른 공익사업과 관련하여 지역권·지상권(지하 또는 공중에 설정된 권리를 포함)을 설정하거나 대여함으로써 발생하는 소득은 기타소득으로 과세하지만 공익사업과 관련이 없는 경우 사업소득으로 과세한다.

답 ①

21 소득세법령상 국내에서 거주자에게 지급하는 기타소득으로서 원천징수의 대상이 아닌 것은? (단, 기타소득의 비과세, 과세최저한, 원천징수의 면제·배제 등 특례는 고려하지 아니함)

① 복권에 당첨되어 받는 금품
② 소득세법 제21조 제1항 제10호에 따른 위약금(계약금이 대체된 것임)
③ 법인세법 제67조에 따라 기타소득으로 처분된 소득
④ 슬롯머신을 이용하는 행위에 참가하여 받는 당첨금품

정답 및 해설

소득세 제21조 제1항 제10호에 따른 위약금은 원천징수의 대상에 해당하지 않는다.

> 📄 **원천징수대상이 아닌 기타소득(소득세법 제127조 제1항 제6호 참조)**
> 1. 계약의 위약 또는 해약으로 인하여 받는 소득으로서 위약금·배상금(계약금이 위약금·배상금으로 대체되는 경우만 해당함)
> 2. 뇌물 및 알선수재 및 배임수재에 의하여 받는 금품

답 ②

22 아래에 제시된 거주자 홍길동의 기타소득자료를 참고로 종합소득금액에 합산되는 기타소득금액을 계산하면?

> (1) 어업권을 대여하고 받는 대가: 10,000,000(필요경비 확인불가)
> (2) 복권 및 복권기금법상 복권의 당첨금: 20,000,000
> (3) 일간지에 기고하고 받은 원고료: 2,000,000
> (4) 슬롯머신에 의한 당첨금품: 4,000,000(필요경비 3,000,000)
> (5) 유실물의 습득으로 인한 보상금: 2,000,000(필요경비 없음)

① 35,000,000원
② 15,000,000원
③ 6,800,000원
④ 4,400,000원

정답 및 해설

구분	금액	비고
어업권을 대여	4,000,000원	10,000,000원 × (1 − 60%)
복권의 당첨금	–	무조건 분리과세
일간지 원고료	800,000원	2,000,000원 × (1 − 60%)
슬롯머신당첨금품	–	무조건 분리과세
유실물 보상금	2,000,000원	–
합계	6,800,000원	–

답 ③

23 소득세법령상 거주자 갑의 2023년 귀속소득 자료에 의해 종합과세되는 기타소득금액을 계산하면? (단, 필요경비의 공제요건은 충족하며, 주어진 자료 이외의 다른 사항은 고려하지 않음)

2022년 국가직 9급

- 산업재산권의 양도로 인해 수령한 대가 300만 원(실제 소요된 필요경비는 150만 원임)
- 문예 창작품에 대한 원작자로서 받는 원고료 300만 원(실제 소요된 필요경비는 100만 원임)
- 고용관계 없이 다수인에게 일시적으로 강연을 하고 받은 강연료 400만 원(실제 소요된 필요경비는 100만 원임)
- (주)한국의 종업원으로서 퇴직한 후에 수령한 직무발명보상금 400만 원(실제 소요된 필요경비는 없음)

① 360만 원
② 400만 원
③ 600만 원
④ 800만 원

정답 및 해설

구분	기타소득금액	계산근거
산업재산권 양도	120만 원	300만 원 − Max[150만 원, 300만 원 × 60%]
일시적인 원고료	120만 원	300만 원 − Max[100만 원, 300만 원 × 60%]
일시적인 강연료	160만 원	400만 원 − Max[100만 원, 400만 원 × 60%]
직무발명보상금	−	연 500만 원까지 비과세
계	400만 원	−

답 ②

---

24 소득세법상 부당행위계산부인대상이 되는 소득을 모두 고르면?

2013년 국가직 7급

ㄱ. 이자소득   ㄴ. 양도소득
ㄷ. 퇴직소득   ㄹ. 사업소득
ㅁ. 기타소득   ㅂ. 연금소득

① ㄱ, ㄴ, ㅂ
② ㄱ, ㄷ, ㅁ
③ ㄴ, ㄹ, ㅁ
④ ㄷ, ㄹ, ㅂ

정답 및 해설

부당행위계산부인대상이 되는 소득은 ㄴ, ㄹ, ㅁ이다.
소득세법상 부당행위계산부인대상이 되는 소득은 실제 소요된 필요경비가 인정되는 사업소득(ㄹ), 기타소득(ㅁ) 및 양도소득(ㄴ)에만 적용한다. 단, 출자공동사업자의 배당소득은 소득세법상 배당소득으로 구분하지만 그 실질은 사업소득이기 때문에 부당행위계산의 부인대상소득에 해당한다.

답 ③

25

2010년 국가직 7급

소득세법상 부당행위계산 부인에 관한 설명으로 옳은 것은?

① 특수관계자에게 시가가 50억 원인 자산을 48억 원에 양도하는 경우 부당행위계산부인의 요건을 충족한다.
② 거주자인 갑이 거주자인 그의 아들 을에게 시가 10억 원인 제품을 7억 원에 판매한 경우 과세관청은 을에 대하여 매입가액을 10억 원으로 하여 세법을 적용한다.
③ 거주자인 병이 거주자인 그의 동생 정에게 주택을 무상으로 사용하게 하고 정이 당해 주택에 실제 거주하는 경우에는 조세의 부담을 부당하게 감소시킨 것으로 인정되는 때에 해당되지 않는다.
④ 부당행위계산 부인규정은 당사자 간에 약정한 법률행위의 효과를 부인하거나 기존 법률행위의 변경·소멸을 가져오게 할 수 없다.

정답 및 해설

선지분석
① 저가양도에 해당하는 경우 현저한 이익요건을 충족하여야 한다.
50억 원 - 48억 원 = 2억 < Min(3억 원, 50억 원 × 5% = 2억 5천만 원)
② 저가양도에 대한 부당행위계산부인이 적용되는 경우에 대응 조정을 하지 않는다. 따라서 을에 대하여 7억 원을 매입가액으로 하여 세법을 적용한다.
③ 직계존비속에게 주택을 무상으로 사용하게 하고 직계존비속이 해당 주택에서 실제로 거주한 경우에는 부당행위계산부인규정을 적용하지 않는다. 동생은 직계존비속에 해당하지 않기에 부당행위계산부인규정을 적용한다.

답 ④

26

2008년 국가직 9급

소득세법상 사업소득이 발생하는 사업을 공동으로 경영하고 그 손익을 분배하는 공동사업에 관한 설명으로 옳지 않은 것은?

① 공동사업에 관한 소득금액을 계산할 때에는 당해 공동사업장별로 납세의무를 지는 것이 원칙이다.
② 공동사업장을 1거주자로 보아 공동사업장별로 그 소득금액을 계산한다.
③ 공동사업에서 발생한 소득금액은 해당 공동사업을 경영하는 공동사업자간에 약정된 손익분배비율에 의하여 분배되었거나 분배될 소득금액에 따라 각 공동사업자별로 분배한다.
④ 거주자 1인과 그와 법령이 정하는 특수관계에 있는 자가 공동사업자에 포함되어 있는 경우로서 조세를 회피하기 위하여 공동으로 사업을 경영하는 것이 확인되는 경우에는 당해 특수관계자의 소득금액은 주된 공동사업자의 소득금액으로 본다.

정답 및 해설

공동사업에 관한 소득금액을 계산할 때에는 해당 공동사업장을 1거주자로 보아 소득금액을 계산하고 공동사업으로부터 분배받은 소득금액은 각 공동사업자가 분배받은 소득에 대하여 자신의 다른 종합소득과 합산하여 각자 개별적인 소득세 납세의무를 이행한다.

답 ①

27 □□□ 소득세법령상 공동사업에 대한 거주자의 소득세 납세의무에 대한 설명으로 옳지 않은 것은? 2018년 국가직 9급

① 공동사업자가 과세표준확정신고를 하는 때에는 과세표준확정신고서와 함께 당해 공동사업장에서 발생한 소득과 그 외의 소득을 구분한 계산서를 제출하여야 한다.

② 특수관계자 아닌 자와 공동사업을 경영하는 경우 그 사업에서 발생한 소득금액은 공동사업을 경영하는 각 거주자 간에 약정된 손익분배비율의 존재 여부와 관계없이 지분비율에 의하여 분배되었거나 분배될 소득금액에 따라 각 공동사업자별로 분배한다.

③ 공동사업에 관한 소득금액이 소득세법 제43조 제3항에 따른 주된 공동사업자에게 합산과세되는 경우 그 합산과세되는 소득금액에 대해서는 주된 공동사업자의 특수관계인은 법률규정에 따른 손익분배비율에 해당하는 그의 소득금액을 한도로 주된 공동사업자와 연대하여 납세의무를 진다.

④ 공동사업에서 발생한 소득금액 중 법령에서 정하는 바에 따라 출자공동사업자에게 분배된 금액은 배당소득으로 과세한다.

정답 및 해설

공동사업자들 간의 사적 자치를 존중하여 약정된 손익분배비율을 우선 적용한다.

> **소득세법 제43조【공동사업에 대한 소득금액 계산의 특례】** ② 제1항에 따라 공동사업에서 발생한 소득금액은 해당 공동사업을 경영하는 각 거주자(출자공동사업자를 포함한다. 이하 "공동사업자"라 한다) 간에 약정된 손익분배비율(약정된 손익분배비율이 없는 경우에는 지분비율을 말한다. 이하 "손익분배비율"이라 한다)에 의하여 분배되었거나 분배될 소득금액에 따라 각 공동사업자별로 분배한다.

답 ②

28 소득세법상 거주자의 결손금 및 이월결손금의 공제에 대한 설명으로 옳은 것으로만 묶은 것은? (단, 이월결손금은 세법상, 공제 가능하고, 국세부과의 제척기간이 지난 후에 그 제척기간 이전 과세기간의 이월결손금이 확인된 경우가 아니며, 추계신고·추계조사결정하는 경우에도 해당하지 않음)

2020년 국가직 7급

> ㄱ. 사업자(부동산임대업은 제외하되 주거용 건물 임대업은 포함)가 비치·기록한 장부에 의하여 해당 과세기간의 사업소득금액을 계산할 때 발생한 결손금은 그 과세기간의 종합소득과세표준을 계산할 때 근로소득금액·연금소득금액·기타소득금액·이자소득금액·배당소득금액에서 순서대로 공제한다.
> ㄴ. 부동산임대업(주거용 건물임대업 포함)에서 발생한 이월결손금은 해당 과세기간의 부동산임대업의 소득금액에서만 공제한다.
> ㄷ. 결손금 및 이월결손금을 공제할 때 종합과세되는 배당소득 또는 이자소득이 있으면 그 배당소득 또는 이자소득 중 기본세율을 적용받는 부분에 대해서는 사업자가 그 소득금액의 범위에서 공제 여부 및 공제금액을 결정할 수 있다.
> ㄹ. 결손금 및 이월결손금을 공제할 때 해당 과세기간에 결손금이 발생하고 이월결손금이 있는 경우에는 그 과세기간의 이월결손금을 먼저 소득금액에서 공제한다.

① ㄱ, ㄴ
② ㄱ, ㄷ
③ ㄴ, ㄹ
④ ㄷ, ㄹ

정답 및 해설

옳은 것은 ㄱ, ㄷ이다.

선지분석

ㄴ. 부동산임대업에서 발생한 이월결손금은 해당 과세기간의 부동산임대업의 소득금액에서만 공제한다. 다만, 주거용 건물임대업의 경우에는 그러하지 아니하다.
ㄹ. 결손금 및 이월결손금을 공제할 때 해당 과세기간에 결손금이 발생하고 이월결손금이 있는 경우에는 그 과세기간의 결손금을 먼저 소득금액에서 공제한다.

답 ②

29

소득세법령상 소득금액계산의 특례에 대한 설명으로 옳지 않은 것은?

① 주거용 건물 임대업에서 발생하는 이월결손금은 해당 과세기간의 사업소득금액을 계산할 때 먼저 공제하고, 남은 금액은 근로소득금액, 기타소득금액, 연금소득금액, 배당소득금액, 이자소득금액에서 순서대로 공제한다.

② 사업소득이 발생하는 사업을 공동으로 경영하고 그 손익을 분배하는 공동사업(출자공동사업자가 있는 공동사업 포함)의 경우에는 공동사업장을 1거주자로 보아 공동사업장별로 그 소득금액을 계산한다.

③ 연금계좌의 가입자가 사망하였으나 그 배우자가 연금 외 수령 없이 해당 연금계좌를 상속으로 승계하는 경우에는 해당 연금계좌에 있는 피상속인의 소득금액은 상속인의 소득금액으로 보아 소득세를 계산한다.

④ 거주자가 채권 등을 내국법인에게 매도(환매조건부 채권매매거래 등 대통령령으로 정하는 경우는 제외)하는 경우에는 대통령령으로 정하는 기간계산방법에 따른 원천징수기간의 이자 등 상당액을 거주자의 이자소득으로 보고 채권 등을 매수하는 법인이 소득세를 원천징수한다.

정답 및 해설

주거용 건물 임대업에서 발생하는 이월결손금은 해당 과세기간의 사업소득금액을 계산할 때 먼저 공제하고, 남은 금액은 근로소득금액, 연금소득금액, 기타소득금액, 이자소득금액, 배당소득금액에서 순서대로 공제한다.

답 ①

30 소득세법상 공동사업에 대한 소득금액계산과 납세의무의 범위에 대한 설명으로 옳은 것은? 2021년 국가직 7급

① 사업소득이 발생하는 사업을 공동으로 경영하고 그 손익을 분배하는 공동사업의 경우에는 공동사업장을 1거주자로 보아 공동사업장별로 그 소득금액을 계산한다.

② 공동사업에서 발생한 소득금액은 해당 공동사업을 경영하는 각 거주자 간에 약정된 손익분배비율이 있더라도 지분비율에 의하여 분배되었거나 분배될 소득금액에 따라 각 공동사업자별로 분배한다.

③ 거주자 1인과 그의 특수관계인이 공동사업자에 포함되어 있는 경우 그 특수관계인의 소득금액은 손익분배비율이 큰 공동사업자의 소득금액으로 본다.

④ 주된 공동사업자에게 합산과세되는 경우 그 합산과세되는 소득금액에 대해서는 주된 공동사업자의 특수관계인은 공동사업소득금액 전액에 대하여 주된 공동사업자와 연대하여 납세의무를 진다.

정답 및 해설

선지분석

② **소득세법 제43조 【공동사업에 대한 소득금액계산의 특례】** ② 공동사업에서 발생한 소득금액은 해당 공동사업을 경영하는 각 거주자(출자공동사업자를 포함한다. 이하 "공동사업자"라 한다) 간에 약정된 손익분배비율(약정된 손익분배비율이 없는 경우에는 지분비율을 말한다. 이하 "손익분배비율"이라 한다)에 의하여 분배되었거나 분배될 소득금액에 따라 각 공동사업자별로 분배한다.

③ **소득세법 제43조 【공동사업에 대한 소득금액계산의 특례】** ③ 거주자 1인과 그의 대통령령으로 정하는 특수관계인이 공동사업자에 포함되어 있는 경우로서 손익분배비율을 거짓으로 정하는 등 대통령령으로 정하는 사유가 있는 경우에는 제2항에도 불구하고 그 특수관계인의 소득금액은 그 손익분배비율이 큰 공동사업자(손익분배비율이 같은 경우에는 대통령령으로 정하는 자로 한다. 이하 "주된 공동사업자"라 한다)의 소득금액으로 본다.

④ **소득세법 제2조의2 【납세의무의 범위】** ① 공동사업에 관한 소득금액을 계산하는 경우에는 해당 공동사업자별로 납세의무를 진다. 다만, 제43조 제3항에 따른 주된 공동사업자에게 합산과세되는 경우 그 합산과세되는 소득금액에 대해서는 주된 공동사업자의 특수관계인은 같은 조 제2항에 따른 손익분배비율에 해당하는 그의 소득금액을 한도로 주된 공동사업자와 연대하여 납세의무를 진다.

답 ①

---

31 소득세법상 종합소득공제 중 인적공제 및 세액공제에 대한 설명으로 옳은 것은? 2011년 국가직 9급 변형

① 직계비속이 해당 과세기간 중 20세가 된 경우에는 기본공제대상이 될 수 없다.

② 기본공제대상자가 아닌 자도 추가공제대상자가 될 수 있다.

③ 인적공제의 합계액이 종합소득금액을 초과하는 경우 그 초과하는 공제액은 없는 것으로 한다.

④ 해당 과세기간 중 장애가 치유되어 해당 과세기간에는 장애인이 아닌 경우 추가공제(장애인공제)를 적용받을 수 없다.

정답 및 해설

선지분석

① 직계비속의 기본공제 중 나이요건은 20세 이하에 해당한다.

② 추가공제는 기본공제대상자에 한하여 적용한다.

④ 공제대상 배우자, 공제대상 부양가족, 공제대상 장애인 또는 공제대상 경로우대자에 해당하는지 여부의 판정은 해당 과세기간의 과세기간 종료일 현재의 상황에 따른다. 다만, 과세기간 종료일 전에 사망한 사람 또는 장애가 치유된 사람에 대해서는 사망일 전날 또는 치유일 전날의 상황에 따른다.

답 ③

32 소득세법상 거주자의 종합소득공제에 대한 설명으로 옳은 것만을 모두 고르면?

> ㄱ. 기본공제대상자가 70세 이상인 경우 1명당 연 100만 원을 추가로 공제한다.
> ㄴ. 거주자의 직계존속은 나이와 소득에 관계없이 기본공제대상자가 된다.
> ㄷ. 분리과세이자소득, 분리과세배당소득, 분리과세연금소득과 분리과세기타소득만이 있는 자에 대해서는 종합소득공제를 적용하지 아니한다.
> ㄹ. 주택담보노후연금에 대해서 발생한 이자비용 상당액은 연금소득금액을 초과하지 않는 범위에서 300만 원을 연금소득금액에서 공제한다.

① ㄱ, ㄴ   ② ㄱ, ㄷ
③ ㄴ, ㄹ   ④ ㄷ, ㄹ

정답 및 해설

옳은 것은 ㄱ, ㄷ이다.

선지분석

ㄴ. 거주자의 직계존속의 기본공제는 60세 이상인 경우로서 연간소득금액의 합계액이 100만 원 이하인 경우 적용한다.

ㄹ.
> **소득세법 제51조의4 【주택담보노후연금 이자비용공제】** ① 연금소득이 있는 거주자가 대통령령으로 정하는 요건에 해당하는 주택담보노후연금을 받은 경우에는 그 받은 연금에 대해서 해당 과세기간에 발생한 이자비용 상당액을 해당 과세기간 연금소득금액에서 공제(이하 "주택담보노후연금 이자비용공제"라 한다)한다. 이 경우 공제할 이자 상당액이 200만 원을 초과하는 경우에는 200만 원을 공제하고, 연금소득금액을 초과하는 경우 그 초과금액은 없는 것으로 한다.

답 ②

33 소득세법에 따라 다음 자료를 이용하여 종합소득공제액을 계산할 때 인적공제의 합계액은? [단, 공제대상임을 증명하는 서류는 정상적으로 제출하였고, 부양가족은 모두 당해 과세연도 종료일 현재(모친은 사망일 현재) 주거형편상 별거 중, 연령은 당해 과세연도 종료일 현재(모친은 사망일 현재)임]

부양가족	연령	소득 현황	비고
본인(남성)	51세	총급여액 5천만 원	–
배우자	48세	총급여액 1천만 원	장애인
아들	18세	–	장애인
딸	13세	–	–
모친	72세	–	당해 연도 12월 1일 사망

① 900만 원   ② 1,050만 원
③ 1,100만 원   ④ 1,250만 원

정답 및 해설

ⓐ 기본공제: 4명(본인, 아들, 딸, 모친) × 150만 원 = 600만 원
ⓑ 추가공제: 200만 원(장애인인 아들) + 100만 원(모친 경로자) = 300만 원
∴ 인적공제 합계(ⓐ + ⓑ): 600만 원 + 300만 원 = 900만 원
배우자는 총급여액이 500만 원 초과하기 때문에 기본공제대상자에 해당하지 않는다. 모친은 사망일 전날을 기준으로 판단하기 때문에 기본공제 및 경로우대자 공제대상에 해당한다.

답 ①

근로소득이 있는 거주자 갑(여성)의 다음 자료를 바탕으로 종합소득공제 중 인적공제액을 계산한 것으로 옳은 것은?

2018년 회계사 변형

(1) 본인 및 가족 현황

가족	연령	소득 현황	비고
본인	40세	근로소득 28,000,000원	–
부친	72세	소득 없음	당해 연도 10월 31일 사망함
모친	70세	기타소득금액 4,000,000원	–
남편	44세	총급여액 4,500,000원	–
아들	6세	소득 없음	–
동생	38세	소득 없음	장애인

(2) 본인과 부양가족은 주민등록표의 동거가족으로서 해당 과세기간 동안 동일한 주소에서 생계를 같이 하고 있다.

(3) 조세부담 최소화를 가정한다.

① 9,000,000원
② 9,500,000원
③ 10,500,000원
④ 11,000,000원
⑤ 12,500,000원

정답 및 해설

구분	기본공제	추가공제	비고
본인	○	500,000원	종합소득금액이 3천만 원 이하 + 부양가족이 있는 여성에 해당하므로 부녀자 공제 적용
부친	○	1,000,000원	사망일 전날을 기준으로 70세 이상이므로 경로우대자 공제
모친	–	–	종합소득금액 100만 원 초과
남편	○	–	근로소득금액만 있는 경우에는 총급여액 500만 원 이하 시 소득요건 충족
아들	○	–	–
동생	○	2,000,000원	장애인 공제
합계	7,500,000원	3,500,000원	–

답 ④

소득세법령상 세액공제에 대한 설명으로 옳지 않은 것은?

① 종합소득이 있는 거주자의 공제대상자녀로서 9세 이상의 자녀가 3명(해당 과세기간에 입양 신고한 자는 없음)인 경우 60만 원을 자녀세액공제로 종합소득산출세액에서 공제한다.

② 해당 과세기간에 총급여액 5,000만 원의 근로소득만 있는 거주자가 같은 과세기간에 연금저축계좌에 400만 원을 납입한 경우, 연금저축계좌 납입액의 100분의 12에 해당하는 48만 원을 해당 과세기간의 종합소득산출세액에서 공제한다.

③ 근로소득이 없는 거주자로서 종합소득이 있는 사람(성실사업자는 제외)에 대해서는 연 7만 원을 종합소득산출세액에서 공제한다.

④ 재학 중인 학교로부터 해당 과세기간에 받은 장학금 등 소득세 또는 증여세가 비과세되는 교육비는 종합소득산출세액에서 공제하지 아니한다.

정답 및 해설

해당 과세기간에 총급여액 5,000만 원의 근로소득만 있는 거주자가 같은 과세기간에 연금저축계좌에 400만 원을 납입한 경우, 연금저축계좌 납입액의 100분의 15에 해당하는 60만 원을 해당 과세기간의 종합소득산출세액에서 공제한다.

선지분석

① 자녀세액공제(ⓐ + ⓑ) 금액은 60만 원이다.
　ⓐ 자녀수공제: 60만 원 ∵ 8세 이상인 자녀가 3명
　ⓑ 출산·입양공제: 0원

③ 근로소득이 있는 거주자로서 특별세액공제, 특별소득공제 및 월세세액공제에 따른 소득공제신청이나 세액공제신청을 하지 아니한 사람에 대해서는 연 13만 원을 종합소득산출세액에서 공제한다.

④
> 📄 **교육비 세액공제 불산입사유(소득세법 시행령 제118조의6 제2항 참조)**
>
> 소득세 또는 증여세가 비과세되는 다음의 교육비는 공제하지 아니함
> 1. 사내근로복지기금으로부터 받은 장학금 등
> 2. 근로자인 학생이 직장으로부터 받은 장학금 등
> 3. 재학 중인 학교로부터 받은 장학금 등

답 ②

36 소득세법상 세액공제에 대한 설명으로 옳은 것은?

① 기장세액공제와 관련된 장부 및 증명서류를 해당 납세의무의 성립일로부터 5년간 보관하는 경우 기장세액공제를 적용받을 수 있다.

② 종합소득이 있는 거주자의 기본공제대상자에 해당하는 자녀가 3명(8세인 장녀, 4세인 장남, 해당 사업연도 출생인 차녀)인 경우 자녀세액공제로 85만 원을 종합소득산출세액에서 공제한다.

③ 근로소득이 있는 거주자(일용근로자 제외)가 해당 과세기간에 국민건강보험법 또는 고용보험법에 따라 근로자가 부담하는 보험료를 지급한 경우에는 그 금액의 12 %를 보험료세액공제로 해당 과세기간의 종합소득산출세액에서 공제한다.

④ 외국납부세액공제액이 공제한도를 초과하는 경우 그 초과하는 금액은 해당 과세기간의 다음 과세기간부터 5년 이내에 끝나는 과세기간으로 이월하여 그 이월된 과세기간의 공제한도 범위에서 공제받을 수 있다.

정답 및 해설

자녀세액공제(ⓐ + ⓑ) 금액은 85만 원이다.
ⓐ 15만 원 ∵ 8세 이상 자녀 1명
ⓑ 출생 자녀: 70만 원 ∵ 셋째

선지분석

① 간편장부대상자가 복식부기로 기장한 경우 기장세액공제를 받을 수 있다. 다만, 기장세액공제와 관련된 장부 및 증명서류를 해당 과세표준확정신고기한 종료일부터 5년간 보관하지 않은 경우(단 천재지변 등 부득이한 사유에 해당하는 경우는 제외)는 기장세액공제를 적용하지 않는다.

③ 근로소득이 있는 거주자(일용근로자 제외)가 해당 과세기간에 국민건강보험법 또는 고용보험법에 따라 근로자가 부담하는 보험료를 지급한 경우에는 그 금액을 해당 과세기간의 근로소득금액에서 공제한다.

④ 외국납부세액공제액이 공제한도를 초과하는 경우 그 초과하는 금액은 해당 과세기간의 다음 과세기간 개시일부터 10년 이내에 끝나는 과세기간으로 이월하여 그 이월된 과세기간의 공제한도 범위에서 공제받을 수 있다.

답 ②

37 소득세법령상 조세에 관한 법률을 적용할 때 소득세의 감면에 관한 규정과 세액공제에 관한 규정이 동시에 적용되는 경우 그 적용순위를 순서대로 바르게 나열한 것은?

2020년 국가직 9급

> ㄱ. 이월공제가 인정되지 아니하는 세액공제
>
> ㄴ. 해당 과세기간 중에 발생한 세액공제액
>
> ㄷ. 이전 과세기간에서 이월된 미공제 세액공제액
>
> ㄹ. 해당 과세기간의 소득에 대한 소득세의 감면
>
> * 단, ㄴ, ㄷ은 이월공제가 인정되는 세액공제임

① ㄱ → ㄴ → ㄷ → ㄹ

② ㄱ → ㄷ → ㄴ → ㄹ

③ ㄹ → ㄱ → ㄴ → ㄷ

④ ㄹ → ㄱ → ㄷ → ㄴ

정답 및 해설

ㄹ → ㄱ → ㄷ → ㄴ 순으로 적용한다.

> **소득세법 제60조【세액감면 및 세액공제 시 적용순위 등】**① 조세에 관한 법률을 적용할 때 소득세의 감면에 관한 규정과 세액공제에 관한 규정이 동시에 적용되는 경우 그 적용순위는 다음 각 호의 순서로 한다.
> 1. 해당 과세기간의 소득에 대한 소득세의 감면
> 2. 이월공제가 인정되지 아니하는 세액공제
> 3. 이월공제가 인정되는 세액공제. 이 경우 해당 과세기간 중에 발생한 세액공제액과 이전 과세기간에서 이월된 미공제액이 함께 있을 때에는 이월된 미공제액을 먼저 공제한다.

답 ④

---

38 현행 소득세법상 퇴직소득세의 특징으로 옳지 않은 것은?

2014년 국가직 7급 변형

① 퇴직소득이 있는 거주자에 대해서는 해당 과세기간의 퇴직소득금액에서 근속연수공제하고, 그 금액을 근속연수로 나누고 12를 곱한 후의 금액(이하 '환산급여')에서 환산급여에 따라 정한 금액을 공제한다.

② 퇴직소득에 대한 과세표준은 제22조에 따른 퇴직소득금액에 제48조에 따른 퇴직소득공제를 적용한 금액으로 한다.

③ 임원의 퇴직소득금액(공적연금 관련법에 따라 받는 일시금은 제외하며, 2011년 12월 31일에 퇴직하였다고 가정할 때 지급받을 대통령령으로 정하는 퇴직소득금액이 있는 경우에는 그 금액을 뺀 금액을 말함)이 법 소정의 금액을 초과하는 경우 그 초과하는 금액은 근로소득으로 본다.

④ 퇴직소득은 종합소득에 속하나 종합소득과세표준에 합산하지 않고 분리과세된다.

정답 및 해설

거주자의 종합소득 및 퇴직소득에 대한 과세표준은 각각 구분하여 계산한다. 즉, 퇴직소득은 장기간 형성된 소득이 일시에 실현되는 특징을 갖고 있으므로 종합소득과 구분하여 계산한다. ∵ 분류과세

답 ④

39 소득세법령상 국내에서 거주자에게 발생한 소득의 원천징수에 대한 설명으로 옳지 않은 것은? 2019년 국가직 9급

① 원천징수의무자가 국내에서 지급하는 이자소득으로서 소득세가 과세되지 아니하는 소득을 지급할 때에는 소득세를 원천징수하지 아니한다.

② 내국인 직업운동가가 직업상 독립된 사업으로 제공하는 인적 용역의 공급에서 발생하는 소득의 원천징수세율은 100분의 3이다.

③ 법인세 과세표준을 결정 또는 경정할 때 익금에 산입한 금액을 배당으로 처분한 경우에는 법인세 과세표준 신고일 또는 수정신고일에 그 배당소득을 지급한 것으로 보아 소득세를 원천징수한다.

④ 근로소득을 지급하여야 할 원천징수의무자가 1월부터 11월까지의 근로소득을 해당 과세기간의 12월 31일까지 지급하지 아니한 경우에는 그 근로소득을 12월 31일에 지급한 것으로 보아 소득세를 원천징수한다.

정답 및 해설

소득세법 제131조【이자소득 또는 배당소득 원천징수시기에 대한 특례】 ② 법인세법 제67조에 따라 처분되는 배당에 대하여는 다음 각 호의 어느 하나에 해당하는 날에 그 배당소득을 지급한 것으로 보아 소득세를 원천징수한다.
  1. 법인세 과세표준을 결정 또는 경정하는 경우: 소득금액변동통지서를 받은 날
  2. 법인세 과세표준을 신고하는 경우: 그 신고일 또는 수정신고일

답 ③

---

40 소득세법령상 원천징수에 대한 설명으로 옳은 것은? 2021년 국가직 9급

① 매월분의 근로소득에 대한 원천징수세율을 적용할 때에는 기본세율(일용근로자의 근로소득은 100분의 6)을 적용한다.

② 매월분의 공적연금소득에 대한 원천징수세율을 적용할 때에는 100분의 3을 적용한다.

③ 비거주자가 원천징수하는 소득세의 납세지는 국내사업장과 관계없이 그 비거주자의 거류지 또는 체류지로 한다.

④ 서화·골동품의 양도로 발생하는 소득에 대하여 양수자인 원천징수의무자가 국내사업장이 없는 비거주자 또는 외국법인인 경우로서 원천징수를 하기 곤란하여 원천징수를 하지 못하는 경우에는 서화·골동품의 양도로 발생하는 소득을 지급받는 자를 원천징수의무자로 본다.

정답 및 해설

(선지분석)
① 원천징수의무자가 매월분의 근로소득을 지급할 때에는 근로소득 간이세액표에 따라 소득세를 원천징수한다.
② 원천징수의무자가 공적연금소득을 지급할 때에는 연금소득 간이세액표에 따라 소득세를 원천징수한다.
③ 원천징수하는 자가 비거주자인 경우 소득세의 납세지는 그 비거주자의 주된 국내사업장 소재지로 한다. 다만, 주된 국내사업장 외의 국내사업장에서 원천징수를 하는 경우에는 그 국내사업장의 소재지, 국내사업장이 없는 경우에는 그 비거주자의 거류지 또는 체류지로 한다.

답 ④

41 소득세법령상 원천징수에 대한 설명으로 옳은 것은?

2021년 국가직 7급

① 원천징수의무자는 소득세가 과세되지 아니하거나 면제되는 소득에 대해서도 원천징수를 하여야 한다.

② 법인세과세표준을 결정 또는 경정하는 경우 법인세법에 따라 소득처분되는 배당에 대하여는 소득금액변동통지서를 받은 날에 그 배당소득을 지급한 것으로 보아 소득세를 원천징수한다.

③ 직전 연도의 상시고용인원이 30명인 원천징수의무자는 그 징수일이 속하는 반기의 마지막 달의 다음 달 10일까지 원천징수세액을 납부할 수 있다.

④ 직장공제회 초과반환금에 대한 원천징수세율은 100분의 14이다.

정답 및 해설

선지분석

① 원천징수의무자가 소득세가 과세되지 아니하거나 면제되는 소득을 지급할 때에는 소득세를 원천징수하지 아니한다.

③ 직전 연도(신규로 사업을 개시한 사업자의 경우 신청일이 속하는 반기)의 상시고용인원이 20명 이하인 원천징수의무자(금융 및 보험업을 경영하는 자는 제외) 그 징수일이 속하는 반기의 마지막 달의 다음 달 10일까지 원천징수세액을 납부할 수 있다.

④ 직장공제회 초과반환금에 대한 원천징수세율은 기본세율이다.

답 ②

---

42 소득세법상 거주자 중 반드시 과세표준확정신고를 하여야 하는 자는?

2018년 국가직 7급

① 원천징수대상이 아닌 사업소득만 있는 자

② 분리과세이자소득만 있는 자

③ 공적연금소득만 있는 자

④ 수시부과 후 추가로 발생한 소득이 없는 자

정답 및 해설

원천징수되는 사업소득으로서 간편장부대상자인 보험모집인·방문판매원 및 음료품 배달원의 사업소득만 있는 자는 해당 소득에 대하여 과세표준확정신고를 하지 아니할 수 있다. 따라서 원천징수대상이 아닌 사업소득만 있는 자는 과세표준확정신고를 반드시 하여야 한다.

답 ①

43 소득세법령상 성실신고확인서 제출에 대한 설명으로 옳지 않은 것은?

① 성실신고확인대상 사업자는 종합소득과세표준 확정신고를 할 때에 사업소득금액의 적정성을 세무사 등이 확인하고 작성한 성실신고확인서를 납세지 관할 세무서장에게 제출하여야 한다.

② 성실신고확인대상 사업자가 성실신고확인서를 제출하는 경우에는 종합소득과세표준 확정신고를 그 과세기간의 다음 연도 5월 1일부터 6월 30일까지 하여야 한다.

③ 세무사가 성실신고확인대상 사업자에 해당하는 경우에는 자신의 사업소득금액의 적정성에 대하여 해당 세무사가 성실신고확인서를 작성·제출해서는 아니 된다.

④ 성실신고확인대상 사업자가 성실신고확인서를 납세지 관할 세무서장에게 제출하지 아니한 경우에는 사업소득금액이 종합소득금액에서 차지하는 비율을 종합소득산출세액에 곱하여 계산한 금액의 100분의 20에 해당하는 금액을 결정세액에 더한다.

정답 및 해설

성실신고확인대상 사업자가 성실신고확인서를 납세지 관할 세무서장에게 제출하지 아니한 경우에는 사업소득금액이 종합소득금액에서 차지하는 비율을 종합소득산출세액에 곱하여 계산한 금액의 100분의 5에 해당하는 금액을 결정세액에 더한다.

$$\text{성실신고확인서 미제출가산세} = \text{종합소득산출세액} \times \frac{\text{사업소득금액}}{\text{종합소득금액}} \times 5\%$$

답 ④

44 □□□ 소득세법상 양도소득세의 과세대상이 되는 부동산 양도에 해당하는 것으로만 묶인 것은? 2013년 국가직 9급

> ㄱ. 대물변제에 의한 소유권 이전
> ㄴ. 공유물의 소유지분별 분할(공유지분 변동 없음)
> ㄷ. 경매에 의한 소유권 이전
> ㄹ. 도시개발법에 의한 보류지 충당
> ㅁ. 이혼 시 재산분할에 따른 소유권 이전

① ㄱ, ㄷ
② ㄱ, ㅁ
③ ㄴ, ㄷ
④ ㄴ, ㄹ

소득세법상 양도소득세의 과세대상이 되는 부동산 양도에 해당하는 것은 ㄱ, ㄷ이다.

📄 **양도로 보지 않는 경우**

1. 양도담보(단, 채무불이행으로 인해 자산을 변제에 충당한 경우에는 양도)
2. 도시개발법 등에 따른 환지처분으로 지목 또는 지번이 변경되거나 보류지로 충당되는 경우
3. 법원의 확정판결에 따른 신탁해지를 원인으로 하는 소유권이전등기
4. 매매원인무효의 소에 의하여 매매사실이 원인무효로 판시되어 환원될 경우
5. 공동소유의 토지를 소유지분별로 단순히 분할하거나 공유자지분 변경없이 2개 이상의 공유토지로 분할하였다가 그 공유토지를 소유지분별로 단순히 재분할 하는 경우(단, 공동지분이 변경되는 경우 변경되는 부분은 양도)
6. 명의신탁
7. 이혼으로 인하여 혼인 중에 형성된 부부공동재산을 민법에 따라 재산분할하는 경우
8. 소유자산을 경매·공매로 인하여 자기가 재취득하는 경우

답 ①

45 소득세법상 토지의 소유권이 다음의 사유로 이전되었을 경우 양도소득세 과세대상에 해당되는 것만을 모두 고른 것은?

2010년 국가직 9급

> ㄱ. 채무자의 변제에 충당
> ㄴ. 타인의 건물과 교환
> ㄷ. 체비지로 충당
> ㄹ. 공익사업 시행자의 수용
> ㅁ. 부동산업자의 상가 신축판매

① ㄱ, ㄴ, ㄷ
② ㄱ, ㄴ, ㄹ
③ ㄴ, ㄷ, ㄹ
④ ㄷ, ㄹ, ㅁ

정답 및 해설

옳은 것은 ㄱ, ㄴ, ㄹ이다.
ㄱ. [양도] 대물변제는 과세대상에 해당한다.
ㄴ. [양도] 교환은 과세대상에 해당한다.
ㄹ. [양도] 수용은 과세대상에 해당한다.

선지분석

ㄷ. 양도로 보지 않는 경우이다.
ㅁ. 사업소득으로 과세대상이 아니다.

답 ②

46 소득세법상 거주자의 양도소득의 범위에 대한 설명으로 옳은 것만을 모두 고르면?

2022년 국가직 9급

> ㄱ. 토지 또는 건물의 양도로 발생하는 소득은 양도소득에 포함된다.
> ㄴ. 등기되지 않은 부동산임차권의 양도로 발생하는 소득은 양도소득에 포함된다.
> ㄷ. 지상권의 양도로 발생하는 소득은 양도소득에 포함되지 않는다.
> ㄹ. 영업권의 단독 양도로 발생하는 소득은 양도소득에 포함된다.

① ㄱ
② ㄴ, ㄷ
③ ㄷ, ㄹ
④ ㄱ, ㄴ, ㄹ

정답 및 해설

옳은 것은 ㄱ이다.

선지분석

ㄴ. 등기된 부동산임차권의 양도로 발생하는 소득은 양도소득에 포함된다.
ㄷ. 지상권의 양도로 발생하는 소득은 양도소득에 포함된다.
ㄹ. 영업권의 단독 양도로 발생하는 소득은 기타소득에 해당한다.

답 ①

47 소득세법상 양도소득세에 관한 설명으로 옳은 것은?

① 법원의 확정판결에 의하여 신탁해지를 원인으로 소유권이전등기를 하는 경우에는 양도소득세 과세대상인 양도에 해당한다.

② 동일한 과세기간에 발생한 토지의 양도소득금액과 주권상장법인 주식의 양도차손은 서로 통산할 수 있다.

③ 사업용 기계장치와 영업권을 함께 양도함으로써 발생한 소득은 양도소득세의 과세대상이다.

④ 법원의 결정에 의하여 양도 당시 그 자산의 취득에 관한 등기가 불가능한 자산을 양도한 경우에는 양도소득기본공제가 적용된다.

정답 및 해설

본래 미등기자산은 양도소득기본공제가 적용되지 아니하나, 다음 중 어느 하나에 해당하는 자산은 미등기자산에서 제외되므로 양도소득기본공제가 적용된다.

> **📄 미등기자산에서 제외되는 자산**
>
> 1. 장기할부조건으로 취득한 자산으로서 계약조건에 따라 등기가 불가능한 자산
> 2. 법률의 규정 또는 법원의 결정에 따라 등기가 불가능한 자산
> 3. 비과세요건을 충족한 1세대 1주택으로서 법에 따른 허가를 받지 않아 등기가 불가능한 자산
> 4. 비과세요건을 충족한 교환·분합하는 농지, 감면요건을 충족한 자경농지 및 대토하는 농지
> 5. 상속에 따른 소유권이전등기를 하지 않은 자산으로서 법률에 따라 사업시행자에게 양도하는 것
> 6. 도시개발법에 따른 개발사업이 종료되지 않아 취득등기를 하지 않고 양도하는 토지

선지분석

① 법원의 확정판결에 의하여 신탁해지를 원인으로 소유권이전등기를 하는 경우에는 양도소득세 과세대상인 양도에 해당하지 않는다.

② 양도차손은 그룹별로 공제가 가능하다. 토지는 1그룹, 상장주식은 2그룹에 속하기 때문에 서로 통산이 불가능하다.

③ 사업에 사용하는 토지·건물·부동산에 관한 권리와 함께 양도하는 영업권의 양도소득은 양도소득세의 과세대상이다.

> **참고** 영업권을 단독으로 양도하거나 기계장치와 함께 양도하는 경우 기타소득에 해당함

답 ④

48 소득세법령상 거주자의 국내자산 양도에 따른 양도차익을 계산할 때 양도가액과 취득가액에 대한 설명으로 옳지 않은 것은?

2017년 국가직 7급

① 양도소득세 과세대상자산을 법인세법에 따른 특수관계인(외국법인 포함)으로부터 취득한 경우로서 법인세법에 따라 거주자의 상여·배당 등으로 처분된 금액이 있으면 그 상여·배당 등으로 처분된 금액을 취득가액에 더한다.

② 양도차익을 계산할 때 양도가액을 기준시가에 따를 때에는 취득가액도 기준시가에 따른다.

③ 특수관계법인 외의 자에게 양도소득세과세대상 자산을 시가보다 높은 가격으로 양도한 경우로서 상속세 및 증여세법에 따라 해당 거주자의 증여재산가액으로 하는 금액이 있는 경우에는 그 양도가액에 증여재산가액을 더한 금액을 양도 당시의 실지거래가액으로 본다.

④ 벤처기업 외의 법인으로부터 부여받은 주식매수선택권을 행사하여 취득한 주식을 양도하는 때에는 주식매수선택권을 행사하는 당시의 시가를 소득세법 제97조 제1항 제1호의 규정에 의한 취득가액으로 한다.

정답 및 해설

법인세법에 따른 특수관계인에 해당하는 법인 외의 자에게 자산을 시가보다 높은 가격으로 양도한 경우로서 상속세 및 증여세법에 따라 해당 거주자의 증여재산가액으로 하는 금액이 있는 경우에는 그 양도가액에 증여재산가액을 뺀 금액을 양도 당시의 실지거래가액으로 본다(이중과세방지규정).

답 ③

---

49 소득세법령상 거주자 甲이 등기된 국내 소재의 상가건물을 아버지 乙에게서 증여받고 그 건물을 특수관계가 없는 거주자 丙(부동산임대업 영위)에게 양도한 경우에 대해 양도소득세 이월과세(소득세법 제97조의2 제1항)를 적용한다고 할 때, 이에 대한 설명으로 옳은 것만을 모두 고른 것은?

2018년 국가직 7급

> ㄱ. 甲이 양도일부터 소급하여 10년 이내에 乙에게서 증여를 받아야 한다.
> ㄴ. 그 건물의 취득가액은 甲이 증여받은 당시 취득가액에 해당하는 금액으로 한다.
> ㄷ. 甲이 그 건물에 대하여 납부한 증여세 상당액이 있는 경우 그 금액은 양도차익을 한도로 필요경비에 산입한다.
> ㄹ. 장기보유특별공제에 관한 보유기간의 산정은 甲이 그 건물을 취득한 날부터 기산한다.

① ㄱ, ㄴ   ② ㄱ, ㄷ

③ ㄴ, ㄷ   ④ ㄷ, ㄹ

정답 및 해설

옳은 것은 ㄱ, ㄷ이다.

선지분석

ㄴ. 건물의 취득가액은 토지를 증여한 乙(직계존비속)의 취득가액으로 한다.

ㄹ. 이월과세가 적용되는 경우 장기보유특별공제에 관한 보유기간의 산정은 乙(증여한 직계존비속)이 해당 자산을 취득한 날부터 기산한다.

답 ②

50 ☐☐☐ 소득세법상 국외자산 양도에 대한 설명으로 옳지 않은 것은?

① 해당 자산의 양도일까지 계속하여 3년 동안 국내에 주소를 둔 자는 국외에 있는 토지 또는 건물의 양도로 발생하는 소득에 대하여 과세한다.

② 국외자산의 양도에 대한 양도차익을 계산할 때 양도가액에서 공제하는 필요경비는 해당 자산의 취득에 든 실지거래가액을 확인할 수 있는 경우에는 그 가액과 대통령령으로 정하는 자본적지출액 및 양도비를 합한 금액으로 한다.

③ 양도차익의 외화 환산, 취득에 드는 실지거래가액, 시가의 산정 등 필요경비의 계산은 양도가액 및 필요경비를 수령하거나 지출한 날 현재 외국환거래법에 의한 기준환율 또는 재정환율에 의하여 계산한다.

④ 국외자산 양도소득세액을 납부하였을 때에는 해당 과세기간의 양도소득산출세액에서 국외자산 양도소득세액을 공제하거나 해당 과세기간의 양도소득금액 계산상 필요경비에 국외자산 양도소득세액을 산입하는 방법 중 하나를 선택하여 외국납부세액의 공제를 적용받을 수 있다.

정답 및 해설

소득세법 제118조의2 【국외자산 양도소득의 범위】 거주자(해당 자산의 양도일까지 계속 5년 이상 국내에 주소 또는 거소를 둔 자만 해당한다)의 국외에 있는 자산의 양도에 대한 양도소득은 해당 과세기간에 국외에 있는 자산을 양도함으로써 발생하는 다음 각 호의 소득으로 한다.
1. 토지 또는 건물의 양도로 발생하는 소득
2. 다음 각 목의 어느 하나에 해당하는 부동산에 관한 권리의 양도로 발생하는 소득
  가. 부동산을 취득할 수 있는 권리(건물이 완성되는 때에 그 건물과 이에 딸린 토지를 취득할 수 있는 권리를 포함한다)
  나. 지상권
  다. 전세권과 부동산임차권

답 ①

---

51 ☐☐☐ 소득세법상 비거주자의 국내사업장에 해당하는 것으로 옳지 않은 것은?

① 비거주자가 6월을 초과하여 존속하는 건축장소, 건설·조립·설치공사의 현장 또는 이와 관련되는 감독활동을 수행하는 장소

② 비거주자가 고용인을 통하여 용역을 제공하는 장소로서 용역의 제공이 계속되는 12월 기간 중 합계 6월을 초과하지 아니하는 경우로서 유사한 종류의 용역이 2년 이상 계속적·반복적으로 수행되는 장소

③ 비거주자가 자기의 자산을 타인으로 하여금 가공하게 하기 위하여만 사용하는 일정한 장소

④ 비거주자가 고용인을 통하여 용역을 제공하는 장소로서 용역의 제공이 계속되는 12월 기간 중 합계 6월을 초과하는 기간 동안 용역이 수행되는 장소

정답 및 해설

소득세법 제120조 【비거주자의 국내사업장】 ④ 다음 각 호의 장소(이하 이 조에서 "특정활동장소"라 한다)가 비거주자의 사업 수행상 예비적 또는 보조적인 성격을 가진 활동을 하기 위하여 사용되는 경우에는 비거주자의 국내사업장에 포함되지 아니한다.
1. 비거주자가 자산의 단순한 구입만을 위하여 사용하는 일정한 장소
2. 비거주자가 판매를 목적으로 하지 아니하는 자산의 저장 또는 보관만을 위하여 사용하는 일정한 장소
3. 비거주자가 광고·선전·정보의 수집·제공 및 시장조사를 하거나 그 밖에 이와 유사한 활동만을 위하여 사용하는 일정한 장소
4. 비거주자가 자기의 자산을 타인으로 하여금 가공만하게 하기 위하여 사용하는 일정한 장소

답 ③

MEMO

MEMO

2025 대비 최신개정판

해커스공무원
이훈엽
세법 기본서 | 1권

개정 4판 1쇄 발행 2024년 5월 3일

지은이	이훈엽 편저
펴낸곳	해커스패스
펴낸이	해커스공무원 출판팀

주소	서울특별시 강남구 강남대로 428 해커스공무원
고객센터	1588-4055
교재 관련 문의	gosi@hackerspass.com
	해커스공무원 사이트(gosi.Hackers.com) 교재 Q&A 게시판
	카카오톡 플러스 친구 [해커스공무원 노량진캠퍼스]
학원 강의 및 동영상강의	gosi.Hackers.com

ISBN	1권: 979-11-7244-077-0 (14360)
	세트: 979-11-7244-076-3 (14360)
Serial Number	04-01-01

공무원 교육 1위,
해커스공무원 gosi.Hackers.com

🇭 해커스공무원

· **해커스공무원 학원 및 인강**(교재 내 인강 할인쿠폰 수록)
· 정확한 성적 분석으로 약점 극복이 가능한 **합격예측 온라인 모의고사**(교재 내 응시권 및 해설강의 수강권 수록)
· 해커스 스타강사의 **공무원 세법 무료 특강**
· '회독'의 방법과 공부 습관을 제시하는 **해커스 회독증강 콘텐츠**(교재 내 할인쿠폰 수록)